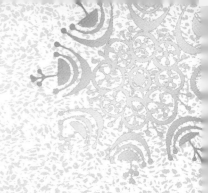

● 张恨水/著

金粉世家

◉ 北岳文艺出版社

第五十七回

暗访寒家追恩原不忝
遣怀舞榭相见若为情

清秋一人到了自己屋子里时，只有李妈在这里，刘妈也去赶热闹去了。想到外边热闹，越觉得这里清静。她一人坐着，不觉垂了几点泪。却又不敢将这泪珠让人看见，连忙要了热水洗了一把脸，重新扑了一点粉。但是心事究竟放不下去，一个人还是默默的坐着。恰好燕西跑了过来拿钱，看见清秋这种样子，便道："傻子，人家都找玩儿去了，你为什么一个人坐在屋子里发闷?走!打牌去。"说着，就来拉清秋的手。清秋微笑道："我不去，我不会打牌，我吃多了油腻东西，肚子里有些不舒服。"燕西一把托了清秋的下巴颏，偏着头对她脸上望了一望，指着她笑道："小东西，我看出来了。你想起家来了，是不是?"说着，就改着唱戏腔调道："我这头一猜……"清秋笑道："猜是猜着了，那也算是你白猜。"燕西道："我有一个法子，马上让你回去看伯母去，说出来了，你怎样谢我?"说时，一直问到清秋脸上来，清秋身子一低，头一偏道："不要废话了。"燕西道："你以为我骗你吗?我有最好一个法子吗!现在不过十点钟，街上今晚正是热闹，我就说同去逛逛去，咱们偷偷的回你们家里去一趟，有谁知道?"清秋道："是真的吗?闹得大家知道，那可不是玩的。"燕西道："除了我，就是你，你自己是不会说，我当然也是不能说。那么，哪里还有第三个人说出来呢?不过我若带你回了家，你把什么来谢我呢?"清秋道："亏你还能说出这种乘人于危的话!我的母亲，也是你的岳母，她老人家一个人，在家里过那寂寞的三十晚，你也应当去看看。再说，她为什么今年过年寂寞起来哩?还不是为了你。"燕西笑着拱拱手道："是是!我觉悟了。你穿上大衣罢，我这就陪你去。"清秋这一喜自是非凡，连忙就换上衣服，和燕西轻悄悄的走出来。只在门房里留了话，说是街上逛逛去。门口的熟车子也不敢坐，一直到了大街上，才雇了两辆车，飞驰到落花胡同来。

燕西一敲门，韩观久便在里面问是谁，清秋抢着答应道："妈爹，是我回来了。"韩观久道:"啊哟!我的大姑娘!"说时,哆哩哆嗦,就把大门开了,门里电灯下,照着院子里空荡荡的。清秋早是推门而入,站在院子里,就嚷了一声妈。冷太太原是踏着旧毛绳鞋,听了一声妈,赶快迎了出来;把一双鞋扔在一边,光了袜子底,走到外面屋子里来。等不及开风门,在屋子里先就说道:"孩子。"清秋和燕西一路进了屋来,冷太太眯眯的笑了,说道:"这大年夜怎么你两人来了?"清秋笑道:"家里他们都打牌,他要我到街上来看今晚的夜市。我说妈一人在家过年,他就说来看你。"冷太太道:"也不是一个人,你舅舅刚走呢。"清秋看家里时,一切都如平常,只是堂屋里供案上,加了一条红桌围。冷太太这才觉得脚下冰凉,笑着进房去穿鞋。燕西夫妇,也就跟着进来了。这一看,屋子里正中那一盏电灯,拉到一边,用一根红绳,拉在靠墙的茶几上。茶几上放着一个针线藤簸箕,上面盖了两件旧衣服。想到自己未来之前,一定是母亲在这里缝补旧衣服,度这无聊的年夜,就可想到她刚才的孤寂了。右边一只铁炉子,火势也不大,上面放了一把旧铜壶,正烧得咕嘟咕嘟的响,好像也是久没有人理会。便道:"舅舅怎么过年也不在家里呆着?乳妈呢?"韩妈穿了一件新蓝布褂,抓鬓上插了一朵红纸花,一掀帘子,笑道:"我没走开,听说姑娘回来了,赶着去换了一件衣服。"燕西笑道:"我们又不是新亲戚过门,你还用上这一套做什么?"韩妈笑道:"大年下总得取个热闹意思。"说着,她又去了一会子工夫,就把年果盒捧了来。燕西道:"嘿!还有这个!"于是对清秋一笑道:"今年伯母的果盒,恐怕是我们先开张了。"冷太太听说,也是一笑。这也不懂什么缘故,立刻心里有一种乐不可支的情景,只是说不出来。韩妈也不知道有什么可乐的事,她也是笑嘻嘻的,在桌底下抽出一条小矮凳子,在一边听大家说话。坐了一会了,她又忙着去泡青果茶,煮五香蛋,一样一样的送来。清秋笑道:"乳妈这做什么?难道还把我当客?"韩妈道:"姑娘虽然不是客,姑爷可是客啊。难得姑爷这样惦记太太,三十晚上都来了。我看着心里都怪乐的,要是不弄点吃的,心里过得去吗?"她这样一说,大家都笑了。说说笑笑,不觉到了一点多钟。清秋笑着对燕西道:"怎么样?我们要回去了吧?"燕西道:"今天家里是通宵有人不睡的,回去晚一点儿不要紧。"冷太太道:"这是正月初一时候了,回去罢,明天早一点儿来就是了。"清秋笑道:"妈还让我初二来吗?"冷太太笑道:"是了,我把话说漏了,既然现在是正月初一的时候,为什么初一来,又叫明天哩?不要说闲话了,回去罢,你这一对人整夜的在外头,也让亲母太太挂心。"清秋也怕出来过久,家里有人盘问起来了,老大不方便。便道:"好!我们回去罢。我们去了,妈早点安歇,明天我们来陪你老人家逛厂甸。"于是就先起身,燕西跟在后面,走出来,依然雇了人力车,一径回家。

金家上上下下的,这时围了不少的人在大厅外院子里,看几个听差放花爆花盒子。燕西走到院子走廊圆门下，笑着对清秋道："差一点儿没赶上。"玉芬也就靠了走廊下一根圆柱子，在看放花爆，一见燕西，就笑道："你小两口子，在哪儿来？弄到这般时候回家。"清秋最是怕这位三嫂子厉害，不料骑牛撞见亲家公，偏是自己回来晚了，又是让她发现的。当然心里一阵惶恐，脸上就未免一阵发热，先就一笑道："他见你们打牌没有他一角，他就想起了我，就硬拉着我去逛街，我不能不跟他去。把我两只脚，走得又酸又痛。"说时，弯着腰，捶着两腿。燕西也笑道："你真无用，走几步路，就会累得这样。"清秋也不和他多辩，就到人丛里面去了。燕西站在玉芬身边，未曾走开，玉芬道："你小两口儿，感情倒是不错，这样夜深，还有兴致逛街。"燕西笑道："你们玩的地方，我们不够资格哩。"玉芬将嘴一撇道："干吗呀？这样损我们。"燕西正要接着说时，那花盒子正放到百鸟投林的一幕，几千百只火鸟，随着爆竹声，四围乱射。大家哄的一阵笑，都向后退。一个大火星，斜刺里向玉芬耳鬓射来，吓得玉芬哎呀一声，向后一缩。不是燕西拉着她的手胳膊，她几乎摔倒在地下。玉芬站定了笑道："这花盒子是谁放的？有这样一档子，事先也不告诉人，吓了我这样一大跳。"一面说着，一面用手去扶理额角前的那一段的头发。她似乎有些难为情，不等花爆放完，她就走开了。当天晚上，燕西到处赶着热闹，并未把这层事留意。及至过了这天，又是大正月里，大家赶着这儿玩，那儿闹，更不会把三十晚上那一节小事为念了。

　　这日是正月初四，燕西在家里打了一天小牌，到了下午，闷的慌，也不知道哪儿去玩好。这几天戏园子是不把戏名写上戏报的，都是吉祥新戏。你真要到戏园子里去撞撞看，就会撞到一些清淡无味的吉祥戏，白花了钱。要去看电影吧？这些日子，又没有报，也没有电影广告，不知道演的是什么片子。索性哪儿也不去玩，跑到屋子里来闲呆着。清秋道："该玩的时候，又不去玩。"燕西道："你叫我去玩，这是第一次。"清秋道："并不是我催你去玩，你哪儿也不去，老守在屋子里，是会让人家笑话的。"燕西笑道："原来为此。我实在是找不着玩意。"清秋道："你不是说带我到华洋饭店去看化装跳舞的吗？"燕西道："那要到星期六呢。"说时连忙站起来，看桌上大玻璃罩里的旋轮日历，今天可不是星期六！因笑道："不是你提起，我倒把这个机会错过了。别在家里吃饭了，我们一块儿到饭店里吃去。"清秋笑道："你就是这样胡忙，你常对我说，跳舞要到十点钟才会热闹，去得那早做什么？"燕西道："那我就先躺一会，回头好有精神跳舞。"清秋笑道："好罢，回头我要看你那灵活的交际手段了。"燕西很是高兴，本想还多邀家中几个人一块儿去的，可是一到了下午，各人都预定玩的方针了，一个伴都邀不着。到了晚上九点多钟，有一辆送人上戏院子的汽车，打戏院子开回来。燕西夫妇便坐到华洋饭店去，分付汽车夫，把听戏的人接回家了，再上华洋饭店去接自己。清秋因为从小不懂跳舞，没有和燕西到这地方来过，今晚是破题儿

第一遭,少不得予以注意。

进了饭店大门,早有一个穿黑呢制服的西崽,头发梳得光而且滑,像戴了乌缎的帽子一般,看着燕西来了,笑着早是弯腰一鞠躬。燕西穿的是西装,顺手在大衣袋里一掏,就给了那西崽两块钱。左手一拐,是一个月亮门,垂着绿绸的帷幔。还没有走过去,就有两个西崽掀开帷幔。进去一看,只见一个长方形屋子,沿了壁子,挂着许多女子的衣服和帽子,五光十色,就恍如开了一家大衣陈列所一般。燕西低声道:"你脱大衣罢。"清秋只把大襟向后一掀,早就过来两个人,给她轻轻脱下,这真比家里的听差,还要恭顺得多。由女储衣室里出来,燕西到男储衣室脱了衣帽,二人便同上大跳舞厅。那跳舞厅里电灯照耀,恍如白昼,脚底下的地板,犹如新凝结的冰冻,一跳一滑。厅的四周,围拢着许多桌椅,都坐满了人,半环着正面那一座音乐台。那音乐台的后方,有一座彩色屏风,完全是一只孔雀尾巴的样子,七八个俄国人都坐在乐器边等候。燕西和清秋拣了一副座位同坐下,西崽走过来,问了要什么东西,一会子送了两杯蔻蔻来。立刻那白色电灯一律关闭,只剩了紫色的电灯,放着沉醉的亮光。音乐奏着紧张的调子,在音乐台左方,拥出一群男女来。这些人有的穿了戏台上长靠的,有的穿了满清朝服,有的装着宫女,有的装着满洲太太。最妙的是一男一女扮了大头和尚戏柳翠,各人戴了个水桶似的假头,头上画的眉毛眼睛,都带一点清淡的笑容,一看见那样,就会令人失笑。在座的人,一大半都站将起来跳舞,那两个戴了假脑袋的,也是搂抱着跳舞,在人堆里挤来挤去。那头原是向下一套,放在肩膀上的,人若一挤,就会把那活动的脑袋,挤歪了过去,常常要拿手去扶正。跳舞场上的人,更是忍笑不住。清秋笑道:"有趣是有趣,大家这么放浪形骸的闹,未免不成体统。"燕西道:"胡说,跳舞厅里跳舞,难道和你背礼记孝经不成?"清秋道:"譬方说罢,这里面自然有许多小姐太太们,平常人家要在路上多看她一眼,她都要不高兴,以为人家对她不尊重。这会子化装化得奇形怪状,在人堆里胡闹,尽管让人家取笑,这就不说人家对她不尊重了。"燕西低着声音道:"傻子,不要说了,让人家听见笑话。"清秋微笑了一笑,也就不做声了。头一段跳舞完了,音乐停止,满座如狂的鼓了一阵掌,各人散开。

距离燕西不远的地方,恰好有一个熟人,这熟人不是别个,就是鹤荪的女友曾美云小姐。和曾美云同坐的,还有那位鼎鼎大名的舞星李老五。燕西刚一回转头,那边曾李二位,已笑盈盈站起来点了一个头。燕西只好起身走过去,曾美云道:"同座的那位是谁?是新少奶奶吗?"燕西笑道:"小孩子不懂事。但是我可以给你二位介绍一下。"说着,对清秋点了点头,清秋走过来一招呼,曾美云看她如此年轻,便拉在一处坐。曾美云笑道:"七爷好久不到这里来了,今天大概是为了化装跳舞来的,不知七爷化的是什么装?"燕西道:"今

天我是看热闹来的，并不是来跳舞。"曾美云笑道："为什么呢？"说这话时，眼光向清秋一溜，好像清秋不让他跳舞似的。燕西道："既然是化装跳舞，就要化装跳舞才有趣，我是没有预备的。"李老五道："这很容易，我有几个朋友预备不少的化装东西。七爷要去，我可以介绍。"清秋笑道："李五小姐既要你去化装，你就试试看。"燕西也很懂清秋的意思，就对李老五道："也好。这个舞伴，我就要烦李五小姐了，肯赏脸吗？"李老五眼睛望了清秋笑道："再说罢。"清秋笑道："我很愿看看李五小姐的妙舞呀，为什么不赏脸呢？"李老五点点头，来不及说话，已引着燕西走了。到了那化装室里，李老五和他找一件黄布衫，一顶黄头巾，一个土地公的假面具，还有一根木拐杖。李老五笑道："七爷，你把这个套上，你一走出舞厅去，你们少奶奶，都要不认得呢。"燕西道："你呢？不扮一个土地婆婆吗？"李老五道："呸！你胡说，你现在还讨人的便宜呢？"燕西道："现在为什么不能讨便宜呢？为的是结了婚吗？这倒让我后悔，早知道结了婚就不得女朋友欢喜的，我就不结婚了。"李老五笑道："越说越没有好的了，出去罢。"燕西真个把那套土地爷的服装穿起来。李老五却披了一件画竹叶的白道袍，头上戴着白披风，成一个观音大士的化装。外面舞厅里音乐奏起来，她和燕西携着手，就走到舞伴里面去了。

燕西在人堆里混了一阵，取下假面具。当他取下面具时，身边站的一个女子，化为一个魔女的装束，戴了一个罩眼的半面具。她也取下来了。原先都是戴了面具，谁也不知道谁。现在把面具取下来，一看那女子，不是别人，却是白秀珠。燕西一见，招呼她是不好，不招呼她也是不好，连忙转身去，复进化装室，把化装的衣服脱了。清秋也是高兴，跟到化装室来。燕西笑道："你跑来做什么？一个人坐在那里有些怕吗？"清秋道："凭你这一说，我成了一个小孩子了，我也来看看，这里有什么玩意？"燕西脱下那化装的衣服，连忙挽着清秋的手，一路出去。到了舞厅里，恰好秀珠对面而来。她看见燕西挽了一个女子，知道是他的新夫人，一阵羞恨交加，人几乎要晕了过去。这会子不理人家是不好，理人家更是不好，人急智生，就在这一刹那间，她伸手一摸鬓发，把斜夹在鬓发上的一朵珠花堕落在地板上。珠花一落地上，马上弯着腰下去捡起来。她弯下去特别的快，抬起头来，却又非常的慢，因此一起一落，就把和燕西对面相逢的机会，耽误过去。燕西也知其意，三脚两步的就赶到了原坐的座位上来。清秋不知这里面另含缘故，便道："你这是什么回事？走得这样快。这地板滑得很，把我弄摔倒了，那可是笑话。"燕西强笑道："好久不跳舞，不大愿意这个了。我看这事没有多大趣味，你以为如何？我要回去了。"清秋微笑道："我倒明白了。大概这里女朋友很多，你不应酬不行，应酬了又怕我见怪，是也不是？这个没有关系，你爱怎么应酬，就怎么应酬，我决不说一个不字。"她原是一句无心的话，不料误打误撞的，正中了燕西的心病，不由得脸上一阵发热，红齐耳根。清秋哪知这里有白秀珠在场，却还是谈笑自若，看到燕西那种情形，笑道："你只管坐下罢，待一会儿再走，来一趟很不容易，既然来了，怎又匆匆的要走？"燕西除了说自己烦腻而外，却没有别的什么理由可说，笑道："你倒看得很有味吗？那末，就坐一下子罢。"他这样说着，原来坐在正对着舞场的椅子上，这时却坐到侧边去。清秋原不曾留意，所以并不知道。只是白秀珠的座位，相隔不远，却难为情了，回去好呢，不回去好呢？回去是怕这里的男女朋友注意，若是不回去，更不好意思对着燕西夫妇。因此搭讪着有意开玩笑，只管把那半截假面具，罩住了眼睛。那李老五却看出情形来了，低了头把嘴向燕西这边一努，却对曾美云笑道："今天这里另外还有一幕哑剧，你知道不知道？"曾美云道："你不是说的小白吗？她不在乎的。"李老五道："虽然不在乎，她和金老七从前感情太好了，如今看到人家成双作对，她的爱人却和别人在一处，心里怎么不难受呢？"两人头著着头，说了又笑，笑了又向燕西桌上望望，又向对面望望。清秋对于李老五那种浪漫的情形，多少有一点注意，见了她俩只管看过来，看过去，就未免向对面看了一看。见那里有一位小姐，面上还带了假面具。燕西只管脸朝了这边，总不肯掉过去。清秋就问他道："对面那位漂亮的小姐是谁？"燕西回头看了一看道："我也不知道是谁，但是她罩着半边脸呢，你怎样知道她是一个漂亮的小姐？"清秋道："若不是漂亮，她为什么把脸罩住，怕人看见呢？"燕西道："是漂亮的，要露给人看才有面子，为什么倒反而罩住呢？"清秋道："管她漂亮不漂亮，我问她是谁？你怎样不答复？"燕西想了一想，微笑道："这倒也用不着瞒你，不过在这里不便说，让我回去再告诉你罢。"清秋抿嘴一笑道："我就知道这里面有缘故呢。"燕西在这里说话，白秀珠在那边看见，也似乎有点感觉了，不多大一会，她已起身走了。燕西见她起身已走，犹如身上轻了一副千百斤的担子，干了半身汗，掉过身子来，对着外坐了。自己虽没有继续跳舞，但是听了甜醉的音乐，看了滑稽的舞伴，也就很有趣，就不说走了。

　　燕西坐了一会，回头一看李老五、曾美云却不见了，心想，她莫不是到饮料室休息去了，找她们说笑两句也好。于是笑着对清秋道："你坐会，我到楼上去，找一个外国朋友去。"清秋笑道："是男的还是女的呢？"燕西道："哪里那那多女朋友？"这一句话说完，他就起身走开。华洋饭店的饮料室和跳舞厅相距得很远，燕西从前常和舞伴溜到这里来的。燕西推开门进去，却不见有多少人，靠近窗户，坐了一个女子，回过头来，正是白秀珠。双方相距得很远，要闪避就闪避不及了，只得点了头笑道："过年过得好啊？"秀珠本想不理他，但是人家既然招呼过来了，总不能置之不理，便点了头，笑道："好！七爷也过年好哇？"在这一刹那之间，她觉得人家追寻而来，就让他坐下，看他说些什么？燕西既招呼了她，不能不

和她在一张桌子边坐下。秀珠手上正拿了一只玻璃杯子，在掌心里转着，一句话也说不出来。燕西顷刻之间也想不出有什么话可说，和秀珠对面坐着，先微微咳嗽两声，然后说道："我们好久不见了。"秀珠依旧低了头，鼻子哼了一声，心里正有一句要说，抬头一看，曾美云和李老五两人进来了。秀珠和燕西，都难为情到了万分，不知道怎么样好。曾美云、李老五也愣住了，觉得这样一来，有心撞破了人家的约会，也是难为情。一刻工夫，四副面孔，八只眼珠，都呆住了。还是秀珠调皮一点，站起来笑道："真巧，我一个人来，一会子倒遇着三个人了。一块儿坐罢，我会东。"曾美云和李老五见她很大方的样子，也坐过来。燕西走又不是，坐又不是，只好借着向柜台边打电话叫家里开汽车来，并不回头就这样走了。

　　到了舞厅上，清秋问道："你的朋友会到了吗？"燕西道："都没有找着，我觉得这里没有多大意思，我们回去罢。车子也就快来了。"清秋对燕西一笑，也不说什么，又坐十五分钟，西崽来说，宅里车来了。燕西递过牌子去，向外面走，走到半路上，就有两个西崽一人提了一件大衣和他们穿上。燕西穿上大衣，在衣袋里一掏，掏出两张五元钞票，一个西崽给了一张。西崽笑着一鞠躬道："七爷回去了。"燕西点头哼了一声，出门坐上车。清秋道："你这个大爷的脾气，几时才改？"燕西道："又是什么事，你看不过去？"清秋道："你给那储衣室茶房的年赏为什么给到十块钱？"燕西笑道："你这就是乡下人说话。这种洋气冲天的地方，有什么年和节？我们哪一回到储衣室里换衣服，也得给钱的。"清秋道："都是给五块一次吗？"燕西道："虽不是五块一次，至少也得给一块钱，难道几毛钱也拿得出手不成？"清秋道："你听听你这句话，是大爷脾气不是？既给一块钱也可以，两个人给两块钱就是了，为什么要给十块呢？三十那天，你是那样着急借钱，好容易把钱借来了，你就是这样胡花。"燕西将嘴对前面汽车夫一努，用手捶了清秋的腿两下。清秋低了声音笑道："你以为底下人不知道七爷穷呢？其实底下人知道的，恐怕比我还要详细的多，你这样真是掩耳盗铃了。"燕西将手一举，侧着头，笑着行了个军礼。清秋笑道："看你这种不郑重的样子。"燕西怕她再往下说，掉过头去一看，只见马路上的街灯流星似的，一个一个跳了过去。燕西敲着玻璃板道："小刘，怎么回事？你想吃官司还是怎么着，车子开得这样的快。"小刘道："你不知道，大爷在家里等着要车子呢。今天晚上，我跑了一宿了。"燕西道："都送谁接谁？"小刘道："都是送大爷接大爷。"他说着话，就拼命的开了车跑，不多大一会儿工夫，就到了家。

　　燕西记挂凤举跑了一晚，或者有什么意味的事，就让清秋一个人进去。叫了小刘来问："大爷有什么玩意？"小刘道："哪里有什么玩意？和那边新少奶奶闹上别扭了。先是要一块儿出去玩儿，也不知为什么，在戏院子里绕了一个弯就跑出来？出来之后，一同到那

边,就送大爷回来。回来之后,大爷又出去,出去了又回来,这还说要去呢。"燕西道:"那为什么?跑来跑去,发了疯了吗?"小刘道:"看那样子,好像大爷拿着什么东西,来去掉换似的。"燕西道:"大少奶奶在家不在家?"小刘道:"也出去听戏去了,听说三姨太太请客呢。"燕西笑道:"这我就明白了。一定是他们在戏院子里碰到,大爷不能奉陪,新少奶奶发急了,对不对?"小刘笑道:"大概是这样,不信你去问他看。"燕西听了,这又是一件新鲜的消息,连忙就走到凤举院子里来。

第五十八回

情种恨风波醉真拚命
严父嗟豚犬忿欲分居

这个时候，凤举正将一件大衣搭在手上，就向外走。燕西道："这样夜深，还出去吗?戏院子里快散戏了。"凤举道："晚了吗?就是天亮也得跑。我真灰心!"燕西明知道他的心事，却故意问道："又是什么不如意，要你这样发牢骚?"凤举道："我也懒得说，你明天就明白了。"燕西笑道："你就告诉我一点，要什么紧呢?"凤举道："上次你走漏消息，一直到如今，事情还没了，你大嫂是常说，要打上门去。现在你又来惹祸吗?好在这事要决裂了，我告诉你也不要紧。这回晚香和我大过不去，我决计和她散场了。"燕西道："哦! 你半夜出去，就为的是这个吗? 又是为什么事起的呢?"凤举道："不及芝麻大的一点儿事，哪里值得上吵。她要大闹，我有什么法子呢?"他一面说着，一面向外走。燕西知道他是到晚香那里去，也不追问他，回头再问小刘，总容易明白，且由他去。凤举走到门口，小刘早迎上前来，笑道："大爷还出去吧?车子我就没有敢开进来。"凤举道："走走走，不要废话。"说时眉毛就皱了起来。小刘见大爷怒气未消，也不敢多说话，自去开车。凤举坐上车去一声也不言语，也不抬头，只低了头想心事。一直到了小公馆门口，车子停住，走下车去，手上搭着的那一件大氅，还是搭在手上。走到上房，只有晚香的卧室放出灯光，其余都是漆黑的。外面下房里的老妈子，听到大爷的声音，一路扭了灯进来。凤举看见，将手一摆道："你去罢，没有你的事。"老妈子出去了，凤举就缓缓走到晚香屋子里来。只见她睡在铜床上，面朝着里。床顶上的小电灯，还是开着。枕头外角，却扔下了一本鼓儿词，这样分明未曾睡着，不过不愿意理人，假装睡着罢了。因道："你不是叫我明天和你慢慢的说吗?我心里搁不住事，等不到明天，你有什么话，就请你说。"晚香睡在床上，动也不一动，也不理会。凤举道："为什么不做声呢?我知道，你无非是说我对你不住。我也承认对你不住。不过自从你到我这里来以后，我花了多少钱，你总应该知道。你所要的东西，除非是力量办不到的，只要可以想法子,我总把它弄了来。而且我这里也算一分家,一切由你主持,谁也不来干涉你,自由到了极点了,你还要怎么样?我也没有别的话说,我要怎样做,才算对得住你?你若是说不出所以然来,就算你存心挑眼。天下没有一百年不散的筵席,那算什么?若是不愿意的话,谁也不能拦谁。你说,我究竟是哪一件事对你不住?"晚香将被一掀,一个翻身,坐了起来,脸上板得一点儿笑容没有。头一偏道:"散就散,那要什么紧?可是不能糊里糊涂的就这样了事。"凤举冷笑道:"我以为永远就不理我呢,这不还是要和我说话?"晚香道:"说话要什么紧?打官司打到法庭上去,原被两告,还说说话呢。"凤举静默了许久,正着脸色道:"听你的口音,你是非同我反脸不可的了。我问你,既有今日,何必当初呢?"晚香道:"你倒问我这话吗?你讨我不过几个月,说的话你不应该忘记。你曾说了,总不让我受一点委屈。不然,我一个十几岁的人,忙些什么,老早的就嫁给人做姨太太?我起初住在这里,你倒也敷衍敷衍我,越来越不对,近来两三天只来一个照面,丢得我冷冷清清的,一天到晚在这里坐牢似的,我还要怎样委屈?这都不说了,今天包厢看戏,也是你的主意,我又没和你说,非听戏不可。不料一到了戏院子里,你就要走,缩头缩脑,作贼似的。你怕你的老婆娘,那也罢了,为什么还要逼我一块儿走。有钱买票,谁也可以坐包厢。为什么有你怕的人在那里,我听戏都听不得?难道我在那里就玷辱了你吗?或者是我就会冲犯了她呢?"凤举道:"嘿!我这是好意啊,你不明白吗?我的意思,看那包厢里,或者有人认得你,当面一告诉了她……"晚香跷了拖鞋走下床,一直把身子挺向凤举面前来道:"告诉她又怎么样?难道她还能够叫警察轰我出来,不让我听戏吗?原来你果然看我无用,让我躲开她,好哇!这样的瞧我不起。"凤举道:"这是什么话?难道我那样顾全两方面,倒成了坏意吗?"晚香道:"为什么要你顾全?不顾全又怎么样?难道谁能把我吃下去不成?"凤举见她说话,完全是强词夺理,心里真是愤恨不平。可是急忙之中,又说不出个理由来,急得满脸通红,只是叹无声的气。晚香也不睬他,自去取了一根烟卷,架了脚坐在沙发椅上抽着。用眼睛斜看了凤举,半晌喷出一口烟来,而且不住的发着冷笑。凤举道:"你所说的委屈就是这个吗?要是这样说,我只有什么也不办,整天的陪着你才对了。"晚香将手上的烟卷,向痰盂子里一扔,突然站了起来道:"屁话!哪个要你陪?要你陪什么?你就是一年不到这儿来,也不要紧,天下不会饿死了多少人,我一样的能找一条出路。你半夜三更的跑来为什么?为了陪我吗?多谢多谢!我用不着要人陪,你可以请便回去。"凤举被她这样一说,究竟有些不好意思。便道:"谁来陪你?我是要来问你,今天究竟为了什么事,要和我闹?问出原因来,我心里安了,也好睡得着觉。"晚香道:"没有什么事,就是这种委屈受不了,你给我一条出路。"凤举先听了她要走的话,还是含糊,不肯向下追问。现在晚香正式的说了出来,不容不理。便冷笑一声道:"哦!原来为此,好办。"说毕,站起来,随手把搭在椅背上的大衣拿起。晚香道:"要走就请快一点,这里没有多少人替你大爷二爷候门。"风举道:"我自然会走,还要你催什么?"晚香道:"不要走吧!仔细我今天晚上就偷跑了,你这儿还有不少的东西呢。你今天晚上是不放心,来看形势的,我不知道?老实告诉你,我没有那样傻,我是来去明白,要好好儿的走的。"说到这里,冷笑一声道:"真是要走的话,我还得见你们的老太爷老太太评评理呢。大爷,你放心,你回家陪你那大奶奶去罢。"说时,将两手便要来推风举。风举将手一摔道:"好,好,好。"说着好字,人就一阵风的走出大门。小刘缩在门房,正围着炉子向火,只听得大门扑通一下响,跑了出来看时,风举已经走出大门,开了车门,自己坐上车去。小刘看了这种情况,知道是大爷生气来着,这也用不着多问,马上上车,开了车就回家。风举一路想着,孔夫子说的不错,惟女子与小人为难养也,近之则不逊,远之则怨。我实在糊涂,何必一时高兴,讨上这样一个人,平空添了许多麻烦?家庭对我一片怨言,这一位对我也是一片怨言。真是我们家乡所谓,驼子挑水,两头不着实。我去年认识她后,认识她就是了,何必把她讨回来?讨回来罢了,何必这样大张旗鼓的重立什么门户?一路这样想着,只是悔恨交加。

后来到了家里,一看门口,电灯通亮,车房正是四面打开,汽车还是一辆未曾开进去。大概在外面玩的人,现在都回来了。风举满腹是牢骚,就不如往日欢喜热闹。又怕自己一脸不如意的样子,让佩芳知道了,又要盘问,索性是不见她为妙。因此且不回房,走到父亲公事房对过一间小楼上去。这间小楼,原先是风举在这里读书,金铨以声影相接,好监督他。后来风举结了婚,不读书了,这楼还是留着,作为了一个告朔之饩羊。风举一年到头也不容易到这里来一回。这时他心里一想,女子真是惹不得的,无论如何,总会乐不敌苦。从今以后,我要下个决心,离开一切的女子,不再作这些非分之想了。他猛然间有了这一种觉悟,他就想到独身的时代常住在小楼,因此他毫不踌躇,就上这楼来。好在这楼和金铨的屋子相距的近,逐日是打扫干净的。风举由这走廊下把电灯亮起,一直亮到屋子里来。那张写字台,还是按照学者读书桌格式,在窗子头斜搁着。所有的书,还都放在玻璃书格子里,可是门已锁了,拿不出书来。只有格子下面那抽屉还可打开,抽出来一看,里面倒还有些零乱无次的杂志。于是抽了一本出来,躺在皮椅子上来看。这一本书,正是十年前看的幼年杂志,当年看来,是非常有味,而今看起来,却一点意思都没有,哪里看得下去?扔了这一本,重新拿一本起来,又是儿童周刊,要看起来,更是笑话了。索性扔了书不看,只靠着椅子坐着,想自己的事。自己初以为妓女可怜,不忍晚香那娇弱的人才,永久埋在火坑里,所以把她娶出来。娶出来之后,以她从前太不自由了,而今要给她一个极端的自由。不料这种好意，倒让人家受了委屈，自己不是庸人自扰吗？再说自己的夫人，也实在太束缚自己了，动不动就以离婚来要挟。一来是怕双亲面前通不过，必要怪自己的。二来自己在交际上，有相当的地位，若是真和夫人离了婚，大家要哗然了。尤其是中国官场上，对于这种事，不能认为正当的。三来呢，偏是佩芳又怀了孕，自己虽不需要子女，然而家庭需要小孩，却比什么还急切。这样的趋势，一半是自己做错了，一半是自己没有这种勇气可以摆脱。设若自己这个时候，并没有正式的结婚，只是一个光人，高兴就到男女交际场上走走，不高兴哪一个女子也不接近。自己不求人，人家也挟制不到我。现在受了家里夫人的挟制，又受外面如夫人的挟制，两头受夹，真是苦恼。自己怎样迁就人家，人家也是不欢喜，自己为了什么？为了名？为了利？为了欢乐？一点也不是！然则自己何必还苦苦周旋于两人之间？这样想着，实在是自己糊涂了，哪里还能怪人？尤其是不该结婚，不该有家庭，当年不该读书，不该求上进，不该到外国去，想来想去，全是悔恨。想到这里，满心烦躁也不知道怎样才能解释胸中这些块垒？一个人在楼上，只有酒能解闷，不如弄点酒来喝罢。于是走下楼去，到金铨屋里按铃。上房听差，听到总理深夜叫唤，也不知道有什么要紧的事，伺候金铨杂事的赵升便进来了。一进房看见是凤举，笑道："原来是大少爷在这里。"凤举道："你猜不到吧？你到厨房里去，叫他们和我送些吃的来。不论有什么酒，务必给我带一壶来。"赵升笑道："我的大少爷，你就随便在哪儿玩都可以，怎么跑到这里来喝酒？"凤举道："我在这里喝酒，找挨骂吗？对面楼上，是我的屋子，你忘了吗？"赵升一抬头，只见对面楼上，灯火果然辉煌。笑道："大爷想起读书来了吗？"凤举道："总理交了几件公事，让我在这楼上办。明日就等着要，今晚要赶起来。我肚子饿了，非吃一点不可。"赵升听说是替总理办事，这可不敢怠慢，便到厨房里去对厨子说，叫他们预备四碟冷荤，一壶黄绍，一直送到小楼上去。同时赶着配好了一只火酒锅子的材料，继续送去。凤举一人自斟自饮，将锅子下火酒烧着，望着炉火熊熊，锅子里的鲜汤，一阵阵香气扑鼻，更鼓起饮酒的兴趣。于是左手拿杯，右手将筷子挑热菜，吃喝个不歇。眼望垂珠络的电灯，摇了两腿出神。他想，平常酒绿灯红，肥鱼大肉，也不知道吃了多少？不觉得有什么好胃口。像今晚上这样一个自斟自酌，吃得多么香，这样看起来，独身主义究竟不算坏，以后就这样老抱独身主义，妇女们又奈我何？不来往就不来往，离婚就离婚，看她们怎样？一个人只管想得出神，举了杯子喝一口，就把筷子捞夹热菜向嘴里一送。越吃越有味，把一切都忘了。黄绍这种酒，吃起来就很爽口，不觉得怎样辣，一壶酒毫不费力，就把它喝一个干净。酒喝完了，四碟冷荤和那锅热菜，都还剩有一半。吃得嘴滑，不肯就此中止。因之下楼按铃，把赵升叫来。不等他开口，先说道："你去把厨子给我叫来,我要骂他一顿。为什么拿一把漏壶给我送酒来?壶里倒是有酒,我还没有喝得两盅,全让桌子喝了。"赵升笑道:"这是夜深,睡得糊里糊涂,也难怪他们弄不好。我去叫他们重新送一壶来就是了。"凤举听了这话,就上楼去等着。不一会儿,厨子又送了一壶酒来了。而且这一壶酒,比上一次还多些。凤举有点酒意了。心里好笑,我用点小计,他们就中了圈套了,这酒喝得有趣。于是开怀畅饮,又把那一壶酒,喝了一个干净。赵升究竟不放心,先在楼下徘徊了一阵,后来悄悄的走上楼,站在廊外,探头向里张望了几回,见凤举只喝酒,并没有像要做公事的样子。凤举一回头,见一个人影子在外面一晃,便问是谁?赵升就答应了一声,推门进去。凤举道:"酒又没有了,给我再去要一壶来。"说时,把酒壶举得高高的,酒壶底朝天,那酒一滴一滴由酒壶嘴上滴到杯子里去。赵升笑道:"大爷还不去睡吗?你别老往下喝了,你是要醉在这里,总理知道了,大家都不好。"凤举向赵升一瞪眼,拿着酒壶向桌上一顿,骂道:"有什么不好?大正月里,喝两杯酒也犯法吗?看你们这种谨小慎微的样子,实在是个忠仆。其实背了主子,你们什么事也肯干。喝酒?比喝酒重十倍的事,你们也做得有。主子能狂嫖浪赌,好吃好喝,你们才心里欢喜。用十块钱,你们至少要从中弄个三块两块的。"赵升听了他这一套话,心里好个不欢喜。看看他的脸色,连眼睛珠子都带红了。不知道他是怒色,还是酒容,只得笑道:"你怎样了?大爷。"凤举一放筷子,站起身来,身子向后一晃,正要两手扶桌子时,一只手扑了空,一只手扶在桌沿上,把一双筷子按着竖起来,将一只杯子一挑,一齐滚到楼板上去。他身子也站不住,向后一倒,倒在椅子上,椅子也是向后仰着一晃。幸得赵升抢上前一把扯住,不然,几乎连人和椅一齐倒下。这实在醉得太厉害了,夜半更深,闹出事来,可不是玩的!当时他上前将凤举挽住,皱眉道:"大爷,我叫你不要喝,你还说不会醉呢。现在怎么样了?依我说,你……"不曾说完,凤举向一旁一张皮椅上一倒,人就倒下去了。赵升一想,这要让他下楼回自己屋里去睡觉,已经是不可能,只好由他就在这里睡着。赶忙把碗筷收了下楼,擦抹了桌椅,撮了一把檀香末子,放在檀香炉里点上,让这屋子添上一股香气,把油腥酒气解了。但是待他收拾干净了,已经是两点多钟了。楼上楼下,几盏电灯,兀是开放着。这样夜深电力已足,电灯是非常的明亮。这楼高出院墙,照着隔壁院子里,都是光亮的。

　　恰好金铨半夜醒来,他见玻璃窗外,一片灯光,就起身来看是哪里这样亮?及看到那是楼上灯光,倒奇怪起来,那地方平常白天还没有人去,这样夜深,是谁到那楼上去了?待要出来看时,一来天气冷,二来又怕惊动了人,也就算了。第二日一早起来,披上衣服,就向前面办公室里看去,见那玻璃窗子里,还有一团火光,似乎灯还有亮的。便索性扶了梯子走上楼去。只见小屋里，所有四盏电灯，全部亮上。凤举和衣躺在皮椅上，将皮褥子盖了，他紧闭了眼，呼都呼都嘴里向外呼着气。金铨俯着身子，看了一看他的脸色，只觉一股酒气向人直冲了过来，分明是喝醉了酒了。便走上前喊道："凤举！你这是怎样了？"凤举睡得正香，却没有听见。金铨接上叫了几句，凤举依然不知道。金铨也就不叫他，将电门关闭，自下楼去。回到房里，金太太也起来了。金铨将手一撒道："这些东西，越闹越不成话了，我实在看不惯。他们有本事，他们实行经济独立，自立门户去罢。"金太太道："没头没脑，你说这些话做什么？"金铨叹了一口气道："这也不能怪他们，只怪我们做上人的，不会教育他们，养成他们这骄奢淫逸的脾气。"金太太原坐在沙发上的，听了他这些话，越发不解是何意思，便站起来迎上前道："清早起来，糊里糊涂，是向谁发脾气？"金铨又叹了一口气，就把凤举喝醉了酒，睡在那楼上的话说了一遍。金太太道："我以为有什么了不得的事，你这样发脾气，原来是凤举喝醉了酒。大正月里，喝一点酒，这也很平常的事，何至于就抬出教育问题的大题目来？"说着这话，脸上还带着一脸的笑容。金铨道："就是这一点，我还说什么呢。他们所闹的事，比喝醉了胜过一百倍的也有呢。我不过为了这一件事，想到其他许多事情罢了。"于是按了铃叫听差进来，问昨晚是谁值班？大家就说是赵升值班。金铨就把赵升叫进来，问昨晚上凤举怎样撞到那楼上去了？赵升见这事已经闹穿了，瞒也是瞒不过去的，老老实实，就把昨晚上的事直说了。金太太听了，也惊讶起来，因道："这还了得！半夜三更，开了电灯，这样大吃大喝。这要是闹出火烛来了，那怎样得了！赵升，你这东西，也糊涂。看他那样闹，你怎么不进来说一声？"赵升又不敢说怕大爷，只得哼了两声。金铨向他一挥手道："去罢。"赵升背转身，一伸舌头走了。金铨道："太太，你听见没有，他是怎样的闹法？我想他昨晚上，不是在那里输了一个大窟窿，就是在外面和妇女们又闹了什么事。因此一肚子委屈，无处发泄，就回来灌黄汤解闷。这东西越闹越不成话！我要处处罚他。"金太太向来虽疼爱儿女，可是自从凤举在外面讨了晚香以后，既不归家，又花消得厉害，也不大喜欢他了。心想，趁此，让他父亲管管，未尝不好，也就没有言语。

那边凤举一觉醒来，一直睡到十二点。坐起来一看，才知道不是睡在自己房里。因为口里十分渴，下得楼来，一直奔回房里，倒了一杯温茶，先漱一漱口，然后拿了茶壶，一杯一杯斟着不断的喝。佩芳在一边看报，已经知道他昨晚的事了，且不理会。让他洗过脸之后，因道："父亲找你两回了，说是哪家银行里有一笔账目，等着你去算呢。"说毕，抿了嘴微笑。凤举想着，果然父亲有一批股票交易，延搁了好多时候未曾解决。若是让我去，多少在这里面又可以找些好处。连忙对镜子整了一整衣服，便来见父亲。这时金铨在太太屋子里闲话，看见凤举进来，望了他一下，半晌没有言语。凤举何曾知道父亲生气，以为还是和平常一样，有话要和他慢慢的说，便随身在旁边沙发上坐了。金太太在一边，倒为他摸了一把汗，又望了他一下。这一下，倒望得凤举一惊，正要起身，金铨偏过头来，向他冷笑一声。凤举心里明白，定是昨晚的事发作了，可是又不便先行表示。金铨道："我以为你昨晚应该醉死了才对呢，今天倒醒了。是什么事，心里不痛快，这样拚命喝酒？"凤举看看父亲脸色，慢慢沉将下来，不敢坐了，便站起身来道："是在朋友家里吃酒，遇到几个闹酒的。"金铨不等他说完，喝道："你胡说！你对老子都不肯说一句实话，何况他人？你分明回来之后，和厨房里要酒要菜，在楼上大吃大喝起来，怎么说是朋友家里？你这种人，我看一辈子也不会有出息的。我不能容你，你自己独立去。"金太太见金铨说出这种话来，怕凤举一顶嘴，就更僵了。便道："没有出息的东西，没有做过一件好事情，你给我滚出去罢。"凤举正想借故脱逃，金铨道："别忙让他走，我还有话，要和他说一说。"凤举听到这话，只得又站住。金铨道："你想想看，我不说你，你自己也不惭愧吗？你除了你自己衙门里的薪水而外，还有两处挂名差事，据我算，应该也有五六百块钱的收入。你不但用得不够，而且还要在家里公账上这里抹一笔，那里抹一笔，结果，还是一身的亏空。我问你，你上不养父母，下不养妻室，你的钱哪里去了？果然你凭着你的本领挣来的钱，你自己花去也罢了。你所得的事，还不全是我这老面子换来的？假若有一天，冰山一倒，我问你怎么办？你跟着我去死吗？这种年富力强的人，不过做了一个吃老子的寄生虫，有什么了得？你倒很高兴的，花街柳巷，花天酒地，整年整月的闹。你真有这种闹的本领，那也好，我明天写几封信出去，把你的差事一齐辞掉，再凭你的能力，从新开辟局面去。"凤举让父亲教训了一顿，倒不算什么。只是父亲说他十分无用，除了父亲的势力就不能混事，心里却有些不服。因低了头，看着地下，轻轻说道："家里现在又用不着我来当责任，在家里自然是闲人一样。可是在衙门里，也是和人家一样办公事。何至于那样不长进，全靠老人家的面子混差事？"金铨原坐着，两手一拍大腿，站了起来。骂道："好！你还不服我说你无用，我倒要试试你的本领？"金太太一见金铨生气，深怕言词会愈加激烈，就拦住道："这事你值得和他生气吗？你有事只管出去，这事交给我办就是了。"金铨道："太太！你若办得了时，那就好了，何至于让他们猖狂到现在这种地步？"说毕，又昂头叹了一口长气。这虽是两句很平淡的话，可是仔细研究起来，倒好像金太太治家不严，所以有这情形。要在平常，金太太听了这话，必得和金铨顶上几句。现在却因为金铨对了大儿子大发雷霆，若要吵起来，更是显得袒护儿子了。只好一声不言语，默然坐着。金铨对凤举道："很好！你不是说你很有本领吗？从今天起，我让你去经

457

济独立。你有能耐,做一番事业我看,我很欢迎。"说时,将手横空一划,表示隔断关系的样子。接上把脸一沉道:"把佩芳叫来,当你夫妇的面,我宣告。"金太太只得又站起来道:"子衡,你能不能让我说一两句话?"金太太向不叫金铨的号,叫了号,便是气极了。金铨转过脸道:"你说罢!"金太太道:"你这种办法,知道的说你是教训儿子。不知道的,也不定造出什么是非,说我们家庭生了裂缝。你看我这话对不对?"金铨一撒手道:"难道尽着他们闹,就罢了不成?"金太太道:"惩戒惩戒他们就是了,又何必照你的意思捧出那个大题目来哩?"于是一转面向凤举道:"做儿子的人,让父亲生气,有什么意思?你站在这里做什么?还要等一个水落石出吗?还不滚出去!"凤举原是把话说僵了,抵住了,不得转弯。现在有母亲这一骂,正好借雨倒台,因此也不说什么,低了头走出去。心里想着,真是福无双至,祸不单行。昨晚上在外面闹了一整晚,今天一醒过来,又是这一场臭骂。若不是母亲在里面暗中帮忙,也许今天真个把我轰出去了,都未可定呢。一路低了头,想着走回房去。佩芳笑道:"这笔银行里的债,不在少数吧?你准可以落个二八回扣。"凤举歪着身子向沙发椅上一倒,两只手抱了头,靠在椅子背上,先叹了一口气。佩芳微笑道:"怎么样?没有弄着钱吗?"凤举道:"你知道我挨了骂,你还寻什么开心?"佩芳道:"你还不该骂吗?昨天晚上让姨奶奶骂糊涂了,急得回家来灌黄汤。你要知道,酒是不会毒死人的。没奈姨奶奶何,要寻短见,还得想别个高明些的法子。话又说回来了,你也应该要种的泼辣货来收拾你。平常我和你计较一两句,你就登台拜帅似的,搭起架子,要论个三纲五常。而今人家逼得你笑不是,哭不是,我看你有什么法子?"凤举一肚子委屈,他夫人不但不原谅,冷嘲热讽,还要尽量挖苦。一股愤愤不平之气,由丹田直透顶门,恨不得抢起拳头,就要将佩芳一顿痛打。转身一想,这种人是一点良心都没有的,打她也是枉然,只当没有她们这些人,忍住一口气罢。佩芳见凤举不作声,以为他还是碰了钉子,气无可出,就不做声。这也不必去管他。

　　这一天,凤举伤了酒,精神不能复原,继续的又在屋子里睡下。一直睡到下午二点钟方才起来。这天意懒心灰,哪儿也不曾去玩。到了次日上午,父亲母亲都不曾有什么表示,以为这一桩公案,也就过去了。不多大一会儿,忽然得了一个电话,是部里曾次长电话。说是有话当面说,可以马上到他家里去。这曾次长原也是金铨一手提拔起来的人物。金家这些弟兄们,都和他混得很熟,平常一处吃小馆子,一处跳舞。曾次长对于凤举,却不曾拿出上司的派头来。所以凤举得了电话,以为他又是找去吃小馆子,因此马上就坐了汽车到曾家去。曾次长捧了几份报纸,早坐在小客厅里,躺在沙发上,带等带看了。曾次长一见他进来,就站起来相迎。笑道:"这几天很快活吧?有什么好玩意?"凤举叹了一口气道:"不要提

起,这几天总是找着无谓的麻烦,尤其是前昨两日。"一面说时,一面在曾次长对过的椅子上坐下。曾次长笑道:"我也微有所闻。总理对这件事很不高兴,是吗?"凤举道:"次长怎么知道?"曾次长道:"我就是为了这事,请凤举兄过来商量的哩。因为总理有一封信给我,我不能不请你看看。"说毕,在身上掏出一封信,递给凤举。他一看,就大惊失色。

第五十九回

绝路转佳音上官筹策
深闺成秘画浪子登程

原来那封信，不是别人写来的，却是金铨写给曾次长的信。信上说：

思恕兄惠鉴：旧岁新年，都有一番热闹，未能免俗，思之可笑。近来作么生？三日未见矣。昨读西文小说，思及一事，觉中国大家庭制度，实足障碍青年向上机会。小儿辈袭祖父之余荫，少年得志，辄少奋斗，纨绔气习，日见其重。若不就此纠正，则彼等与家庭，两无是处。依次实行，自当从凤举作起。请即转告子安总长，将其部中职务免去，使其自辟途径，另觅职业，勿徒为闲员，尸位素餐也。铨此意已决，望勿以朋友私谊，为之维护。是所至盼，即颂新福。

铨　顿

凤举看了，半晌做声不得。原来凤举是条约委员会的委员，又是参事上任事，虽非实职，每月倒拿个六七百块钱。而且别的所在，还有兼差。若是照他父亲的话办，并非实职人员，随时可以免去的。一齐免起来，一月到哪里再找这些钱去，岂不是糟了？父亲前天说的话，以为是气头上的话，不料他老人家真干起来。心里只管盘算，却望了曾次长皱了一皱眉，又微笑道："次长回了家父的信吗？"曾次长笑道："你老先生怎么弄的？惹下大祸了。我正请你来商量呢。"凤举笑道："若是照这封信去办，我就完了。这一层，无论如何，得请次长帮个忙，目前暂不要对总长说，若是对总长说了，那是不会客气的。"曾次长笑道："总长也不能违抗总理的手谕，我就能不理会吗？"凤举道："不能那样说。这事不通知总长，次长亲自对家父说一说，就说我公事办得很好，何必把我换了？家父当也不至于深究，一定换我。"曾次长道："若是带累我碰一个钉子呢？"凤举笑道："不至于，总不至于。"曾次长笑道："我也不能说就拒绝凤举兄的要求，这也只好说谋事在人罢了。"凤举笑道："这样说，倒是成事在天了。"曾次长哈哈大笑起来，因道："我总极力去说，若是不成，我再替你想法子。"凤举道："既如此，打铁趁热罢。这个时候，家父正在家里，就请次长先去说一说，回头我再到这里来听信。"曾次长道："何其急也?"凤举道："次长不知道，我现在弄得是公私交迫，解决一项，就是一项。"曾次长道："我就去一趟，白天我怕不回来，你晚上等我的信罢。"凤举用手搔着头发道："我是恨不得马上就安定了。真是不成，我另作打算。"于是站起来要走，曾次长也站起来，用手拍了一拍凤举的肩膀笑道："事到如今，急也无用。早知如此，快活的时候何不检点一些子?"说着，又是哈哈一笑。凤举道："其实我并没有快活什么，次长千万不可存这个思想。若是存这个思想，这说人情的意思，就要清淡一半下来了。"曾次长笑道："你放心罢，我要是不维护你，也不能打电话请你来商量这事了。"凤举又拱了拱手，才告辞而去。

今天衙门里已过了假期，便一直上衙门去。到了衙门里，一看各司科，都是沉寂寂的，并不曾有人。今天为了补过起见，特意来的，不料又没有人。心想，怎么回事?难道将假期展长了?及至遇到一个茶房，问明了，才知道今天是星期。自己真闹糊涂了，连日月都分不清楚了。平常多了一天假，非常欢喜的事，必要出去玩玩。今天却一点玩的意味没有，依然回家。到了家里，只见曾次长的汽车，已经停在门外，心里倒是一喜，因就外面小客厅里坐着，等候他出来，好先问他的消息。不料等了两个钟头，还不见出来。等到三点多钟，人是出来了，却是和金铨一路同出大门，各上汽车而去，也不知赴哪里的约会去了。凤举白盼望了一阵子，晚上向曾宅打电话，也是说没有回来，这日算是过去。次日衙门里开始办公，正有几项重要外交要办，曾次长不得闲料理私事。晚上实在等不及了，就坐了汽车到曾宅去会他，恰好又是刚刚出门，说不定什么时候回来，又扫兴而回。一直到了第三日，一早打了电话去，问次长回来没有?曾宅才回说请过去。凤举得了这个消息，坐了汽车，马上就到曾家去。曾次长走进客厅和他相会，就连连拱手道："恭喜恭喜! 不但事情给你遮掩过去了，而且还可以借这个机会，给你升官呢。"凤举道："哪有这样好的事?"曾次长道："自然是事实，我何必拿你这失意的人开心呢?"凤举笑着坐下，低了头想着，口里又吸了一口气，摇着头道："不但不受罚，还要加赏。这个人情，讲得太好了，可是我想不出是一个什么法子?"曾次长道："这法子，也不是我想的，全靠着你的运气好。是前天我未上府上去之先，接到了总长一个电话，说是上海那几件外交的案子非办不可，叫我晚上上去商议。我是知道部里要派几个人到上海去，我就对总理说:部里所派的专员，有你在内。而且你对于那件案子，都很有研究，现在不便换人。而且这也是一个好机会，何必让他失了?总理先

461

是不愿意，后来我又把你调开北京，你得负责任去办事，就是给他一个教训，真是没有什么成绩，等他回来再说，还不算迟。总理也就觉得这是你上进的一个好机会，何必一定来打破？就默然了。前夜我和总长一说，这事就大妥了。"凤举听到要派他到上海去，却为难起来。别的罢了，晚香正要和自己决裂；若是把她扔下一月两月，不定她更要闹出什么花样来。曾次长看到他这种踌躇的样子，便道："这样好的事情，你老哥还觉得有什么不满意的吗？"凤举道："我倒并不是满意不满意的问题，就是京里有许多事情，我都没有办得妥当，匆匆忙忙一走，丢下许许多多的问题，让谁来结束呢？"曾次长笑道："这个我明白，你是怕走了，没有人照料姨太太吧？"凤举笑道："那倒不见得。"曾次长道："这是很易解决的一个问题，你派一两个年老些的家人，到小公馆里去住着，就没有事了。难道有了姨太太的人，都不应该出门不成？"凤举让他一驳，倒驳得无话可说。不过心里却是为了这个问题，而且以为派了年老家人去看守小公馆的办法，也不大妥当。不过心里如此，嘴里可不能说出来，还是坐在那里微笑。这种的微笑，正是表示他有话说不出来的苦闷。然而曾次长却不料他有那样为难的程度，因笑道："既然说是有许多事情没结束，就赶快去结束罢。公事一下来，说不定三两天之内就要动身呢。"说着，他已起身要走，凤举只好告辞。

回得家来，先把这话和夫人商量。佩芳对这事正中下怀，以为把凤举送出了京，那边小公馆里的经济来源，就要发生问题。到了那个时候，不怕凤举在外面讨的人儿不自求生路。因道："是很好的机会啊！有什么疑问呢？当然是去。要不去，除非是傻子差不多。"凤举笑道："这倒是很奇怪！说一声要走，我好像有许多事没办，可是仔细想起来，又不觉得有什么事。"佩芳道："你有什么事？无非是放心不下那位新奶奶罢了。"凤举经佩芳对症发药的说了一句，辩驳不是，不辩驳也不是，只是微微笑了一笑。佩芳道："你放心去罢，你有的是狐群狗党，他们会替你照顾一切的。"凤举笑道："你骂我就是了，何必连我的朋友，也都骂起来呢？"佩芳将脸一沉道："你要走，是那窑姐儿的幸事了。我早就要去拜访你那小公馆，打算分一点好东西。现在你走了，这盘账我暂揭开去，等你回来再说。"她说时，打开玻璃盒，取了一筒子烟卷出来，当的一声，向桌上一板，拿了一根烟卷衔在嘴里。将那根夹子上的取灯，一只手在夹子上划着，取出一根划一根，一连划了六七根，然后才点上烟。一声不响的站着，靠了桌子犄角抽烟。这是气极了的表示。向来她气到无可如何的时候，便这样表示的。凤举对夫人的阃威，向来是有些不敢犯。近日以来，由惧怕又生了厌恶。夫人一要发气，他就想着，他们是无理可喻的，和他们说些什么？因此夫人做了这样一个生气的架子以后，他也就取了一根烟抽着，躺在沙发上并不说什么，只是摇动着两腿。佩芳道："为什么不做声？又打算想什么主意来对付我吗？"凤举见佩芳那种态度，是不容人作答复的，就始终守着缄默。心里原把要走的话，去对晚香商量。可是正和晚香闹着脾气，自己不愿自己去转圜。而且佩芳正监视着，让她知道了，更是麻烦。在家中一直挨到傍晚，趁着佩芳疏神，然后才到晚香那里去。

　　晚香原坐在外面堂屋里，看见他来，就避到卧室里面去了。凤举跟了进去，晚香已倒在床上睡觉。凤举道："你不用和我生气，我两天之内就要避开你了。"晚香突然坐将起来道："什么?你要走，我就看你走罢。你当我是三岁两岁的小孩子怕你骇唬吗?"凤举原是心平气和，好好的来和她商量。不料她劈头劈脑就给一个钉子来碰。心想，这女子越原谅她，越脾气大了，你真是这样相持不下，我为什么将就你?便鼻子里哼了一声，冷笑道："就算我骇唬你罢。我不来骇唬你，我也不必来讨你的厌。"抽身就走。他还未走到大门，晚香已是在屋子里哇的一声哭将起来。照理说，情人的眼泪，是值钱的。但是到了一放声哭起来，就不见得悦耳。至于平常女子的哭声，却是最讨厌不过。尤其是那无知识的妇女，带哭带说，那种声浪，听了让人浑身毛孔突出冷气。凤举生平也是怕这个，晚香一哭，他就如飞的走出大门，坐了汽车回家。

　　佩芳正派人打听，他到哪里去了?而今见他已回，也不作声，却故意皱着眉，说身上不大舒服。她料定凤举对着夫人病了，不能把他扔下，这又可以监守他一夜了。哪里知道凤举正为了碰了钉子回来，不愿意再出去呢。到了第二日早上，赵升站在走廊下说："总理找大爷去。"凤举听了又是父亲叫，也不知道有没有问题，一骨碌爬起床，胡乱洗了一把脸，就到前面去。一进门，先看父亲是什么颜色，见金铨笼了手，在堂屋里踱来踱去，却没有怒色，心里才坦然了。因站在一边，专听他父亲分付。金铨一回头看见了他，将手先摸了一摸胡子，然后说道："你这倒成了个塞翁失马，未始非福了。我的意思是要惩戒你一下，并不是要替你想什么出路。偏是你的上司，又都顾了我的老面子，极力敷衍你。我要一定不答应，人家又不明白我是什么用意。我且再试验你一次，看你的成绩如何?"凤举见父亲并不是那样不可商量的样子，就大了胆答道："这件事，似乎要考量一下子。"金铨不等他说完，马上就拦住道："作了几天外交官，就弄出这种口头禅来，什么考量考量? 你只管去就是了，谁又敢说哪句话? 办什么事，对什么事就有把握，好在去又不是你一个人，多多打电报请示就是了。我叫你来，并没有别什么事，我早告诉佩芳了，叫她将你行囊收拾好了，趁今天下午的通车，你就先走。我还有几件小事，交给你顺便带去办。"说着，在身上掏出一张字条交给他。凤举将那字条接过，还想问一问情形。金铨道："不必问了，大纲我都写在字条上。至于详细办法，由你斟酌去办，我要看看你的能力如何?"凤举道："今天就走，不仓促一点吗?"金铨道："有什么仓促?你衙门里并没有什么事，家里也没有什么事，你所认为仓促的，无非是怕耽误了你玩的工夫。我就为了怕你因玩误事，所以要你这样快走。"金太太听了他父子说话，她就由屋子里走出来，插嘴道："你父亲叫你走，你就今天走，难道你还有什么大不了的事？就是有，我们都会给你办。"凤举看到这种情形，又怕他父亲要生气，只好答应走。直等金铨没有什么话说了，便走到燕西这边院子里，连声嚷着老七。连叫好几声，也没有见人出来。一回头，却见燕西手上捧着一个照相匣子，站在走廊上，对着转角的地方。清秋穿了一件白皮领子斗篷，一把抄着，斜侧着身子站定。凤举道："难怪不做声，你们在照相。这个大冷天，照得出什么好相来？"燕西还是不回答，一直让把相照完，才回头道："我是初闹这个，小小心心的干，一说话分了心，又会照坏。"清秋道："大哥屋里坐罢。"凤举道："不！我找老七到前面去有事。"燕西见他不说出什么事，就猜他有话，不便当着清秋的面前说，便收照相匣子，交给清秋，笑道："可别乱动，糟了我的胶片。"清秋接住，故意一松手，匣子向下一落，又蹲着身子接住。燕西笑道："淘气！拿进去罢。"清秋也未曾说什么，进屋子里去了。燕西跟凤举走到月亮门下，他又忽然抽身转了回去，也追进屋子去，去了好一会儿。凤举没有法，只好等着。心想，他们虽然说是新婚燕尔，然而这样亲密的程度，我就未曾有过。这也真是人的缘分，强求不来的。燕西出来了，便问道："怎么去了这久？大风头上，叫我老等着。"燕西道："丢了一样东西在屋子里，找了这大半天呢。你叫我什么事？"

　　凤举道："到前面去再说。"一直把燕西引到最前面小客厅里，关上了门，把自己要走的话告诉他。因道："晚香那里，我是闹了四五天的别扭，如今一走，她以为或有别的用意，你可以找着蔚然和逸士两人，去对她解释解释。关于那边的家用，"燕西笑道："别的我可以办，谈到了一个钱字，我比你还要没有办法，这可不敢胡乱答应。"凤举道："又不要你垫个三千五千，不过在最近一两个星期内，给她些零钱用就是了，那很有限的，能花多少钱呢？你若是真没有办法，找刘二爷去，他总会给你搜罗，不至于坐视不救的。"燕西道："钱都罢了。你一走保不定她娘家又和她来往，纵然不出什么乱子，也与体面有关。我们的地位，又不能去干涉她的。"凤举听了这话，揪住自己头上一缕头发，低着头闭了眼，半晌没做声。突然一顿脚道："罢！她果然是这样干，我就和她情断义绝，天下没有不散的筵席。"燕西见老大说得如此决裂倒愣住了。凤举低着声音道："自然，但愿她不这样做。"燕西见老大一会儿工夫说出两样的话来，知道凤举的态度，是不能怎样决绝的，因笑道："走，你总是要走的。这事你就交给我就是了，只要有法子能维持到八方无事，就维持到八方无事，你看这个办法如何？"凤举道："就是这样。我到了上海以后，若是可以筹到款子，我就先划一笔电汇到刘二爷那里。只要无事，目前多花我几个钱，倒是不在乎。"燕西笑道："只要你肯花钱，这事总比较的好办。"凤举在身掏出手表来一看，因道："没有时间了，我得到里面去收拾东西，你给我打一个电话，把刘二和老朱给我约来。"燕西道："这个时候，人家都在衙门里，未必能来。就是能来，打草惊蛇的，也容易让人注意。你只管走就是了，这事总可不成问题。"

　　凤举也不便再责重燕西，只得先回自己屋里，去收拾行李。佩芳迎着笑道："恭喜啊，马上荣行了！"凤举笑道："不是我说你，你有点吃里爬外。老人家出了这样一个难题给我做，你该帮助我一点才是。你不但不帮助我，把老人家下的命令，还秘密着不告诉我，弄得我现在手忙脚乱，说走就走。"佩芳眉毛一扬，笑道："这件事情，是有些对不住。可是你要想想，我若是事先发表，昨晚上你又不知道要跑到小公馆里去，扔下多少安家费。我把命令压下了一晚上，虽然有点不对，可是给你省钱不少了。"凤举心里想，妇人家究竟是一偏之见，你不让我和她见面，我就不会花钱吗？当时摇了摇头，向着佩芳笑道："厉害！"佩芳鼻子哼了一声道："这就算厉害？厉害手段，我还没有使出来呢。你相信不相信？我这一着棋，虽然杀你个攻其无备，但是我知道你必定要拜托你的朋友，替你照应小公馆的。我告诉你说，这件事你别让我知道，我若是知道了，谁做这事，我就和谁算账！"凤举笑道："你不要言过其实了。我知道今天要走，由得着消息到现在，统共不到一点钟，这一会儿工夫，我找了谁？"佩芳道："现在你虽没有找，但是你不等到上海，一路之上，就会写信给你那些知己朋友的。"凤举心想，你无论如何机灵，也机灵不过我，我是早已拜托人的了。一想之下，马上笑起来。佩芳道："怎么样？我一猜中你的心事，连你自己也乐了。"凤举道："就算你猜中了罢。没有时间，不谈这些了。给我收拾的衣服，让我看看，还落了什么没有？"佩芳道："不用得看了，你所要的东西，我都全给你装置好了。只要你正正经经的作事，我是能和你合作的。"说着，把检好了的两只皮箱，就放在地板上打开，将东西重检一过，一样一样的让凤举看。果然是要用的东西差不多都有了。凤举笑着伸了一伸大拇指，说道："总算办事能干。我要走了，你得给我钱行呀。"一伸食指，掏了佩芳一下脸。佩芳笑道："谁和你动手动脚的？你要钱行，我就和你钱行，但是你在上海带些什么东西给我呢？"凤举道："当然是有，可是多少不能定，要看我手边经济情形如何？设若我的经济不大充分，也许要在家里弄……"佩芳原是坐着的，突然站将起来，看看凤举的脸道："什么？你还要在家里弄点款子去。你这样做事，家里预备着多少本钱给你赔去？"凤举连连摇手道："我这就要走了，我说错了话，你就包涵一点罢。"妇人家的心理，是不可捉摸的，她有时强硬到万分，男子说鸡蛋里面没有骨头，她非说有骨头不可。有时男子随便两句玩话，不过说得和缓一点，妇人立刻慈悲下来，男子要怎么样，就怎么样。这个时候，凤举几句话又把佩芳软化得成了绕指柔，觉得丈夫千里迢迢出远门去，不安慰他一点，反要给他钉子碰，这实在太不对了。因此和凤举一笑，便进里面，给他检点零碎去。凤举也就笑着跟进去了。不到一会儿，开上午饭来，夫妇二人很和气的在一块儿吃过了午饭，东西也收拾妥当了。于是凤举就到上房里，去见过母亲告别。此外就是站在各人院子里，笑着叫了一声走了。家里一大批人，男男女女，少不得就拥着到他院子里来送行。

　　人一多，光阴一混，就到了三点钟，就是上火车的时候了，凤举就坐了汽车上车站。家里送行的人，除了听差而外，便是佩芳、燕西、梅丽三人。凤举本还想和燕西说几句临别赠言，无如佩芳是异常的客气，亲自坐上凤举的车，燕西倒和梅丽坐了一辆车子。在车子上，佩芳少不得又叮咛了凤举几句。说是上海那地方，不是可乱玩的。上了拆白党的当，花几个钱还是小事，不要弄出乱子来，不可收拾。凤举笑道："这一点事，我有什么不知道？难道还会上人家的仙人跳吗？"佩芳道："就是堂子里，你也要少去。弄了脏病回来，我是不许你进我房门的。"说着话，到了车站。站门外，等着自己的家里听差，已买好了票，接过行李，就引他们一行四人进站去。凤举一人定了一个头等包房，左边是外国人，右边莺莺燕燕的，正有几个艳装女子在一处谈话。看那样子，也有是搭客，也有是送行的。佩芳说着话，站在过道里，死命的盯了那边屋子里几眼，听那些人说话，有的说苏白，有的说上海话，所谈的事，都很琐碎。而且还有两个女子在抽烟，看那样子，似乎不是上等人。因悄悄的问燕西道："隔壁那几位，你认识吗？"燕西以为佩芳看破了，便笑道："认识两个。他们看见有女眷在一处，不敢招呼。你瞧，那个穿绿袍缀着白花边的，那就是花国总理。"佩芳将房门关上，脸一沉道："这个房间，是谁包的？"一面说时，一面看那镜子里边正有一扇门，和那边相通。凤举已明白了佩芳的意思，便笑嘻嘻的道："我虽然不是什么正经人，决不能见了女子，我就会转她的念头。况且那边屋子里，似乎不是一个人，我就色胆如天，也不能闯进人家房子里去。"佩芳听了这话，不由得噗嗤一笑。凤举道："你这也无甚话可说了。"燕西道："不要说这些不相干的话，现在火车快要开了，有什么话先想着说一说罢。"佩芳笑道："一刻儿工夫，我也想不出什么话来。"因望着凤举道："你还有什么说的没有？可先告诉我也好。"凤举道："我没有什么话，我就是到了上海，就有一封信给你。"梅丽道："我也想要大哥给我买好多东西，现在想不起来，将来再写信告诉你罢。"说到这里，月台上已是叮当叮当摇起铃来。燕西佩芳梅丽就一路下车，站在车窗外月台上。凤举由窗子里伸出头来，对他们三人说话。汽笛一声，火车慢慢的向前展动，双方的距离，渐渐的远了。燕西还跟

着追了两步，于是就抬起手来，举了帽子，向空中摇了几摇。梅丽更是抽出胸襟下掖的长手绢，在空气里招展的来而复去。佩芳只是两手举得与脸一样高，略微招动了一下。凤举含着微笑，越移越远，连着火车，缩成了一小点，佩芳他们方才坐车回家而去。

第六十回

渴慕未忘通媒烦说客
坠欢可拾补过走情邮

这时,梅丽和佩芳约着坐一辆车,让燕西坐一辆车,刚要出站门,忽见白秀珠一人在空场里站着,四周顾盼。一大群人力车,团团转转将秀珠围在中心,大家伸了手掐着腰只管乱嚷,说道:"小姐小姐,坐我的车,坐我的车,我的车干净。"秀珠让大家围住,没了主意,皱了眉顿着脚道:"别闹,别闹!"燕西看她这样为难的情形,不忍袖手旁观,便走上前对秀珠道:"密斯白,你也送客来的吗?我在车站上怎么没有看见你?"秀珠在这样广众之前,人家招呼了不能不给人家一个回答,便笑道:"可不是!你瞧,这些洋车夫真是岂有此理,把人家围住了,不让人家走!"燕西道:"你要到哪里去?我坐了车子来的,让我来送你走罢。"秀珠听了这话,虽有些不愿意,然而一身正在围困之中,避了开去,总是好的。便笑道:"这些洋车夫,真是可恶,围困得人水泄不通。"一面说着,一面走了过来。燕西笑着向前一指道:"车子在那面。"右手指着,左手就不知不觉的来挽着她。秀珠因为面前汽车马车人力车,以及车站上来来往往一些搬运夫,非常杂乱,一时疏神,也就让燕西挽着。燕西一直挽着她开门,扶她上车去。燕西让她上了车,也跟着坐上车去。因问秀珠要到哪儿去?秀珠道:"我上东城去,你送我到东安市场门口就是了。"燕西就分付车夫一声,开向东安市场而去。到了东安市场,秀珠下车,燕西也下了车。秀珠道:"你也到市场去吗?"燕西道:"我有点零碎东西要买,陪你进去走走罢。"秀珠也没有多话说,就在前面走。在汽车上,燕西是怕有什么话让汽车夫听去了,所以没有说什么。这时跟在后面,也没说什么。走到了市场里,陪着秀珠买了两样化妆品,燕西这才问:"你回家去吗?"秀珠道:"不回家,我还要去会一个朋友。"燕西道:"现在快三点了,我们去吃一点点心,好不好?"秀珠道:"多谢你,但是让我请你,倒是可以的。"燕西道:"管他谁请谁呢?这未免太客气了。"于是二人同走到七香斋小吃馆里来。这时还早,并不是上座的时候,两人很容易的占

468

了一个房间。燕西坐在正面,让秀珠坐在横头,沏上茶来,燕西先斟了半杯,将杯子擦了,拿出手绢揩了一揩,然后斟一杯茶,放在秀珠面前。秀珠微微一笑道:"你还说我客气,你是如何的客气呢?"这时,秀珠把她那绛色的短斗篷脱下,身上穿着杏黄色的驼绒袍。将她那薄施脂粉的脸子,陪衬得是格外鲜艳。那短袖子露出一大截白胳膊,因为受了冻,泛着红色也很好看。在燕西未结婚以前,看了她这样,一定要摸摸她冷不冷的。现在呢,不但成了平凡的朋友,而且朋友之间,还带有一种不可侵犯的嫌疑,这是当然不敢轻于冒犯的。秀珠见他望了自己的手臂出神,倒误会了,笑问道:"你看什么?以为我没有戴手表吗?"燕西笑道:"可不是! 这原不能说是装饰品,身上戴了一个表总便当得多。不然,有什么限刻的事,到了街上就得东张西望,到处看店铺门前的钟。"秀珠道:"我怎么不戴,在这儿呢。"说时,将左手一伸,手臂朝上伸到燕西面前。燕西看时,原来小手指上,戴了一只白金丝的戒指。在指臂上,正有一颗纽扣大的小表。秀珠因燕西在看,索性举到燕西脸边。燕西便两手捧着,看了一看,袖子里面,由腋下发射出来的一种柔香,真个有些熏人欲醉。燕西放下她手,笑道:"这表是很精致,是瑞士货吗?"秀珠笑道:"你刚才看了这半天,是哪里出的东西都不知道吗?"燕西道:"字是在哪一面的,我怎样看得出来呢?不过这样精小的东西,也只有瑞士的能作。你这样的精明人,也不会用那些骗自己的东西。"秀珠笑道:"还好,你的脾气还没有改,这张嘴,还是非常的甜蜜呢。"燕西道:"这是实话,我何曾加什么糖和蜜呢?"两人只管说话,把吃点心的事也忘了。还是伙计将铅笔纸片,一齐来放在桌上,将燕西提醒过来了,他问秀珠吃什么? 秀珠笑道:"你写罢, 难道我欢喜吃什么,你都不知道吗?"燕西听她如此说,简直是形容彼此很知己似的,若要说是不知道,这是自己见疏了,便笑着一样一样的写下去。秀珠一看,又是冷荤,又是热菜,又是点心,因问道:"这做什么?预备还请十位八位的客吗?"说着,就在他手上将铅笔纸单夺了过来,在纸的后幅,赶快的写了鸡肉馄饨两碗,蟹壳烧饼一碟。写完,一并向燕西面前一扔,笑道:"这就行了。"燕西看了一看,笑道:"我们两人,大模大样的占了人家一间房间,只吃这一点儿东西,不怕挨骂吗?"秀珠笑道:"这真是大爷脾气的话,连吃一餐小馆子,都怕人家说吃少了。你愿意花钱那也就不要紧,你可以对伙计说,弄一碗鸡心汤来喝,要一百个鸡心,我准保贱不了。"燕西正有一句话要说,说到嘴边,又忍回去了,只是笑了一笑。秀珠道:"有什么话,你说呀! 怎么说到嘴边又忍回去了?"这时,伙计又进来取单子,燕西便将原单纸涂改几样,交给他了。一会儿,还是来了一桌子的菜,还另外有酒。秀珠这也就不必客气了,在一处吃喝个正高兴。饭毕,自然是燕西会了账。一路又走到市场中心来,依着燕西,还要送秀珠回家。但秀珠执意不肯,说是不一定回家,燕西也就罢了,乃告辞而别。不过这在燕西,的确是一种很快活的事了，无论如何，彼此算尽释前嫌了。

燕西回得家去，一进去，门口号房就迎上来说道："七爷，你真把人等了一个够。那位谢先生在这儿整等你半天了。"燕西道："哪一个谢先生？"门房道："就是你大喜的日子，他作傧相的那位谢先生。"燕西道："哦！是他等着我没走，这一定有要紧的事的，现在在哪里？"门房道："在你书房里。"燕西听说，一直就向自己书房里来，只见谢玉树一个人斜躺在一张软椅上，拿了一本书在看。燕西还未曾开言，他一个翻身坐起来，指着燕西道："你这个好人，送人送到哪里去了？上了天津吗？"燕西道："我又没有耳报神，怎么知道你这时候会来？我遇到一个朋友，拉我吃小馆子去了。你很不容易出学校门的，此来必有所谓。"谢玉树笑道："我是来看看新娘子的，顺便和你打听一件事。"燕西道："看新娘子那件事，我算是领情了，你就把顺便来打听的一件事，变为正题，告诉我吧。"谢玉树笑道："在我未开谈判之先，我还有一点小小的要求，我这个肚皮现在十分的叫屈。"燕西一拍手道："了不得，你还没有吃午饭吗？"一面说话，一面就按了电铃。金荣进来了，燕西道："分付厨房里，快开一位客饭来，作好一点。"金荣答应去了。燕西笑道："是了，你是上午进城的，以为赶我这里来吃饭。不料我今天吃饭吃得格外早，一点钟就上了车站。算没有合上你的预算，其实是你太客气了，你老实一点，让我们听差，给你弄一点点心来吃，他也不至于辱命。"谢玉树道："谁知道你这时候才回来呢？"燕西道："不去追究那些小问题了，你说罢，你今天为了什么问题来的？我就是这样的脾气，心里搁不住事，请你把话告诉我罢。"谢玉树也知道燕西的脾气，作事总是急不暇择的。因道："并不是我自己的事，我也是受人之托。"燕西笑道："你就不要推卸责任了。是你自己的事也好，是你受人之托也好，反正你有所要求，我认准了你办，这不很直截了当吗？"谢玉树这倒只好先笑了一笑，因道："那天你结婚日子，不是有位傧相吴女士吗？密斯脱卫托我问你一问，是不是府上的亲戚？"说到这里，他的脸先红了。燕西笑道："你这话不说出来，我已十分明白了。这位密斯脱卫，也是一个十分的老外，怎么请你来做这一件事？天下哪有作媒的人，说话怕害臊的？"谢玉树经他说破，越发是难为情。所幸就在这个时候，厨子已经把饭开来了。燕西道："对不住，我吃过点心不多久，不能又吃，我只坐在这里空陪罢。"谢玉树道："那不要紧，我只要吃饱了就是了。"于是他就专门吃饭，一声也不响。还是燕西忍耐不住，问道："密斯脱卫是怎样拜托你来作媒？他就是在那天一见倾心的吗？"谢玉树鼓励着自己不让害臊，吃着饭很随便的答道："在这个年头儿，哪里还容得下作媒两个字？他不过很属意那位吴女士，特意请我来向你打听，人家是不是小姑居处？"燕西笑道："不但是小姑居处，而且那爱情之箭，还从未射到她的芳心上去呢！这一朵解语之花，为她所颠倒的，未始无人。不过她心目中，向来不曾

满意于谁。以老卫的人才而论，当然是中选的。不过有一层。"谢玉树道："我知道，就是为他穷，对不对？难道像吴小姐那样冰雪聪明的人儿，还不能不拿金钱来作对象吗？"燕西道："我并不是说这个，我以为老卫这种动机，太突兀了，并没有什么恋爱的过程呢。"谢玉树道："就是因为没有什么恋爱的过程，我才来疏通你，怎样给他们拉拢拉拢，让他们成为朋友。等他们成了朋友以后，老卫拼命的去输爱，那是不成问题的了。这就看吴女士，能不能够接受？只要能接受，家庭方面，还要仗你大力斡旋呢。"说着话，谢玉树已经把饭吃完了。漱洗已毕，索性和燕西坐在一张沙发上，从从容容的向下谈。说着，还拱拱手。燕西笑道："你这样和他出力，图着什么来？我给他们拉拢，少不得还要贴本请客，我又图着什么来？"谢玉树道："替朋友帮忙，何必还要图个什么？说成了功，这是多么圆满的一场的功德。说不成功，我不过贴了一张嘴，两条腿。就是你七爷请一两回客，还在乎吗？"燕西道："我也巴不得找一件有趣味的事干，你既然专程来托我，我决不能那样不识抬举，不来进行。你今晚是不能出城的了，就在舍间下榻，我们慢慢的来想个办法。"谢玉树道："只要你肯帮忙，在这里住十天半月我也肯。学校里哪里有总理公馆里住得舒服，我还有什么不乐意的吗？"燕西笑道："这样漂亮的人才，说出这样不漂亮的话来？"谢玉树笑道："你们天天锦衣肉食惯了，也不觉得这贵族生活有什么意义。若是我们穷小子，偶然到你们这里来个一两天，真觉到了神仙府里一般，不说吃喝了，脚下踏着寸来厚的地毯，屁股下坐着其软如绵的沙发，就让人舒服得乐不思蜀呢。"燕西道："刚才说正经话，给人家作媒，就老是吃螺蛳吃生姜；现在闹着玩，你的嘴就出来了。"两个人说笑了一阵，燕西道："你在这儿躺一会，有好茶可喝，有小说可看，我到里面去布置一点小事。"谢玉树道："我肚子吃饱了，就不要你照顾了，你请便罢。"

　　燕西又分付了听差们好好招待，便回自己院子里来。老妈子说："少奶奶吃晚饭去了。"燕西又转到母亲屋子里来。金太太屋子里这一餐饭，正是热闹，除了清秋不算，又有梅丽和二姨太加入。佩芳因为凤举走了，一人未免有伤孤寂，也在这边吃。燕西一进门，清秋便站起来道："我听说你在前面陪客吃过了，所以不等你，你怎么又赶来了？"燕西道："你吃你的罢，我不是来吃饭的，我有事要和大嫂商量呢。"清秋又坐下吃饭，将瓷勺子在中间汤碗里舀着举了起来，扭转身来笑道："有冬笋纯菜汤呢，你不喝点？"佩芳笑道："这真是新婚夫妇甜似蜜，你瞧，你们两人，是多么客气啊！"燕西笑道："那也不见得，不过是仁者见仁，智者见智罢了。"佩芳道："得了，我不和你说那些，你告诉我，有什么事和我商量？商量就公开，不妨当着母亲的面，说出来听听。"燕西道："自然啊，我是要公开的，难道我还有什么私人的请托不成？说起来这事也奇怪，他们不知道怎样会想到和一个生人

471

提出婚姻问题来了，就是上次作傧相的那位漂亮人，他要登门来求亲了。"梅丽听了这话，也不知道怎么回事，脸都红破了。低了头只管吃饭，并不望着燕西。佩芳道："你没头没脑的提起这个话，我倒有些不懂，这事和我有什么相干？"燕西道："自然有和你商量之必要，我才和你商量。不然，我又何必多此一举哩！"佩芳笑道："哦！我知道了。其中有个姓卫的，对我们蔼芳好像很是注意，莫非他想得着这一位安琪儿？"燕西道："可不是！他托那个姓谢的来找我，问我可不可以提这个要求？"佩芳道："这姓谢的，也是个漂亮人儿啦。怎么让这个姑娘似的人儿来作说客？"燕西道："这件事，若办不通，是很塌台的。少年人都是要一个面子，不愿让平常的朋友来说，免得不成功，传说开去不好听。"佩芳道："提婚又不是什么犯法的事，有什么不可。但是我家那位，眼界太高，多少亲戚朋友提到这事，都碰了钉子。难道说这样一个只会过一次面的人，她倒肯了？"二姨太插嘴道："那也难说啊！自古道千里姻缘一线引，也许从前姻缘没有发动，现在发动了。"梅丽道："这是什么年头？你还说出这样腐败的话！不要从中打岔了，让人家正正经经的谈一谈罢。"佩芳道："这件事，我也不能替她做什么答复，先得问她自己，对于姓卫的有点意思没有？"说着话，已经吃完了饭。佩芳先漱洗过了，然后将燕西拉到犄角上三角椅上坐下，笑问道："既然他那一方面是从媒妁之言下手，我倒少不得问一问。"燕西道："不用问了，事情很明白的，他的人品不说，大家都认为可以打九十分。学问呢，据我所知，实在是不错。"金太太在那边嚼着青果，眼望了他们说话，半晌不做声，一直等到燕西说到据我所知，实在不错。金太太笑道："据你所知，你又知道多少呢？若依我看来，既然是个大学生，而且那学堂功课又很上紧的，总不至于十分不堪。不过谈到婚姻这件事情，虽不必以金钱为转移，但是我们平心论一句，若是一个大家人家的小姐，无缘无故的嫁给寒士，未免不近人情。这位卫先生，听说他家境很不好，吴小姐肯嫁过去吗？"佩芳还没有答话，梅丽便道："我想蔼芳姐是个思想很高尚的人，未必是把贫富两字来做婚姻标准的。"二姨太道："小孩子懂得什么！你以为戏台上《彩楼配》那些事，都是真的呢。"燕西笑道："这件事，我们争论一阵，总是白费劲，知道吴小姐是什么意思？我们是个介绍的人，只要给两方面介绍到一处，就算功德圆满。以后的事，那在于当事人自己去进行了。我的意思，算是酬谢傧相，再请一回客，那末，名正言顺的就可让他们再会一次面。"佩芳道："你这是抄袭来的法子，不算什么妙计，小怜不就为赴人家的宴席，上了钩吗？我妹妹，她的脾气有点不同。她不知道则已，她要知道你弄的是圈套，她无论如何也是不去的。就是去了，也会不欢而散。你别看她人很斯文，可是她那脾气，真比生铁还硬。要是把她说愣了，无论什么人，也不能转圈，那可成了画虎不成反类犬了。我倒有条妙计，若是事成功了，不知道那姓卫的怎么样谢我？"说到这里，不由得微

笑了一笑。燕西道:"不成功,那是不必说了。若是成了功,你就是他的大姨姐,你还要他谢什么?"佩芳道:"谢不谢再说罢。你们想想,我这法子妙不妙?去年那个美术展览会不是为事耽误了,没有开成功吗?据我妹妹说,在这个月内,一定要举办。不用说,她自然是这里面的主干人物。只要把那姓卫的弄到会里当一点职务,两方面就很容易成为朋友了,而且这还用不着谁去介绍谁。"燕西拍手笑道:"妙妙,我马上去对老谢说。"佩芳道:"嘿!你别忙,让我们从长商议一下。"燕西道:"这法子就十分圆满,还要商议什么?"一面说着,一面就走出去了。

　　燕西到了自己书房里,一推门进去,嚷道:"老谢!事情算是成功了,你怎样谢我呢?"谢玉树正拿了一本书躺在软榻上看。听到燕西一嚷,突然坐将起来,站着呆望了他。半晌,笑道:"怎么样?不行吗?"燕西道:"我说是成功了,你怎么倒说不行呢?"谢玉树道:"不要瞎扯了,哪有如此容易的婚姻,一说就成功?"燕西笑道:"你误会了,我说的是介绍这一层成了功,并不是说婚姻成了功。"谢玉树道:"三言两语的,把这事办妥了,也很不容易啊!是怎么一个介绍法?"燕西就把佩芳说的话,对他说了。谢玉树笑着一顿脚,叹了一口气。燕西道:"你这为什么?"谢玉树道:"我不知道有这个机会,若是早知道,我就想法子钻一名会中职务办办,也许可以在里面找一个情侣呢。现在老卫去了,我倒要避竞争之嫌了。"燕西看他那样子很是高兴,陪他谈到夜深,才回房去。次日一早八点钟就起来,复又到书房里来,掀开一角棉被,将谢玉树从床上唤醒。谢玉树揉着眼睛坐了起来,问道:"什么时候了?"燕西道:"八点钟了,在学校里,也就起来了,老卫正等着你回信呢,你还不该去吗?"谢玉树道:"昨晚上坐到两点钟才睡,这哪里睡足了?"说着,两手一牵被头,又向下一赖。无如燕西又扯着被,紧紧的不放,笑道:"报喜信犹如报捷一般,为什么不早早去哩?"谢玉树没法,只好穿衣起床。漱洗已毕,燕西给他要了一份点心,让他吃过,就催他走。谢玉树笑道:"我真料不到你比我还急呢。"就笑着去了。

　　燕西起来得这般早,家里人多没起来,一个人很现着枯寂。要是出去吧?外面也没有什么可玩的地方,一个人反觉无聊了。一个人躺在屋子里沙发椅子上,便捧了一本书看。这时,正是热气管刚兴的时候,屋子里热烘烘的,令人自然感到一种舒适。手上捧的书,慢慢的是不知所云,人也就慢慢的睡过去了。睡意朦胧中,仿佛身上盖着又软又暖的东西,于是更觉得适意,越发要睡了。一觉醒来,不迟不早,恰好屋里大挂钟当然一声,敲了一点。一看身上,盖了两条俄国毯子,都是自己屋子里的。大概是清秋知道自己睡了,所以送来自己盖的。一掀毯子,坐了起来,觉得有一样东西一扬,仔细看时,原来脚下,坠落一个粉红色的西式小信封。这信封是法国货,正中凸印着一个鸡心,穿着爱情之箭。信封犄角上，又有一朵玫瑰花。这样的信封，自己从前常用的，而且也送了不少给几个亲密的女友。这信是谁寄来的哩?因为字是钢笔写的，看不出笔迹，下款又没有写是谁寄的，只署着内详。连忙将信头轻轻撕开一条缝，将手向里一探，便有一阵极浓厚的香味，袭入鼻端。这很像女子脸上的香粉，就知道这信是异性的朋友寄来的了。将信纸抽出来，乃是两张芽黄的玻璃洋信笺，印着红丝格，格里乃是钢笔写的红色字，给看信的人一种很深的美丽印象。字虽直列的，倒是加着新式标点。信上说:

燕西七哥:

　　这是料不到的事，昨天又在一块儿吃饭了。我相信人和一切动物不同，就因为他是富于感情。我们正也是这样。以前，我或者有些不对，但是你总可以念我年轻，给我一种原谅。我们的友谊，经过很悠久的岁月，和萍水之交，是不可同日而语的。当然，一时的误会，也不至于把我们的友谊永久隔阂。昨天吃饭回来，我就是这样想，整晚的坐在电灯下出神。因为我现在对于交际上冷淡得多了，不很大出去了。你昨晚回去，有什么感想，我很愿闻其详。你能告诉我吗?祝你的幸福!

　　　　　　　　　　　　　　　　　　　　　　　　　　　妹秀珠上

　　燕西将信从头至尾一看，沉吟了一会，倒猜不透这信是什么意思。只管把两张信纸颠来倒去的看着。信上虽是一些轻描淡写的几句话，什么萍水之交，什么交谊最久，都是在有意无意之间。凭着良心说出来，自己结了婚，只有对秀珠不住的地方，却没有秀珠对不住自己的地方。现在她来信，说话是这样的委婉，又觉得秀珠这人，究竟是个多情女子了，实在应该给予她一种安慰。想到这里，人很沉静了，那信纸上一阵阵的香气，也就尽管向鼻子里送来，不由得人会起一种甜美的感想。拿了信纸在手上，只管看着，信上说的什么，却是不知道，自然而然的，精神上却受了一种温情的荡漾。便坐得书案边去，抽了信纸信封，回起信来。对于秀珠回信，文字上是不必怎样深加考量的，马上揭开墨盒，提笔写将起来，信上说:

　　秀珠妹妹:

　　　我收到你的信，实在有一种出于意外的欢喜。这是你首先对我谅解了，我怎样不感激呢。你这一封信来了，引起了我有许多话要对你说。但是真要写在信上，恐怕一盒信笺都写完了，也不能说出我要说的万分之一。我想等你哪一天有工夫的时候，我们找一个地方吃小馆子，一面吃，一面谈罢。你以为如何呢？你给我一个电话，或者是给我一封信，都可以。回祝你的幸福！

你哥燕西上言

　　燕西将信写好了，折叠平整，简在信封里，捏着笔在手上，沉吟了一会，便写着"即时专送白宅，白秀珠小姐玉展。"手边下一只盛邮票的倭漆匣子，正要打开，却又关闭上了。便按着电铃叫听差的。是李贵进来了，燕西将信交给他，分付立刻就送去，而且加上一个快字。李贵拿着信看了看，燕西道："你看什么？快些给我送去就是。"李贵道："这是给白小姐的信，没有错吗？"燕西道："谁像你你们那一样的糊涂，连写信给人都会错了，拿去罢。"李贵还想说什么，又不敢问，迟疑了一会子。心里怕是燕西丢了什么东西在白家，写信去讨，或者双方余怒未息，还要打笔头官司。好呢，自己不过落个并无过错。若是不好，还要成个祸水厉阶，不定要受什么处分才对。不过七爷叫人办事，是毫无商量之余地的，一问之下，那不免更要见罪。也只好纳闷在心，马上雇了一辆人力车，将信送到白宅。白宅门房里的听差王福，一见是金府上的，先就笑道："嘿！李爷久不见了。"李贵便将信递给他，请他送到上房去。李贵也因是许久没来，来了不好意思就走，就在门房里待住了一会儿。那听差的从上房里出来，说是小姐有回信，请你等一等。李贵道："白小姐瞧了信以后说的吗？"那听差道："自然，不瞧信，她哪里有回信呢？"李贵心想，这样看来，也许没有多大问题，便在门房里等着。果然随后有一个老妈子拿了一封信出来，传言道："是哪位送信来的？辛苦了一趟，小姐给两块钱车钱。"她估量着李贵是送信的，将钱和信，一路递了过来。李贵对于两块钱，倒也不过如是。只是这件差事，本来认为是为难的。现在不但不为难，反有了赏，奇不奇？那老妈子见了他踌躇，以为他不好意思收下，便笑道："你收下罢。我们小姐，向来很大方的，只要她高兴，常是三块五块的赏人。"李贵听了这话，也就大胆的将钱收下，很高兴的回家。信且不拿出来，只揣在身上。先打听打听，燕西在上房里，就不做声。后来燕西回到书房里来了，李贵这才走进去，在身上将信拿出来，递给燕西。他接过信去，笑着点了一点头。李贵想着，信上的话，一定坏不了，便笑道："白小姐还给了两块钱。"燕西道："你就收下罢。可是这一回事，对谁也不要说。"李贵道："这个自然知道。要不是为了不让人知道，早就把回信扔在这书桌上了。"燕西道："这又不是什么要不得的事不能公开，我不过省得麻烦罢了。"李贵笑了一笑，退出去了。燕西将秀珠的信，看了一看，就扯碎了，扔在字纸篓里。这样一来，这件事，除了自己和秀珠，外带一个李贵，是没有第四个人知道的了。

第六十一回

利舌似联珠诛求无厌
名花成断絮浪漫堪疑

　　燕西得了这封信以后，又在心里盘算着，这是否就回秀珠一封信？忽听窗子外有人喊道："现在有了先生了，真个用起功来了吗？怎么这样整天藏在书里？"那说话的人正是慧厂。燕西就开了房门迎将出来，笑道："是特意找我吗？"慧厂道："怎么不是？"说着，走了进来，便将手上拿了的钱口袋，要来解开。燕西笑道："你不用说，我先明白了，又是你们那个外妇女赈济会，要我销两张戏票，对不对呢？"慧厂笑道："猜是让你猜着了。不过这回的戏票子，我不主张家里人再掏腰包，因为各方面要父亲代销的戏票已经可观，恐怕家里人每人还不止摊上一张票呢。依我说，你大可以出去活动，找着你们那些花天酒地的朋友，各破悭囊。"燕西道："既然是花天酒地的朋友，何以又叫悭囊呢？"慧厂道："他们这些人，花天酒地，整千整万的花，这毫不在乎，一要他们作些正经事，他就会一钱如命了。因为这样，所以我希望大家都出发，和那些有钱塞狗洞不作好事的人去商量。看看这里面，究竟找得出一两个有人心的没有？"她一面说着，一面把自己口袋里一搭戏票拿了出来，右手拿着，当了扇子似的摇，在左手上拍了几下，笑道："拿你只管拿去。若是卖不了，票子拿回来，还是我的，并不用得你吃亏。因为我拿戏票的时候，就说明了，票是可以多拿，卖不完要退回去。他们竟认我为最能销票的，拿了是决不会退回的，就答应我全数退回也可以。我听了这一句话，我的胆子就壮了，无论如何，十张票，总可以碰出六七张去。"燕西笑道："中国人原是重男而轻女，可是有些时候，也会让女子占个先着。譬如劝捐这一类的事，男子出去办，不免碰壁。换了女子去，人家觉得有些不好意思，他就只好委委屈屈，将钱掏出来了。"慧厂道："你这话未免有些侮辱女性！何以女性去募捐，就见得容易点？"燕西道："这是恭维话，至少也是实情，何以倒成为侮辱之词呢？"慧厂道："你这话表面上不怎样，骨子里就是侮辱，以为女子出去募捐，是向人摇尾乞怜呢。"燕西笑道："这话就难了，说妇

女们募得到捐是侮辱,难道说你募不到捐,倒是恭维吗?"慧厂将一搭戏票向桌上一扔,笑道:"募不募,由着你,这是一搭票子,我留下了。"她说完,转身便走。

燕西拿过那戏票,从头数了一数,一共是五十张,每张的价目,印着五元。一面数着,一面向自己屋里走。清秋看见,便问道:"你在哪里得着许多戏票?"燕西道:"哪里有这些戏票得着呢?这是二嫂托我代销的。戏票是五块钱一张,又有五十张,哪里找许多冤大头去?"清秋道:"找不到销路,你为什么又接收过来?"燕西道:"这也无奈面子何。接了过来,无论如何,总要销了一半,面子上才过得去。我这里提出十张票,你拿去送给同学的。所有的票价,都归我付。"清秋道:"你为什么要这种阔劲?我那些同学,谁也不会见你一分人情。"燕西道:"我要他们见什么情?省得把票白扔了。我反正是要买一二十张下来的。"清秋道:"二嫂是叫你去兜销,又不是要你私自买下来,你为什么要买下一二十张?"燕西道:"与其为了五块钱,逢人化缘,不如自己承受,买了下来干脆。"清秋叹了一口气道:"你这种豪举,自己以为很慷慨,其实这是不知艰难的纨绔子弟习气。你想,我们是没有丝毫收入的人,从前你一个人袭父兄之余荫,那还不算什么。现在我们是两个人,又多了一分依赖。我们未雨绸缪,赶紧想自立之法是正经。你一点也不顾虑到这层,只管闹亏空,只管借债来用,你能借一辈子债来过活吗?"燕西听她说着,先还带一点笑容,后来越觉话头不对,沉了脸色道:"你的话,哪里有这样酸?我听了浑身的毫毛都站立起来。"清秋见他有生气的样子,就不肯说了。燕西见她不做声,就笑道:"你这话本来也太言重,一开口就纨绔子弟,也不管人受得住受不住?"清秋也无话可说,只好付之一笑。燕西就不将票丢下来了,将票揣在身上,就出门去销票去了。

有了这五十张票,他分途一找亲戚朋友,就总忙了两天两晚。到了第三天,因为昨晚跑到深夜两点多钟才回家,因此睡到十二点钟以后,方始起床。醒来之后,正要继续的去兜揽销票,只听见金荣站在院子里叫道:"七爷,有电话找,自己去说话罢。"金荣这样说,正是通知不能公开说出来的一种暗号。燕西听见了,便披了衣服,赶快跑到前面来接电话。一说话,原来晚香来的电话。开口便说:"你真是好人啦!天天望你,望了三四天,还不见一点人影子。"燕西道:"有什么事要我作的吗?这几天太忙。"晚香道:"当然有事啊!没有事,我何必打电话来麻烦呢?"燕西想了一想,也应该去一趟。于是坐了汽车,到小公馆里来。进得屋去,晚香一把拉住,笑道:"你这人真是岂有此理!你再要不来,我真急了。"带说,带把燕西拉进屋去。燕西一进屋内,就看见一个穿青布皮袄的老太太,由里屋迎了出来,笑着道:"你来了,我姑娘年轻,别说是大嫂子,都是自己家里姐妹一样,你多照应点啊!"她这样说上一套,燕西丝毫摸不着头脑。还是晚香笑着道:"这是我娘家妈,是我亲生

477

的妈,可不是领家妈。我一个人过得怪无聊的,接了她来,给我作几天伴。你哥哥虽然没有答应这件事,可不能说我嫁了他,连娘都不能认。"燕西笑了一笑,也不好说什么。晚香道:"我找你来,也不是别什么事,你大哥钻头不顾屁股的一走,一个钱也不给我留下。还是前几天,刘二爷送了一百块钱来,也没有说管多久,就扔下走了。你瞧,这一个大家,哪儿不要钱花?这两天电灯电话全来收钱,底下人的工钱也该给人家了。许多天,我就上了一趟市场,哪儿也不敢去。一来是遵你哥哥的命令,二来真也怕花钱。你瞧,怎么样?总得帮我一个忙儿,不能让我老着急。"燕西正待说时,晚香又道:"你们在家里打小牌,一天也输赢个二百三百的,你哥哥糊里糊涂,就是叫人送这一百块钱来,你瞧,够做什么用的呢?"燕西见她放爆竹似的,说了这一大串话,也不知道答复哪一句好,坐在沙发上,靠住椅背,望了晚香笑。晚香道:"你乐什么?我的话说的不对吗?"燕西道:"你真会说,我让你说的没可说的了。你不是要款子?我晚上送了来就是。"说着,站起身来就要走。晚香道:"怎么着?这不能算是你的家吗?这儿也姓金啊!多坐一会儿,要什么紧?王妈,把那好龙井沏一壶茶来。你瞧,我这人真是胡闹,来了大半天的客,我才叫给倒茶呢!"她说时,笑着给她母亲魅了一魅眼睛。又按着燕西的肩膀道:"别走,我给你拿吃的去。你要走,我就恼了!"说着,假瞪了眼睛,鼓着小腮帮子。燕西笑道:"我不走就是了。"晚香这就跑进屋去将一个玻璃丝的大茶盘子,送了一大茶盘子出来,也有瓜子,也有花生豆,也有海棠干,也有红枣。她将盘子放在小茶桌上,抓了一把,放到燕西怀里,笑道:"吃!吃!"燕西道:"这是过年买的大杂拌,这会子还有?"晚香道:"我多着呢,我买了两块钱的,又没有吃什么。"燕西笑道:"怪道要我吃,这倒成了小孩子来了,大吃其杂拌。"晚香的母亲坐在一边,半天也没开口的机会,这就说了。她道:"别这么说啊!大兄弟,过年就是个热闹意思,取个吉兆儿,谁在乎吃啊?三十晚上包了饺子,还留着元宵吃呢,这就是那个意思,过年过年吗。"燕西听老太婆一番话,更是不合胃,且不理她,站了起来和晚香道:"吃也吃了,话也说了,还有什么事没有?若是没有事,我就要走了。家里还扔下许多事,我是抽空来的,还等着要回去呢。"晚香道:"很不容易的请了来,请了来,都不肯多坐一会儿吗?你不送钱,也不要紧,反正我也不能讹你。"这样一说,燕西倒不能不坐一下,只得上天下地,胡谈一阵。约谈了一个多钟头,把晚香拿出来的一大捧杂拌也吃完了。燕西笑道:"现在大概可以放我走了吧?"晚香笑道:"你走罢!我不锁着你的。钱什么时候送来呢?别让我又打上七八次电话啊。"燕西道:"今天晚上准送来,若是不送来,你以后别叫我姓金的了。"说毕,也不敢再有耽误,起身便走了。

回到家里,就打了电话给刘宝善,约他到书房里来谈话。刘宝善一来就笑道:"你叫我来的事,我明白,不是为着你新嫂子那边家用吗?"燕西道:"可不是! 她今天打电话叫了我去,说你只给她一百块钱。"刘宝善道:"这我是奉你老大的命令行事啊。他临走的那天上午,派人送了一个字条给我,要我每星期付一百元至一百五十元的家用,亲自送了去。我想第二个星期,别送少了。所以先送去一百元,打算明后天再送五十元,凭她一个人住在家里,有二十元一天,无论如何也会够。就是你老大在这里,每星期也决花不了这些个吧?怎么样? 她嫌少吗?"燕西道:"可不是! 我想老大不在这里,多给她几个钱也罢,省得别生枝节。"刘宝善道:"怎样免生枝节? 已经别生枝节了。风举曾和她订个条约的,并不是不许她和娘家人来往,只是她娘家人,全是下流社会的胚子,因此只许来视探一两回,并不留住,也不给她家什么人找事。可是据我车夫说,现在她母亲来了,两个哥哥也来了,下人还在外老太太舅老爷叫得挺响亮。那两位舅老爷,上房里坐坐,门房里坐坐,这还不足,还带来了他们的朋友去闹。那天我去的时候,要到我们吃菊花锅子的那个宜秋轩去。我还不曾进门,就听到里面一片人声喧嚷,原来是两位舅老爷在里面,为一个问题开谈判。这一来,宜秋轩变成了宜舅轩,我也就没有进去。大概这里面,已经闹得够瞧的了。"燕西道:"我还不知道她的两位舅老爷也在那里。若是这事让老大知道了,他会气死。今天晚上,我得再去一趟,看看情形如何? 若是那两位果然盘踞起来,我得间接的下逐客令。"刘宝善道:"下逐客令? 你还没有那个资格吧? 好在并不是自己家里,闹就让她闹去。"燕西道:"闹出笑话来了,我们也不管吗?"刘宝善默然了一会,笑道:"大概总没有什么笑话的。要不,你追封快信给你老大,把这情形告诉他,听凭他怎样办。"燕西道:"鞭子虽长,不及马腹。告诉他,也是让他白着急。"刘宝善道:"不告诉他也不好,明天要出了什么乱子,将来怎么办?"燕西道:"出不了什么大乱子吧?"刘宝善道:"要是照这样办下去,那可保不住不出乱子。"燕西道:"今天我还到那里去看看,若是不怎样难堪,我就装一点模糊。倘是照你说的,宜秋轩变了宜舅轩,我就非写信不可。"刘宝善笑道:"我的老兄弟,你可别把宜舅轩三个字给我咬上了。明天这句话传到你那新嫂子耳朵里去了,我们是狗拉耗子,多管闲事。"燕西道:"这话除了我不说,哪还有别人说? 我要说给她听了,我这人还够朋友吗?"刘宝善听他如此说,方才放心而去。燕西一想,这种情形连旁人已经看不入眼,晚香的事恐怕是做得过于一点。当天筹了一百块钱,吃过晚饭,并亲送给晚香。到了门口,且不进去,先叫过听差,问少奶奶还有两个兄弟在这里吗? 听差道:"今天可不在这里。"燕西道:"不在这里,不是因为我今天要来,先躲开我吗?"听差听说就笑了一笑。燕西道:"等大爷回来了,我看你们怎么交代? 这儿闹得乌烟瘴气,你电话也不给我一个。"听差道:"这儿少奶奶也不让告诉,有什么法子呢?"燕西道:"你私下告诉了,她知道吗? 我知道,你们和那舅大爷都是一党。"于是又哼了两声，才走向里院。这时，那右边长客厅，正亮了电灯。燕西拉开外面走廊的玻璃门，早就觉得有一阵奇异的气味，射入鼻端。这气味里面，有酒味，有羊头肉味，有大葱味，有人汗味，简直是无法可以形容出来的。那宜秋轩的扁额，倒是依旧悬立着，门是半开半掩，走进门，一阵温度很高的热气，直冲一了来。看看屋子里，电灯是很亮，火炉子里的煤，大概添得快要满了，那火势正旺，还呼呼的作响。那屋子里面，并没有一个人。东向原是一张长沙发椅，那上面铺了一条蓝布被，乱堆着七八件衣服。西向一列摆古玩的田字格下，也不知在哪里拖来一副铺板，两条白木板凳，横向中间一拦，又陈设了一张铺。中间圆桌上乱堆了十几份小报，一只酒瓶子，几张干荷叶。围炉子的白铁炉档，上面搭了两条黑不溜秋的毛手巾，一股子焦臭的味儿。和那屋子中间的宫纱灯罩的灯边，平行着牵了两根麻绳，上面挂着十几只纱线袜子。有黑色的，有揾布色的，有陈布色的。有接后跟的，有补前顶的，有配上全底的，在空中飘荡荡，倒好像万国旗。燕西连忙退出，推开格扇，向院子里连连吐了几口口沫。晚香老远的在正面走廊上就笑道："喂! 送钱的来了，言而有信，真不含糊呀。"一面说，就绕过走廊走上前来。笑道："你哥哥不在京，也没有客来，这屋子就没有人拾掇，弄得乱七八糟的，刚才我还在说他们呢。到北屋子里去坐罢，杂拌还多着呢。"燕西皱了眉，有什么话还没说出。晚香笑道："别这样愁眉苦脸的了。你那小心眼儿里的事，我都知道。你不是为了这客厅里弄得乱七八糟的吗? 这是我娘家两个不争气的哥哥，到这儿来看我妈。在这里住了两天，昨天我就把他们轰出去了。我一时大意，没有叫老妈子归拾起来，这就让你捉住这样一个大错。话说明白了，你还有什么不乐意的没有?"说着，带推带送，就把燕西推到正面屋子里来。燕西笑道："捉到强盗连夜解吗? 怎么一阵风似的就把我拖出来了?"晚香道："并不是我拖你来，我瞧你站着那儿怪难受的，还是让你走开了的好。"燕西道："倒没有什么难受，不过屋子里没有一个人，炉子里烧着那大的火，绳子上又悬了许多袜子，设若烧着了，把房东的房子烧了，那怎么办?"晚香道："铁炉子里把火闷着呢，何至于就烧了房?"燕西道："天下事，都是这样。以为不至于闹贼，才会闹贼。以为不至于害病，才会害病。以为不至于失火，才会失火。要是早就留了心，可就不会出岔子了。"晚香笑道："你们哥儿们一张嘴，都能说。凭你这样没有理的事，一到你们嘴里，就有理了。"燕西深怕一说下去，话又长了，就在身上衣袋里摸索了一会，留下一小叠钞票，摸出一小叠钞票，就交给晚香道："这是五十元，我忙了一天。请你暂为收下。"晚香且不伸手接那钱，对燕西笑道："我的小兄弟，你怎么还不如外人呢? 刘二爷也没有让我找他，自己先就送下一百块钱来了。我人前人后，总说你好，从前也没有找你要个针儿线儿的。这回你哥哥走了，还让你照管着我呢，我又三请四催的把你请来了。照说，你

就该帮我个忙儿。现在你不但不能多给，反倒不如外人，你说我应该说话不应该说话?"燕西笑道:"这话不是那样说，我送来的是老大的钱，刘二爷送来的，也是我老大的钱。现在我们给他设法子，将钱弄来了，反正他总是要归还人家的。又不是我们送你的礼，倒可以看出谁厚谁薄来。"晚香一拍手道:"还不结了! 反正是人家的钱，为什么不多送两个来?"燕西笑道:"我不是说，让你暂时收下吗?过了几天，我再送一笔来，你瞧好不好?"说时，把钞票就塞在晚香手上。晚香笑了一笑，将钞票与燕西的手一把握住，说道:"除非是你这样说，要不然，我就饿死了，等着钱买米，我也不收下来的。"燕西抽手道:"这算我的公事办完了。"晚香道:"别走啊，在这儿吃晚饭去。"燕西道:"我还有个约会呢! 这就耽误半点钟了，还能耽误吗?"燕西说毕，就很快的走出去了。晚香隔着玻璃门，一直望着出了后院那一重屏门，这才将手上钞票点了一点，叹口气道:"知人知面不知心。这孩子我说他准帮着我的。你瞧，他倒只送这些个来。"晚香的母亲在屋子里给她折叠衣服，听了这话便走出来问道:"他给你拿多少钱来了? 你不是说这孩子心眼儿很好吗?"晚香道:"心眼好，要起钱来，心眼儿就不好了。"她母亲道:"嫁汉嫁汉，穿衣吃饭。这是什么话呢?金大爷一走，把咱们就这样扔下了，一个也不给。"晚香道:"你不会说，就别说了，怎样一个大不给? 这不是钱吗?"她妈道:"这不是金大爷给你的呀!"晚香也不理她母亲，坐在一边只想心事。她母亲道:"你别想啊! 我看干妈说的那话，有些靠不住。你在这儿有吃有穿，有人伺候，用不着伺候人，这不比小班里强吗?金大爷没丢下钱，也不要紧，只要他家里肯拿出钱来，就是他周年半载回来，也不要紧。将来你要是生下一男半女，他金家能说不是自己的孩子吗?"晚香皱眉道:"你别说了，说得颠三倒四，全不对劲。你以为嫁金大爷，这就算有吃有喝，快活一辈子吗?那可是受一辈子的罪。明天就是办到儿孙满堂，还是人家的姨奶奶，到哪儿去，也没有面子。"她母亲道:"别那样说啊，像咱们这样人家，要想攀这样大亲戚，那除非望那一辈子。人就是这样没有足，嫁了大爷，又嫌不是正的。你想，人家做那样的大官，还能到咱们家里来娶你去做太太吗?"晚香道:"你为什么老帮着人家说话，一点儿也不替我想一想呢?"她母亲道:"并不是我帮着人家说话，咱们自己打一打算盘，也应这样。"晚香道:"我不和你说了，时候还早，我瞧电影。你吃什么不吃?我给你在南货店带回来。"一面说，一面按着铃，就叫进了听差，给雇一辆车上电影院。进了屋子，对着镜子，打开粉缸，抹了一层粉。打开衣橱，挑了一套鲜艳的衣服换上，鞋子也换了一样颜色的。然后戴了帽子，拿了钱袋，又对着镜子，抹了抹粉，这才笑嘻嘻的，吱咯吱咯，一路响着高跟鞋出去。

　　正是事有凑巧，这天晚上，燕西也在看电影。燕西先到，坐在后排。晚香后到，坐在前排。燕西坐在后面，她却是未曾留意。晚香在正中一排，拣了一张空椅子坐下。忽然有一位西装少年，对她笑了一笑道："喂! 好久不见了。"晚香一看，便认得那人，是从前在妓院里所认识的一个旧客。他当时态度也非常豪华，很注意他的。不料他只来茶叙过三回，以后就不见了。自己从了良，他未必知道，他这样招呼，却也不能怪，因点着头笑了一笑。他问道："是一个人吗?"晚香又点了点头。那人见晚香身边还有一张空椅子，就索性坐下来，和她说话。晚香起了一起身，原想走开，见那人脸上有些难为情的样子，心想，这里本是男女混坐的，为什么熟人来倒走开呢? 不是给人家面子上下不去吗? 只在那样犹豫的期间，电灯灭了。燕西坐在后面，就没有心去看电影，只管看着晚香那座位上。到了休息的时候，电光亮了，晚香偶然一回头，看见燕西，这就把脸红破了。连忙将斗篷折叠好，搭在手上，就到燕西一处来，笑道："你什么时候来的? 我没有看见你。"燕西道："我进来刚开，也没有看见你呢。"晚香见隔他两个人，还有一张空椅子。就对燕西邻坐的二人，道了一声劳驾，让人家挪一挪。人家见她是一家人的样子，又是一位少妇出面要求，望了一望，不做声的让开了。晚香就把电影上的情节来相问，燕西也随便讲解。电影完场以后，燕西就让她坐上自己的汽车，送她回家去。到了门口，燕西等她进了家，又对听差分付几句，叫他小心门窗，然后回家。

　　到了家里，便打电话叫刘宝善快来。十五分钟后，他就到了。燕西也不怕冷，正背了手在书房外走廊上踱来踱去。刘宝善道："我的七爷，我够伺候的了，今天一天，我是奉召两回了。"燕西扯了他手道："你进来，我有话和你说。"刘宝善进房来，燕西还不等他坐下，就把今天和今天晚上的事，都告诉了。因叹气道："我老大真是花钱找气受。"刘宝善道："她既然是青楼中出身，当然有不少的旧雨。她要不在家里待着，怎能免得了与熟人相见?"燕西道："这虽然不能完全怪他，但是她不会见着不理会吗? 她要不理会人家，人家也就不敢走过来，和她贸然相识吧?"刘宝善道："那自然也是她的过。杜渐防微，现在倒不能不给她一种劝告。你看应该是怎样的措词呢?"燕西道："我已经想好了一个主意，由我这里调一个年长些的老妈子去，就说帮差做事。若是她真个大谈其交际来，我就打电报给老大，你看我这办法怎样?"刘宝善道："那还不大妥当。朱逸士老早就认得她的了，而且嫁过来，老朱还可算是个媒人，我看不如由我转告老朱去劝劝她。她若是再不听劝，我们就不必和她客气了。"燕西道："那个人是不听劝的，要听劝，就不会和老大闹这么久的别扭了。上次我大嫂钉了我两天，要我引她去。她说并不怎样为难她，只是要看看她是怎样一个人。我总是东扯西盖，把这事敷衍过去。现在我倒后悔，不该替人受过，让他们吵去，也不过是早吵早散伙。"刘宝善笑道："这是哪里说起! 她无论如何对你老大不住，也不和你有什么相干，要你生这样大气? 你老大又不是杨雄，要你出来做这个拼命三郎石秀?"燕

西红了脸道："又何至于如此呢?"刘宝善道："我是信口开河,你不要放在心里。明天应该怎么罚我,我都承认。"燕西道："这也不至于要罚。你明天就找着老朱把这话告诉他。我不愿为这事再麻烦了。"刘宝善觉得自己说错了一句话,没有什么意思,便起身走了。燕西正要安寝,佩芳却打发蒋妈来相请。燕西道："这样夜深,还叫我有什么事?"蒋妈道："既然来请,当然就有事。"燕西心里猜疑着,便跟了到佩芳这里来。

第六十二回

叩户喜重逢谁能遣此
登门求独见人何以堪

到了佩芳屋子里，佩芳斜躺在一张软椅上，她也不做声，也不笑，只冷冷的望着。燕西笑道："糟糕！这样子，我又像犯了什么事？"佩芳道："你想想看，犯了事没有？"燕西道："臣知罪，不知罪犯何条？"佩芳冷笑道："你还要和我开玩笑？你这玩笑也开的太够了！"燕西道："真的，越说我越糊涂了，我真猜不着犯了什么事？"佩芳道："大概我不说穿，你也不肯承认。我问你，今天两次把刘二爷找了来，那是为着什么？"燕西笑道："大嫂怎么知道这一件事？我真佩服你无线电报，比什么还快！"佩芳道："这倒不是无线电，是我做了一点不道德的事，我亲自在你书房外听了两幕隔壁戏，把你们所说的话全听来了。你虽然替你哥哥办事，但是你倒说了几句良心话，我认为差强人意。现在你们应该觉悟了，我反对你大哥讨人，并不是为了吃醋，也不是为省钱，就是为着大家的体面。"燕西坐在佩芳对面，背转身去，看了壁上悬的大镜子，只管搔头发。佩芳道："你以为不带我去，我就找不着那个藏娇的金屋吗？"燕西笑道："找是找的着的，不过……"佩芳道："不过什么？不过有伤体面吗？老实对你说罢，我要是不顾着体面两个字，我早就打上门去了。我现在听你所说的话，他们这局面，恐不能久长。早也过去了，现在我还干涉他做什么？我当真那样傻，现成的贤人我不乐得做吗？"燕西对佩芳作了两个揖，笑道："好嫂子，你这才是识大体。你初叫我来的时候，我不知有什么大祸从天降。现在经你一说，我心里才落下一块石头，我是以小人之心度君子之腹了。"佩芳道："你不要给我高帽子戴了。我也是为大家设想，不愿闹出来。其实，我不是贤人，也不是君子。我特地要声明的，我对你还有个小小的要求，你若是我的好兄弟，你就得答应我这一件事。"燕西又搔了一搔头发道："糟糕！我心里一块石头刚刚落下去，凭你这样一说，我这一块石头，又复提了起来。"佩芳："你不要害怕，我并没有什么很困难的问题要你去办。我所求的，就是从今以后，你摆脱照顾你那位新嫂子的责任。"燕西道:"我也没有怎样照顾她。自从老大去了以后,我就是今天到那里去了两回。"佩芳道:"她要钱用,你们已经送了钱给她。此外,还有什么事要你们去照顾?而且她那样年轻的人,又是那种出身,你们这些先生们去照顾,也有些不方便。我的意思,希望你和你那班朋友都不要去,免得自己先让人说闲话。"燕西笑道:"那也不至于吧?难道自己家里人,到自己家里去,旁边人还要多嘴不成?"佩芳道:"难怪呢,你还打算把她当家里人看待呢。我问你,她是什么出身?那边又没有一个人,你们来来去去的,人家一点都不说闲话吗?"燕西自觉着是坦白无私的,现在让佩芳一说,倒觉得情形有些尴尬。因笑道:"不去倒没有什么,不过将来老大知道了,又说我们视同陌路。"佩芳道:"他要回来怪上你们,那也不要紧,你就说是我叫你这样办的就是了。"燕西踌躇了一会子,笑道:"以后我不去就是了。"佩芳道:"你口说是无凭的,以后我要侦察你的行动。你若是言不顾行,我再和你办交涉。还有两个条件,其一,那边打来的电话,你不许接。其二,你不许把我的话,转告诉你的朋友。"燕西道:"也不过如此吧?这些条件,我都答应就是了。已经一点钟了,我要告退。"于是不待她再说话,就回房去睡觉。

　　到了次日,一上午刘宝善就打了电话来了,说是朱逸士以为这种话,除了骨肉之亲,旁人说了,是会挨嘴巴子的。燕西也不好在电话回答得,就约了晚上到他那里来会面,当面再说。恰好晚上家里有小牌打,把这事搁下了。第二晚上,又是陈玉芳组新班上台。鹤荪、鹏振邀了许多朋友去坐包厢,这种热闹自是舍不得丢下。到了第三日,记起这件事了,便要打电话约刘宝善。恰好电话未打,那个前次来作小媒人的谢玉树,他又来了。他是由金荣引到书房里来的。燕西一见,他左手取下头上帽子,右手伸过来和燕西握着,连连摇撼了几下。笑道:"密斯脱卫,叫我致意于你,他非常的感谢。他说,虽然给他一个机会,让他单独进行。他自己估量着,恐不能得着什么好成绩。将来有求助于你的地方,还是要你帮忙。"燕西笑道:"你说话有点急不择词了。别什么事可以请人帮助,娶老婆也可以请人帮助的吗?"谢玉树拍着燕西的肩膀,和他同在一张沙发上坐了。笑道:"论到恋爱,原用不着第三者。但是帮忙是少不了要朋友的。你真善忘啊,你结婚,还要我同老卫帮你一个小忙,作了一天傧相呢。不过结婚以后,这就用不着人帮忙了。"一句话未了,只听到外面有人抢着答道:"谁说的?结婚以后,正用得着朋友帮忙呢。不说别人,我现在就是替人家结了婚的人跑腿。"那人一面说话,一面推门进来,原来是刘宝善。他在燕西结婚的那一天,已经认识了谢玉树,因之彼此先寒暄了两句,回头便对燕西道:"老弟台,不是我说你,你作事真是模糊啊!你那天约了到我家去,让我好等。怎么两天也不给我一点儿回信?你难道把这件事情忘了吗?要不,你就是拿我老刘开玩笑。"燕西道:"真不凑巧,恰好这两天有

485

事，耽误了。今天想起来了，恰好又来了客。"谢玉树道："这客指的是我吗？我实在不能算是客。你若有什么事，尽可随便去办。我要在这里坐，你用不着陪。或者我走，有话明日再谈。"刘宝善笑道："这朋友太好，简直是怎么说就怎么好呢。"燕西道："老谢，你就在我这里坐一会儿吧，我把书格子的钥匙交给你，你可以在这里随便翻书看。我和老刘到前面小客厅里去谈一谈，大概有半个钟头，也就准回来了。"燕西说着，在抽屉里取出钥匙，放在桌上。就拉了刘宝善走，顺手将门给带上了。

　　谢玉树当真开了书格子，挑了几本文雅些的小说，躺在沙发椅上看。看入了神，也不知道燕西去了多少时候，只管等着。索性把门暗闩上，架起脚来躺着。正看到小说中一段情致缠绵的地方，咚咚两声，发自门外的下面，似有人将脚踢那门。谢玉树心想，燕西这家伙去了许久，我先不开门，急他一急，因此不理会。外面却有女子声音道："青天白日的，怎把书房门关上了？又是他怕人吵，躺在这里睡觉了。"接上又是咚咚几声捶在门上面。喊道："七哥！七哥！开门开门，我等着要找一本书。"谢玉树急了，先不知道来的是个什么女子，答应是不好，不答应也是不好。后来听到叫七哥，分明是八小姐来了。心里突然一阵激烈的跳荡。外面的人喊道："人家越要拿东西，越和我开玩笑。你再要不开门，我就会由窗户里爬进来的了。"谢玉树又不好说什么，就这样不声不响的开了门。门一开，他向旁边一闪。只见梅丽穿一件浅黄色印着鱼鳞斑的短旗袍，出落得格外艳丽。不过脸上红红的，正鼓着脸蛋，好像是在生气。她一看见谢玉树，倒怔住了，站在门口，觉得是进来不好，不进来也不好。还是谢玉树这回比较机灵一些，却和梅丽鞠了一躬，然后轻轻的笑着道："令兄不在这里。"梅丽分明见他嘴唇在那里张动，却一点听不到他说些什么。猜他那意思，大概是说好久不见。人家既然客气，也只好和人客气了。因笑道："我七家兄，难得在家的。谢先生又要在这里久等了。"谢玉树道："他今天在家，陪客到前面客厅里坐去了。我不过在这屋里稍等一等罢了。八小姐要找书吗？令兄把书格子的钥匙丢在这里。"梅丽红了脸道："刚才失仪得很，谢先生不要见笑。"说着，就进屋来开书橱。谢玉树低了头，不由得看到她那脚上去。见她穿了一双紫绒的平头便鞋，和那清水丝袜相映，真是别有风趣。梅丽一心去找书，却不曾理会有人在身后看她。东找西找，找了大半天，才把那一本书找着。因回头对谢玉树道："谢先生，请你坐一会儿，我就不陪了。"梅丽点头走了，这屋子里还恍惚留下一股子的似有如无的香气。

　　谢玉树手里拿着书，却放在一边，心里只揣念着这香的来处。忽然有人问道："咦！你这是怎么了？看书看中了魔吗？"一抬头，只见燕西站在面前。因笑道："并不是中了魔。这里头有一个哑谜，暂时没有说破，我要替书中人猜上一猜。"燕西道："什么哑谜呢？说给我

听听看，我也愿意猜猜呢。"谢玉树将书一扔道："我也忘了，说什么呢？"燕西笑道："你真会捣鬼！我听说你女同学里面有一个爱人，也许是看书看到有爱人相同之点，就发呆了？"谢玉树道："你听谁说这个谣言？这句话，无论如何，我是不能承认的。谁说的？你指出人来。"燕西道："嘿！你要和我认真，还是怎么着？这样一句不相干的话，也不至于急成这个样子。"谢玉树道："你有所不知，你和我是不常见面的人，都听到了这种谣言，更熟的人就可想而知。我要打听出来，找一个止谤之法。"燕西道："连止谤之法，你都不知道吗？向来有一句极腐败的话，就是止谤莫如自修。"谢玉树本想要再辩两句，但是一想，辩也无味，就一笑而罢。他本是受了卫璧安之托，来促成好事的，到了这里，就想把事情说得彻底一点，不肯就走。谈到晚上，燕西又留他吃晚饭。

　　就在这时，晚香来了电话，质问何以几天不见面？燕西就是在书房里插销接上的电话。谢玉树还在当面，电话里就不便和她强辩，因答说："这几天家里有事，我简直分不开身来，所以没有来看你。你有什么事，请你在电话里告诉我就是了。"晚香道："电话里告诉吗？我打了好几遍电话了，你都没有理会。"燕西道："也许是我不在家。"晚香道："不在家？早上十点钟打电话，也不在家吗？这回不是我说朱宅打电话，你准不接，又说是不在家了。"燕西连道："对不住，对不住，我明日上午，准来看你。"不等她向下再问，就把插销拔出来了。那边晚香说话说得好好儿的，忽然中断，心里好不气愤。将电话挂上，两手一叉，坐在一边，一个人自言自语的道："我就是这样招人讨厌？简直躲着不敢和我见面，这还了得！"她母亲看见她生气，便来相劝道："好好儿的，又生什么气？你不是说，今天晚上要去瞧电影吗？"晚香道："那是我要去瞧电影，我为什么不去瞧？我还要打电话邀伴呢。他们不是不管我了吗？我就敢开来逛。谁要干涉我，我就和谁讲这一档子理。不靠他们姓金的，也不愁没有饭吃。妈，你给我把衣服拿出来，我来打电话。"说毕，走到电话机边便叫电话。她母亲道："你这可使不得，你和人家闹，别让人家捉住错处。"晚香的手控着话筒，听她母亲说，想了一想，因道："不打电话也行，反正在电影院里也碰得着他。"他母亲道："你这孩子就自在一点罢。这事若是闹大了，咱们也不见得有什么面子。"晚香并不理会她母亲的话，换了衣服，就看电影去了。一直到一点钟才回家来。她母亲道："电影不是十二点以前就散吗？"晚香道："散是早散了，瞧完了电影，陪着朋友去吃了一回点心，这也不算什么啊！"她母亲道："我才管不着呢，你别跟我嚷！"晚香道："我不跟你嚷，你也别管我的事。你要管我的事，你就回家去，我这里容你不得。"她母亲听她说出这样的话，就不敢做声了。从这一天起，晚香就越发的放浪。

　　到了第四天，朱逸士却来了。站在院子里，先就乱嚷了一阵嫂子与大奶奶。这时一点

487

钟了，晚香对着镜子烫短头发，在窗户里看见朱逸士，便道："稀客稀客。"朱逸士笑着，走进上面的小堂屋。晚香走出来道："真对不起，我就没有打算我们家里还有客来，屋子也没有拾掇。"朱逸士笑道："嫂子别见怪，我早就要来，因为公事忙，抽不开身来。"晚香道："就是从前大爷在北京，你也不过是一个礼拜来一回，我倒也不怪你。惟有那些天天来的人，突然一下不来了，真有点邪门。"于是把过年以来，和凤举生气，一直到几天无人理会为止，说了一个透彻。朱逸士究竟和她很熟，一面为旁人解释，一面又把话劝她。晚香鼻子哼了一声，笑道："我早就知道你的来意了。"朱逸士笑道："知道也好，不知道也好，反正我的来意算不坏。我这里还有一点东西，给你看看。"说着，就在身边掏出一封信来，交给她道："这是大爷从上海寄了一封快信给我，里面附着有这封信。"晚香将信接到手一看，是一个薄薄洋式信封，便道："又是空信，谁要他千里迢迢的灌我几句无味的米汤？"说着，将信封向沙发椅上一扔。这一扔却把信封扔得覆在椅子上，背朝了外，一看那信封口究竟不曾粘上的。因又拿起信封，在里抽出一张信纸来，交给朱逸士道："劳驾，请你念给我听听。咱们反正是公开，有什么话，全用不着瞒人。"朱逸士笑道："所以我早就劝你认了字，要是认得字，就用不着要人念信了。"晚香道："反正是过一天算一天，要认识字做什么？"朱逸士捧了这张信纸，先看了一看，望了晚香摆头笑道："信上的话，都是他笔下写出来罢了，我可不负什么责任的。"晚香道："咳！你说出来就是了，又来这么些个花头！"朱逸士便捧着信念道："晚香吾……"晚香道："念啦，无什么？"朱逸士笑道："开头一句，他称你为妹，我怕你说我讨便宜，所以我不敢望下念。"晚香道："谁管这个？你念别的就是了。"朱逸士这才念道：

　　我连给你三封信，谅你都收到了，我想你回我的信也就快到了。对不对呢？

　　晚香的嘴一撇道："不对，我也像你一样……"朱逸士道："太太，怎么了？我不是声明在先吗？这是他笔头写的，我代表说的，你又何必向我着急呢？"晚香道："我也是答应信上的话，谁管你呢？你念罢。"朱逸士笑了一笑，又念道：

　　我本来要寄一点款子来的，无奈公费不多，我不敢挪动。好在是我已经托了朱先生刘先生多多照应。就是老七，他也再三对我说了，钱上面决不让你有一天为难。因为这样，所以我寄钱，也是多此一举，不如免了。我有事要和你商量的，就是我不在京，请你在家看守，不要出去，免得让外人议论是非。你要玩，让我回京以后，多多陪你就是了。

晚香不等朱逸士念完，劈手一把将信纸抢了去，两手拿着，一阵乱撕，撕得粉碎，然后向痰盂里一掷。又对朱逸士笑道："朱先生，你别多心，我不是和你生气。"朱逸士的脸色，由黄变红，由红变白，正不知如何是好？见晚香先笑起来，才道："你可吓我一跳！这是什么玩意儿？"晚香道："你想，这信好在是朱先生念的，朱先生不是外人，早就知道我的事的。这封信若是让别人念了，还不知道我在外面怎样胡作非为，要他千里迢迢回信来骂我呢。这事怎样叫人不生气？"朱逸士本想根据信发挥几句，这样子就不用提了。但是僵着不做声，又觉自己下不了台。因笑道："人都离开了，你生气也是白生气啊，他哪里知道呢？"一面说，一面就站了起来，搭讪着看看这屋子里悬挂的字画。因看到壁上有一架一尺多大的镜框子，里面嵌着凤举晚香两人的合影。在相片上，有一行横字，乃写的是"在天愿为比翼鸟，在地愿为连理枝。"横头写着"中秋日偕宜秋轩主摄于公园，凤举识。"朱逸士便拿了那镜框子在手，笑道："你别生气，你看了这一张相片，也就不要生气了哇。这上面的话，真是山盟海誓，说不尽那种深的恩情呢。"晚香道："你提起这个吗？不看见倒也罢了，看见了，格外让人生气。男子汉都是这样的，爱那女子，便当着天神顶在头上。有一天，不爱了，就看成了臭狗屎，把她当脚底下泥来踩。我现在是臭狗屎了，想起了当年做天神的那种精神，现在叫我格外难过。"朱逸士道："既然看着难过，为什么还挂在屋子里呢？这话有些靠不住啊。你看这相片上的人，是多么亲密！两个人齐齐的站着。"说时，就把那镜框送到晚香面前。晚香道："你不提起，我倒忘了，这东西是没有用，我还要它做什么？"说时，拿了过来，高高举起，砰的一声，就向地板上一砸，把那镜子上的玻璃，砸得粉也似的碎，一点好的也没有。朱逸士一见，不由得脸上变了色。正想说一句什么，一时又想不起一句相当话来。那晚香更用不着他来插嘴，拿相片出来，三把两把，扯了个七八块。朱逸士为了自己的面子生气，又替凤举抱不平。一声儿也不言语，就背转身出门了。

出得门来，坐上自己的包车，一直就到金宅来。走进门，正碰到金荣，便问你们七爷哪里去了？金荣见他脸上带有怒色，倒不敢直言相告，便道："刚才看见他由里往外走，也许出门了。"朱逸士道："我在书房里等他，你到里面去找找他看，看他在家里没有？我有要紧的话和他说。"金荣让朱逸士到书房里去，便一直走到上房来找燕西。四处找着，都不曾看见。正要到书房里回朱逸士的信，却见小丫头玉儿由外面进来，笑道："金大哥，劳你驾，到七爷书房里找一个洋信封来。我瞧那里有客，不好去的。"金荣道："有客要什么紧？他会吃了你吗？"玉儿将脚一伸道："不是别的，你瞧。"金荣一看，她脚上穿着旧棉鞋，鞋头上破了

489

两个洞。金荣笑道："了不得，你多大一点儿年纪了，就要在人前要一个漂亮？"玉儿掉头就走，口里笑着说道："你就拿来罢，七爷在三姨太太那里写信，还等着要呢。"金荣倒不想燕西在这里，就先来报信。走到院子里，先叫了一声七爷。燕西道："有什么事，还一直找到这地方来？"金荣道："朱四爷来了，他有话，等着要和七爷说。看那样子倒好像是生气。"燕西道："他说了什么没有？"一面说着，一面向外面走了出来。翠姨原站在桌子边，看着燕西替她写家信。燕西一扔笔要走，她就道："什么朱四爷朱八爷？迟不来，早不来。我求人好多回了，求得今日来写一封信，还不曾写完，偏是要走。"说着，抢着堵住了房门口，两手一伸，凭空拦住。燕西笑道："人家有客来了，总得去陪。"翠姨道："我知道，那是不相干的朋友。让他等一会儿，那也不要紧，你先给我把这封信写完，我才能够让你走。"燕西笑道："没有法子，我就和你写完了再走罢。金荣，你去对朱四爷说，稍微等一等我就来的。你还在书房里送个信封来。"于是又蹲下身来，二次和翠姨写信。信封来了，又给翠姨写好了，才站起来道："这只剩贴邮票了，大概用不着我了吧？"翠姨笑道："要你作这一点小事，还是勉强的，你还说上这些个话，将来你就没有请求我的时候吗？"燕西笑道："要写信，我便写了，还有什么不是？"翠姨道："你为什么还要说两句俏皮话哩？意思好像我要你作这一点事，你已经让我麻烦够了似的。"燕西笑道："算我说错了就是了。你有账和我算，现在日记下，我要陪客去了。"一面说着，一面向外飞跑。跑出了院子门，复又跑回来。玉儿却从屋子里迎上前，手里高举一件坎肩道："是丢了这个，回头拿的不是？"燕西笑道："对了，算你机灵。"顺手接过坎肩，一边穿，一边向外走。

　　到了书房里，朱逸士道："不是新婚燕尔啦，什么事绊住了脚不能出来，让我老等？"燕西笑道："我料你也没有什么要紧的大事，所以在里面办完了一点小事才出来。"朱逸士道："问题倒不算大问题，只是我气的难受。"因就把晚香撕信和撕相片子的事，说了一遍。燕西道："这个人我真看不出，倒有这样大的脾气。"朱逸士道："脾气哪个没有呢？可也看着对谁发啊？我到金府上来，大小总是一个客，怎么我说什么，就把什么扫我的面子？我是不敢在那里再往下呆，再要坐个几分钟，恐怕还要赏我两个嘴巴呢。"燕西笑道："这件事她确是不对。但是我也没有法子，只好等着老大回来了再说。"朱逸士道："我并不是来告诉你，要你和他出气。不过我看她这种情形，难望维持下去。你得赶快写信到上海去，叫他早回来，不要出了什么乱子，事后补救就来不及了。我听说她现在不分昼夜的总是在外面跑，这是什么意思呢？"燕西道："你听到谁说的？"朱逸士笑道："你想这些娱乐场所，还短得了我们的朋友吗？只要人家看见，谁禁得住不说？况且那位，她又是不避人的。"燕西听了这话，不由得了一呆，脸上也就红上一阵。朱逸士笑道："这干你什么事，要你难为情?"燕西勉强笑道:"我倒不是怕难为情,我想到金钱买的爱情,是这样靠不住。"朱逸士道:"并不是金钱买的爱情靠不住,不过看金钱够不够满足她的欲望罢了。你所给予她的金钱,可以敌得过她别什么嗜好,她就能够牺牲别的嗜好,专门将就着你。老实说,你老大是原来许得条件太优,到了现在不能照约履行,所以引得她满腹是怨恨。换言之,也就是你老大的金钱,不曾满足她的欲望。无论什么事,没有条件便罢,若是有了条件,有一方面不履行,那就非破裂不可的。"燕西先是要辩论,听到这里,不由得默然起来。还是朱逸士道:"这件事据我看来,你非写信到上海去不可。若是不写信,将来出了事故,你的责任就更大了。"燕西道:"这事不是如此简单,你让我仔细想想。"于是两手撑在桌上,扶住了额顶。正想着呢,金荣慌慌张张跑了进来,张口结舌的道:"七爷七爷,新大奶奶来了。"这不由燕西猛吃一惊。因问金荣道:"她在哪里?她的胆子也太大了。"金荣道:"她在外面客厅里。门房原不知道她是新奶奶,因为她说姓李,是来拜会七爷的。"燕西道:"那倒罢了,就当她是姓李。千万别嚷,嚷出来了,可是一件大祸。连我都是很大的嫌疑犯,大家不明白,还以为我勾引来的呢。"一面说着,一面就向外走。

走到外面客厅里,只见晚香把斗篷脱了,放在躺椅上。她自己却大模大样的在屋子里走来走去。燕西原是一肚子气,见了她竟自先行软化起来,一点气也没有了。因笑道:"有什么要紧的事没有?"晚香微笑道:"你想,我若是没有要紧的事,敢到这里来吗?我有一个急事,等着要用几百块钱,请你帮我一个忙。我也不限定和你借多少,你有一百就借一百,有二百就借二百。可是有一层,我马上就要。"燕西心想,刚才她还和朱逸士两个人大闹,并没有说到什么急事,怎样一会工夫就跟着发生了急事要钱?这里面一定另有缘故。犹疑了一会子,便道:"既然是你亲自来了,想必很要紧。不过这一会子,我实在拿不出手,等到晚上我把钱筹齐了,或者我当晚就送来,或者次日一早我送来,都可以。"晚香微笑道:"你真能冤我,像府上这大的人家,难道一二百块钱拿不出来?"燕西这却难了,要说拿不出来,很与面子有关,若说拿得出来,马上就要给她。因笑道:"怎么回事?你是来和我生气的呢?还是来商量款子呢?"晚香便站起来走上前,拍着燕西的肩膀笑道:"好孩子,我是来和你商量款子来了,你帮嫂子一个忙罢。"燕西站起来,向后退了一步,又回头看了一看,然后说道:"并不是我故意推诿,实在身上不能整天揣着整百的洋钱。若说是到里面拿去,"晚香笑道:"好孩子,你还说不推诿呢?你们家里有账房,随时去拿个三百二百,很不费事。就是没有现钱,账房里支票簿子也没有一本吗?那平常和银行里往来,这账又是怎样算呢?"燕西望着她笑了一笑,什么也不能说了。晚香道:"行不行呢?你干脆答复我一句罢。"燕西笑道:"我到账房里,给你去看看。有没有,就碰你的运气。"说着,刚要提了脚出门，晚香又叫道："你回来回来。"燕西便站住等话，晚香道："今天天气不早了，来不及到银行里去兑钱，你别给我开支票，给我现钱罢。"燕西听她说这话，倒疑惑起来，要钱要得这样急，又不许开支票，这是什么意思？便道："好罢，我进去给你搜罗搜罗罢。"说毕，就复到书房里来，告诉了朱逸士。他望了燕西一望，微笑道："你还打算给她钱吗？傻子！"燕西本来就够疑虑的了，经朱逸士这样一说，就更加疑虑，望了他，说不出所以然来。朱逸士道："你想，刚才我由那里来，她一个字也没有提到。这一会工夫，她就钻出一桩急事来了，是否靠得住，也就不问可知。况且她来要钱，连支票都不收，非现洋不可，难道是强盗打抢，一刻延误不得。你不要为难，你同我一路去见她，让我来打发她走。"燕西笑道："就这样出去硬挺吗？有点不好意思吧？"朱逸士道："所以你这人没有出息，总应付不了妇女们。这要什么紧？得罪了就得罪了，至多是断绝往来而已。难道你还怕和她断绝往来吗？"说时，伸了一只手挽住燕西的胳膊，就一同到外面来。

晚香在小客厅里等着，一个人有点不耐烦，遍在屋子里走着，看墙上挂的画片。一回头，只见朱逸士笑嘻嘻的一脚踏了进来，倒吓了一跳。朱逸士先笑道："还生气不生气呢？刚才我在你那里，真让你吓了我一个够了。"晚香因见燕西紧随在身后，就不愿把这事紧追着向下说，因道："我并不是和你生气，我先就说明白了。得啦，对你不住，等大爷回来，叫他请你听戏。"朱逸士笑道："不要紧，不要紧，事情过了身，那就算了。七爷说，你有急事来找他来了，什么事？用得着我吗？我要表示我并不介意，我一定要给你去挡住这一场急事。"晚香被他这样硬逼一句，倒弄得不知如何措词是好，望了朱逸士，只管呆笑。朱逸士道："这事没有什么难解决的？无论什么事，只要是钱可以解决的，我们给钱就是了。是谁要钱？我陪你去对付他，现钱也有，支票也有，由他挑选。也许由我们去说，可以少给几个呢。"晚香笑道："朱先生，你还生气吗？你说这句话，是跌我的相来了，以为我是来骗钱的，要跟着我去查查呢。我这话说得对不对？"燕西连连摇手笑道："人家也是好意，你何必疑心？"朱逸士笑道："我这个人就是这样，要帮忙就帮到底，我既说了要去，就非去不可！燕西，请你下一个命令，叫他们开一辆汽车，我们三个人，坐着车子一块儿去。"晚香脸色一变道："我就和七爷借个二百三百的，这也不算多，借就借，不借就不借，那都没关系。凭什么我用钱还得请朱先生来管？我并不是二三百块钱想不到法子的人，何苦为了这事，来看人家的颜色？"说着，拿起搭在椅子上的斗篷向左胳膊上一搭，转身就走。燕西不好拦住她，也不好让她这样发气而去，倒弄得满脸通红。朱逸士笑道："这可对不住了，你请便罢。"当他说这话时，晚香已经出去了，听得那高底鞋声，得得然，由近而远。

第六十三回

席卷香巢美人何处去
躬参盛会知己有因来

晚香走出门以后，燕西一顿脚，埋怨道："你这人做事，真是太不讲面子，教人家以后怎么见面?"朱逸士冷笑道："你瞧，这还不定要出什么花头呢?还打算见面吗?"燕西笑道："你说得这样斩钉截铁，倒好像看见她搬了行李，马上就要上车站似的。"朱逸士道："你瞧着罢，看我这话准不准?"燕西笑道："不要谈这个了，你今天有事没事?若是没有事，我们找一个地方玩儿去。"朱逸士道："可是我有两天没有到衙门里去了，今天应该去瞧瞧才好。"燕西道："打一个电话去问问就行了，有事请人代办一下，没有事就可以放心去玩。反正有事，也不过一两件不相干的公事，要什么紧呢?"朱逸士听了，果然笑着打了电话到部里去。偏是事不凑巧，电话叫了几次，还是让人家占住线。朱逸士将听筒向挂钩上一挂道："不打了。走，咱们一块儿听戏去。"燕西笑道："这倒痛快，我就欢喜这样的。"于是二人一路出去听戏。这时已是四点多钟，到了戏院子里只听到两出戏。听完了戏，尚觉余兴未尽，因此，两人又吃馆子。吃完了馆子回家，一进门就碰到鹏振。鹏振道："这一天，哪里不把你找到，你做什么去了?这件事我又不接头，没有法子应付。"燕西一撒手道："咦!这倒奇了，无头无脑，埋怨上我一顿，究竟为了什么?"鹏振道："晚香跑了。"燕西道："谁说的?"鹏振道："那边的听差老潘，已经回来了，你问他去。"燕西回到书房里，还不曾按铃，老潘哭丧着面孔，背贴着门侧身而进，先轻轻的叫了一声七爷。燕西道："怎么回事?她真跑了吗?"老潘道："可不是!"燕西道："你们一齐有好几个人呢，怎么也不打一个电话来?"老潘道："她是有心的，我们是无心的，谁知道呢?是昨天下午，她说上房里丢了钱，嚷了一阵子，不多一会儿工夫，就把两个老妈子都辞了。今天下午，交了五块钱给我买东西，还上后门找一个人。找了半天，也找不着那个胡同。六点钟的时候，我才回去，遇到王厨子在屋里直嚷，他说少奶奶把钱给他上菜市买鱼的，买了鱼回来，大门是反扣上。推门进去一看，除了木器家伙而外，别的东西都搬空了。屋子里哪有一个人？我一想，一定是那少奶奶和着她妈、她两个哥哥，把东西搬走了。赶快打电话回来，七爷又不在家，我就留王厨子在那里看门，自己跑来了。"燕西跌脚道："这娘们真狠心，说走就走。今天还到这里来借钱。说是有急事。幸而看破了她的机关，要不然，还要上她一个大当呢。事到如今，和她说也是无用，你还是赶快回去看门，别再让那两个舅老爷搬了东西去。"老潘道："这件事情，就是七爷，也没有法子作主，我看要赶快打个电报给大爷去。"燕西忍不住要笑，将手一挥道："你去罢，这件事用不着你当心。"老潘还未曾走，只听见秋香在外面嚷道："七爷回来了吗？大少奶奶请去有话说呢。"燕西笑道："这消息传来真快啊！怎么马上就会知道了？"因对老潘道："你在门房里等一等，也许还有话问你。"于是就到后面佩芳院子里来，这里却没有人。蒋妈说："在太太屋子里呢。"

　　燕西走到母亲屋子里来，只见坐了一屋子的人。玉芬首先笑道："哎哟！管理人来了。你给人家办的好事，整分儿的家搬走了，你都不知道。"燕西看看母亲的脸色，并没有一点怒容，斜躺在沙发上，很舒适的样子。因笑道："这事不怨我，我根本上就没承认照应一分的责任。我前后只去过一回，大嫂是知道的。"佩芳笑道："我不知道，你不要来问我。"燕西笑道："人走了，事情是算完全解决了，有什么说不得的？"佩芳道："老七，你这话有点不对，你以为我希望她逃跑吗？她这一下席卷而去，虽然没有卷去我的钱，然而羊毛出在羊身上，自然有一个人吃了大亏。照着关系说起来，我总不能漠不关心。不是我事后做顺水人情，我早就说了，在外面另立一分家，一来是花钱太多。二来让外人知道了，很不好听。三来那样年轻的人，又是那样的出身，放在外面住，总不大好。所以我说，他要不讨人，那是最好。既是讨了，就应该搬回来住。除了以上三件事，多少还可以跟着大家学点规矩，成一个好人。我说了这话，也没有哪个理会，现在可就闹出花样来了。"燕西笑道："所以我先没有听到大嫂这样恳切说过。"佩芳道："哟！照你这样说，我简直是做顺水人情了？"燕西道："不是那样说，因为你也是知道她不能来的，说也是白说，所以不肯恳切的说。"佩芳道："这还说得有点道理，风举回来了，我一个字也不提，看他对于这件事好不好意思说出来？"金太太笑道："这场事就是这样解决了呢，倒也去了我心里一件事。我老早就发愁，风举这样一点儿年岁，就是两房家眷，将来这日子正长，就能保不发生一点问题吗？现在倒好了，一刀两断，根本解决。我看以后也就不会再有这种举动了。"佩芳笑道："这话可难说啊，你老人家保得齐全吗？"金太太道："这一个大教训，他们还不应该觉悟吗？"玉芬就笑着接嘴说道："我们不要讨论以后的事。还是问问老七，这事是因何而起？现在那边还剩有什么东西？也该去收拾收拾才好。"燕西道："不用去收拾了，那里没有什么要紧的东西

了，不过是些木器罢了。至于因何而起，这话可难说，我看第一个原因，就是为了大哥不在北京。"佩芳冷笑道："丈夫出了门，就应该逃跑的吗？照你这样说，男子汉都应该在家里陪着他的太太姨太太才对吧？"燕西向佩芳连摇了两下手，笑道："大嫂，你别对我发狠，我并不代表哪个人说话。而且我说的那句话，意思也不是如此啊。"金太太皱了眉道："你这孩子，就是这样口没有遮拦，乌七八糟乱说。说了出来，又不负什么责任。"佩芳本要接嘴就说的，因见金太太首先拦住了不让再说，就忍住了，只向着大家微笑。金太太对燕西道："你不要再说了，还是到那里去看看，收拾那边的残局。花了几个钱，倒是小事，可不要再闹出笑话来。"燕西道："这自然是我的事，他们都叫我打一个电报到上海去。我想人已经走了，打了一个电报给他，不过是让他再着两天急，于事无补。而且怕老大心里不痛快，连正经事都会办不好，我看还是不告诉他的为妙。"佩芳笑道："为什么给他瞒着？还要怪我们不给他消息呢，我已经打了一个电报去。对不住，我还是冒用你的名字，好在电报费归我出，我想你也不至于怪我。"燕西道："发了就发了罢，那也没有多大关系。好在我告诉他，也是职分上应有的事。"佩芳道："你弟兄们关于这些游戏的事，倒很能合作，说一是一，说二是二，若是别的事也是这样，一定到处可以占胜利的。"玉芬道："合作倒是合作，只可惜这是把钱向外花的。"他们两人，你一言，我一语，只管向下说。清秋坐在一边，却什么话也不说，只望燕西微笑。燕西笑道："你可别再说了，我受不了呢。"清秋笑道："你瞧，我什么话也没有说，你倒先说起我来了！"一说这话，脸先红了。润之笑道："清秋妹可不如几位嫂子，常是受我们老七的欺侮，而且老七常是在大庭广众之中，给她下不去。"燕西笑着连连摇手道："这就够瞧的了，你还要从旁煽惑呢。"说着，便一路笑了出来。到了外面，便分别打了几个电话给刘宝善、刘蔚然、朱逸士，自己便带了老潘，坐着汽车，到了公馆里来看情形。

　　一进门，就有一种奇异的感触，因为所有的电灯既不曾亮，前后两进屋子，也没有一点人的声音，这里就格外觉得沉寂。汽车一响，王厨子由后亮了走廊上的电灯出来。燕西道："你是豁出去了，怎么大门也不关？"王厨子笑道："无论是强盗或者是贼，他只要进门一瞧这副情形，分明是有人动手在先了，他看看没有一样轻巧东西可拿，他一定不拿就走了。"燕西叫老潘将各处电灯一亮，只见屋子里所有的细软东西，果然搬个精空。就以晚香睡的床而论，铜床上只剩了一个空架，连床面前一块踏鞋子的地毯，也都不见。右手两架大玻璃橱，四扇长门洞开。橱子里，只有一两根零碎腿带和几个大小钮扣，另外还有一只破丝袜子。搁箱子的地方，还扔了两只箱架在那里，不过有几只小玻璃瓶子和几双破鞋，狼藉在板地上。两张桌子，抽屉开得上七下八，都是空的，桌上乱堆着一些碎纸。此外一些椅凳横七竖八，都挪动了地位。墙上挂的字画镜框，一律收一个干净，全成了光壁子。燕西一跌脚，叹了一口气，又点了头道："我这才知道什么叫席卷一空了。"老潘垂了手，站在一边，一声不敢言语。燕西望着他又点点头道："这个情形，她早是蓄意要逃走的了，这也难怪你们。"老潘始终是哭丧着脸的，听到燕西这一句话，不由得笑将起来，便和燕西请了一个安道："七爷，你是明白人。大爷回来了，请你照实对他说一说。"燕西道："说我是会对他说，可是你们也不能一点责任都没有。当她的妈和她的兄弟在这里来来往往的时候，你们稍微看出一点破绽来，和我一报告，我就好提防一二，何至弄得这样抄了家似的？"老潘这就不敢再说什么了，只跟着他将各屋子查勘了一周。燕西查勘完了，对老潘道："今晚没有别事，把留着的东西，开一张清单，明天就把这些东西搬回家去，省得还留人在这里守着木器家伙。"老潘都答应了。燕西才坐汽车回家。到家以后，也不知道什么缘故，心里只是慌得很，好像害了一种病似的。不到十一点钟，就回房去睡觉。

清秋见他满脸愁容，两道眉峰都皱将起来，便笑道："你今天又惹着了一番无所谓的烦恼了？"燕西笑道："不知道怎么回事，我就有这样个脾气，往往为了别人的事，自己来生烦恼。可是我一见你，我的烦恼就消了，我不知道你有一种什么魔力？"一面说着，一面脱衣上床，向被里一钻。他的势力太猛，将铜丝床上的绷簧跌得一闪一动，连人和被都颠动起来。清秋站在桌子边，反背着靠了，笑道："你这人就是这样喜好无常，刚才是那样发愁，现在又这样快活。这倒成了一个古典，叫着被翻红浪了。"燕西一骨碌坐起来，笑道："你不睡？"清秋道："睡得这样早做什么？我还要到五姐那里去谈一谈呢。"燕西跳了起来道："胡说！"便下床，踏着鞋，把屋子里两盏电灯，全熄灭了。清秋在黑暗中，只是埋怨，然而燕西只是吃吃的笑，清秋也就算了。

次日清晨，燕西起来的早，把昨日晚香卷逃的事，已是完全忘却。不过向来是起晚的，今天忽然起早，倒觉得非常无聊。便走到书房里去，叫金荣把所有的报都拿了看。先仿佛看得很是无趣，只将报纸展开，从头至尾，匆匆把题目看了一看。将报一扔，还是无事，复又将报细细的看去。看到社会新闻里，忽有一条家庭美术展览会的题目，射入眼帘，再将新闻一读，正是吴蔼芳参与比赛的那个会。心里一喜，拿着报就向上房里走。走到院子里，先就遇到蒋妈。蒋妈问道："哟！七爷来得这样的早，有什么事？"燕西道："大少奶奶还没有起来吗？我有话要和她说。"蒋妈知道这几天为了姨奶奶的事，他们正一番交涉，燕西既然这一早就来了，恐怕有和佩芳商量之处，便道："你在外面屋子里待一待，让我去把大少奶奶叫醒来吧。"燕西道："我倒没有什么事，她既然睡了，由她去罢。"佩芳在屋子里起来，已是隔了玻璃，掀开一角窗纱，说道："别走别走，我已经起来了。"燕西倒不好走得，便进了中间屋子。佩芳穿了白色花绒的长睡衣，两手紧着腰部睡衣的带子，光着脚，跋了拖鞋，就开门向外屋子里来。笑道："凤举有了回电来了吗？"燕西道："不是。"佩芳道："要不，就还有别的什么变动？"燕西道："全不是，和这件事毫不相干的。"佩芳道："和这事不相干，那是什么事，这一早你大惊小怪跑了来呢？"说着话，两只手向后理着头上的头发。燕西于是将手上的报纸递了过去，把家庭美术展览会那一条新闻指给她看。佩芳拿着看了一看，将报纸向茶几上一扔，笑道："你真是肯管事，倒骇了我一跳。"说着，也不向燕西多说，便一直到卧室后的浴室里洗脸去了。燕西碰了一个橡皮钉子，倒很难为情地站在屋子里愣住了。佩芳也就想起来了，人家高高兴兴的来报信，给人家一个钉子碰了回去，未免有点不对。遂又在房子里嚷道："你等一等罢，待一会儿，我还有事要和你商量呢！别走啊。"燕西一听，立刻又高兴起来。因道："你请便罢，我在这里看报。"佩芳漱洗着，换了衣服出来，笑道："你瞧，闹了这半天，不过是十点钟，你今天有什么事，起来得这样早？"燕西笑道："并不是起得早，乃是昨晚上睡得早，不能不起来。我现在觉得我们之不能起来，并不是生成的习惯，只要睡得早一点，自然可以起早。而且早上起来，精神非常之好，可以作许多事。"佩芳道："你且不要说那个，昨晚上你何以独睡得早呢？"燕西道："昨日为了晚香的事，生了许多感慨，我也不明白什么缘故，灰心到了极点。"佩芳笑道："这可是你说的，可见得不是我心怀妒嫉了。"燕西笑道："不说这个了，你说有话和我商量，有什么话和我商量？"佩芳笑道："难道人家有事关于家庭美术展览会的，你还不知道吗？"燕西道："你不是说到老卫的事吗？我正为了这个问题要来请教。可是刚才你不等我说完，就拦回去了。"佩芳道："这也并没有什么周折，只要找几个会员，写一封介绍信，把他介绍到会里去就是了。他的英文很好的，那会里正缺乏英文人才，介绍他去，正是合适。"燕西站将起来，连连鼓掌道："好极了！好极了！"佩芳道："不过这介绍信，我们却不要出面，最好是用一个第三者写了去，我们就不犯什么嫌疑。不然，让我妹妹知道了，那就前功尽弃。"燕西道："那应该找谁呢？"说着，站了起来，就只管在屋子里转圈子。佩芳笑道："这也用不着急得这个样子，你慢慢的去想人选罢。想得了，再来告诉我，我再给你斟酌斟酌。"燕西道："我马上就去找人，吃午饭的时候，包管事情都齐备了。"说毕，转身就走了。佩芳坐在屋子里看了他的后影子，笑着点了点头。到了吃午饭的时候，只见燕西手上拿了一封信，高高兴兴的由外面笑着进来。佩芳笑道："真快啊！居然把信都写好了。却是谁出名哩？"燕西笑道："最妙不过，我找的就是令妹。我刚才打了一个电话给她，我问会里要不要英文人才？她问我为什么提起这话？我就说我和一个姓卫的朋友打赌，说他对于交际上总不行的，他笑着也承认了。说是给他一个机会，他要练习练习，我就想起贵会来了。料着他英文还可以对付，我想介绍他到贵会来尽一点义务。她说尽义务自然是欢迎的。我又说我不是会员，不便介绍，请她写一封信。她满口答应了，只要我代写就行了。你说这事有趣没有趣？"佩芳笑道："人家心地光明，自然慨然答应，哪里会想到，我们算计于她哩？"燕西笑道："我们和她撮合山，你倒怎样说我们算计她？"佩芳道："我就觉得一个女子，是作处女到老的好，若是有人劝她结婚，就是劝她上当，所以你说给她作撮合山也是给她上当。"燕西笑道："现在还只有一边肯上当，我还得想法子让他一边上当呢。"说着，他就出去打电话给谢玉树，说是介绍成功了，让璧安明日就到会里去。因为这个会里，很有些外交界的人参与，若向外国人方面，要发出一批请柬，先得预备，请卫璧安且先到会。谢玉树得了这个消息,连连说好,当日就转告了卫璧安。

这卫璧安在学校里却要算是个用功的学生，就是星期日也不大出门。这天听了谢玉树的话，就将那天当候相穿的西装穿了起来，先上了一堂课。同班的同学，忽然看见他换了西装，都望他一望。有几位和他比较熟识的，却笑着问他："老卫，今天到哪里去会女朋友吗？怎么打扮得这样漂亮？"卫璧安明知是同学和他开玩笑，可是脸上一阵发热，也不由得红将起来。有的人看见他红了脸，更随着起哄。说他一定是有了女朋友，不然，何以会红脸呢？卫璧安让大家臊得无地可容，只好将脸一板道："是的，西装只许少爷们穿的，我们这穷小子穿了，就会另有什么目的。对不对？"大家看见卫璧安恼了，这才不跟着向下说。可是这样一来，卫璧安自己心虚起来，到了下一堂课，还是继续的上。谢玉树原不是他同班，却有一两样选课和卫璧安同堂。这一堂课，他也来了，刚要进门，只见卫璧安手上拿了个讲义夹子，将一支铅笔敲着讲义夹的硬面，扑扑作响走了过来。谢玉树迎上前去，低低问道："你还不去吗？就牺牲一堂课罢。"卫璧安道："我不去了。"谢玉树道："什么？费九牛二虎之力，得了这一点结果，你倒不去了。"卫璧安站着现出很踌躇的样子，微笑了一笑。谢玉树因为二人站在走廊上，免不得有来来往往的人注意，便拉着卫璧安的手，站在课堂后一座假山石边，看看身后无人，然后笑道："你还害臊吗？你这人太不长进了。"卫璧安不肯承认害臊，就把刚才同学开玩笑的事，说了一遍。因道："我还没有去，他们就闹起来，若是我去了，更不知道他们要造些什么谣言呢。"谢玉树道："这事除了我，并没有第二个人知道，怕什么？人家拿你开玩笑，是因为你突然换了衣服，知道什么？你越是顾虑，倒越给人家一条可疑的线索了。去罢！"说着，扶着卫璧安的肩，站在他后面直推。卫璧安笑道："不过你要给我保守秘密啊！"谢玉树道："这话何须你嘱咐？我也是给你在后面摇鹅毛扇子的人，我要是给你宣布出去，我也有相当的嫌疑哩。"说着，带推带送，已经把他送得愿走了，刚要转身，卫璧安却也回转身来。谢玉树道："怎么回事?你还要转来?"卫璧安笑道："一急起来，你这人的脾气又未免太急。"于是将手摸了一摸头，又把手上拿的讲义夹子举了一举。谢玉树会意，也就一笑而去了。卫璧安回了自己的寝室，找了一条花绸手绢，折叠得好好的，放在小口袋里。梳了梳头发，将帽子掸了一掸灰，戴上。然后才走出学校，到家庭美术展览会来。

这个会的筹备处，本设在完成女子中学，为的是好借用学校里的一切器具，而且通信也便当些。吴蔼芳和这学校里的女教员，就有好几个相熟的。她自己虽然不在乎当教书匠，但是她看见朋友们教书教得很有意思，也想教教。若是有哪个朋友请假，请她来替代，她是非常的乐意。所以这个学校里，她极是熟识。借着做筹备会会址，就是她接洽的。她既爱学校生活，这个会又是她的常任干事，越是逐日到这学校里来了。她也曾对会里几个办事人说，介绍一个姓卫的学生，来办关于英文的稿务。另有一封正式的信呈报诸委员。大家都说，既是吴小姐介绍来的，就不会错，说一声就得了，也用不着要什么介绍信。但是吴蔼芳不肯含糊从事，必定把燕西写的那封信，送到筹备会来。这天卫璧安到了完成女子中学门口，心里先笑起来。生平就是怕和异性往来，偏偏就常有这种不可免的异性接洽。现在要练习交际，索性投身到异性的巢穴里面来了。到了号房里，号房见他穿了一身漂亮的西装，又是一个翩翩少年，就板着面孔问道："找谁?请你先拿一张名片来。"卫璧安道："我是找美术展览会里的人。"号房听他所言，并不是来找学生的，脸色就和蔼了几分。因问道："你找会里哪一位?"卫璧安心想，何尝认得哪一位呢?只得信口说道："吴小姐。"号房道："找吴蔼芳吴小姐吗?"说这话时，可就向卫璧安身上打量一番。他并不和号房多说，已是在身上拿出一张名片，交给了号房。号房道："你等一等。"手上拿了名片，一路瞧着走进去了。不大一会儿工夫，远远的向他一招手，叫他过去。卫璧安整了一整领结，将衣服牵了一牵，然后跟着号房走进去。这筹备会自成部落，倒有好几间屋子相连，吴蔼芳已是走到廊檐下，先迎着和他点了点头，说是好久不见。卫璧安自从那天作傧相之后，脑筋里就深深的印下吴蔼芳小姐一个影子。背地里也不知转了几千万个念头，如何能和她作朋友，如何能和她再见一面。作朋友应该如何往返，见面应该说什么话，也就计划着又计划着，烂熟于胸。当拿片子进来之后，自己也觉冒昧了。这会里有的是办事人，为什么都不要去拜会，却单单要拜会一位女职员?或者吴女士也会觉得我这人行为不对。正自懊悔着，不料吴女士居然相请会面，而且老早的迎了出来，先很殷勤的说话。自己肚子里，本有一篇话底子，给刚才一闹，已是根本推翻，于今百忙中要再提，又觉抖乱麻团，一刻儿找不着头绪了。只好先点着头，连连先答应了两声是。明明自己见异性容易红脸的，这时却极力镇静着，仿佛不曾见着异性一样。他心里是这样划算，脚步也就不似以先忙乱，一步一步的走上台阶。然而脖子和两腮上，已经感到有点微热了。吴蔼芳抢上前一步，侧着身子给他推开了门，让他进去。一引便引到一个小客厅里，除了吴女士，这里就是卫璧安了。他原先曾想到这一层的。将来成了朋友，总有一天，独自和她在一处的，那末，我就可以探询她的口气了。谁知今天一见面，就有这样一个好机会，这倒不知怎样好。吴蔼芳见他那样局促不安的样子，心里想道："这个人是怎么一回事？还是见了女子就害臊。"只得先说道："前次接得金七爷的电话，说是密斯脱卫愿意给我们会里帮忙，我们是欢迎的了不得！所以我写了一封信给会里，正式介绍密斯脱卫加入。密斯脱卫今日先来了，真是热心。"卫璧安始终就没有料到吴蔼芳有这样一番谈话。尤其是最后一句，说到人家未请，自己先来，不免有点冒昧。接上便笑了一笑。然后说道："热心是不敢说，不过从来就喜欢研究美术，现在有这样一个机会，怎么可以放过？所以我听了这美术会的消息，我就极力要加入。可是我对于美术，简直是门外汉。"说到这里，对人笑了一笑。在笑的时候，抽出袋里手绢来，揩了一揩脸，接上又淡笑了一笑。吴蔼芳低头沉思了一下，笑道："现在会里几位干事都在这里，我马上就介绍密斯脱卫去见一见，好不好？"卫璧安道："好极了，好极了，我是不善词令的，还要请密斯吴婉转的给我说一说。"吴蔼芳笑道："都是学界中人，谁也没有什么架子。我们这个会，不过是大家高兴，借此消遣，都很可以随便谈话。"说时，她已经站起身来，向前引导。卫璧安也就站将起来，跟了她后面走。吴蔼芳把他引到会议室来，这里共是十个干事，其中倒有六位是女子，这又让卫璧安惊异了一下。吴蔼芳知道他见了女宾，是有点不行，索性替他作个引导人。因就站在他并排，将在场的人，一个一个给他介绍。女会员中有一位安女士和吴蔼芳很知己，她以为吴蔼芳为人很孤高，生性就不大看得起异性，所以交际场中，尽管加入，却没有哪个是她的好朋友。她介绍一位男会员到会里来办事，已经觉得事出意外，现在她索性当着众人殷殷勤勤的给卫璧安介绍，更是想不到的事。不过看卫璧安这一表人物，却姣好如处女，甚合乎东方美男子的条件，也怪不得吴蔼芳是这样待他特别垂青。因站将起来，迎上前道："密斯脱卫来加入我们这会里，我们是二十四分欢迎的。不知道几时开始办公？我们这里，正有一些英文信件，等着要办呢。"说时，她那雪桃似的脸上，印出两个酒窝，眉毛弯动着，满脸都是媚人的笑容。卫璧安眼睛看了一看，脸上越是现出那扭怩不安的样子，只是轻轻的答应着说："不懂什么，还求多多指教。"吴蔼芳便道："密斯脱卫，以后说话不要客气，一客气起来，大家都无故受了拘束了。"安女士听了这话，心想着，对于一个生朋友，哪有执着这

种教训的语气去和人说话的，不怕人家难为情吗?但是回头看看卫璧安，却是安之若素，反连说着是是。安女士一想，这个人真是好性情，人家给他这般下不下去，他反要敷衍别人呢。安女士是这样想，其他的人，也未尝不是这样想，所以卫璧安虽是初加入这个团体，倒并不是无人注意哩。

第六十四回

若不经心清谈销永日
何曾有恨闲话种深仇

　　过了几天，各方参与展览的作品，陆续送到。展览会的地点原定了外交大楼，因洋气太甚，就改定了公园，将社稷坛两重大殿一齐都借了过来。这美术里面，要以刺绣居多数，图画次之，此外才是些零碎手工。各样出品，除了汉文标题而外，另外还有一份英文说明。这英文说明，就是卫璧安的手笔。这种说明，乃是写在美丽的纸壳上，另外将一根彩色丝线穿着，把来系在展览品上。卫璧安原只管做说明，那按着展览品系签子，却另是一个人办的，及至由筹备处送到公园展览所去以后，有一个人忽然省悟起来。说是那英文说明，没有别号头，怕有错误，应该去审查一下。卫璧安一想，若真是弄错了，那真是自己一个大笑话。便自己跑到公园里去，按照陈列品一件一件的去校正。无奈这天已是大半下午，不曾看了多少，天色已晚，不能再向下看，这天只好回学校去。次日一早起来，便到公园来继续料理这件事。到了正午，才把所有的英文说明一齐对好。可是事情办完，人也实在乏了，肚子也很饿了。从来没有做过这样辛苦的工作，自己要慰劳自己一下，于是到茶社里玻璃窗下，闲坐品茗，而且打算要叫两样点心充饥。正捧了点心牌子在手上斟酌的时候，忽听得玻璃铮铮然一阵响。抬头一看，只见吴蔼芳一张雪白的面孔，笑盈盈的向里望着。他连忙站起来道："请进！"便迎到玻璃门前，给吴蔼芳开门。吴蔼芳笑道："一个人吗？"卫璧安让她落了座，斟了一杯茶送她面前，然后就把对英文说明的事，对她说了。吴蔼芳笑道："我不知道，我若是知道，早就来替你帮忙了。既然是没有吃饭，我来请罢。"就拿自己手上的自来水笔，将日记簿子撕了一页下来，开了几样点心。卫璧安身上，一共只带一块钱，见吴蔼芳写了几样，既不便拦阻，又不知道开了些什么，将来会账掏不出钱来怎么好？这就不敢把作东的样子自居了。吴蔼芳谈笑自若，一点也没有顾虑到别人。卫璧安先也是觉得有点不安，后来吴蔼芳谈得很起劲，也就跟着她向下谈去。吴蔼芳笑道："作事就

金粉世家
若不经心清谈销永日　何曾有恨闲话种深坑

是这样，不可忽略一下。往往为五分钟的忽略，倒多累出整天的工作。好像这回挂英文说明，若是昨日翻译的时候，按照号码也添上阿拉伯字码，悬标题的人，他只照着中外号码而办，自不会错。现在倒要密斯脱卫到公园里来跑了两天，会里人对这件事应该很抱歉的。"卫璧安笑道："这件事，是我忽略了，应该对会里人抱歉，怎样倒说会里人对我抱歉呢？"吴蔼芳笑道："惟其是密斯脱卫自认为抱歉，所以昨天跑了来不算，今天一早又跑到公园里来。这两天跑功，在功劳簿上也值得大大的记上一笔。"卫璧安笑道："我不过跑了两天，在功劳簿上就值得大大记上一笔。像吴女士自筹备这会以来，就不分日夜的忙着，那末，这一笔功劳，在功劳簿上又应该怎样记上呢？"吴蔼芳道："不然，这个会是我们一些朋友发起的，我们站在发起人里面，是应该出力的。况且我们都有作品陈列出来，会办好了，我们出了风头，力总算没有白费。像密斯脱卫在我们会里出力，结果是一无所得的，怎么不要认为是特殊的功劳呢？而且这种事情办起来，总感不到什么兴趣吧？"卫璧安笑道："要说感到兴趣这句话，过后一想，倒是有味。这里的出品，大大小小一共有一千多样。我究竟也不知道哪里有错处？哪里没错处？只好挨着号头从一二三四对起，一号一号的对了去。对个一二百号头，还不感到什么困难，后来对多了，只觉得脑子发涨，眼睛发昏，简直维持不下去。可是因为发生了困难，越怕弄出乱子，每一张说明书，都要费加倍的工夫去看。昨天时间匆匆，倒还罢了。今天我一早就来，来了之后就对。心里是巴不得一刻工夫就对完，可是越对越不敢放松，也就越觉得时间过长。好容易忍住性子将说明题签对完，只累得浑身骨头酸痛。一看手上的表，已经打过了十二点，整整是罚了半天站罪。我就一人到这里来，打算慰劳慰劳自己。"吴蔼芳正呷了一口茶在嘴里，听了这一句话，却由心里要笑出来，嗤的一声，一回头把一口茶喷在地上。低了头咳嗽了几声，然后才抬起来，红了脸，手抚着鬓发笑道："卫先生说的这种话，不由得人不笑将起来，真是滑稽得很。"卫璧安道："滑稽得很吗？我倒说的是实话呢。我觉得一个人要疲倦了，非得一点安慰不可。至于是精神方面或者是物质方面，那倒没有什么问题。"吴蔼芳正想说什么，伙计却端了点心来了。东西端到桌上来，卫璧安一看，并不是点心，却是两碟凉菜，又是一小壶酒。吴蔼芳笑道："我怕密斯脱卫客气，所以事先并没有征求同意，我就叫他预备了一点菜。这里的茶社酒馆，大概家兄们都已认识的，吃了还不用得给钱呢。"说时，伙计已经摆好了杯筷，吴蔼芳早就拿了酒壶伸过去，给他斟上一杯。卫璧安向来是不喝酒的，饿了这一早上，这空肚子酒更是不能喝。本待声明不能喝酒，无如人家已经斟上，不能回断人家这种美情。只得欠着身子，道了一声谢谢。吴蔼芳拿回酒壶，自己也斟上了一杯。她端起杯子，举平了鼻尖，向人一请道："不足以言慰劳，助助兴罢了。喝一点！"卫璧安觉得她这样请酒，是二十

503

分诚意的，应该喝一点，只得呷了一口。偷眼看吴蔼芳时，只见她举着杯子，微微的有一点露底，杯子放下来时，已喝去大半杯了。据这一点看来，她竟是一位能喝酒的人，自己和她一比，正是愈见无量。吴蔼芳笑道："密斯脱卫，不喝酒吗？"卫璧安道："笑话得很，我是不会喝酒的。"吴蔼芳道："不会喝酒，正是一样美德，怎么倒说是笑话？"卫璧安道："在中国人的眼光看来，读书的人，原该诗酒风流的。"说到风流这两个字，觉得有点不大妥当，声音突然细微起来，细微得几乎可以不听见。吴蔼芳对于这一点，却是毫不为意，笑道："然而诗酒风流，那也不过是个浪漫派的文人罢了。要是真正一个学者，就不至于好酒的。我读的中国书很少，喝酒品行好的人，最上等也不过像陶渊明这样。下一等的，可说不定，什么人都有。像刘伶这种人，喝得不知天地之高低，古今之久暂，那岂不成了一个废物！"卫璧安道："吴女士太谦了，太谦了。"吴蔼芳笑道："密斯脱卫，你以为我也会喝酒吗？其实我是闹着玩。高兴的时候，有人闹酒，四两半斤，也真喝得下去。平常的时候，一年不给我酒喝，我也不想。这也无所谓自谦了，决没有一个能喝酒的人，只像我这样充其量不过四两半斤而已哩。"卫璧安笑道："虽然只有半斤四两，然而总比我的量大，况且喝酒也不在量之大小，古人不是说了，一石亦醉，一斗亦醉吗？"吴蔼芳听了他这话，心里可就想着，原来我总以为他不会说话，现在看起来，也并不是不会说话的。心里这样想着，嘴里可就说不出什么话来，只管是微笑。那店里的伙计，已是接二连三送了好几样菜来。卫璧安心里也想，真惭愧，今天我若是要作东，恐怕拿衣服作押账，才脱得了身呢。真是有口福，无缘无故的倒叨扰了她一餐。她作这样一个小东，本来不在乎，但是我就却之不恭，受之有愧。卫璧安只管在这里傻想，吴蔼芳却陪着他只管且吃且谈。伙计已是上过好几样菜，最后饭来了。吴蔼芳将杯子向卫璧安一举，笑道："饭来了，干了罢。"卫璧安连道："一定一定。"于是将一杯酒干了，还向吴蔼芳照了一照杯。吴蔼芳将饭碗移到面前，把勺子向汤碗里摆了两摆，笑着向卫璧安道："热汤，不用一点泡饭？"卫璧安道："很好，很好。"于是也跟着她舀了汤向碗里浸。饭里有了汤吃得很快，一会儿工夫，便是一碗。吴蔼芳见他吃得这样甜爽，便分付伙计盛饭。卫璧安碗刚放了，第二碗饭已经送到。把这碗饭又快要吃完，吴蔼芳还只是吃大半碗。卫璧安笑道："我真是个饭桶了……"吴蔼芳不待他接着把话去解释，便笑道："我们要健康身体，一定就要增加食欲，哪里有食量不好，有强壮身体的哩？我就怨我自己食量不大，不能增进健康。密斯脱卫在学校里，大概是喜欢运动的吧？"卫璧安道："谈起运动来，未免令人可笑！我除了打网球而外，其余各种运动，我是一律不行。我也知道这种运动，于康健身体，没有多大关系。"吴蔼芳道："不然，凡是运动，都能康健身体的。我也欢喜网球，只是打得不好，将来倒要在密斯脱卫面前请教。"卫璧安笑道："请教两个字是不敢当，无事把这个来消遣，可比别的什么玩意好多了。"吴蔼芳道："正是这样，这是一样很好的消遣。我们哪一天没有事，不妨来比试一下。"卫璧安见她答应来比试，心里更是一喜。便道："天气和暖了，春二三月比球，实在合适，也不热，也不怕太阳晒，但不知道吴女士家里有打球的地方吗？"吴蔼芳笑着点了点头。说着话，二人已经把饭吃完。伙计揩抹了桌子，又把茶送了上来。二人品茗谈话，越谈越觉有趣，看看天上的太阳光，已经偏到西方去了。吴蔼芳将手表才看了一看，笑道："密斯脱卫还有事吗？"卫璧安道："几点钟了？真是坐久了。"吴蔼芳道："我是没有什么事，就怕密斯脱卫有事，所以问一问。"卫璧安道："我除了上课，哪里还有要紧的事？今天下午的课，正是不要紧的一堂课，我向来就不上堂，把这一点钟，消磨在图书馆里。"吴蔼芳道："正是这样，与其上不要紧的一堂课，不如呆在图书馆里，还能得着一点实在的好处呢。能上图书馆的学生，总是好学生。"说到这里，便不由得笑了一笑。卫璧安笑道："好学生三个字，谈何容易啊？我想能作一个安分的学生，就了不得了，好字何能充当呢？"吴蔼芳一说到这里，觉得没有什么话可说了，只是捧了杯子喝茶。彼此默然了一会儿，吴蔼芳微笑道："今天公园里的天气，倒是不坏。"卫璧安道："可不是，散散步是最好不过的了。"说到这里，吴蔼芳不曾说什么，好端端的却笑了一笑。卫璧安见她只笑了而不曾说什么，就也不说什么，只是陪了她坐着，还是说些闲话。慢慢的又说过去一个多钟头，吴蔼芳叫伙计开了账单来，接过在手里。卫璧安站起，便要客气两句。吴蔼芳笑着连连摇手道："用不着客气的，这里我们有来往账，我已声明在先的了。"说着，就拿笔在账单后，签了一个字。那伙计接过单子去，却道了一声谢谢吴小姐。看那样子，大概在上面批了字，给他不少的小账了。吴蔼芳对卫璧安道："我们可以一同走。"卫璧安道："好极了。"吴蔼芳在前，他在后，在柏树林子的大道上慢慢走起来。吴蔼芳道："天气果然暖和得很，你看这风刮了来，刮到脸上，并不冷呢。"卫璧安道："我们住在北京嫌他刮土，就说是香炉里的北京城，沙漠的北京城。但是到了天津，或者上海，我们就会思想北京不置。这样的公园，哪里找去！"吴蔼芳笑道："果然如此。我在天津租界上曾住过几个月，只觉得洋气冲天，昏天黑地的找不到一个稍微清雅一点的地方。"卫璧安道："不用到天津了，只在火车上，由老站到新站，火车在那一段铁路上的经过，看到两面的泥潭，和满地无主的棺材，还有那黑泥墙的矮屋，看了就浑身难过。这倒好像有心给当地暴露一种弱点，请来往的中外人士参观。"吴蔼芳笑着连连点头道："密斯脱卫说的这话，正是我每次上天津去所感想到的，这话不啻是和我说了一样呢。"二人一面说着话，一面在平坦的路上走着，不觉兜了大半个圈圈，把出大门的路走过去了。吴蔼芳并不在乎，还是且谈且走。卫璧安当然也不便半路上向回路走，也只好跟了下去。整兜过了一个圈子之后，又到了出大门的那一条大路上来了。依着卫璧安，又要说一句告别的话，不过却不忍先说出口，只管一步一步走慢。走到后来，却在那后面跟着，且看吴蔼芳究竟往哪里走。只见吴蔼芳依旧忘了这是出门的大路转弯之处，还是随了脚下向前的路线，一步一步走去。卫璧安一直让她走过了几十丈路，笑道："这天气很好，散步是最适宜的。这样走着，让人忘了走路的疲倦了。"吴蔼芳道："在早半年，我每日早上，都要到公园来散步的。每次散步，都是三个圈子。"卫璧安道："为什么天天来？吴女士那时有点不舒服吗？"吴蔼芳回首一笑道："密斯脱卫，你猜我是千金小姐，多愁多病的吗？"卫璧安才觉得自己失言了，脸红起来。还是吴蔼芳自己来解围，便笑道："但是，那个时候，我确是有点咳嗽。我总怕闹成了肺病，不是玩的，因此未雨绸缪，先就用天然疗养法疗养起来，每日就到公园里来吸取两个钟头的空气。不过一个月的工夫，一点药也不曾吃，病就自然的好了。"卫璧安道："此话诚然。我所知道的，还有许多南方的人，为了有病，常常有人到北方来疗养的呢。不但病人要来疗养，就是身体康健的人，到北方来居住，也比在南方好。"吴蔼芳听说，却是噗嗤一笑。卫璧安看到她笑的样子，并不是怎样轻视，便问道："怎么样？我这句话说得太外行了吗？"吴蔼芳笑道："不是不是！"但是她虽说了不是，却也未加解释。卫璧安也就随着一笑，不再说了。两人兜了一个圈子又兜了一个圈子，最后还是吴蔼芳醒悟过来了，太阳已经晒在东边红墙的上半截，下半截乃是阴的，正是太阳在西边，要落下去了。因看了看手表，已经是五点多钟，便笑道："密斯脱卫，还要走走吗？"卫璧安道："可以可以！"吴蔼芳道："那末，我要告辞了。"卫璧安道："好罢，我也回去了。"于是二人一同走出公园，各坐车子而去。

　　吴蔼芳到了家里，一直回自己的卧房，赶快脱了高跟鞋子，换上便鞋，就倒在沙发椅子上，斜躺着坐了。一会子工夫，老妈子进来道："二小姐，你接电话罢，大小姐打来的电话。"吴蔼芳捏了拳头捶着腿道："我累的要命，一步也懒得走了。你就说我大不舒服，躺下了。有什么话，叫她告诉你罢。"老妈子笑道："好好儿的人，干吗说不舒服呢？你刚才由外面回来呢。"吴蔼芳道："好啰唆，你就这样去说得了。"老妈子去了，过了一会儿来说："大小姐有事要和你说，请你今天晚上去一趟呢。"吴蔼芳道："哎哟！我正想今天早一点儿睡，偏是她又打电话来找我去。我还是去不去呢？我若是不去，又怕她真有事找我。"老妈子道："你去一趟罢，坐了家里的汽车去，很快的。"吴蔼芳也不理会她，自躺在沙发椅子上睡了，非常的舒服。一直睡到晚上八点钟，老妈子请吃饭，才把她叫醒。吴蔼芳道："什么事？把我叫醒了。"老妈子道："你不吃晚饭吗？"吴蔼芳道："这也不要紧的事，你就待一会再叫我要什么紧？我躺躺儿，不吃饭了，回头弄一点点心吃就是了。"说着，一翻身向里，又睡了。老妈子看她这样子，也许是真有病，就不敢再啰唆了。

这一晚上，吴蔼芳也没有履佩芳之约，到了次日下午，才到金家去。佩芳因为自己的大肚子，已经出了怀，却不大肯出门，只是在自己院子里呆着。吴蔼芳来了，她就抱怨着道："幸而我没有什么大不了的急事。若是有急事的话，等着你来，什么事也早解决过去了。昨天打了一下午的电话，说是你没有在家。等你回来，自己不接电话，也不来，我倒吓了一跳，不知在什么地方得罪了你呢。"吴蔼芳笑道："你不知道，昨天下午跑了一下午的腿，忙得汗流浃背。回去刚要休息，你的电话就来了。你叫我怎办？"佩芳道："这事你也太热心了。又不是一方面的事，何必要你一个人大卖其力气呢？"吴蔼芳红了脸道："你说什么？我倒不懂。"佩芳道："我说会务啊！你以为我是说什么呢？"吴蔼芳笑道："说会务就说会务罢，你为什么说得那样隐隐约约的？"佩芳原是不疑心，听她的话，却是好生奇怪，除了会务，还有什么呢？难道他们的事，倒进行得那样快？那真奇怪了。因笑道："不要去谈那些不相干的事，我们还归入正题罢。你看我昨天到处打电话找你，那是什么事？"吴蔼芳道："那我怎样猜得着？想必总有要紧的事。"佩芳低了头，看了一看自己的大肚子，笑道："你看这问题快要解决了，总得先行预备一切才好。我有几件事，托你去转告母亲。"吴蔼芳道："我说是什么事，要来找我，原来是这些事，我可不管。"佩芳道："当然是你可以管的，我才要你管。不能要你管的，我也不会说出口啊。我所要你说的，很简单，就是要你对母亲说，让她来一趟。我们二少奶奶家里，已经来了好几次人了。"吴蔼芳笑道："不是我说你们金府上遇事喜欢铺张，这种家家有的事，你们也先要闹得马仰人翻。"佩芳道："你不知道，我是头一次嘛。"说到这里，低了声音道："我告诉你一个奇怪的消息。据我那雇的日本产婆说，我们家的新娘子，已经有喜了。"吴蔼芳道："这也没有什么可惊奇之处啊！"佩芳道："不惊奇吗？她说新娘已经怀孕有四个月以上了。这是不是新闻？"吴蔼芳道："怎么，有这种话？她不能无缘无故，把这种话来告诉你啊！你们是怎样谈起来的，不至于吧？"佩芳道："我原也不曾想到有这种事，可是我们这里的精灵鬼三少奶奶，不知道她怎么样探到了一点虚实。"吴蔼芳道："她怎样又知道一点虚实呢？"佩芳笑道："这有什么看不出来？有孕的人，吃饭喝茶，以至走路睡觉，处处都会露出马脚的。"吴蔼芳道："这位新少奶奶，就是果有这种事，她也未必让日本产婆去诊察啊！"佩芳道："你真也会驳，还不失给她当傧相的资格呢。告诉你罢。是大家坐在我这里谈心，日本产婆和她拉着手谈话，看了看她的情形，又按着她脉，就诊断出来了。"吴蔼芳道："这日本产婆子也会拉生意，老早的就瞄准了，免得人家来抢了去。"佩芳笑道："哪里是日本婆子的生意？这都是三少奶奶暗中教她这样做的呢。"吴蔼芳道："那为什么？这是人家的短处，能遮掩一日，就给人家遮掩一日。又不干三少奶奶什么事,老早的给人家说破了,不嫌……"佩芳也不觉红了脸道:"不过是闹着玩罢了。我也对她说了,未必得住。就是真的,我们老七那也是个小精灵虫,他自然很明白。因之再三的对三少奶奶说,无论如何,不要告诉第三个人。"吴蔼芳道:"对了。这位新少奶奶是姓冷罢是。若是姓白,我想你们三少奶奶就不会这样给人开玩笑了。"佩芳道:"不说了,说得让人听见更是不好呢。"吴蔼芳又和佩芳谈了一会儿,她倒想起清秋来了,便到清秋这边院子里来。

　　这时候,恰好是清秋在家里,闲着无事,将一本英文小说拿出来翻弄。吴蔼芳先在院子里站着,正要扬声一嚷,清秋早在玻璃窗子里看见了。连忙叫道:"吴小姐来了。请进来坐,请进来坐。"吴蔼芳进来,见她穿了一件蓝布长罩袍,将长袍罩住。便笑道:"你们府上的人,都能够特别的时髦,现在却一阵风似的,都穿起蓝布衣服来了。"清秋笑道:"说起来,真是笑话。不瞒你说,我是个穷孩子,家里没什么可以陪嫁的,只有几件衣服。我有两件蓝布长衫是新做的,没有穿过。到了这边来,舍不得搁下,把它穿起来在屋子里写字,免得是擂墨脏了衣服。首先是六姐看见,她说这布衣颜色好看,问我是哪里买的?所幸我倒记得那家布店,就告诉她了。她当日就自坐了汽车去买了来,立刻分付裁缝去做。她一穿不要紧,大家新鲜起来,你一件,我一件,都做将起来。不过她们特别之处,就是穿了这蓝布长衫之后,手指上得套上一个钻石戒指。"吴蔼芳笑道:"你为什么不套呢?你不见得没有吧?"清秋道:"有是有的。但是我穿这蓝布褂子,原意是图省俭,不是图好看。若是带起钻石戒指来,就与原意相违背了。"吴蔼芳点点头道:"你这人很不错,是能够不忘本的人。"说着,李妈已经送上茶来,却是一个宜兴博古紫泥茶杯。吴蔼芳拿着杯子看了笑道:"真是古雅得很,喝茶都用这种茶具。"清秋笑道:"说起来,这又不值一笑了。是上次家里清理瓷器,母亲让我去记账。我见有两桶宜兴茶具,似乎都不曾用过的,我就问怎么不用?大家都说,有的是好瓷器,为什么要用泥的?事后我对母亲说,那许多紫泥的东西,放下不用,真是可惜。母亲说,本来那东西也不贱,从前好的泥壶,可以值到五十两银子一把哩。北方玩这样东西的人少,若是哪个单独的用,倒觉不大雅观。你若是要用,随便挑几套用一用,反正放在那里,也是无人顾到的。这样一说,我就用不着客气,老老实实的挑选了许多。吴小姐,你说我古雅得很,在另一方面看起来,也可以说我是乡下人呢。"吴蔼芳笑道:"可不是!这也就叫仁者见仁,智者见智了。"她一面说话,一面观察清秋的行动,觉得她也并没有什么异乎平常之处。佩芳所说的话,未必就靠得住。因此倒很安慰了她几句,叫她不要思念母亲。若有工夫到我们那里去玩玩,我们是很欢迎的。坐谈了一会儿,告辞回去。清秋一直将她送到二门口,然后才走回房来。

偏是事不凑巧，当蔼芳和清秋谈话的时候，恰好玉芬叫她房里的张妈过来拿一样东西，却听到清秋说一句看起来是乡下人那一句话。她听了这话，心想，我们少奶奶，是有些不高兴于她，莫非她说这话，是说我们少奶奶的。她若是说我们少奶奶，这句话可说得正着啊! 我们少奶奶就说她没有见过什么市面呢。当时东西也忘记拿了，就一路盘算着走了回去。玉芬见老妈子没有拿东西回来，便问道："怎么空着手走来呢?"张妈道："那里来了客了，我怕不便，没有进去拿去。"玉芬道："谁在那里?"张妈道："是大少奶奶家里的二小姐。"玉芬道："这倒怪了! 她不在大少奶奶屋子里坐，却跑到清秋那里去坐，这是什么意思呢? 她们说了些什么?"张妈道："我听到七少奶奶说，人家都笑她呢!"玉芬道："是说我吗? 是说谁?"张妈道："说谁，我倒闹不清楚。她那意思，她也是学生出身，什么都知道，为什么大家都瞧她不起，说她是乡下人呢?"玉芬一听这句话，脸上红了，冷笑道："学生出身算什么? 我们家里的小姐少奶奶们都也认识几个字吧? 她不过多念过两句汉文，这也很平常。凭她那种本事，也不见有多少博士硕士会轮到她头上去。她怎样说我? 我想吴二小姐是很漂亮的人物，不至于和她一般见识吧?"张妈便道："吴二小姐就驳她的话呢。说是少奶奶和小姐，都是很文明的人，决不会那样说的。三少奶奶更是聪明人，犯不上说这种话。她说是不见得，反正总有人说出这种话来的。"玉芬冷笑道："她自然是信我不过。但是信我不过，也不要紧，我王某人无论将来怎么倒霉，也不至于去求教她姓冷的。她不要夸嘴，过几个月再见，到了那个时候，我看是我的嘴硬，还是她的嘴硬?"张妈笑道："可不是，凭她那种人，哪里也能够和三少奶奶比哩! 你府上做官就做了好几辈子。她家里那个舅舅，作喜事的那一天，也来了。见了咱们总理，身上只是哆嗦，我看他那样子，他家里准没有出过大官。"玉芬不觉笑道："不要瞎扯了。我和她比，不过是比自己的人品，她家里有官没有我不去管他。"张妈道："怎么不要管? 就是为了她家里没有官，才有她那一副德行!"玉芬道："你别说了，越说你越不对劲儿。我问你，吴家二小姐为什么到她那里去坐?"张妈道："这事我倒知道，前天大少奶奶叫人打电话，请她去的。她来了，大概先也是在大少奶奶这边坐了一会儿，后来再到那边去坐的。"玉芬点了点头道："我明白了，这里面另有缘故的。"当时她忍耐着，却不说什么，然而她心里却另有一番打算了。

第六十五回

鹰犬亦工谗含沙射影
芝兰能独秀饮泣吞声

　　这一天晚上，玉芬闲着，到佩芳屋子里闲坐谈心。一进门，便笑道："喝!真了不得，瞧你这大肚子，可是一天比一天显得高了，怪不得你在屋子里呆着，老也不出去。应该找两样玩艺儿散散闷儿才好。至少，也得找人谈心。若是老在床上躺着，也是有损害身体的。"佩芳原坐在椅子上，站起来欢迎她的，无可隐藏，向后一退，笑道："你既然知道我闷的慌，为什么不来陪着我谈话呢?"玉芬道："我这不是来陪着你了吗?还有别的人来陪你谈话没有?"说时，现出亲热的样子，握了她的手，同在一张沙发上坐下。佩芳道："今天我妹妹还来谈了许久呢。"玉芬道："她来了，怎么也不到我那里去坐坐?我倒听到张妈说，她还到新少奶奶屋子里去坐了呢。怎么着?我们的交情，还够不上比新来的人吗?"佩芳道："那还是为了她当过傧相的那一段事实了。"玉芬眉毛一耸，微笑道："你和你令妹说些什么了?燕西的老婆，可对令妹诉苦，以为我们说她是乡下人呢。"佩芳道："真有这话吗?我就以为她家里比较贫寒一点，决计不敢和她提一声娘家的事。十个指头儿也不能一般儿齐，亲戚哪里能够一律站在水平线上，富贵贫贱相等?不料她还是说出了这种话来，怪不怪?"玉芬道："是啊!我也是这样说啊。就是有这种话，何必告诉令妹?俗言道得好，家丑不可外传，自己家里事，巴巴的告诉外人，那是什么意思呢?幸而令妹是至亲内戚，而且和你是手足，我们的真情，究竟是怎么样，她一定知道的。不然，简直与我们的人格都有妨碍了。"佩芳道："据你这样说，她还说了我好些个坏话吗?谁告诉你的?你怎样知道?"玉芬道："我并没有听到别什么?还是张妈告诉我的那几句话，你倒不要多心。"佩芳笑道："说过就算说了罢，要什么紧!不过舍妹为人，向来是很细心的，她不至于提到这种话上去的，除非是清秋妹特意把这种话去告诉她了。"玉芬道："那也差不多。那个人，你别看她斯文，肚子里是很有数的。"佩芳笑道："肚子里有数，还能赛过你去吗?"玉芬道："哟!这样高抬我做什么?我这人就吃亏心里搁不住事，心里有什么，嘴里马上就说什么。人家说我爽快是在这一点，我得罪了许多人，也在这一点。像清秋妹，见了人是十二分的客气，背转来，又是一个样子，我可没有做过。"佩芳笑道："你这话我倒觉得有点所感相同，我觉得她总存这种心事，以为我们笑她穷。同时，她又觉得她有学问，连父亲都很赏识，我们都不如她。面子上尽管和我们谦逊，心里怕有点笑我们是个绣花枕头哩。"玉芬道："对了对了，正是如此。可见人同此心，心同此理呢。"佩芳笑道："其实，我们并没有什么和她过不去，不过觉得她总有点女学者的派头。在家里天天见面，时时见面的人，谁不知道谁，那又何必呢？"玉芬笑道："这个女学者的面孔，恐怕她维持不了多少时候，有一天总会让大家给她揭穿这个纸老虎的。"说着，格格的一阵笑。又道："怪不得老七结婚以前和她那样的好，她也费了一番深功夫的了。我们夫妻感情大不好，其原因大概如此。"佩芳笑道："你疯了吗？越来越胡说了。"玉芬道："你以为我瞎说吗？这全是事实，你若是不信，把现在对待人的办法，改良改良，我相信你的环境就要改变一个样子了。"佩芳笑道："我的环境怎么会改一个样子？又怎么要改良待人的办法？我真不懂。"玉芬笑道："你若是真不懂那也就算了。你若是假不懂，我可要骂了。"佩芳笑道："我懂你的意思了。但是你所说的，适得其反哩。你想，他们男子本来就很是欺骗妇女，你再绵羊也似的听他的话，跟在他面前转，我相信，他真要把人踏做脚底的泥了。我以为男子都是贱骨头，你愿迁就他，他越骄横的了不得。若得给他一个强硬对待，决裂到底，也不过是撒手。和我们不合作的男子，撒了手要什么紧？"玉芬伸了一伸舌头，复又将头摆了一摆，然后笑道："了不得，了不得！这样强硬的手段，男子恋着女子，他为了什么？"佩芳站了起来，将手拍了一拍玉芬的肩膀，笑道："你说他恋着什么呢？我想只有清秋妹这样肯下身分，老七是求仁而得仁，就两好凑一好了。"两人说得高兴，声浪只管放大，却忘了一切，这又是夜里，各处嘈杂的声浪，多半停止了，她们说话的声音，更容易传到户外去。

　　恰好这个时候，清秋想起白天蔼芳来了，想去回看她，便来问佩芳，她是什么时候准在家里？当她正走到院子门的黄竹篱笆边，就听到玉芬说了那句话：除非清秋妹那样肯下身份。不免一怔，脚步也停住了。再向下听去，她们谈来谈去，总是自己对于燕西的婚姻是用手腕巴结得来的。不由得一阵耳鸣心跳，眼睛发花。呆了一会儿，便低了头转身回去。刚出那院子门，张妈却拿了一样东西由外面进来，顶头碰上。张妈问道："哟！七少奶，你在大少奶那儿来吗？"清秋顿了一顿，笑道："我还没去。因为我走到这里，我丢了一根腿带，我要回去找一找，也不知道是不是丢在路上了？"说着，低了头，四处张望，就寻找着，一路走开过去了。张妈站在门边看了一看，见她一路找得很匆忙，并不曾仔细寻找，倒很纳

511

闷。听到佩芳屋子里，有玉芬的声音，便走了进去。玉芬道："什么事，找到这儿来？"张妈道："你要的那麦米粉，已经买来了。不知道是不是就要熬上？"玉芬道："这东西熟起来很快的，什么时候要喝，什么时候再点火酒炉子得了。这又何必来问？"张妈笑了一笑，退得站到房门边去。却故意低了头，也满地张望。玉芬道："你丢了什么？"张妈道："我没有丢什么，刚才在院子门口碰到了七少奶奶，她说丢了一只腿带，我想也许是落在屋子里，找一找。"佩芳道："瞎说了，七少奶奶又没有到这里来，怎么会丢了腿带在这里？"张妈道："我可不敢撒谎，我进来的时候，碰到七少奶奶刚去院子门，她说丢了一只腿带，还是一路找着出去的呢。"佩芳和玉芬听了这话，都是一怔。佩芳道："我们刚才的话，这都让她听去了。这也奇怪，她怎么就知道你到我这里来了？"玉芬道："我们是无心的，她是有心的。有心的人来查着无心的人，有什么查不着的？"佩芳道："这样一来，她一定恨我们的，我们以后少管她的闲事，不要为着不相干的事，倒失了妯娌们的和气。"玉芬道："谁要你管她的事！各人自己的事，自己还管不了呢！"于是玉芬很不高兴的走回自己屋子去了。

恰好鹏振不知在哪里喝了酒，正醉醺醺的回来。玉芬道："要命，酒气冲得人只要吐，又是哪个妖精女人陪着你？灌得你成了醉鳖。"鹏振脱了长衣，见桌上有大半杯冷茶，端起来一骨碌喝了，笑道："醉倒是让一个女人灌醉了，可不是妖精。"玉芬道："你真和女人在一处喝酒吗？是谁？"说着，就拉着鹏振一只手，只管追问。鹏振笑道："你别问，两天之后就水落石出的。你说她是妖精，这话传到她耳朵去了，她可不能答应你。"说着，拿了茶壶又向杯子里倒上一杯茶，正要端起杯子来喝时，玉芬伸手将杯子按住，笑问道："你说是谁？你要是不说，我不让你喝这一杯茶事小，今天晚上我让你睡不了觉！"鹏振道："我对你实说了罢，你骂了你的老朋友了，是你表妹白秀珠呢。"玉芬听了这话，手不由软了，就坐下来。因道："你可别胡说，她是个老实孩子。"鹏振笑道："现在男女社交公开的时代，男女相会，最是平常。若是照你这种话看来，男女简直不可以到一处来，若是到了一处，就会发生不正当的事情的。"玉芬笑道："不是那样说，因为你们这班男子，是专门喜欢欺骗女子的。"鹏振道："无论我怎么坏，也不至于欺骗到密斯白头上去。况且今天晚上同座有好几个人。"玉芬道："还有谁？秀珠和那班跳舞朋友，已经不大肯来往了。"鹏振道："你说她不和跳舞朋友来往，可知道今天她正是和一班跳舞朋友在一处。除了我之外，还有老七，还有曾小姐，乌小姐。"玉芬道："怎么老七现在又常和秀珠来往？"鹏振道："这些时，他们就常在一处，似乎他们的感情又恢复原状了。"玉芬道："恢复感情，也是白恢复。未结婚以前的友谊，和结了婚以后的友谊，那是要分作两样看法来看的。"鹏振笑道："那也不见得吧？只要彼此相处得好，我看结婚不结婚，是没有关系的。从前老七和她在一处，常常为一点小事就要发生口角。而今老七遇事相让，密斯白也是十分客气，因此两个人的友谊，似乎比以前浓厚了。"玉芬叹了一口气道："这也是所谓既有今日，何必当初了。"鹏振笑道："只要感情好，也不一定要结婚啦。"玉芬当时也没有说什么，只是把这一件事搁在心里。

到了次日，上午无事，逛到燕西的书房里来。见屋子门是关着，便用手敲了几下。燕西在里面道："请进来罢。"玉芬一推门进来，燕西嚷着跳起来道："稀客稀客，我这里大概有两个月没有来了。"玉芬道："闷得很，我又懒出去得，要和你借两本电影杂志看看。"说着，随着身子就坐在那张沙发上。燕西笑道："简直糟糕透了，总有两个月了，外面寄来的杂志，我都没有开过封。要什么，你自己找去罢。"玉芬笑道："一年到头，你都是这样忙，究竟忙些什么?大概你又是开始跳舞了吧?昨晚上，我听说你就在跳舞呢。"燕西笑道："昨天晚上可没跳舞，闹了几个钟头的酒，三哥和密斯白都在场。"玉芬听说，沉吟了一会儿，正色道："秀珠究竟是假聪明，若是别人，宁可这一生不再结交异性朋友，也不和你来往了。你从前那样和她好，一天大爷不高兴了，就把人家扔得远远的。而今想必是又比较着觉得人家有点好处了，又重新和人家好。女子是那样不值钱，只管由男子去搓挪。她和我是表亲，你和我是叔嫂，依说，我该为着你一点。可是站在女子一方面说，对你的行为，简直不应该加以原谅。"燕西站在玉芬对面，只管微笑，却不用一句话来驳她。玉芬道："哼!你这也就无词以对了。我把这话告诉清秋妹，让她来评一评这段理。"燕西连连的摇手道："那可不是闹着玩的，她一质问起来，虽然也没有什么关系，究竟多一层麻烦。"玉芬笑道："我看你在人面前总是和她抬杠，好像了不得。原来在暗地里，你怕她怕得很厉害呢。"燕西笑道："无论哪个女子，也免不了有醋劲的，这可不能单说她，就是别一个女子，她若知道她丈夫在外面另有很好的女朋友，她有个不麻烦的吗?"玉芬一时想找一句什么话说，却是想不起来，默然了许久。还是燕西笑道："她究竟还算不错。她说秀珠人很活泼，劝我还是和她作朋友，不要为了结婚，把多年的感情丧失。况且我们也算是亲戚呢。"玉芬笑道："你不要瞎说了，女子们总会知道女子的心事，决不能像你所说的那样好。"燕西笑道："却又来!既是女子不能那样好，又何怪乎我不让你去对她说呢?"玉芬微笑着，坐了许久没说话，然后点点头道："清秋妹究竟也是一个精明的人，她当了人面虽不说什么，暗地里她也有她的算法呢。"于是把张妈两番说的话，加重了许多语气，告诉燕西。告诉完了，笑道："我不过是闲谈，你就别把这事放在心上，也不要去质问她。"燕西沉吟着道："是这样吗?不至于吧?我就常说她还是稚气太重，这种的手段，恐怕她还玩不来，就是因为她缺少成人的气派呢。"玉芬淡淡一笑道："我原来闲谈，并不是要你来相信的。"说毕，起身便走了。燕西心里，好生疑惑，玉芬不至于平空撒这样一个谎，就是撒这样一个谎，用意何在?今天她虽

513

说是来拿杂志的，却又没有将杂志拿去。难道到这里来，是特意要把这些话告诉我吗？越想倒越不解这一疑惑。当时要特意去问清秋，又怕她也疑心，更是不妥，因此只放在心里。

这天晚上，燕西还是和一些男女朋友在一处闹，回来时，吃得酒气醺人。清秋本来是醒了，因他回来，披了睡衣起床，斟了一杯茶喝。燕西却是口渴，走上前一手接了杯子过来，咕嘟一口喝了。清秋见他脸上通红，伸手摸了一摸，皱眉道："喝得这样子做什么？这也很有碍卫生啊！不要喝茶了，酒后是越喝越渴的，橱子下面的玻璃缸子里还有些水果，我拿给你吃两个罢。"说着，拿出水果来，就将小刀削了一个梨递给燕西。燕西一歪身倒沙发上，牵着清秋的手道："你可记得去年夏天，我要和你分一个梨吃，你都不肯，而今我们真不至于……"说着，将咬过了半边梨，伸了过来，一面又将清秋向怀里拉。清秋微笑道："你瞧，喝得这样昏天黑地，回来就捣乱。"燕西道："这就算捣乱吗？"越说越将清秋向怀里拉。清秋啐了一声，摆脱了他的手，睡衣也不脱，爬上床，就钻进被窝里去。燕西也追了过来。清秋摇着手道："我怕那酒味儿，你躲开一点罢。"说着，向被里一缩，将被蒙了头。燕西道："怎么着？你怕酒味吗？我浑身都让酒气熏了，索性熏你一下子，我也要睡觉了。"说着，便自己来解衣扣。清秋一掀被头，坐了起来，正色说道："你别胡闹，我有几句话和你说。"燕西见她这样，便侧身坐在床沿上，听她说什么。清秋道："你这一程子，每晚总是喝得这样昏天黑地回来，你闹些什么？你这样子闹，第一是有碍卫生，伤了身体。第二废时失业……"燕西一手掩住了她的嘴，笑道："你不必说了，我全明白。说到废时失业，更不成问题，我的时间，向来就不值钱。出去玩儿固然是白耗了时间，就是坐在家里，也生不出什么利。失业一层，那怎样谈得上？我有什么职业？若是真有了职业，有个事儿，不会闷着在家里呆着，也许我就不玩儿了。"清秋听了他的话，握着他的手，默然了许久，却叹了一口气。燕西道："你叹什么气？我知道，你以为我天天和女朋友在一处瞎混哩，其实我也是敷衍敷衍大家的面子。这几天，你有什么事不顺意？老是找这个的岔子，找那个岔子。"清秋道："哪来的话？我找了谁的岔子？"燕西虽然没大醉，究竟有几分酒气。清秋一问，他就将玉芬告诉他的话，说了出来。清秋听了，真是一肚皮冤屈。急忙之间，又不知道要用一种什么话来解释，急得眼皮一红，就流下泪来。燕西不免烦恼，也呆呆的坐在一边。清秋见燕西不理会她，心里更是难受，索性呜呜咽咽伏在被头上哭将起来。燕西站起来，一顿脚道："你这怎么了？好好儿的说话，你一个人倒先哭将起来？你以为这话，好个委屈吗？我这话也是人家告诉我的，并不是我瞎造的谣言。你自己知道理短了，说不过了，就打算一哭了事吗？"清秋在身上摸索了半天，摸出一条小小的粉红手绢，缓缓的擦着眼泪，交叉着手，将额头枕在手上，还是呜呜咽咽，有一下没一下的哭。燕西道："我心里烦得很，请你不要哭，行不行？"清秋停了哭，正想说几句，但是一想到这话很长，不是三言两语可以说完的，因此复又忍住了，不肯再说。那一种委屈，只觉由心窝里酸痛出来，两只眼睛里一汪泪水，如暴雨一般流将出来。燕西见她不肯说，只是哭，烦恼又增加了几倍，一拍桌子道："你这个人真是不通情理！"桌子打得冬的一下响，一转身子，便打开房门，一直向书房里去了。清秋心想，自己这样委屈，他不但一点不来安慰，反要替旁人说话来压迫自己，这未免太不体贴了。越想越觉燕西今天态度不对，电灯懒得拧，房门也懒得关，两手牵着被头，向后一倒，就倒在枕上睡。这一分儿伤心，简直没有言语可以形容，思前想后，只觉得自己不对，归根结底，还是齐大非偶那四个字，是自己最近这大半年来的大错误。清秋想到这里，又顾虑到了将来，现在不过是初来金家几个月，便有这样的趋势，往后日子一长，知道要出些什么问题。往昔以为燕西牺牲一切，来与自己结婚，这是很可靠的一个男子。可是据最近的形势看来，他依然还是见一个爱一个、用情并不能专一的人，未必靠得住呢。这样一想，伤心已极，只管要哭起来。哭得久了，忽然觉得枕头上有些冷冰冰的，抽出枕头一看，却是让自己的眼泪哭湿了一大片。这才觉得哭得有些过分了，将枕头掉了一个面，擦擦眼泪，方安心睡了。

　　次日起得很早，披了衣服起床，正对着大橱的镜门，掠一掠鬓发。却发觉了自己两只眼睛，肿得如桃子一般，一定是昨天晚上糊里糊涂太哭狠了。这一出房门让大家看见了，还不明白我闹了什么鬼呢？于是便对老妈子说身上有病，脱了衣服复在床上睡下。两个老妈子因为清秋向来不摆架子，起睡都有定时的。今天见她不曾起来，以为她真有了病，就来问她，要不要去和老太太提一声儿？清秋道："这点小不舒服，睡一会子就好了的，何必去惊动人。"老妈子见她如此说，就也不去惊动她了。直到十点钟，燕西进屋子来洗脸，老妈子才报告他，少奶奶病了。燕西走进房，见清秋穿了蓝绫子短夹袄，敞了半边粉红衣里子在外，微侧着身子而睡，因就抢上前，拉了被头，要替她盖上。清秋一缩，噗哧一声笑了。燕西推着她胳膊，笑道："怎么回事？我以为你真病了呢。"清秋一转脸，燕西才见她眼睛都肿了，拉着她的手道："这样子，你昨天晚上，是哭了一宿了。"清秋笑着，偏过了头去。燕西道："你莫不是为了我晚上在书房里睡了，你就生气？你要原谅我，昨天晚上，我是喝醉了酒。"清秋说："胡说，哪个管你这一笔账？我是想家。"燕西笑道："你瞎说，你想家何必哭？今天想家，今天可以回去。明天想家，明天可以回去。哪用得着整宿的哭，把眼睛哭得肿成这个样子？你一定还有别的原故。"清秋道："反正我心里有点不痛快，才会哭。这一阵不痛快，已经过去了，你就不必问。我要还是不痛快，能朝着你乐吗？"燕西也明白她为的是昨晚自己那一番话，把她激动了。若是还要追问，不过是让清秋更加伤心，也就只好隐忍在心里，不再说了。因道："既然把一双眼睛哭得这个样子，你索性装病罢。回头吃饭的时候，我就对母亲说你中了感冒，睡了一觉不曾出来。你今天躲一天，明天也就好了。你这是何苦？好好儿，把一双眼睛，哭得这个样子。"清秋以为他一味的替自己设想，一定是很谅解的，心里坦然，昨晚上的事，就雨过天空，完全把它忘了。自己也起来了，陪着燕西在一处漱洗。

　　但是到了这日晚上，一直等到两点钟，还不见他回来，这就料定他爱情就有转移了，又不免哭了一夜。不过想到昨晚一宿，将眼睛都哭肿了，今晚不要作那种傻事，又把眼睛哭肿。燕西这样浪漫不羁，并不是一朝一夕之故，自己既作了他的妻子，当然要慢慢将他劝转来。若是一味的发愁，自己烦恼了自己，对于燕西，也是没有一点补救。如此一想，就放了心去睡。次日起来，依然像往常一样，一点不显形迹。吃午饭的时候，在金太太屋子里和燕西会一面，当然不好说什么。吃过饭以后，燕西却一溜不见了。晚饭十有七八是不在家里吃的，不会面是更无足怪。直到晚上十二点以后，清秋已睡了，燕西才回来。他一进房门看见，只留了铜床前面那盏绿色的小小电灯，便嚷起来道："怎么着？睡得这样早？我肚子饿了，想吃点东西，怎么办？"清秋原想不理会他的。听到他说饿了，一伸手在床里边拿了睡衣，向身上一披，便下床来。一面伸脚在地毯上踏鞋，一面向燕西笑道："我不知道你今天晚上要吃东西，什么也没有预备，怎么办？我叫李妈到厨房里去看看，还弄得出什么东西来没有？"燕西两手一伸，按着她在床上坐下，笑道："我去叫他们就是了，这何必要你起来呢？我想，稀饭一定是有的，让厨房里送来就是了。我以为屋子里有什么吃的呢？所以问你一声，就没有，何必惊动你起来，我这人未免太不讲道理了。"清秋笑道："你这人也是不客气起来，太不客气，要客气起来，又太客气。我就爬起来到门口叫一声人，这也很不吃劲。平常我给你作许多吃力费心的事，你也不曾谢上我一谢哩！"燕西且不和她讨论这个问题，在她身上，将睡衣扒了下来，又两手扶住她的身子，只向床上乱推，笑道："睡罢，睡罢！你若是伤风了，中了感冒，明天说给母亲听，还是由我要吃东西而起，我这一行罪就大了。"清秋笑得向被里一缩，问道："你今晚上在哪里玩得这样高兴，回来却是这样和我表示好感？"燕西道："据你这般说，我往常玩得不高兴回来，就和你过不去吗？"清秋笑道："并不是这样说，不过今天你回来，与前几天回来不同，和我是特别表示好感。若是你向来都是这样，也省得我……"说到这里，抿嘴一笑。燕西道："省得什么？省得你前天晚上哭了一宿吗？昨天晚上，我又没回来，你不要因为这个，又哭起来了吧？"清秋道："我才犯不上为了这去哭呢。"燕西笑道："我自己检举，昨天晚上，我在刘二爷家里打了一夜牌。我本打算早回来的,无如他们拖住了我死也不放。"清秋笑道:"不用检举了,打一夜小牌玩,这也是很平常的事,哪值得你这样郑而重之追悔起来?"燕西笑道:"那么,你以为我的话是撒谎的了?据你的意思,是猜我干什么去了?"清秋道:"你说打牌,自然就是打牌,哪里有别的事可疑哩?"燕西见她如此说,待要再辩白两句,又怕越辩白事情越僵,对着她微笑了一笑。因道:"你睡下,我去叫他们找东西吃去了。"清秋见他执意如此,她也就由他去。燕西一高兴,便自己跑到厨房里去找厨子。恰好玉芬的张妈,也是将一分碗碟送到厨房里去。她一见燕西在厨房里等着厨子张罗稀饭,便问道:"哟!七爷待少奶奶真好啊!都怕老妈子作事不干净,自己来张罗呢。"燕西笑着点了点头道:"可不是吗!"张妈望了一望,见燕西分付厨子预备两个人的饭菜,然后才走。燕西督率着一提盒子稀饭咸菜,一同到自己院子里来。厨子送到外面屋子里,老妈便接着送进里面屋子里来。因笑道:"我们都没睡呢。七爷怎么不言语一声,自己到厨房里去?"燕西道:"我一般长得有手有脚,自己到厨房里去跑一趟,那也很不算什么。"老妈子没有说什么,自将碗筷放在小方桌上。清秋睡在枕上望着,因问道:"要两份儿碗筷干什么?"燕西道:"屋子里又不冷,你披了衣服起来喝一碗罢。"清秋道:"那成了笑话了,睡了觉,又爬起来吃什么东西?"燕西笑道:"这算什么笑话?吃东西又不是做什么不高明的事情。况且关起房门来,又没有第三个人,要什么紧?快快起来罢,我在这里等着你了。"清秋见他坐在桌子边,却没有扶起筷子来吃,那种情形,果然是等着,只好又穿了睡衣起来。清秋笑道:"要人家睡是你,要人家起来也是你。你看这一会儿工夫,你倒改变了好几回宗旨了,叫人家真不好伺候。"燕西笑道:"虽然如此,但是我都是好意啊!你要领我的好意,你就陪我吃完这一顿稀饭。"清秋道:"我已经是起来了,陪你吃完不陪你吃完,那全没有关系。"燕西笑着点了点头,扶起筷子便吃。这一餐稀饭,燕西吃得正香,吃了一小碗,又吃一小碗,一直吃了三碗,又同洗了脸。清秋穿的是一件睡衣,光了大腿,坐在地下这样久,着实受了一点凉。上床时,燕西嚷道:"哟!你怎么不对我说一说?两条腿,成了冰柱了。"清秋笑道:"这只怪我这两条腿太不中用,没有练功夫。多少人三九天,也穿着长统丝袜在大街上跑呢。"燕西以为她这话是随口说的,也就不去管她。不料到了下半夜,清秋脸上便有些发烧。次日清早,头痛的非常的厉害,竟是真个病起来了。

517

第六十六回

含笑看蛮花可怜模样
吟诗问止水无限情怀

　　早上九点钟，清秋觉得非起床不可了，刚一坐起来，便觉得有些天旋地转，依旧又躺了下去。燕西起来，面子上表示甚是后悔。清秋道："这又不是什么大病，睡一会子就好了的，你只管出去，最好是不要对人说。吃午饭的时候，若是能起来，我就会挣扎起来的。"燕西笑道："前天没病装病，倒安心睡了。今天真有病，你又要起来？"清秋道："就因为装了病，不能再病了。三天两天的病着，回头多病多愁的那句话，又要听到了。"燕西听到，默然了许久。然后笑道："我们这都叫天下本无事，庸人自扰之。你只管躺着罢，到了吃饭的时候，我再给你撒谎就是了。"清秋也觉刚才一句话，是不应当说的，就不再说了。到了吃午饭的时候，金太太见清秋又不曾来，问燕西道："你媳妇又病了吗？"燕西皱眉道："她这也是自作自受。前日病着，昨日已经好些了，应该去休养休养。她硬挣扎着像平常一样，因之累到昨日晚上，就大烧起来。今天她还要起床，我竭力阻止她，她才睡下了。"金太太道："这孩子人是斯文的，可惜斯文过分了，总是三灾两病的。"说到这里时，恰好玉芬进来了。金太太道："你吃了饭没有？我们这里缺一角，你就在我们这里吃吧？"玉芬果然坐下来吃，因问清秋怎样又病了？燕西还是把先前那番话告诉了她。玉芬笑道："怪不得了，昨天半夜里，你到厨房里去和你好媳妇作稀饭了。你真也不怕脏？"燕西红了脸道："你误会了，那是我自己高兴到厨房里去玩玩的。"金太太道："胡说，玩也玩得特别，怎么玩到厨房里去了？"燕西一时失口说出来了，要想更正也来不及更正了，只低了头扒饭。金太太道："你们那里有两个老妈子，为什么都不叫，倒要自己去做事？"玉芬笑道："妈，你有所不知。老七一温存体贴起来，比什么人还要仔细。他怕老妈子手脏，捧着东西，有碍卫生，所以自己去动手。"金太太听到玉芬这话，心里对燕西的行动，很有些不以为然。不过话是玉芬说的，当了玉芬的面，又来批评燕西，恐怕燕西有些难为情，因此隐忍在心里，且不说出来。

到了吃晚饭的时候,没有玉芬在席了,金太太便对燕西道:"清秋晚饭又没出来吃,大概不是寻常的小感冒,你该给她找个大夫来瞧瞧。"燕西道:"我刚才是由屋子里出来的,也没有多大的病,随她睡睡罢。"金太太道:"你当着人的面,就是这样不在乎似的。可是回到房里去,连老妈子厨子的事,你一个人都包办了。"燕西正想分辩几句,只见金铨很生气的样子走了进来,不由得把他要说的话,都吓忘了。

金铨没有坐下,先对金太太道:"守华这孩子,太不争气,今天我才晓得,原来他在日本还讨了一个下女回来,在外国什么有体面的事都没有干,就只作了这样好事!"金太太将筷子一放,突然站起来道:"是有这事吗?怎么我一点也不知道。你是听到谁说的?"金铨道:"有人和他同席吃饭,他就带着那个下女呢。我不懂道之什么用意?她都瞒了几个月,不对我说一声。怪不得守华总要自己赁房子住,不肯住在我这里了。"说着话脸一扬,就对燕西道:"把你四姐叫来,我要问问她是怎么回事?"燕西答应了是,放下碗筷,连忙就到道之这边来,先就问道:"姐夫呢?"因把金铨生气的事说了。道之笑着,也没有理会,就跟了燕西一同来见金铨。金铨口衔着雪茄,斜靠沙发椅子坐着,见道之进来,只管抽烟,也不理会。道之只当不知道犯了事,笑道:"爸爸,今天是在里面吃的饭吗?好久没有见着的事呢。"两个老妈子,刚收拾了碗筷,正擦抹着桌子。金太太也是板了面孔,坐在一边。梅丽却站在内房门双垂绿绒帷幔下,藏了半边身子,只管向道之做着眉眼。道之一概不理,很自在的在金铨对面椅子上坐下。金铨将烟喷了两口,然后向道之冷笑一声道:"你以后发生了什么大事,都可以不必来问我吗?"道之依然笑嘻嘻的,问道:"那怎样能够不问呢?"金铨道:"问?未必。你们去年从日本回来,一共是几个人?"道之顿了一顿,笑道:"你老人家怎么今天问起这句话?难道看出什么破绽来了吗?"金铨道:"你们作了什么歹事?怎么会有了破绽?"金太太坐着,正偏着头向着一边,这时就突然回过脸来对金铨道:"咳!你有话说说罢,和她打个什么哑谜?"又对道之道:"守华在日本带了一个下女回来,至今还住在旅馆里,你怎么也不对我报告一声?我的容忍心,自负是很好的了,我看你这一分容忍还赛过我好几倍。"道之笑道:"哦!是这一件事吗?我是老早的就要说明的了。他自己总说,这事做得不对,让我千万给他瞒住,到了相当的时候,他自己要呈请处分的。"金铨道:"我最反对日本人,和他们交朋友,都怕他们会存什么用意。你怎么让守华会弄一个日本女人到家里来?"金太太道:"他们日本人,不是主张一夫一妻制度的吗?这倒奇了,嫁在自己国里,非讲平等不可,嫁到外国去,倒可以作妾。"金铨道:"这有什么不明白的?自己国里,为法律所限制,没有法子。嫁到外国去,远走高飞,不受本国法律的限制,有什么使不得?"金太太道:"那倒好!据你这样说,她倒是为了爱情跟着守华了?"金铨道:"日本女子,

519

会同中国男子讲爱情？不过是金钱作用罢了。"金太太道："据你这样说，当姨太太的，都为的是金钱了。你对于这事，大概是有点研究！"金铨道："太太，你是和我质问守华这件事哩？还是和我来拌嘴哩？"金太太让他这样一驳，倒笑起来了，便问道之道："那女人叫什么名字？"道之道："叫明川樱子，原是当下女的。因为她人很柔驯，又会作事，而且也有相当的知识。"金铨道："这几句话，你不要恭维那个女子，凡是日本女子，都可以用这几句话去批评的。"道之笑道："虽然日本女子都是这样，但是这个女子，更能服从，弄得我都没有法子可以来拒绝她。妈若是不肯信，我叫她来见一见，就可以把我的话来证实了。"金太太道："既然你自己都这样表示愿意，我还有什么话说？不过你们将来发生了问题的时候，可不许来找我。也不必证实了。"梅丽便由绿帷幔里笑着出来道："请她来见见罢，我们大家看看，究竟是怎样一个人？"金铨道："那要见她做什么？见了面，有什么话也不好说。"梅丽笑道："什么也不用得叫她，让她先开口得了。她应当叫什么，四姐还不会告诉她吗？"金太太道："据你说，我们倒要和她认亲吗？"梅丽碰了个钉子，当着父亲的面，又不便说什么，就默然了。道之笑道："我也不能那样傻，还让她在这里叫什么上人不成？"燕西情不自禁的也说了一句道："那人倒是很好的。"金太太道："你看见过吗？怎么知道是很好的？"燕西只得说道："也不只是我一个人见过。"金太太道："哦！原来大家都知道了，不过瞒着我们两三个人呢。好罢，只要你们都认为无事，我也不加干涉了。"金铨原也料着刘守华做的这件事，女儿未必同意的。现在听道之的口气，竟是一点怨言也没有。当局的人，都安之若素了，旁观者又何必对他着什么急？因之也就只管抽着雪茄，不再说什么了。道之笑道："那末，我明天带来罢。丑媳妇总要见公婆面，倒是带了她来见见的好。"说着，偷眼看看父亲母亲的相，并没有了不得的怒容，这胆子又放大一些了。本来这一件事，家中虽有一部分人知道，但也不敢证实，看见樱子的，更不过是男兄弟四人。现在这事已经揭开了，大家都急于要看这位日本姨太太，有的等不及明天，就向道之要相片看。

到了晚上，刘守华从外面回来，还不曾进房，已经得了这个消息。一见道之，比着两只西装袖子，就和道之作了几个揖。道之笑道："此礼为何而来？"守华笑道："泰山泰水之前，全仗太太遮盖。"道之道："你的耳朵真长，怎么全晓得了？现在你应该是疾风知劲草，板荡识忠臣了。"守华笑道："本来这个人，我是随便要的，因为你觉得她还不错，就让你办成功了。其实……"道之笑道："我这样和你帮忙，到了现在，你还要移祸于人吗？"守华连连摇手笑道："不必说了，算是我的错。不过我明天要溜走才好，大家抵在当面，我有些不好措词的。一切一切，全仗全仗。"道之指着自己的鼻子笑道："你怎样谢我呢？"守华笑道："当然，当然，先谢谢你再说。"道之道："胡说！我不要你谢了。"道之虽然是这样说，但是刘守华一想，道之这种态度，不可多得，和她商量了半晚上的事情。到了次日早上，他果然一溜就走了。

　　道之坐了汽车，先到仓海旅馆，把明川樱子接了来。先让她在自己屋子里坐着，然后打听得父母都在上房，就带着樱子一路到上房来。在樱子未来以前，大家心里都忖度着，一定是梳着堆髻，穿着大袖衣服，拖着木头片子的一种矮妇人。及至见了面，大家倒猛吃一惊。她穿的是一件浅蓝镜面缎的短旗袍，头上挽着左右双髻，下面便是长筒丝袜，黑海绒半截高跟鞋，浑身上下，完全中国化。尤其是前额上，齐齐的剪了一排刘海发。金太太先一见，还以为不是这人，后来道之上前给一引见，她先对金铨一鞠躬，叫了一声总理。随后和金太太又是一鞠躬，叫了一声太太。她虽然学的是北京话，然而她口齿之间，总是结结巴巴的，夹杂着日本音，就把日本妇人的态度现出来了。金铨在未见之前，是有些不以为然，现在见她那小小的身材，鹅蛋脸儿，简直和中国女子差不多。而且她向着人深深的一鞠躬，差不多够九十度，又极其恭顺。见着这种人，再要发脾气，未免太忍心了。因此当着人家鞠躬的时候，也就笑着点了点头。金太太却忘了点头，只管将眼睛注视着她的浑身上下。她看见金太太这样注意，脸倒先绯红了一个圆晕，而心里也不免有些惊慌。因为一惊慌，也不用道之介绍了，屋子里还有佩芳、玉芬、梅丽，都见着一人一鞠躬。行礼行到梅丽面前，梅丽一伸两手连忙抱着她道："嗳哟! 太客气，太客气!"道之恐怕她连对丫头都要鞠躬起来，便笑着给她介绍道："这是大少奶奶，这是三少奶奶，这是八小姐。"她因着道之的介绍，也就跟着叫了起来。梅丽拉了她的手，对金太太笑道："这简直不像外国人啦。"金太太已经把藏在身上的眼镜盒子拿了出来，戴上眼镜，对她又看了一看，笑着对金铨说了一句家乡话道："银(人)倒是吭啥。"金铨也笑得点了点头。道之一见父亲母亲都是很欢喜的样子，料得不会发生什么大问题的了，便让樱子在屋子里坐下。谈了一会，除了在这里见过面的人以外，又引她去分别相见。

　　到了清秋屋子里，清秋已经早得了燕西报告的消息了。看见道之引了一个时装少妇进来，料定是了，便一直迎出堂屋门来。道之便给樱子介绍道："这是七少奶奶。"樱子口里叫着，老早的便是一鞠躬。清秋连忙回礼道："不敢当! 不敢当! 为什么这样相称?"于是含着笑容，将她二人引到屋子里来。清秋因为樱子是初次来的，就让她在正面坐着，在侧面相陪。樱子虽然勉强坐下，却是什么话也不敢说，道之说什么，她跟着随声附和什么，活显着一个可怜虫样子。秋清看见，心里老大不忍，就少不得问她在日本进什么学校? 到中国来可曾过得惯? 她含笑答应一两句，其余的话，都由道之代答。清秋才知道她是初级师范的一个学生。只因迫于经济，就中途辍学。到中国来，起居饮食，倒很是相宜。道之又当面说："她和守华的感情,很好,很好,超过本人和守华的感情以上。"樱子却是很懂中国话,道之说时,她在一旁露着微笑。脸上有谦逊不遑的样子,可是并不曾说出来。清秋见她这样,越是可怜,极力的安慰着她,叫她没有事常来坐坐。又叫老妈子捧了几碟点心出来请她。谈了足有一个钟头,然后才走了。

道之带了樱子,到了自己屋里,守华正躺在沙发上,便直跳了起来,向前迎着,轻轻的笑道:"结果怎么样?很好吗?"道之道:"两位老人家都大发雷霆之怒,从何好起?"守华笑着,指了樱子道:"你不要冤我,看她的样子,还乐着呢,不像是受了委屈啊。"樱子早忍不住了,就把金家全家上下待她很好的话,说了一遍。尤其是七少奶奶非常的客气,像客一样的看待。守华道:"你本来是客,她以客待你,那有什么特别之处呢?"道之笑道:"清秋她为人极是和蔼,果然是另眼看待。"于是把刚才的情形,略为说了一说。守华道:"这大概是爱屋及乌了。"道之道:"你哪知道她的事?据我看,恐怕是同病相怜吧。"守华道:"你这是什么话?未免拟于不伦。"道之道:"我是生平厚道待人,看人也是用厚道眼光。你说我拟于不伦,将来你再向下看,就知道我的话不是全无根据了。"守华道:"真是如此吗?哪天得便,我一定要向着老七问其所以然。"道之道:"胡说,那话千万问不得!你若是问起来,那不啻给人家火上加油呢。"守华听了这话,心里好生奇怪。像清秋现在的生活,较之以前,可说是锦衣玉食了,为什么还有难言之隐?心里有了这一个疑问,更觉得是不问出来,心里不安。

当天晚上,恰好刘宝善家里有个聚会,吃完了饭有人打牌,燕西没有赶上,就在一边闲坐着玩扑克牌。守华像毫不留意的样子,坐到他一处来。。因笑道:"你既是很无聊的在这里坐着,何不回家去陪着少奶奶?"燕西笑道:"因为无聊,才到外面来找乐儿。若是感到无聊而要回去,那在家里,就会更觉得无聊了。"守华道:"老弟,你们的爱情原来是很浓厚很专一的啊,这很可以给你们一班朋友作个模范,不要无缘无故的把感情又破裂下来才好。"燕西笑道:"我们的感情,原来不见很浓厚很专一。就是到了现在,也不见得怎样清淡,怎样浪漫。"守华道:"果然的吗?可是我在种种方面观察,你有许多不对的地方。"燕西道:"我有许多不对的地方吗?你能举出几个证据来?"守华随口说出来,本是抽象的,哪里能举出什么证据,便笑道:"我也不过看到她总是不大作声,好像受了什么压迫似的。照说,这样年轻轻的女子,应该像八妹那一样活泼泼地,何至于连吴佩芳都赶不上,一点少年朝气都没有?"燕西笑道:"她向来就是这样子的。有道是江山易改,本性难移。她要弄得像可怜虫一样,我也没有别的法子。"他说着这话时,两手理着扑克牌,一张一张的抽出,又一张一张的插上,抽着抽着,一句话也不说,只是这样的出了神。还是刘守华在他肩膀上拍了一下,笑道:"怎么不说话?"燕西笑道:"并不是不说话,我在这里想,怎样把这种情形,传到你那里去,又由你把这事来问我?"守华道:"自然有原因啦。"于是就把道之带了樱子去见清秋,及樱子回来表示好感的话说了一遍。燕西道:"她这人向来是很谦逊的,也不但对你姨太太如此。"守华笑道:"你夫妇二人,对她都很垂青,她很感谢。她对我说,打算单请你两口子吃一回日本料理,不知道肯不肯赏光?"燕西道:"哪天请?当然到。"守华道:"原先不曾征求你们的同意,没有定下日子。既是你肯赏光,那就很好,等我今天和她去约好,看是哪一天最为合适。"燕西笑道:"好罢,定了时间,先请你给我一个信,我是静候佳音了。"当时二人随便的约会,桌上打牌的人,却也没有留意。

燕西坐了不久,先回家去。清秋点着一盏桌灯,摊了一本木板书在灯下看。燕西将帽子取下,向挂钩上一扔,便伏在椅子背上,头伸到清秋的肩膀上来,笑道:"看什么书?"清秋回转头来,笑道:"恭喜恭喜,今天回来,居然没有带着酒味。"燕西看着桌上,是一本《孟东野集》,一本《词选》。那诗集向外翻着,正把那首"妾心古井水,波澜誓不起"的诗,现了出来。燕西道:"你又有什么伤感?这心如古井,岂是你所应当注意的?"清秋笑道:"我是看词选,这诗集是顺手带出来的。"说着,将书一掩。燕西知道她是有心掩饰,也笑道:"你几时教我填词?"清秋道:"我劝你不必见一样学一样,把散文一样弄清楚了,也就行了。难道你将来投身社会,一封体面些的八行都要我这位女秘书打枪不成?"燕西笑道:"你太看我不起了,从今天起,我非努力不可。"清秋一伸手,反转来,挽了燕西的脖子,笑道:"你生我的气吗?这话我是说重了一点。"燕西笑道:"也难怪你言语重,因为我太不争气了。"清秋便站起身来,拉着燕西同在一张沙发上坐了。笑道:"得了,我给你赔个不是,还不成吗?"说着,将头一靠歪在燕西身上。这个时候,老妈子正要送东西进来。一掀门帘子,看到七爷那种样子,伸了舌头,赶忙向后一退。屋子里,清秋也知觉了,在身上掏了手绢,揩着嘴唇又揩着脸。燕西笑道:"你给我脸上也揩揩,不要弄上了许多胭脂印。"清秋笑道:"我嘴唇上从来不擦胭脂的,怎么会弄得你脸上有胭脂?"燕西道:"嘴上不擦胭脂,我倒也赞成。本来,爱美虽是人的天性使然,要天然的美才好。那些人工制造的美,就减一层成分。况且嘴唇本来就红的,浓浓的涂着胭脂,涂得像猪血一般,也不见得怎样美。再说嘴唇上一有了胭脂,挨着哪里,哪里就是一个红印子,多么讨厌!"清秋笑道:"你这样爱繁华的人,不料今天能发出这样的议论,居然和我成为同调起来。"燕西道:"一床被不盖两样的人,你连这一句话都不知道吗?不过话又说回来了,我对天下事,是抱乐观的,可是你偏偏就抱着悲观,好端端的,弄得心如止水,这一点原因何在?"清秋道:"我不是天天很快活吗?你在哪一点上见得我是心如止水呢?"燕西道:"岂但是我可以看出你是个悲观主义者,连亲戚

523

都看出你是个悲观主义者了。"清秋道："真有这话吗?谁?"燕西就把刘守华的话,从头至尾,对她说了。清秋微笑了一笑道："这或者是他们主观的错误。我自己觉得我遇事都听其自然,并没有什么悲观之处。而且我觉得一个人生存现在的时代,只应该受人家的钦仰,不应该受人家的怜惜。人家怜惜我,就是说我无用。我这话似乎勉强些,可是仔细想起来,是有道理的。"燕西笑道:"岂有此理!岂有此理!你又犯了那好高的毛病了。据你这样说,古来那些推衣推食的朋友,都会成了恶意了?"清秋道:"自然是善意。不过善之中,总有点看着要人帮助,有些不能自立之处。浅一点子说,也就是瞧不起人。"燕西一拍手道:"糟了,在未结婚以前,不客气的说,我也帮助你不少。照你现在的理论向前推去,我也就是瞧不起你的一分子。"清秋笑道:"那又不对,我们是受了爱情的驱使。"说完了这句话,她侧身躺在沙发上,望着壁上挂的那幅《寒江独钓图》,只管出神。燕西握了她的手,摇撼了几下,笑道:"怎么样?你又有什么新的感触?"清秋望着那图半晌,才慢慢答道:"我正想着一件事要和你说,你一打岔,把我要说的话又忘记了。你不要动,让我仔细想想看。"说时,将燕西握住的手,按了一按,还是望着那幅图出神。燕西见她如此沉吟,料着这句话是很要紧的,果然依了她的话,不去打断她的思索,默然的坐在一边。清秋望着独钓图,出了一会神,却又摇摇头笑道:"不说了,不说了,等到必要的时候再说罢。"燕西道:"事无不可对人言。我们两人之间,还有什么隐瞒的事?"清秋笑道:"你这话,可得分两层说。有些事情,夫妻之间,绝对不隐瞒的。有些事情,夫妻之间,又是绝对要隐瞒的。譬喻说,一个女子,对于她丈夫以外,另有一个情人,她岂能把事公开说出来?反之,若是男子另有……"说到这里,清秋不肯再说,向着燕西一笑。燕西红了脸,默然了一会,复又笑道:"你绕了一个大弯子,原来说我的?"清秋道:"我不过因话答话罢了,绝不是诚心提到这一件事上来。"燕西正待要和她辩驳两句,忽然听得前面院子里一阵喧哗平面,又夹着许多嬉笑之声。

　　燕西连忙走出院子来。只见两个听差扛着两只小皮箱向里面走,他就嘻嘻的笑着说:"大爷回来了,大爷回来了。"燕西道:"大爷呢?"听差道:"在太太屋……"燕西听说,也不等听差说完,一直就向金太太屋子里来。只见男男女女挤了一屋子的人,凤举一个人被围在屋子中间,指手画脚那里谈上海的事情。回头一见燕西,便笑道:"我给你在上海带了好东西来了,回头我把事情料理清楚了,我就送到你那里去。"燕西道:"是吃的?是穿的?或者是用的?"凤举道:"反正总是很有趣的,回头我再给你瞧罢。"说着以目示意。燕西会意了,向他一笑。金太太道:"你给他带了什么来了?你做哥哥的,不教作兄弟的一些正经本领,有了什么坏事情,自己知道了不算,赶紧的就得传授给不知道的。"凤举笑道:"你老人家这话可冤枉,我并没有和他带别什么坏东西,不过他买了一套难得的邮票罢了。有许多小地方的邮票，恐怕中国都没有来过的，我都收到了。我想临时给他看，出其不意的，让他惊异一下子，并不是别的什么不高雅的东西。"金太太道："什么叫做高雅？什么又叫做不高雅？照说，只有煮饭的锅，缝衣的针，你们一辈子也不上手的东西，那才是高雅。至于收字画，玩古董，有钱又闲着无事的人，拿着去消磨有限的光阴，算是废人玩废物，双倍的废料。说起来，是有利于己呢？还是有利于人呢？"凤举笑道："对是对的，不过那也总比打牌抽烟强。"金太太道："你总是向低处比，你怎么不说不如求学作事呢？"凤举没有可说了，只是笑。梅丽在一边问道："给我带了什么没有？"凤举道："都有呢，等我把行李归拾清楚了，我就来分表东西。他们把行李送到哪里去了？"说着，就出了金太太的屋子，一直向自己这边院子里来。

　　一进院子门，自己先嚷着道："远客回来了，怎么不看见有一点欢迎的表示呢？"佩芳在屋子里听到这话，也就只迎出自己屋子来。掀了帘子，遮掩了半边身子，笑道："我早知道你来了。但是你恕我不远迎了。"凤举先听她光说这一句话，一点理由没有。后来一低头，只见她的大肚子，挺出来多高，心里这就明白了。因道："你简直深坐绣房，大门不出，二门不迈吗？"佩芳笑道："可不是吗，我有什么法子呢？"说时，凤举牵着她的手，一路走进屋来，低头向佩芳脸上看了一看，笑道："你的颜色还很好，不像有病的样子。"佩芳笑道："我本来就没有病，脸上怎么会带病容呢？我是没有病，你只怕有点儿心病吧？我想你不是有心病，还不会赶着回北京呢。"凤举本来一肚子心事，可是先得见双亲，其次又得见娇妻，都是正经大事，哪有工夫去谈到失妾的一个问题。现在佩芳先谈起来了，倒不由得脸上颜色一阵难为情，随便的答道："我有心病吗？我自己都不知道。"说完了这两句，一回头，看见和行李搬在一处的那两只小皮箱，放在地板上，就一伸手掏出身上的钥匙，要低头去开小皮箱上的锁。佩芳道："你忙着开箱子做什么？"凤举道："我给你带了好多东西来，让你先瞧瞧罢。"他就借着这开箱子检东西为名，就把佩芳要问的话，掩饰了过去。看完了东西，走到洗澡房里去洗了一个澡。在这个时候，正值金铨回来了，就换了衣服来见金铨。见过金铨，夜就深了，自己一肚子的心事，现在都不能问，只得耐着心头去睡觉。对于佩芳，还不敢露出一点懊丧的样子，这痛苦就难以言喻了。

第六十七回

一客远归来落花早谢
合家都忭悦玉树双辉

　　凤举好容易熬到了次日早上，先到燕西书房里坐着，派人把他催了出来。燕西一来，便道："这件事不怨我们照应不到，她要变心，我们也没有什么法子。"凤举皱了眉，跌着脚道："花了钱，费了心血，我都不悔。就是逃了一个人，朋友问起来，面子上难堪得很。"燕西道："这也无所谓，又不是明媒正娶的，来十个也不见得什么荣耀，丢十个也不见得损失什么面子。"凤举道："讨十个固然没有什么面子，丢十个那简直成了笑话了。这都不去管他，只求这事保守一点秘密，不让大家知道，就是万幸了。"燕西道："要说熟人，瞒得过谁? 要说社会上，只要不在报上披露出来，也值不得人家注意。"燕西说时，凤举靠了沙发的靠背斜坐着，眼望着天花板，半晌不言语，最后长叹了一声。燕西道："人心真是难测，你那样待她好，不到一年，就是这样结局。由此说来，金钱买的爱情，那是靠不住的。"凤举又连叹了两声，又将脚连踩了几下。燕西看他这样懊丧的样子，就不忍再说了，呆坐在一边。对坐着沉默了一会子，凤举问道："你虽写了两封信告诉我，但是许多小事情我还不知道，你再把经过的情形，详详细细对我说一遍。"燕西笑道："不说了，你已够懊悔的，说了出来，你心里更会不受用，我不说罢。"凤举道："反正是心里不受用的了，你完全告诉我，让我也学一个乖。"燕西本来也就觉得肚子里藏不住这事了，经不得凤举再三的来问，也就把自己在电影院里碰到晚香，和晚香两个哥哥也搬到家里来住，种种不堪的事，详详细细的一说。凤举只管坐着听，一句话也不答，竟把银盒盛的一盒子烟卷，都抽了一半。直等燕西说完，然后站起来道："宁人负我罢。"停了一停，又道："别的罢了，我还有许多好古玩字画，都让她给我带走了，真可惜得很。"燕西道："人都走了，何在乎一点古董字画?"凤举道："那都罢了，家里人对我的批评怎么样?"燕西道："家里除了大嫂，对这事都不关痛痒的，也无所谓批评。至于大嫂的批评如何，那可以你自己去研究了。"凤举笑了一笑，便走开了。走出

房门后又转身来道:"你可不要对人说,我和你打听这事来了。"燕西笑道:"你打听也是人情,我也犯不着去对哪个说。"凤举这才走了。可是表面上,虽不见得就把这事挂在心上,但是总怕朋友见面问起来。因之回家来几天,除了上衙门而外,许多地方都没有去,下了衙门就在家里。佩芳心里暗喜,想他受了这一个打击,也许已经觉悟了。

这日星期,凤举到下午两点钟还没有出门。佩芳道:"今天你打算到哪里去消遣?"凤举笑道:"你总不放心我吗?但是我若老在上海不回来,一天到晚在堂子里也可以,你又怎样管得了呢?"佩芳道:"你真是不识好歹。我怕你闷得慌,所以问你一问,你倒疑心我起来了吗?"凤举笑道:"你忽然有这样的好意待我,我实在出于意料以外。你待我好,我也要待你好才对。那末,我们两人,一块儿出门去看电影罢。"佩芳道:"我不好怎样骂你了。你知道我是不能出房门的,你倒要和我一块儿去看电影吗?"凤举笑道:"真是我一时疏忽,把这事忘了。我为表示我有诚意起见,今天我在家里陪着你了。"佩芳道:"话虽如此。但是要好也不在今天一日。"凤举道:"老实告诉你罢。我受了这一次教训,对于什么娱乐,也看的淡得多了。对于娱乐,我是一切都引不起兴趣来。"佩芳笑道:"你这话简直该打,你因为得不着一个女人,把所有的娱乐都看淡了。据你这样说,难道女人是一种娱乐?把娱乐和她看成平等的东西?这话可又说回来了,像那些女子,本来也是以娱乐品自居的。"凤举笑道:"我不说了。我是左说左错,右说右错。我倒想起来了,家庭美术展览会不是展期了吗?那里还有你的大作,我不如到那里消磨半天去。"佩芳笑道:"你要到那里去,倒可以看到一桩新闻。我妹妹现在居然有爱人了。"凤举原是坐着的,这时突然站立起来,两手一拍道:"这真是一桩新闻啦。她逢人就说守独身主义,原来也是纸老虎。她的爱人,不应该坏,我倒要去看看。"佩芳道:"这又算你明白一件事了。女子没有爱人的时候,都是守独身主义的。一到有了爱人,情形就变了。难道你这样专研究女人问题的,这一点儿事情都不知道?"凤举笑道:"专门研究女人问题的这个雅号,我可担不起。"佩芳道:"你本来担不起,你不过是专门侮辱女子的罢了。"凤举不敢和佩芳再谈了,口里说道:"我倒要去看看,我这位未来的连襟,是怎样一个尊重女性者?"一面说着话,一面便已将帽子戴起,匆匆的走到院子里来了。

今天是星期,家里的汽车,当然是完全开出去了。凤举走到大门口,见没有了汽车,就坐了一辆人力车到公园来。这车子在路上走着,快有一个钟头,到了公园里,遇到了两个熟人,拉着走路谈话,耗费的光阴又是不少,因此走到展览会的会场,已掩了半边门,只放游人出来,不放游人进去了。凤举走到会场门口,正待转身要走,忽然后面有一个人嚷道:"金大爷怎样不进去?"凤举看时,是一个极熟的朋友,身上挂了红绸条子,大概是会里的

主干人员。因道:"晚了,不进去了。"那人就说自己熟人,不受时间的限制,将凤举让了进去了。走进会场看时,里面许多隔架,陈设了各种美术品,里面却静悄悄的,只有会里几个办事员,在里面徘徊。其中有男的,也有女的,有两个凤举认识的和他点了点头,凤举也就点了点头。但是其中并不见有吴蔼芳,至于谁是她的爱人,更是不可得而知了。因之将两手背在身后,挨着次序,将美术陈列品一样一样的看了去。看到三分之二的时候,却把佩芳绣的那一架花卉找到了。凤举还记得当佩芳绣那花的时候,因为忙不过来,曾让小怜替她绣了几片叶子。自己还把情苗爱叶的话去引小怜,小怜也颇有相怜之意。现在东西在这里,人却不知道到哪里双宿双飞去了?自己呢,这一回又在情海里打了一个滚,自己觉得未免太没有艳福了。心里这样想着,站定了脚,两个眼睛只管注视着那架绣花出神,许久许久,不曾转动。这个时候,心神定了,便听到一种喁喁之声,传入耳鼓。忽然省悟过来,就倾耳而听,这声音从何而来?仔细听时,那声音发自一架绣屏之后。那绣屏放在当地,是朝南背北的。声音既发自绣屏里,所以只听到说话的声音,并不看见人。而且那声音,一高一低,一强一柔,正是男女二人说话,更可以吸引他的注意了。便索性呆望着那绣花,向下听了去。只听到一个女的道:"天天见面,而且见面的时间又很长,为什么还要写信?"又有一个男的带着笑声道:"有许多话,嘴里不容易那样婉转的说出来,惟有笔写出来,就可以曲曲传出。"女的也笑道:"据你这样说,你以为你所写给我的信,是曲曲传出吗?"男的道:"在你这种文学家的眼光看来,或者觉得肤浅,然而在我呢,却是尽力而为了。这是限于人力的事,叫我也无可如何呀。"女的道:"不许再说什么文学家哲学家了。第二次你再要这样说,我就不依你了。"男的道:"你不依我,又怎么办呢?请说出来听听。"女的忽然失惊道:"呀!时间早过了,我们还在这里高谈阔论呢。"女的说这句话时,和平常人说话的声音一样高大,这不是别人,正是二姨吴蔼芳。凤举一想,若是她看到了我,还以为我窃听她的消息,却是不大妙。赶紧向后退一步,就要溜出会场去。但是这会场乃是一所大殿,四周只有几根大柱子,并没有掩藏的地方。因之还不曾退到几步,吴蔼芳已经由绣屏后走将出来。随着又走出一个漂漂亮亮的西装少年,脸上是笑嘻嘻的。凤举一见,好生面熟,却是一时又想不起在什么地方曾和他见过。自己正这样沉吟着,那西装少年已是用手扶着那呢帽的帽沿,先点了一个头。吴蔼芳就笑道:"啊哟!是姐夫。我听说前几天就回来了。会务正忙着,没有看你去,你倒先来了。"那西装少年也走近前一步,笑道:"大爷,好久不见,我听到密斯吴说,你到上海去了。燕西今天不曾来吗?"他这样一提,凤举想起来了,这是燕西结婚时候作傧相的卫璧安。便笑着上前,伸手和他握了一握手,笑道:"我说是谁?原来是密斯脱卫,好极了,好极了。"凤举这几句话,说得语无伦次,不知所云。卫璧安却是不懂。但是蔼芳当他一相见时，便猜中了他的意思，及至他说话时，脸上现出恍然大悟之色，更加明白凤举的来意。却怕他尽管向下说，直道出来了，卫璧安会不好意思。便笑道："姐夫回来了，我……"蔼芳说到这里，一个们字，几乎连续着要说将出来。所幸自己发觉得快，连忙顿了一顿，然后接着道："应该要接风的。不过上海这地方，有的是好东西，不知道给我带了什么来没有？"凤举耳朵在听蔼芳说话，目光却是在他两人浑身上下看了一周。蔼芳说完了，凤举还是观察着不停，口里随便答应道："要什么东西呢？等我去买罢。"蔼芳笑道："姐夫，你今天在部里喝了酒来吗？我看你说话有点心不在焉。"凤举醒悟过来，笑道："并不是喝醉了酒，这陈列品里面，有一两样东西，给了我一点刺激。我口里说着话，总忘不了那事。哦！你是问我在上海带了什么礼品没有吗？"说着，皱了一皱眉头，叹一口气道："上海除了舶来品，还有什么可买的？上一次街就是举行一次提倡洋货。"蔼芳笑道："姐夫，你不用下许多转笔，干脆就说没有带给我，岂不是好？我也不能绑票一样的强要啊。"凤举笑道："有是有点小东西，不过我拿不出手。哪一天有工夫，你到舍下去玩玩，让你姐姐拿给你罢。最好是密斯脱卫也一同去，我们很欢迎。"卫璧安觉得他话里有话，只微笑一笑，也就算了。凤举本想还开几句玩笑，因会场里其他的职员也走过来了。他们友谊是公开的，爱情却未曾公开，不要胡乱把话说出来了。因和卫璧安握了一握手道："今天晚上，我不参观了，哪一天有工夫再来罢。"说毕，便走出会场来了。吴蔼芳往常见着，总要客客气气在一处多说几句话的，现在却是默然微笑，让凤举走去。

　　凤举心里恍然，回得家来，见了佩芳，笑道："果然果然，你妹妹眼力不错，找了那样好的一个爱人。"佩芳笑道："你出乎意料以外罢。你看看他们将来的结果怎么样？总比我们好。"凤举正有一句话要答复佩芳，见她两个眉头几乎皱到了一处，脸上的气色就不同往常，一阵阵的变成灰白色。她虽极力的镇静着，似乎慢慢的要屈着腰，才觉得好过似的。因此在沙发椅子上坐了一会，又站了起来。站了起来，先靠了衣橱站了，复又走到桌子边倒一杯茶喝了，只喝了一口，又走到床边去靠着。凤举道："你这是怎么了？要不是……"佩芳连忙站起来道："不要瞎说，你又知道什么？"凤举让她将话一盖，无甚可说的了。但是看她现在的颜色，的确一种很重的痛苦似的。便笑道："你也是外行，我也是外行，这可别到临时抱佛脚，要什么没什么。宁可早一点预备，大家从容一点。"佩芳将一手撑着腰，一手扶了桌沿，侧着身子，皱了眉道："也许是吃坏了东西，肚子里不受用。我为这事，看的书不少，现在还不像书上说的那种情形。快开晚饭了，这样子，晚饭我是吃不成功的。你到外面去吃饭罢，这里有蒋妈陪着我就行了。"凤举道："这不是闹着玩的，书上的话，没有实验过，知道准不准？你让我去给产婆通个电话，看她怎样说罢。"佩芳道："那样一来，你要闹……"一句话不曾说完,深深的皱着眉哼了一声。凤举道:"我不能不说了,不然,我负不起这一个大责任。"说毕,也不再征求佩芳的同意,竟自到金太太这边来。

金太太正和燕西、梅丽等吃晚饭,看到凤举形色仓皇走了进来,就是一惊。凤举叫了一声妈,又淡笑了一笑,站在屋子中间。金太太连忙放筷子碗,站将起来,望着凤举脸上道:"佩芳怎么样?"凤举微笑道:"我摸不着头脑,你老人家去看看也好。"金太太用手点了他几点道:"你这孩子,这是什么事?你还是如此不要紧的样子。"金太太一走,燕西首先乱起来,便问凤举道:"什么事,是大嫂临产了?"凤举道:"我也不知道是不是,但是我看她在屋子里起坐不安,我怕是的,所以先来对母亲说一说。"燕西道:"既然如此,那还有什么疑问,一定是的了。你还不赶快打电话去请产婆。产婆不见得有汽车罢,你可以先告诉车房,留下一辆车子在家里。"凤举道:"既是要派汽车去接她,干脆就派汽车去得了,又何必打什么电话?"在屋子里,梅丽是个小姐,清秋是一个未开怀的青春少妇,自然也不便说什么。他兄弟两人,一个说的比一个紧张,凤举也不再考量了,就按着铃,叫一个听差进来,分付开一辆汽车去接产婆。这一个消息传了出去,立刻金宅上下皆知。上房里一些太太少奶奶小姐们,一齐都拥到佩芳屋子里来。佩芳屋子里坐不下,大家挤到外面屋子里来。佩芳皱了眉道:"我叫他不要言语,你瞧他这一嚷,闹得满城风雨。"金太太走上前,握了佩芳一只手,按了一按,闭着眼,偏了头,凝了一凝神,又轻轻就着佩芳耳边,轻轻的说了几句,大家也听不出什么话,佩芳却红了脸,微摇着头,轻轻的说了一个不字。二姨太太点了点头道:"大概还早着啦。这里别拥上许多人,把屋子空气弄坏了。"大家听说,正要走时,家里老妈子提着一个大皮包,引着一个穿白衣服的矮小人来了,那正是日本产婆。这日本产婆后面,又跟着年纪轻些的两个女看护。大家一见产婆来了,便有个确实的消息,要走的也不走,在这里等着报告了。产婆进了房去,除了金太太,都拥到外面屋子里来了。据产婆说,时候还早,只好在这里等着了。闹了一阵子,不觉夜深。佩芳在屋子里来往徘徊,坐立彷徨,只问产婆你给我想法子罢。金太太虽是多儿多女的人,看见她的样子,似乎很不信任产婆,便出来和金铨商量。金铨终日记念着国家大政,家里儿女小事,向来不过问的。今天晚上,却是口里衔着雪茄,背着两手,到金太太屋子里来过两次。到了第三次头上,金铨便先道:"太太,这不是静候佳音的事,我看接一位大夫来瞧瞧罢。"金太太道:"这产婆是很有名的了,而且特意在医院里带了两个看护来。另找一个大夫来,岂不是令人下不去吗?"金铨道:"那倒不要紧,还找一位日本大夫就是了。他们都是日本人,商量商量也好。可以帮产婆的忙,自然是好。不能帮她的忙,也不过花二十块钱的医金,很小的事情。"金太太点点头,于是由金铨分付听差打电话,请了一位叫井田的日本大夫来。而在这位大夫刚刚进门的时候,凤举在外面也急了,已经把一位德国大夫请了来。两位大夫在客厅里面却是不期而遇。好在这些当大夫的,很明了阔人家治病,决不能信任一个大夫的,总要多找几个人看看,才可以放心,因此倒也不见怪。就分作先后到佩芳屋子里去看了看,又问产婆的话,竟是很好的现象。便对凤举说,并用不着吃什么药,也用不着施行什么手术,只要听产婆的话,安心待其瓜熟蒂落就是了。两个大夫,各拿了几十块钱,就是说了这几句话就走了。在这时,账房贾先生,又向凤举建议,请了一位中医来。这位中医是贾先生的朋友,来了之后,听说并不是难产,就没有进去诊脉,口说了几个助产的丹方也就走了。大家直闹了一晚。

　　凤举也是有点疲乏,因为产婆说,大概时候还早,就在外面燕西书房里,和衣在沙发上躺下。及至醒来时,只见小兰站在榻边,笑道:"大爷,大喜啊!太太叫你瞧孩子去,挺大的个儿,又白又胖的一个小小子。"凤举揉着眼睛坐了起来,便问道:"什么时候添的?怎么先不来叫我一声儿?"小兰道:"添了一个多钟头了。有人说叫大爷来看,太太说,别叫他,他起来了,也没有他的什么事,让他睡着罢。现在孩子洗好了,穿好了,再来叫你了。"凤举牵扯着衣服,一面向自己院子里来。刚进院子门,就听到一阵婴儿啼哭之声,那声音还是很洪亮。凤举走到外边屋子里,还不曾进去,梅丽就嚷道:"大哥,快瞧瞧你这孩子,多么相像啊!"凤举一脚踏进屋时,却看到金太太两手向上托着一个绒衣包裹的小孩。梅丽拉着凤举上前,笑道:"你瞧你瞧,这儿子多么像你啊!"凤举正俯了身子,看这小孩,忽听得鹤荪在窗子外问道:"妈还在这里吗?"金太太道:"什么事?你忙着这个时候来找我。"鹤荪道:"不知道产婆走了没有?若是没走,让她等一会子。"佩芳原是高高的枕着枕头,躺在床上,眼睛望了桌上那芸香盒子里烧的芸香,凝着神在休息着。听了鹤荪的话,笑道:"我说慧厂怎么没有来露过面?正纳闷呢。原来她也是今天,那就巧了。"金太太从从容容的,将小孩双手捧着交给佩芳,笑道:"我也是这样说,她那样一个好事的人,哪能够不来看看?或者因为挺着大肚子有点害臊,所以我也就没追问了。她倒有耐性,竟是一声儿也不响。"

　　金太太说着这话,已经是出了房门了。鹤荪见母亲出来了,笑道:"我也不知道是不是,你老人家先别嚷。"金太太道:"这又不是什么秘密事情,你们为什么都犯了这种毛病?老是不愿先说,非事到临头不发表。"鹤荪笑道:"是他们身上的事,她要不对我说,我怎样会知道?"金太太也不和他辩论,已是走得很快的走进房来,只见慧厂坐在椅子边,一手撑着腰,一手在桌上摸着牙牌,过五关。金太太心里原想着,她一定也是和佩芳一样,无非是娇啼婉转。现在见她还十分镇静,倒有些奇怪。不过看她的脸上,也是极不自然,便道:"你觉得怎么样?"慧厂将牌一推,站了起来笑道:"我实在忍耐不住了。"只说得这一句,脸

531

上的笑容，立刻就让痛苦的颜色将笑容盖过去了。金太太伸着两手，各执住慧厂的一只手腕，紧紧的按了一按，失声道："啊！是时候了。你怎么声张得这样缓呢？"鹤荪见母亲如此说，情形觉得紧张，便笑道："怎么样？"金太太一回头道："傻子！还不打电话去叫产婆快来？"鹤荪听了这话，才知这是自己耽误了事，赶快跑了出去，分付听差们打电话。大家得了这个消息，都哄传起来。说是这喜事不发动则已，一发动起来，却是双喜临门，太有趣了。上上下下的人，闹了一宿半天，刚刚要休息，接上又是一阵忙碌。所幸这次的时间要缩短许多，当日下午三点钟，慧厂也照样添了一个白胖可爱的男孩。

当佩芳男孩安全落地之时，金铨因为有要紧公事，就出门去了。直到下午四点多钟回来，金太太却笑嘻嘻的找到书房里来，笑道："恭喜恭喜，你添孙子了。"金铨摸着胡子道："中国人这宗法社会观念总打不破，怎么你乐得又来恭喜了？"金太太道："这事有趣得很，我当然可以乐一乐。"金铨道："乐是可以乐，但是我未出门之先，我早知道了，回来还要你告诉我做什么？难道说你乐糊涂了吗？"金太太道："闹到现在，大概你还不知道，我告诉你罢，你出去的时候，知道添了孩子，那是一件事。现在我告诉你添了孩子，可又是一件事了。"金铨道："那是怎么说？我不懂。"金太太笑道："你看看巧不巧？慧厂也是今天添的孩子。自你出门去以后，孩子三点钟落地，我忙到现在方才了事。"金铨笑道："这倒很有趣味。两个孩子，哪个好一点？"金太太道："都像他老子。"金铨笑道："这话还得转个弯，不如说是都像他爷爷罢。"金太太道："别乐了，你给他取个名字是正经。将来这两个小东西，让他就学着爷爷罢。"金铨且不理会他夫人的话，在皮夹子里取出一支雪茄来，自擦了火柴吸着，将两只袖子一拢，便在屋子里踱来踱去。转过身，又将两只手，背在身后，点点头道："有了。一个叫同先，一个叫同继罢。"金太太道："两个出世的孩子，给他取这样古板板的名字，太不活泼了。"金铨又了手踱了几周，点了点头，又摇了一摇头。金太太笑道："瞧你这国务总理，人家说宰相肚里好撑船，找两个乳名，会费这么大事！还是让我来罢，一个叫着小双，一个叫着小同，怎么样？"金铨笑道："很好，就是这个罢。"金太太道："还有一件事要征求你的同意。不过这件事，你似乎不反对才好。"金铨道："什么事呢？还不曾说出来，已经是非我同意不可了，那还用得着征求我的同意吗？"金太太笑道："你想，一天之间，我们家添两个孩子，亲戚朋友有个不来起哄的吗？后日又正是星期，家里随便乐一天，你看行不行？"金铨道："还有什么可说的？这种情形，分明是赞成也得赞成，不赞成也得赞成，我还有什么可说的。"金太太笑道："从来没有这样干脆过，今天大概你也是很乐吧?"金铨笑道:"我虽不见得淡然视之,我也并不把这事认为怎样重大。"金太太笑道:"我不和你讨论这些不成问题的话了。"于是笑嘻嘻走回自己屋里,自己计划着,应当怎样热闹?一面就叫小兰把燕西、梅丽找来。梅丽一进门,金太太就笑道:"八小姐,该有你乐的了。后天咱们家里得热闹一下子,你要你怎样热闹才好?"二姨太太也是跟着梅丽一路来的,便笑道:"太太今天乐大发了。累得这个样子,一点不觉得,这会子对孩子这样叫起来了。"金太太笑道:"你也熬到今天,算添了孙子了。你就不乐吗?陈二姐哩!来!把昨天人家送来的茶叶,新沏上一壶,请二姨太太喝一杯她久不相逢的家乡味。"二姨太太真不料今天有这种殊遇。太太一再客气,还要将新得的茶叶,特意泡一壶来,让我尝尝家乡味,这实在是不常见的事。因笑道:"太太添了两孙子,我们还没道喜,倒先要叨扰起来。"金太太先笑着,有一句话不曾答应出来。梅丽笑道:"她老人家,今天真是高兴了,刚才叫了我一声小姐,真把我愣住了。我想不出什么事做的太贵重了,所以妈倒说着我。后来一听,敢情是她老人家高兴得这样叫呢。"金太太道:"你听听她那话儿。凭着你亲生之母当面,我没有把你不当是肚子里出来的一样看待呀。我要骂你,要打你,尽可以明说,为什么我要倒说?人家都说我有点偏心,最欢喜阿七和你呢。阿七罢了,你是另一个母亲生的,我乐得人家说我偏心。"燕西听见母亲叫他,正同了清秋一块儿来,刚走到门外,便接嘴道:"这话我不承认啦。"金太太道:"你不承认吗?大家不但说我偏心向着你。连你的小媳妇,我都有偏爱的嫌疑哩!"二姨太太笑道:"没有的话,手背也是肉,手掌也是肉,哪里会对哪个厚哪个薄?"金太太用手点了点二姨太太道:"你这话可让我挑眼了。梅丽不是我生的,算手背算手掌呢?"说着将右手掌翻覆着看了几看。二姨太笑道:"你瞧着吧,谁是手背?谁是手掌呢?其实这话,不应当那样说呀。你想,就算我存那个心事,我只一个,太太是七个,混在一堆儿算,我有多么合算,我们何必要分那个彼此!我一进来,太太就给我道喜,说我添了两个孙子。要分彼此的话,我这就先没分了。我真有那个心眼,我也只有放在心里,不能说出来呀!而且梅丽这东西,她简直的就不大亲近我,和太太自己生的一样。我不论背地里当面,都是这样说的,随便谁都能证实的。这都是我心眼儿里的话,我要分个彼此……"梅丽道:"得了得了,别说了。一说起来,你就开了话匣子。这一篇话,你先来了三个分彼此。"梅丽挨着金太太坐的,金太太将手举着向她头上虚击了一击,笑道:"你这孩子,真有些欺负你娘,我大耳光子打你。知道的,说你娘把你惯坏了。不知道的,还要说我教你狗仗人势呢。"梅丽笑着向清秋这边一躲,笑道:"我惹下祸了,你帮着我一点罢。"燕西笑道:"今天大家这一个乐劲儿,真也了不得,乐得要发狂了,连二姨妈,一个有名的

吴老实,都能说起来。"梅丽笑着对清秋道:"你瞧,妈喜欢小孩子,喜欢到了什么地步?要不,你赶快的……"清秋不等她向下说完,暗地里握着她的手胳膊,轻轻拧了一把,对她瞟了一眼道:"你还瞎说?"梅丽又避到燕西这边来。燕西道:"别闹了,别闹了。妈不是叫我们来有话说的吗?我还不知道是什么事呢?"金太太于是把计划着的事一说,大家都欢喜起来了。

第六十八回

堂上说狂欢召优志庆
车前惊乍过迎伴留痕

　　金太太笑对大家道："叫你们来，哪里还有什么重要的事说？后天咱们家里要热闹一翻，你们建个议，怎样热闹法子？"燕西道："唱戏是最热闹的了。省事点呢，就来一堂大鼓书。"梅丽道："我讨厌那个。与其玩那个，还不如叫一场玩戏法儿的呢。"燕西道："唱大戏是自然赞成者多，就是怕戏台赶搭不起来。"梅丽道："还有一天两整晚哩，为什么搭不起来？"燕西道："戏台搭起来了，邀角也有相当的困难。"金太太道："你们哥儿几个，玩票的玩票，捧角的捧角，我有什么不知道的？慢说还有两天限期，就是要你们立刻找一班戏子来唱戏，也办得好的。这时候，又向着我假惺惺。"燕西笑道："戏子我是认得几个，不过是别个介绍的。可是捧角没我的事。"梅丽道："当着嫂子的面，你又要胡赖了。"清秋笑道："我向来不干预他丝毫行动的，他用不着赖。"金太太道："管你是怎样认得戏子的，你就承办这一趟差使试试看。钱不成问题，在我这里拿。"燕西坐着的，这就拍着手站了起来，笑道："只要有人出钱，那我决可以办到，我这就去。"说着，就向外走。金太太道："你忙些什么？我的话还没有说完呢。"但是燕西并不曾把这话听到，已是走到外面去了。

　　金贵因有一点小事，要到上房来禀报。燕西一见，便道："搭戏台是棚铺里的事吗？你去对账房里说一声，叫一班人搭戏台。"金贵摸不着头脑，听了这话，倒愣住了。燕西道："发什么愣？你不知道搭戏台是归哪一行管？"金贵道："若是堂会的话，搭戏台是棚铺里的事。"燕西道："我不和你说了。"一直就到账房里来，在门外便问道："贾先生在家吗？"贾先生道："在家，今天喜事重重，我还分得开身来吗？"燕西说着话，已经走进屋子里来了。问道："老贾，若是搭一座堂会的戏台，你看要多少时候？"贾先生笑道："七爷想起了什么心事？怎么问起这一句话来？"燕西道："告诉你听，太太乐大发了，自己发起要唱戏。这事连总理都同了意，真是难得的事呀。而且太太说了，要花多少钱，都可以实报实销。"贾先生笑道："我的爷，你要我办事出点力都行，你不要把这个甜指头给我尝。就算是实报实销，我也不敢开谎账。"燕西道："这是事实，我并不冤你。老贾，我金燕西多会查过你的账的，你干吗急？"贾先生笑道："这也许是实情。"他这样说着，脸可就红起来了。燕西笑道："这话说完了，就丢开不谈了。你赶紧办事，别误了日期。"贾先生道："搭一所堂会的台，耗费不了多大工夫，我负这个责任，准不误事。只是这邀角儿的事，不能不发生困难吧？"燕西道："这个我们自然有把握，你就别管了。"说时，按着铃，手只管放在机上。听差屋子里一阵很急的铃子响，大家一看，是账房里的铜牌落下来。就有人道："这两位账房先生常是要那官牌子，我就有点不服。"说着话时，铃子还是响。金贵便道："你们别扯淡了。我看见七爷到账房里去，这准是他。"金荣一听，首先起身便走，到了帐房里。燕西的手，还按在机上呢。金荣连叫道："七爷七爷，我来了，我来了。"燕西道："你们又是在谈嫖经，或者是谈赌经呢？按这久的铃，你才能够来。"金荣道："我听到铃响就来了。若是按久了，除非是电线出毛病。"燕西道："这个时候，我没有工夫和你说这些了。三爷到哪里去了，你知道吗？你把他常到的那些地方，都打一个电话找找看。我在这里等你的回话。快去！"金荣又不知道发生了什么紧急的事情，料着是片刻也不许耽误的，不敢多说话，马上就出来打电话。不料鹏振所常去的地方，都打听遍了，并没有他的踪影。明知燕西是要找着才痛快的，也只好认着挨骂去回话。他正在为难之际，只见玻璃窗外有个人影子匆匆过去，正是鹏振。连忙追了出来，嚷道："真是好造化，救星到了。"鹏振听到身后有人嚷，回头一看，见是金荣。便问道："谁是救星到了？"金荣道："还有谁呢？就是三爷呀。"于是把燕西找他的话说了一遍。鹏振道："他又惹了什么大祸，非找我不可？"金荣道："他在账房里等着呢。"金荣也来不及请鹏振去了，就在走廊子外叫道："七爷，三爷回来了。"燕西听说，他就追了出来。一见鹏振，远远的就连连招手，笑道："你要给花玉仙找点进款不要？现在有机会了。母亲要在孩子的三朝，演堂会戏呢，少不得邀她一角。戏价你爱说多少，就给多少，一点也不含糊。"鹏振四周看了一看，因皱着眉道："一点子事你就大嚷特嚷，你也不瞧这是什么地方，就嚷起来。"燕西道："唱堂会，叫你邀一个角儿，这又是什么秘密，不能让人知道？"鹏振听了半天，还是没有听到头脑，就和他一路走到书房里去，问他究竟是怎样一回事？燕西一说清楚了，鹏振也笑着点头道："这倒是个机会。后天就要人，今天就得开始去找了。我们除自己固定的人而外，其余别麻烦，交刘二爷一手办去。"说着，就将电话插销插上，要刘宝善的电话。刘宝善恰好在家里，一接到电话，说是总理太太自己发起堂会，要热闹一番。便道："你哥儿们别忙，都交给我罢。我就来，不说电话了。"电话挂上，还不到十五分钟，刘宝善就来了。笑道："难得的事，金夫人这样高兴。七哥就去说一声，这事已经全部交我负责办理就是了。此外还有什么事，可以一齐交给我去办。"燕西道："你去办就是了，何必还要先去说上一声？"鹏振笑道："若不去说一声，功劳簿上怎样记这笔账？"刘宝善红了脸道："府上有什么大喜事，我九二码子，敢说不效劳吗？和金夫人去说一声，也无非是让她老人家放心一点的意思，哪里就敢以功自居？"鹏振笑道："不要功劳就好。这一笔小小功劳，让给老七罢。"燕西笑道："我干吗那样不讲交情？下次还有找人家的时候呢。"刘宝善闹得真有点不好意思，便笑道："我先来拟几个戏码罢，不好再请二位更改。"于是借着写字，就避开他兄弟俩的辩论。因问燕西道："把白莲花也叫来，好不好？"燕西道："她在天津，怎么把她叫来？"刘宝善道："一个电话到天津，说是金七爷叫她来，她能不来吗？"燕西沉吟半晌，又笑了一笑，因道："那又会闹得满城风雨。依我说，少她一个人，也不见得减少兴趣。多她一个人，也不见得就增加兴趣。"刘宝善道："减是不会减少兴趣，可是她若真来了，增加兴趣，就不在少处了。"燕西笑道："要打电话，我也不拦阻你们，可是别打我的旗号。"刘宝善道："只要说是金府上的堂会就得了，不打你的旗号，那是没有关系的。再说，她到了北京来，还怕你不会殷勤招待吗？"燕西沉吟了一会子，笑道："电话让我自己来打也好。"刘宝善笑道："你瞧，马上就自己露出马脚来了不是？可是这长途电话，好几毛钱三分钟，别在电话里情话绵绵的。有那笔费用，等她到了京以后，买别的东西送她得了。"燕西道："就算要说情话，反正后天就见面了，我为什么要花那种钱呢？我是怕她没有同我亲自说话，会疑心人家开玩笑，少不得还要打电话来问的。与其还要她来一次电话，不如就是我自己打电话去罢。而且她打电话来，我未必在家，那就要耽误时间了。"鹏振道："这倒也是事实，既是要她来，当然你要招待。这电话，可以到了今天晚上再打，那时候，她正由戏院子里回了家。你也不必打里面的电话，到外客厅里来打电话得了，省得又闹得别人知道。"刘宝善听他说时，只管向着他微笑。他说完了，才道："嘿！你哥们真有个商量。"鹏振道："你知道什么？你想，我要不叮嘱他，由他闹去，一定会闹得上下皆知的。那个时候，我们不方便倒没有什么关系，就怕白莲花来了，从中要受一丝一毫波折，你看这是多难为情。"刘宝善笑道："我有什么不知道的？我不过和你们说笑话罢了。那末，花玉仙、白莲花两个人，就让你们自己电召。其余的男女角，都归我去邀。"燕西道："你先拟一个戏单罢，让我拿进去老人家瞧瞧。若是戏有更动的话，或者还要特别找几个人也未可定。"刘宝善道："这话说得是，要不是这样，临时才觉得戏有点不对老人家劲，那就迟了。"说着，就把刚才文不加点拟的一个草单，揉成一团，摔到字纸篓里去了。却又另拿了一张纸恭恭敬敬的写了一个戏单子。原来点着几出风情戏，如《花田错》、《贵妃醉酒》，都把来改了。燕西将单子接过来，从头至尾一看，皱眉道："你这拟得太不对劲了。老太太听戏，老实说,不怎样内行,就爱个热闹与有趣。武的如《水帘洞》,文的如《荷珠配》,那是最好的了。你来上《二进宫》、《上天台》、《打金枝》这样整大段的唱工戏,简直是去找钉子碰。"刘宝善道:"我的七哥,你为什么不早说?"于是把那张单子接过去又一把撕了,坐下来,又仔细斟酌着戏码写将起来。鹏振笑道:"我真替你着急,这样一档子事,你会越办越糟。你若是就用原先那个单子,我瞧大体还能用。你这平空一捉摸,倒完全不对劲。"刘宝善笑道:"并不是我故意捉摸。我听七哥说这回堂会是金夫人发起的,年老的人,当然意见和我们不同。"燕西道:"你也不必拟了,你就还把原先那个戏码誊正罢。纵然要改,也不过一两样,比二次三次的强的多。"刘宝善现在一点主张也没有了,就照他们的话,把最先一个单子,从字纸篓里找了出来,重新誊了一份。燕西拿着,又从头至尾看了一遍,笑道:"这个就很好。你要重新改两遍,真是庸人自扰。"刘宝善在怀里掏出方手帕,揩着额角上的汗珠,强笑道:"得了,这份儿差使总算没有巴结上。你兄弟俩的指示,这回是受教良多,下次我就有把握了。"燕西也笑了起来,就拿戏单进去。刘宝善却和鹏振依旧在外面等信。约有半个钟头,燕西出来了,拍着刘宝善的肩膀道:"我说怎么样?家母就说这戏码大体可以,自己用笔圈了几个,除了这个不必更动而外,其余听我们的便。"刘宝善将单子接过来一看,只见第一个圈圈,就圈在《贵妃醉酒》上面。鹏振笑道:"你看这事情怎么样,不是我们猜得很准吗?"刘宝善拱了一拱手笑道:"甚为感激。要不然,我准碰一个大钉子。这是大家快乐的时候,就是我一个人碰钉子,也未免有点难为情。"燕西道:"要论起你拿话挖苦我们来,我们就应该让你碰钉子去!"刘宝善拿着单子又拱了几拱手道:"感激感激,这件差事,我已经摸着一些头绪了,还是交给我罢。"鹏振兄弟本来就怕忙,二来也不知堂会这种事要怎样去接洽,当然是要交给人去办的。一点也不留难,就让刘宝善拿着单子去了。有了他这一个宣传,大家在外面一宣扬,政界里先得了信,知道金铨一天得两个孙子。再有几个辗转,这消息传到新闻界去了。有两家通讯社和金铨是有关系的,一听说总理添了两个孙少爷,便四处打电话,打听这消息。有这样说的,有那样说的,究竟听不出一个真实状况来。后来只得冒了重大的危险,向金宅打电话,请大爷说话。凤举又不在家,通讯社里人说,就随便请哪一位少爷说话罢。听差找着燕西,把话告诉他。燕西仿佛知道父亲曾津贴两家通讯社,可不知道是哪家?现在说是通讯社里的电话,他便接了。那边问话,恭喜,总理今天一次添两个孙少爷吗?燕西答应是的。那通讯社里便问,但不知是哪一位公子添的?燕西虽然觉得麻烦,然而既然说上了,又不便戛然中止,便笑道:"我大家兄添了,二家兄也添了。"通讯社便问,是两个吗?燕西就答应是两个。那边又问都是两个吗?燕西觉得实在麻烦了,便答应道:"都是两个。"说毕,便将电话挂上了。通讯社里以为是总理七公子亲自说的话，哪里还有错的，于是大书着，本社据金宅电话，金总理一日得了四个孙子。乃是大公子夫人孪生两个，二公子夫人孪生两个。孪生不足奇，同日孪生，实为稀有之盛事云云。这个消息一传出去，人家虽然知道有些捧场的意味，然而这件事很奇，不可放过，无论哪家报上，都登了出来。

金铨向来起得不晚，九点多钟的时候，连接着几个朋友的电话，说是府上有这样喜事，怎么不先给我们一个信呢？金铨这才知道报上登遍了的，他一日孪生四孙。只得对朋友说了实话，报上是弄错了。一面就叫听差，将报拿来看。因为阔人们是不大看报的，金铨也不能例外。现在听了这话，才将报要来一查。一见报上所载，是有关系的通讯社传出去的，而且他所得的消息，又是本宅的电话。不觉生气道："这是谁给他们打电话的？自己家里为什么先造起谣言来？"听差见总理不高兴，直挺挺的垂手站在一边，不敢做声。金铨道："你去把贾先生请来。"听差答应着去。不多一会儿，贾先生便来了。金铨问道："现在还在家里拿津贴的那两家通讯社，每月是多少钱？"贾先生听到这话，倒吓了一跳。心想，一百扣二十，还是和他们商量好了的，难道他们还把这话转告诉了老头子不成？金铨是坐在一张写字台上，手上拿着雪茄，不住的在烟灰缸子上擦灰，眼睛就望着贾先生，待他答话。贾先生道："现在还是原来的数目。"金铨道："原来是多少钱？我已经不记得了。"贾先生道："原来是二百元一处。"金铨道："家里为什么要添这样一笔开支？从这月起，将它停了罢。"贾先生踌躇道："事情很小，省了这笔钱……也不见得能补盖哪一方面。没有这一个倒也罢了，既然有了，突然停止，倒让他们大大的失望。"金铨道："失望又要什么紧？难道在报上攻击我吗？"贾先生微笑道："那也不见得。"金铨道："怎样没有？你看今天报上登载我家的新闻吗？他们造了谣言不要紧，还说是据金宅的电话，把谣言证实过来。知道的，说是他们造谣言。不知道的，岂不要说我家里胡乱鼓吹吗？"说着话，将雪茄连在烟灰缸上敲着几下响。贾先生一看这样子，是无疏通之余地的了。只得连答应了几声是，就退出去了。口里却自言自语的道："拍马拍得好，拍到马腿上去了。"他这样一路说着，正好碰着了燕西。燕西便拦住他问道："你说谁拍马没有拍着？"贾先生就把总理分付，停了两家通讯社津贴的事说了一遍。燕西笑道："糟糕，这事是我害了他。他昨天打电话问我，我就含糊着答应了他们，大概他们也不考量，就作了消息。天下哪有那末巧的事？同日添小孩子，还会同是双胞儿吗？"一路说着，就同到账房里来。贾先生道："你一句话，既是把人家的津贴取消，你得想点法子，还把人家津贴维持着才好。"燕西道："总理今天刚发了命令，今天就去疏通，那明摆着是不行。他们是什么时候领钱？"贾先生道："就是这两天。往常都领过去了，惟有这个月，我有事压了两天，就出了这个岔儿。"燕西笑道："那有什么难办的？你就倒填日月，发给他们就是了。不然，我也不管这事，无奈是我害得人家如此的，我良心上过不去，不能不这样。"贾先生踌躇着道："不很妥当吧？你要是不留神，给我一说出来，那更糟了。"燕西道："是我出的主意，我哪有反说出来之理。"贾先生笑道："好极了，明天我让那通信社，多多捧捧七爷的人儿罢。"燕西为着明日的堂会，正忙着照应这里，哪有工夫过问这些闲事，早笑着走开了。

　　这一天，不但是金家忙碌，几位亲戚家里，也是赶着办好礼物，送了过来。清秋因为自己家里清寒，抵不上那些亲友的豪贵，平常是不主张母亲和舅舅向这边来的。不过这次家中一日添双丁，举家视为重典，母亲也应当来一次才好。因此趁着大家忙乱，私下回娘家去了一转，留下几十块钱，叫母亲办一点小孩儿的东西。又告嘱母亲明日要亲去道喜。冷太太听说金家要大会亲友，也是不愿来，但是不去，人情上又说不过去。只是对清秋说，明天到了金家要多多照应一点。清秋道："那也没有什么，反正多客气少说话，总不会闹出错处来。"叮嘱一遍，就匆匆的回来。自己是坐着人力车的，刚要到门，只见后面连连一阵汽车喇叭响。一回头，汽车挨身而过，正是燕西和一个年轻的女子坐在里面。燕西脸正向了那女子笑着说话，却没有看到清秋。让汽车过去了，清秋立刻让车夫停住，给了车钱，自己走回家来。她走到门口，号房看见，却吃了一惊。便迎着上前道："七少奶奶没坐车吗？"清秋笑道："我没有到哪里去，我走出胡同去看看呢。"号房见她是平常衣服，却也信了。等她进去以后，却去告诉金荣道："刚才老爷在车站上接白莲花来，少奶奶知道了，特意在大门外候着呢。"金荣道："我们这位少奶奶，很好说话，大概不至于那样的，可是她一人到门口来做什么呢？我还是给七爷一个信儿的好。"于是走到小客厅里，在门外逡巡了几趟，只听到燕西笑着说："难得你到北京来的，今天晚上，我得陪你哪儿玩玩去才好。"金荣轻轻的自言自语道："好高兴！真不怕出乱子呢。"接上又听到鹏振道："别到处去瞎跑的，到绿阴饭店开个房间打牌去罢。"金荣一听，知道屋子里不是两个人，这才放重脚步，一掀帘子进去，见燕西和白莲花坐在一张沙发上，鹏振又和花玉仙坐在一张沙发上。于是倒了一杯茶，然后退了站在一边。燕西对他看时，他却微微点了点头。燕西会意，于是走到隔壁小屋子里去，随后金荣也就跟了来了。燕西问道："有什么事吗？"金荣把号房的话说了一遍。燕西道："不是她一个人出去的吧？"金荣却说是不知道，只是听到号房如此说的。燕西沉吟了一会，因轻轻的道："不要紧的，不必对别人说了。"燕西依旧和白莲花在一处说笑了一会，不过放心不下，就走回自己院子里来，看看清秋做什么。只见她站在那株盘松下面，左手攀着松枝，右手却将松针一根一根的，扯着向地下扔，目不转睛的却望了天空，大概是想什么想出了神呢？燕西道："你这是做什么？"清秋猛然听到身边有人说话，倒吃了一惊。因手拍着胸道："你也不作声的就走了来,倒吓我一跳!"燕西道:"你怎么站在这儿?"清秋皱了眉道:"我心里烦恼着呢,回头我再对你说罢。"说着这话,一个人竟自低着头走回屋子去了。燕西看她的样子,分明是极不高兴,这倒把金荣的话证实了。本想追着到屋子里去问几句,说明白了,也无非是为了和白莲花同车的事。这时白莲花在前面等着,若是和清秋一讨论起来,怕要消磨许多时间,暂时也就不说了。便掉转身躯出去。这一出去,先是陪着白莲花吃晚饭,后来又陪着在旅馆里打牌,一直混到晚上两点多钟回来,清秋早是睡熟了。燕西往常回来得晚,也有把清秋叫醒来的时候。今天房门是虚掩的,既不用她起来开门,自己又玩得疲倦万分,一进房也就睡了。清秋睡得早,自然起来得早。又明知道今天家里有许多亲友来,或者有事,起来以后,就上金太太那边去。燕西一场好睡,睡到十二点钟才醒,一看屋子里并没人。及至到金太太那边去,已经有些亲戚来了。清秋奉着母亲的命令,也在各处招待,怎能找她说话?

　　到了下午一点钟,冷太太也来了。金太太因为这位亲母是不常来的,一直出来接过楼房门外。敏之、润之因为母亲的关系,也接了出来。清秋是不必说,早在大门口接着,陪了进来。冷太太见了金太太,又道喜她添了孙子,又道谢不敢当她接出来。金太太常听到清秋说,她母亲短于应酬,所以不出大门。心想,自己家里客多,一个一个介绍,一来费事,二来也让人苦于应酬,因此不把她向内客厅里让,直让到自己屋子里来。清秋也很明白婆婆是体谅自己母亲的意思,更不踌躇,就陪着母亲来了。冷太太来过两回,一次是在内客厅里坐的,一次是在清秋屋子里坐的,金太太屋子里还没到过。金太太笑道:"亲母,今天请你到我屋子去坐罢。外面客多,我一周旋着,又不能招待你了。"冷太太笑道:"我们是这样的亲戚,还客气吗?"金太太道:"不,我也要请你谈谈。"说着话,进了一列六根朱漆大柱落地的走廊。里面细雕花木格扇,中露着梅花、海棠、芙蓉各式玻璃窗。一进屋,只觉四壁辉煌,脚上的地毯,其软如绵。也不容细看,已让到右手一间屋。房子是长方形,正面是一副紫绒堆花的高厚沙发,沙发下是五凤朝阳的地毯,地毯上是宽矮的踏凳。这踏凳,也是用堆花紫绒蒙了面子的。再看下手两套紫檀细花的架格,随格大小高下,安放了许多东西,除了古玩之外,还有许多不识的东西。也常听到清秋说过,金太太自己私下休息的屋子,她所需要的东西,都预备在那里。另外有两架半截大穿衣镜,下面也是紫檀座橱,据说,一边是藏着无线电放音器,一面是自动的电器话匣子。冷太太一看,怪不得这位母亲太太是如此的气色好,就此随便闲坐的屋子,都布置得这样舒服。金太太道:"亲母就在这里坐罢,虽然不恭敬一点,倒是极可以随便的。"说着,让冷太太在紫绒沙发上坐了。冷太太一看这屋子,全是用白底印花的绸子裱糊的墙壁,沙发后,两座人高的大瓷瓶,瓶子里全是

颠倒四季花。最妙的是下手一座蓝花瓷缸，却用小斑竹搭着架子，上面绕着绿蔓，种着几朵黄花，几口王瓜。心里便想着，五六月天，我们鸡笼边也搭着王瓜架，值得如此铺张吗？金太太见她也在赏鉴这王瓜，便笑道："亲母，你看，这不很有意思吗？"冷太太笑道："很有意思。"金太太道："有人送了我们早开的牡丹和一些茉莉花，另外就有两架王瓜。这瓷缸和斑竹架子都是他们配的，我就单留下了这个。这屋子里阳光好，又有暖气管，是很合宜的。"金太太将王瓜夸奖了一阵子，冷太太也只好附和着。

　　清秋见她母亲虽是敷衍着说话，可是态度很自然的。今天家里既是客多，自己应该去陪客，不能专陪着自己母亲，就转身到内客厅里来。玉芬一见，连忙走过来，拍着她的肩膀道："你来的正好，我听说伯母来了，我应该瞧瞧去。这许多客，你帮着招待一下子罢。劳驾劳驾！"清秋道："我也是份内的事，你干吗说劳驾呢？"玉芬又拍拍她的肩道："我是要休息休息。这样说了，你就可以多招待些时候了。"清秋笑着点了点头道："你尽管去休息罢，都交给我了，还有五姐六姐在这儿呢，我不过摆个样子，总可以对付的。"玉芬笑道："老实说，我在这里，真没有招待什么，我都让两位姐姐上前，不过是做个幌子而已。"清秋连忙握她一只手，摇撼了几下道："好姐姐，你可别多心，我是一句谦逊话。"玉芬笑道："你说这话，才是多心呢。我多什么心呢？别说废话了，我瞧伯母去。"说着，也就走了。

第六十九回

野草闲花突来空引怨
翠帘绣幕静坐暗生愁

　　清秋站在客厅门外，懊悔不迭，自己来招待就来招待便了，又和她谦虚个什么？这人是个笑脸虎，说不多心一定是多心了。正在发愣，客厅却有一班客挤出来了。清秋只得敷衍了几句，然后自己也进客厅去。这时玉芬已经到了金太太屋子里来了。她见冷太太和婆婆同坐在沙发上，非常的亲密，便在屋子外站了一站。冷太太早看见了，便站起身来，叫了一声三少奶奶。金太太道："你请坐罢，和晚辈这样客气？"玉芬想不进来的，人家这样一客气，不得不进来了，便进来寒暄了几句。冷太太道："清秋对我说，三少奶奶最是聪明伶俐的人，我来一回爱一回，你真个聪明相。"玉芬笑道："你不要把话来倒说着罢，我这人会让人见了一回爱一回？"冷太太连称不敢。金太太笑道："这孩子谁也这样说，挂着调皮的相。但是真说她的心地，却不怎样调皮。"冷太太连连点头道："这话对的，许多人看去老实，心真不老实。许多人看去调皮，实在倒忠厚。"玉芬笑道："幸而伯母把这话又说回来了，不然，我倒要想个法子，把脸上调皮的样子改一改才好。"这一说，大家都笑了。玉芬道："前面大厅上，已经开戏了，伯母不去听听戏去？"金太太道："这时候好戏还没有上场，我和伯母，倒是谈得对劲，多谈一会儿，回头好戏上场再去罢。你要听戏，你就去罢。"玉芬便和冷太太笑道："伯母，我告罪了，回头再谈罢。"说着，走了出来，便回自己的屋子里。

　　只见鹏振胁下夹了一包东西，匆匆就向外跑。玉芬见着，一把将他拉住道："你拿了什么东西走？让我检查检查。"鹏振笑道："你又来捣乱，并没有什么东西。"说着，一摔玉芬的手就要跑。玉芬见他如此，更添了一只手来拉住，鼻子一哼道："你给我来硬的，我是不怕这一套，非得让我瞧不可。"鹏振将包袱依旧夹着，笑道："你放手，我也跑不了。检查就让你检查，但是我有几句话，要和你讲一讲理，你看成不成？"玉芬放了手，向他前面拦着一站，然后对他浑身上下看了一看，笑道："怎不讲理？"鹏振道："讲理就好，你拿东西进进出

出，我检查过没有？为什么你就单单的检查我？我拿一个布包袱出去，都要受媳妇儿的检查，这话传出了，叫我脸向哪里搁？"玉芬道："你说得很有理，我也都承认。可是有一层，今天无论如何，我要不讲理一回，请你把包袱打开，给我看一看。我若是看不着内容，我是不能让你过去的。"鹏振笑道："真的，你要看看？得啦，怪麻烦的，晚上我再告诉你就是了。"玉芬脸一板，两手一叉腰，瞪着眼道："废话！硬来不行，就软来，软来我也是不受的！"鹏振也板着脸道："要查就让你查。查出来了，我认罚。查不出来呢，你该怎么样？"玉芬道："哼！你唬我不着，我要是查不出什么来，我也认罚。这话说得怎么样？"鹏振道："搜不着，真能受罚吗？"玉芬道："君子一言，驷马难追，说了出来，哪有反悔之理。"鹏振就不再说什么了，将包袱轻轻悄悄的递了过去，笑道："请你检查吧！诸事包涵一点。"玉芬将包裹接过去，匆匆忙忙打开一看，却是一大包书。放在走廊短栏上，翻了一翻，都是燕西所定阅的杂志，此外却是大大小小一些画报。拿了几本杂志，在手里抖一抖，却也不见一点东西落下来。便将书向旁边一推，落了一地，鼻子一哼道："怪不得不怕我搜，你把秘密的信件，都夹在这些书里面呢。我又不是神仙，我知道你的秘密藏在哪一页书里？我现在不查，让我事后来慢慢打听，只要我肯留心，没有打听不出来的。你少高兴，你以为我不查，这一关就算你闯过去了？我可要慢慢的来对付，总会水落石出的。"一口气，她说上了一遍，也不等

鹏振再回复一句，一掉头，挺着胸脯子就走了。鹏振望着她身后，发了一会子楞。等她走远了，一个人冷笑道："这倒好，猪八戒倒打了一耙！她搜不着我的赃证，倒说我有赃证她没工夫查。"忽然身后有人笑道："干吗一个人在这里说话？又是抱怨谁？"鹏振回头一看，却是翠姨，因把刚才事略微说了一说。翠姨道："你少给她这硬罢，这回搜不着你的赃证，下回呢？"鹏振又叹了一口气道："今天家里这么些亲戚朋友，我忍耐一点子，不和她吵。可是这样一来，又让她兴了一个规矩，以后动不动，她又得检查我了。"翠姨笑道："你也别尽管抱怨她。若是你总是好好儿的，没有什么弊在人家手里，我看她也不至于无缘无故的兴风作浪。今天这戏子里面，我就知道你捧两个人。"鹏振道："不要又用这种话来套我们的消息了。"翠姨道："你以为我一点不知道吗？我就知道男的你捧陈玉芳，女的你是捧花玉仙，对不对？"鹏振笑道："这是你瞎指的。"翠姨道："瞎指有那么碰巧全指到心眼里去吗？老实告诉你，我认识几个姨太太，她们就爱听戏捧坤角，还有一两个人，简直就是捧男角的呢。她们在戏子那里得来的消息，知道你就捧这两个人。因为不干我什么事，我早知道了，谁也没有告诉过。你今天当着我面胡赖，我倒成了造谣言了，我不能不说出来。老实话，你们在外头胡来，以为只要瞒着家里人，就不要紧，你就不许你们的朋友对别人说，别人传别人，到底会传回来吗？你要不要我举几个例？"鹏振一听这话，的确不大好，向翠姨

拱了一拱手,笑道:"多多包涵罢。"说毕,竟自出去了。

　　这个时候,金氏兄弟,和着他们一班朋友,都拥在前面小客厅里,和那些戏子说笑着。因为由这里拐过一座走廊,便是大礼堂。有堂会的时候,这道宽走廊,将活窗格一齐挂起,便是后台。左右两个小客厅,就无形变成了伶人休息室。右边这小客厅,尤其是金氏弟兄愿到的地方,因为这里全是女戏子。鹏振推门一进来,花玉仙就迎上前道:"我说随便借两本杂志看看,你就给我来上这些。"鹏振道:"多些不好吗?"花玉仙道:"好的,我谢谢你。这一来,我慢慢的有得看了。"燕西对鹏振道:"你倒慷他人之慨。"花玉仙没有懂得这句话,只管望了燕西。燕西又不好直说出来,只是笑笑而已。孔学尼伸出右手两个指头,作一个阔叉子形,将由鼻子梁直坠下来的近视眼镜,向上托了一托。然后摆一摆脑袋,笑道:"这种事情,我得说出来。"于是走近一步,望着花玉仙的脸道:"老实告诉你,这些书,都是老七的,老三借去看了。看了不算,还一齐送人,当面领下这个大情,不但是乞诸其邻而与之,真有些掠他人之美。"鹏振笑道:"孔夫子,这又挨上你背一阵子四书五经了。这些杂志,每月寄了许多来,他原封也不开,尽管让它去堆着。我是看了不过意,所以拆开来,偶然看个几页。我给他送人,倒是省得辜负了这些好书。不然,都送给换洋取灯的了。"燕西笑道:"你瞧瞧,不见我的情倒罢了,反而说一大堆不是。"花玉仙怕鹏振兄弟,倒为这个恼了,便上前一手拉着他的手,一手拍着他的肩膀道:"我事先不知道,听了半天,我这才明白了。我这就谢谢你,你要怎样谢法呢?"燕西笑道:"这是笑话了,难道为你不谢我,我才说上这么些个吗?"花玉仙笑道:"本来也是我不对,既是得了人家的东西,还不知道谁是主人,不该打吗?"白莲花也在这里坐着的,就将花玉仙的手一拖道:"你有那么些闲工夫,和他说这些废话。"说着,就把花玉仙轻轻一推,把她推得远远的。孔学尼摆了两摆头道:"在这一点上面,我们可以知道,亲者亲,而疏者疏矣。"王幼春在一边拍着手笑道:"你别瞧这孔夫子文绉绉的,他说两句话,倒是打在关节上。玉仙那种道谢,显然是假意殷勤。莲花出来解围,显然是帮着燕西。"白莲花道:"我们不过闹着好玩罢了,在这里头,还能安什么小心眼儿吗?你真是铜碗找碴儿。"说着,向他瞟了一眼,嘴唇一撇,满屋子人都拍手顿足哈哈大笑起来。孔学尼道:"不是我说李老板,说话还带飞眼儿,岂不是在屋子里唱《卖胭脂》,怎么叫大家不乐呢?"这样一来,白莲花倒有些不好意思,便拉花玉仙走出房门去了。刘宝善在人丛里站了起来道:"开玩笑倒不要紧,可别从中挑拨是非。你们这样一来,她俩不好意思,一定是躲开去了。我瞧你们该去转圜一下子,别让她俩溜了。"鹏振道:"那何至于?要是那样……"燕西道:"不管怎样,得去看看,知道她两人到哪里去了?"说着,就站起身来追上去。追到走廊外,只见她两人站在一座太湖石下,四望着屋子。燕西道:"你们看什么?"白莲花道:"我看你府上这屋子,盖得真好,让我们在这里住一天,也是舒服的。"燕西道:"那有什么难?只要你乐意,住周年半载,又待何妨?刚才你所说的是你心眼里的话吗?"花玉仙手扶着白莲花的肩膀,推了一推,笑道:"傻子!说话不留神,让人家讨了便宜去了。"白莲花笑道:"我想七爷是随便说的,不会讨我们的便宜。要是照你那样说法,七爷处处都是不安好心眼儿的,我们以后还敢和他来往吗?"燕西走上前,一手挽了一个,笑道:"别说这些无谓的话了,你们看看我的书房吧!我带你们去看。"他想着,这时大家都听戏陪客去了,自己书房里决没有什么人来的。就一点不踌躇,将二花带了去坐。

坐了不大一会儿,只见房门一开,有一个女子伸进头来,不是别人,正是清秋。二花倒不为意,燕西未免为之一愣。清秋原是在内客厅里招待客的,后来冷太太也到客厅里来了。因为冷太太说,来几次都没有看过燕西的书房,这一回倒是要看看。所以清秋趁着大家都起身去看戏,将冷太太悄悄的带了来。总算是她还是格外的小心,先让冷太太在走廊上站了一站,先去推一推门,看看屋子里还有谁?不料一开门,燕西恰好一只手挽了白莲花的脖子,一只手挽着花玉仙的手,同坐在沙发上。清秋看二花的装束,就知道是女戏子。知道他们兄弟,都是胡闹惯了的,这也不足为奇,因此也不必等燕西去遮掩,连忙就身子向后一缩。冷太太看她那样子,猜着屋子里必然有人,这也就用不着再向前进了。清秋过来,轻轻的笑道:"不必瞧了,他屋子里有许多男客。"冷太太道:"怎么斯斯文文,一点声音都没有呢?"清秋道:"我看那些人,都在桌子上哼哼唧唧的,似乎是在作诗呢。"冷太太道:"那我们就别在这里打扰了。有的是好戏,去听戏去罢。"于是母女俩仍旧悄悄的回客厅来。清秋虽然对于刚才所见的事,有些不愿意,因为母亲在这里,家里又是喜事,只得一点颜色也不露出,像平常一样陪着母亲听戏。也不过听了两出戏,有个老妈子悄悄的走到身边,将她的衣襟扯了一扯。她已会意,就跟老妈子走了开来。走到没有人的地方,清秋才问道:"鬼鬼祟祟的有什么事?"老妈子道:"七爷在屋子里等着,让你去有话说呢。我不知道是什么事。"清秋心里明白,必定是为刚才看到那两个女宾,他急于要向我解释。其实我哪里管这些闲账?也就不甚为意的走回屋子里来。只见燕西板着脸,两手背在身后,只管在屋子里走来走去。看见人来,只瞅了一眼,并不理会,还是来回的走着。清秋见他不做声,只得先笑道:"叫我有什么事吗?"燕西半响又不作声,忽然将脚一顿,地板顿得冬的一响,哼了一声道:"你要学她们那种样子,处处都要干涉我,那可不行的!"清秋已是满肚子不舒服,燕西倒先生起气来,便冷笑道:"你这是给我一个下马威看吗?我想我很能退让的了,我什么事干涉过你?"燕西道:"你说下马威就是下马威,你怎么样办吧?"清秋见他脸都气紫了,便道:"今天家里这些个人,别让人家笑话。你有什么话,只管慢慢的话,何必先生上气?"燕西道:"你还怕人家笑话吗?昨天你就一个人到街上侦探我的行动去了。刚才你还要我的好看,一直找到我书房里去。"清秋道:"你别嚷,让我解释。我绝对不知道你有女朋友在那里。因为母亲要看你的书房,所以我引她去。"燕西道:"很好,我以为不过是你要和我捣乱呢。原来你把你母亲也带去调查我的行动,事情总算你查出来了,你要怎样办,就听你怎样办。"清秋不曾说得他一句,他倒反过来生气,一肚子委屈,也不知道怎么说好?只在这一难之间,两道眼泪,就不期然而然的流下来了。燕西道:"这又算你委屈了?得!我还是忍耐一点,什么也不说,省得你说我给了你下马威看。"他说毕,掉转身子就走了。清秋一点办法没有,只得伏到床上去哭了一阵。

　　一会子,只听得玉儿在外面叫道:"七少奶,你们老太太请你去哩。"清秋连忙掏出手绢,将脸上泪痕一阵乱擦,向窗子外道:"你别进来,我这儿有事。你去对我们老太太说,我就来。"玉儿答应着去了。清秋站起来,先对镜子照了一照,然后走到屋后洗澡间里去,赶忙洗了一把脸,重新扑了一点粉,然后又换了一件衣服,才到戏场上来。冷太太问道:"你去了大半天,做什么去了?"清秋笑道:"我又不是客,哪能够太太平平的坐在这里听戏哩?我去招待了一会子客,刚才回屋子里去换衣服来的。"冷太太道:"你家客是不少,果然得分开来招待。若是由一个人去招待,那真累坏了。燕西呢?我总没瞧见他,大概也是招待客去了。"清秋点点头。清秋三言两语,将事情掩饰过去了,就不深谈了。这金家的堂会戏,一直演到半夜三四点钟。但是冷太太因家里无人,不肯看到那么晚。吃过晚饭之后,只看了一出戏,就向金太太告辞。金太太也知道她家人口少,不敢强留,就分付用汽车送,自己也送到大楼门外。清秋携着母亲的手,送出大门,一直看着母亲上了汽车,车子开走了,还站着呆望,一阵心酸,不由得落下几点泪。一个人怅怅的走回上房,只听得那边大厅里锣鼓喧天,大概正演着热闹戏。心里一阵阵难受,哪里还有兴致去听戏?便顺着走廊,回自己院子里来。这道走廊正长,前后两头,也不见一个人,倒是横梁上的电灯,都亮灿灿的。走到自己院子门口,门却是虚掩的,只檐下一盏电灯亮着,其余都灭了。叫了两声老妈子,一个也不曾答应。大概她们以为主人翁决不会这时候进来,也偷着听戏去了。院子里静悄悄的,倒是隔壁院子下房里哗啦哗啦抄动麻雀牌的声音,隔墙传了过来。自己并不怕,家里难得有堂会,两个老妈子听戏就让她听去,不必管了。一个人走进屋子去,拧亮电灯,要倒一杯茶喝。一摸茶壶,却是冷冷冰冰的。于是将珐琅瓷壶拿到浴室自来水管子里灌了一壶水,点了火酒炉子来烧着了。火酒炉子烧得呼呼作响,不多大一会,水就开了。她自己沏上了一壶茶,又撮了一把台湾沉香末,放在御瓷小炉子里烧了。自己定了一定神,便拿了一本书,坐着灯下来看。但是前面戏台上的锣鼓,呛当呛当,只管一片传来。心境越是定,越听得清清楚楚，哪里能把书看了下去?灯下坐了一会，只觉无聊。心想，今天晚上，坐在这里是格外闷人的，不如还是到戏场上去混混去。屋子里留下一盏小灯，便向戏场上来。只一走进门，便见座中之客，红男绿女，乱纷纷的。心想都是快乐的，惟有我一个人不快乐，我为什么混在他们一处?还不曾落座，于是又退了回去。到了屋子里，那炉里檀烟，刚刚散尽，屋子里只剩着一股稀微的香气。自己坐到灯边，又斟了一杯热茶喝了。心想，这种境界，茶热香温，酒阑灯嗼，有一个合意郎君，并肩共话，多么好! 有这种碧窗朱户，绣帘翠幕，只住了我一个含辱忍垢的女子，真是彼此都辜负了。自己明明知道燕西是个纨绔子弟，齐大非偶。只因他忘了贫富，一味的迁就，觉得他是个多情人。到了后来，虽偶然也发现他有点不对的地方，自己又成了骑虎莫下之势，只好嫁过来。不料嫁过来之后，他越发是放荡，长此以往，不知道要变到什么样子了?今天这事，恐怕还是小发其端吧?她个人静沉沉的想着，想到后来，将手托了头，支着在桌上。过了许久，偶然低头一看，只见桌上的绒布桌面，有几处深色的斑点，将手指头一摸，湿着沾肉，正是滴了不少的眼泪。半晌，叹了一口气道:"过后思量尽可怜。"这时，夜已深了，前面的锣鼓和隔墙的牌声，反觉得十分吵人。自己走到铜床边，正待展被要睡，手牵着被头，站立不住，就坐下来，也不知道睡觉，也不知道走开，就是这样呆呆的坐在床沿上。坐了许久，身子倦得很，就和衣横伏在被子上睡下去。自己也不知道什么时候，醒了过来，只觉身上凉飕飕的，赶忙脱下外衣，就向被里一钻。就在这个时候，听得桌上的小金钟和隔室的挂钟，同时当当当敲了三下响，一听外面的锣鼓无声，墙外的牌声也止了。只这样一惊醒，人就睡不着。在枕头上抬头一看，房门还是自己进房时虚掩的，分明是燕西还不曾进来。到了这般时候，他当然是不进来了。他本来和两个女戏子似的人在书房里纠成了一团，既是生了气，索性和她们相混着在一处了。不料他一生气，自己和他辩驳了两句，倒反给他一个有词可措的机会。夫妻无论怎样的恩爱，男子究竟是受不了外物引诱的，想将起来，恐怕也不免像大哥三哥那种情形吧?清秋只管躺在枕头上望了天花板呆想。钟一次两次的，报了时刻过去，总是不曾睡好，就这样清醒白醒的天亮了。越是睡不着，越是爱想闲事，随后想到佩芳、慧厂添了孩子，家里就是这样惊天动地的热闹。若临到了自己，应该怎么样呢? 只想到这里，把几个月犹豫莫决的大问题，又更加扩大起来，心里乱跳一阵，接上就如火烧一般。

　　还是老妈子进房来扫地，见清秋睁着眼，头偏在枕上，因失惊道:"少奶奶昨晚上不是比我们早回来的吗?怎么眼睛红红的，倒像是熬了夜了。"清秋道:"我眼睛红了吗?我自己不觉得呢。你给我拿面镜子来瞧瞧看。"老妈子于是卷了窗帘子，取了一面带柄的镜子，送到床上。清秋一翻身向里，拿着镜子照了一照，可不是眼睛有些红吗?因将镜子向床里面一扔，笑道："究竟我是不大听戏的人，听了半天的戏，在床上许久，耳朵里头，还是呛当呛当的敲着锣鼓，哪里睡得着?我是在枕上一宿没睡，也怪不得眼睛要红了。"老妈子道："早着呢，你还是睡睡罢。我先给你点上一点儿香，你定一定神。"于是找了一撮水沉香末，在檀香炉里点着了，然后再轻轻的擦着地板。清秋一宿没睡，只觉心里难受，虽然闭上眼睛，但屋子里屋子外一切动作，都听得清清楚楚，哪里睡得着?听得金钟敲了九下，索性不睡，就坐起来了。不过虽然起来了，心里只是如火焦一般，老想到自己没有办法。尤其是昨日给两个侄子作三朝，想到自己身上的事，好像受了一个莫大的打击。以前燕西和自己的感情，如胶似漆，心想，总有一个打算，而今他老是拿背对着我，我怎么去和他商量?好便好，不好先受他一番教训，也说不定。一个人在屋子里就是这样发愁。到了正午，勉强到金太太屋子里去吃饭。燕西也不曾来，只端起碗，扒了几口饭，便觉吃不下去。桌上的荤菜，吃着嫌油腻，素菜吃着又没有味，还剩了大半碗饭，叫老妈子到厨房里去要了一碟子什锦小菜，对了一碗开水，连吞带喝的吃着。金太太看到，便问道："你是吃不下去吧?你吃不下去，就别勉强。勉强吃下去，那会更不受用的。"清秋只淡笑了一笑，也没回答什么。不料金太太的话，果然说得很对，走到自己房里来，只觉胃向上一翻，哇的一声，来不及就痰盂子，把刚才吃的水饭，吐了一地板。一吐之后，倒觉得肚子里舒服多了。不过这种痛快，乃是顷刻间的。一个好好的人，大半天没吃饭，总不会舒服。约摸过了半个钟头，清秋又觉心里有种如焦如灼的情况，不好意思又叫老妈子到厨房里去要东西，便叫她递钱给听差，买些干点心来吃。干点心买来了以后，也只吃了两块就不想吃。因为这些点心，嚼到嘴里，就像嚼着木头渣子一样，一点也没有味。倒是沏了一壶好浓茶，一杯一杯的斟着，都喝完了。心里自己也说不出哪一种烦闷，坐也不好，睡也不好，看了一会书，只觉眼光望到书上，一片模糊，不知所云。放了书，走到院子里来，便只绕着那两棵松树走，说不出个滋味。走得久了，人也就疲倦得很。她这样心神不安的，闹了大半天。到了下午四点以后，人果然是支持不住，便倒在床上去睡了。一来昨晚没有睡好，二来是今天劳苦过甚，因此一上床就昏着睡过去了。

醒过来时，只见侍候润之的小大姐阿囡，斜着身子坐在床沿上。她伸了手握着清秋的手道："五小姐六小姐刚才打这里去，说是你睡了，没敢惊动。叫我在这里等着你醒，问问可是身上不舒服?"清秋道："倒要她两人给我担心，其实我没有什么病。"阿囡和她说话，将她的手握着时，便觉她手掌心里热烘烘的，因道："你是真病了，让我对五小姐六小姐说一声儿。"清秋握着她的手连摇几下道："别说!别说!我在床上躺躺就好了。你要去说了，回头惊天动地，又是找中国大夫找外国大夫，闹的无人不知。自己本没什么病，那样一闹，倒闹得自己怪不好意思的。"阿囡一想，这话也很有理由，便道："我对六小姐是要说的，请她别告诉太太就是了。要不然，她倒说我撒谎。你要不要什么?"清秋道："我不要什么，只要安安静静的躺一会儿就好了。"阿囡听她这话，不免误会了她的意思，以为她是不愿人在这里打搅，便站起身来说道："六小姐还等着我回话呢。"清秋道："六小姐是离不开你的，你去罢，给我道谢。"阿囡去了，清秋便慢慢的坐了起来，让老妈子拧了手巾擦了一把脸。老妈子说："大半天都没吃东西，可要吃些什么?"清秋想了许久，还是让老妈子到厨房去要点稀饭吃。自己找了一件睡衣披着，慢慢的起来。厨房知道她爱吃清淡的菜，一会子，送了菜饭来了，是一碟子炒紫菜苔，一碟子虾米拌王瓜，一碟子素烧扁豆，一碟子冷芦笋。李妈先盛了一碗玉田香米稀饭，都放在小圆桌上。清秋坐过来，先扶起筷子，夹了两片王瓜吃了，酸凉香脆，觉得很适口，连吃了几下。老妈子在一边看见，便笑道："你人不大舒服，可别吃那些个生冷。你瞧一碟子生王瓜，快让你吃完了。"清秋道："我心里烧得很，吃点凉的，心里也痛快些。"说着，将筷子插在碗中间，将稀饭乱搅。李妈见她要吃凉的，又给她盛了一碗上来晾着。清秋将稀饭搅凉了，夹着凉菜喝了一口，觉得很适口，先吃完了一碗。那一碗稀饭晾了许久，自不十分热，清秋端起来，不多会，又吃完了。伸着碗，便让老妈子再盛。李妈道："七少奶奶，我瞧你可真是不舒服，你少吃一点吧?凉菜你就吃的不少，再要闹上两三碗凉稀饭，你那个身体，可搁不住。"清秋放着碗，微笑道："你倒真有两分保护着我。"于是长叹了一口气，站起来道："我们望后瞧着罢。"李妈也不知道她命意所在，自打了手巾把子，递了漱口水过来。清秋跐着鞋向痰盂子里吐水。李妈道："哟!你还光着这一大截腿子，可仔细招了凉。"清秋也没理会她，抽了本书，坐到床上去，将床头边壁上倒悬的一盏电灯开了。正待要看书时，只觉得胃里的东西，一阵一阵的要向外翻，也来不及跐鞋，连忙跑下床，对着痰盂子，哗啦哗啦，吐个不歇。这一阵恶吐，连眼泪都带出来了。李妈听到呕吐声，又跑进来，重拧毛巾，递漱口水。李妈道："七少奶，我说怎么着?你要受凉不是?你赶快去躺着罢。"于是挽着清秋一只胳膊，扶她上床，就叠着枕头睡下。分付李妈将床头边的电灯也灭了，只留着横壁上一盏绿罩的垂络灯。李妈将碗筷子收拾清楚，自去了。清秋一人睡在床上，见那绿色的灯，映着绿色的垂幔，屋子里便阴沉沉。这个院子，是另一个附设的部落，上房一切的热闹声音，都传不到这里来。屋子里是这样的凄凉，屋子外，又是那样沉寂。这倒将清秋一肚子思潮，都引了上来。一个人想了许久，也不知道什么时候了，忽然听到院子里呼

呼一阵声音，接上那盏垂络绿罩电灯，在空中摇动起来，立刻人也凉飕飕的。定了一定神，才想起过去一阵风，忘了关窗子呢。床头边有电铃，按着铃，将李妈叫来，关了窗子。李妈道："七爷今晚又没回来吗？两点多钟了，大概不回来了。我给你带上门罢。"清秋听说，微微的哼了一声。在这一声哼中，她可有无限的幽怨哩。

第七十回

救友肯驰驱弥缝黑幕
释囚何慷慨接受黄金

　　这一晚上，清秋迷迷糊糊的，混到了深夜。躺在枕上，不能睡熟，人极无聊，便不由得观望壁子四周，看看这些陈设，有一大半还是结婚那晚就摆着的，到而今还未曾移动。现在屋子还是那样子，情形可就大大的不同了。想着昔日双红烛下，照着这些陈设，觉得无一点不美满，连那花瓶子里插的鲜花那一股香气，都觉令人喜气洋洋。还记得那些少年恶客，隔着绿色的垂幕，偷听新房的时候，只觉满屋春光旖旎。而今晚，双红画烛换了一盏绿色的电灯，那一晚上也点着，但不像此时此地这种凄凉。自己心里，何以只管生着悲感？却是不明白。正这样想着时，忽听得窗子外头，嘀嘀嗒嗒的响了起来。仔细听时，原来是在下雨，起了檐溜之声。那松枝和竹叶上，稀沙稀沙的雨点声，渐渐儿听得清楚。半个钟点以后，檐溜的声音，加倍的重大，滴在石阶上的瓷花盆上，与巴儿狗的食盆上，发出各种叮当劈啪之声。在这深沉的夜里，加倍的令人生厌。同时屋子里面，也自然加重一番凉意。人既是睡不着，加着雨声一闹，夜气一凉，越发没有睡意。迷迷糊糊听了一夜的雨，不觉窗户发着白色，又算熬到了天亮。别的什么病自己不知道，失眠症总算是很明显的了。不要自己害着自己，今天应当说出来，找个大夫来瞧瞧。一个人等到自己觉得有病的时候，精神自觉更见疲倦。清秋见窗户发白以后，渐觉身上有点酸痛，也很口渴，很盼望老妈子她们有人起来伺候。可是窗户虽然白了，那雨还是渐渐沥沥的下着，因此窗户上的光亮，老是保持着天刚亮的那种程度，始终不会大亮。自从听钟点响起，便候着人，然而候到钟响八点，还没有一个老妈子起来。实在等不过了，只好做向来不肯做的事，按着电铃，把两个老妈子催起来。刘妈一进外屋子里，就哟了一声说："八点钟了，下雨的天，哪里知道？"清秋也不计较她们，就叫她们预备茶水。自己只抬了一抬头，便觉得晕得厉害，也懒得起来。就让刘妈拧了手巾，端了水盂，自己伏在床沿上，向着痰盂胡乱洗盥了一阵。及至忙得茶来了,喝在口内,觉得苦涩,并没有别的味,只喝了大半杯,就不要喝了。窗子外的雨声,格外紧了。屋子里阴暗暗的,那盏过夜的电灯,因此未灭。清秋烦闷了一宿,不耐再烦闷,便昏沉沉的睡过去了。

睡着了,魂梦倒是安适,正仿佛在一个花园里,日丽风和之下看花似的,只听得燕西大呼大嚷道:"倒霉! 倒霉! 偏是下雨的天,出这种岔事。"清秋睁眼一看,见他只管跳着脚说:"我的雨衣在哪里?快拿出来罢,我等着要出门呢。"清秋本想不理会,看他那种皱了眉的样子,又不知道他惹下了什么麻烦,只得哼着说道:"我起不来,一刻也记不清在哪箱子里收着。这床边小抽屉桌里有钥匙,你打开玻璃格子第二个抽屉,找出衣服单子来,我给你查一查。"燕西照着样办了,拿着小账本子自己看了一遍,也找不着。便扔到清秋枕边,站着望了她。清秋也不在意,翻了本子,查出来了。因道:"在第三只皮箱子浮面,你到屋后搁箱子地方,自己去拿罢。那箱子没有东西压着,很好拿的。"燕西听说,便自己取雨衣来穿了。正待要走,清秋问道:"我又忍不住问,有什么问题吗?"燕西道:"你别多心,我自己没有什么事,刘二爷捣了乱子了。"清秋这才知道刘宝善的事,和他不相干的。因道:"刘二爷闹了什么事呢?"燕西本懒得和清秋说,向窗外一看,突然一阵大雨,下得哗啦哗啦直响。檐溜上的水,瀑布似的奔流下来。因向椅上一坐道:"这大雨,车子也没法子走,只好等一等了。谁叫他拚命的搂钱呢?这会子有了真凭实据,人家告下来了,有什么法子抵赖?我们看着朋友份上,也只好尽人事罢了。"清秋听了这话,也惊讶起来,便道:"刘二爷人很和气的,怎么会让人告了?再说,外交上的事,也没有什么弄钱的事情。"燕西道:"各人有各人的事,你知道什么?他不是在造币局兼了采办科的科长吗?他在买材料里头,弄了不少的钱,报了不少的谎帐。原来几个局长,和他有些联络,都过去了。现新来的一个局长,是个巡阅使的人,向来欢喜放大炮。他到任不到一个月,就查出刘二爷有多少弊端。也有人报告过刘二爷,叫他早些防备。他倚恃着我们这里给他撑腰,并不放在心上。昨天晚上,那局长雷一鸣,叫了刘二爷到他自己宅里去,调了局子里的帐一查。虽然表面上没有什么漏洞,但是仔细盘一盘,全是毛病。我今天早上听见说,差不多查出有上十万的毛病呢。到了今天这个时候为止,刘二爷还没有回来,都说是又送到局子里去看管起来了。一面报告到部,要从严查办。他们太太也不知是由哪里得来的消息,把我弟兄几个人都找遍了,让我们想法子。"清秋道:"你同官场又不大来往,找你有什么用?"燕西道:"她还非找我不可呢。从前给我讲国文的梁先生,现在就是这雷一鸣的家庭教授,只有我这位老先生,私下和姓雷的一提,这事就可以暗消。我不走一趟,哪行?"说时,外面的雨,已经小了许多,他就起身走了出来。

　　燕西一走出院门，就见金荣在走廊上探头探脑。燕西道："为什么这样鬼鬼祟祟的。"金荣道："刘太太打了两遍电话来催了，我不敢进去冒失说。"燕西道："你们以为我这里当二爷三爷那里一样呢。这正正经经的事，有什么不能说？刚才那大雨，我怎样走？为了朋友，还能不要命吗？"说着话，走到外面。汽车已经由雨里开出来了。汽车夫穿了雨衣，在车上扶着机盘，专等燕西上车。燕西道："我以为车子还没有开出来呢，倒在门口等我。你们平常沾刘二爷的光不少，今天人家有事，你们是得出一点力。要是我有这一天，不知道你们可有这样上劲？"车夫和金荣都笑了。这时，大雨刚过，各处的水，全向街上涌。走出胡同口，正是几条低些的马路，水流成急滩一般，平地一二尺深，浪花乱滚。汽车在深水里开着，溅得水花飞起好几尺来。燕西连喝道："在水里头，你们为什么跑得这快？你们瞧见道吗？撞坏了车子还不要紧，若是把我摔下来了，你们打算怎么办？"汽车夫笑着回头道："七爷，你放心，这几条道，一天也不知走多少回，闭了眼睛也走过去了。"口里说着，车子还开得飞快。刚要拐弯，一辆人力车拉到面前，汽车一闪，却碰着人力车的轮子，车子、车夫和车上一个老太太，一齐滚到水里去。汽车夫怕这事让燕西知道了，不免挨骂，理也不理，开着车子飞跑。燕西在汽车里，似乎听到街上有许多人呵了一声，同时自己的汽车，向旁边一折，似乎撞着了什么东西了。连忙敲着玻璃隔板问道："怎么样？撞着人了没有？"汽车夫笑道："没撞着，没撞着。这宽的街，谁还要向汽车上面撞，那也是活该。"燕西哪里会知道弄的这个祸事？他说没有撞着，也就不问了。汽车到了这造币局雷局长家门口，小汽车夫先跳下来，向门房说道："我们金总理的七少爷来拜会这里梁先生。"门房先就听到门口汽车声音，料是来了贵客。现在听说是总理的七少爷，哪敢怠慢？连忙迎到大门外。燕西下了车子，因问梁先生出去没有？门房说："这大的雨，哪会出去？我知道这位梁先生，从前也在你府上呆过的。这儿你来过吗？"燕西厌他絮絮叨叨，懒和他说得，只是由鼻子里哼着去答应他。他说着话，引着燕西转过两个院子，就请燕西在院门旁边站了一站，抢着几步，先到屋子里厢报告。燕西的老业师梁海舟由里面迎了出来，老远的笑着道："这是想不到的事，老弟台今天有工夫到我这里来谈谈。"说着，便下台阶来，执着燕西的手。燕西笑道："早就该来看看的，一直延到了今天呢。"于是二人一同走到书房来。这时正下了课，书房里没有学生。梁海舟让燕西坐下，正要寒暄几句话，燕西先笑道："我今天来是有一件事，要求求梁先生讲个情。这事自然是冒昧一点，然而梁先生必能原谅的。"于是就把刘宝善的事情，详详细细的说了。因轻轻的道："刘二爷错或者是有错的，但是这位局长恐怕也是借题发挥。刘二爷也不是一点援救没有的人，只是这事弄得外面知道了，报上一登，他在政治上活动的地位，恐怕也就发生影响。最好这事就是这样私了，大家不要伤面子。梁先生可以不可以去和雷局长说一说?大家方便一点。"燕西的话虽然抢着一说,梁海舟倒是懂了。因道:"燕西兄到这儿来,总理知道吗?"燕西道:"不知道,让他老人家知道,这就扎手了。你想,他肯对雷局长说,这事不必办吗?也许他还说一句公事公办呢。连这件事,最好是根本都不让他晓得。"梁海舟默然了一会,点了点头道:"刘二爷也是朋友,老弟又来托我,我不能不帮一个忙。不过我这位东家虽然和我很客气,但是不很大在一处说话。我突然去找他讲情,他或者会疑心起来,也未可知。"说着,将手轻轻的拍一下桌沿道:"然而我决计去说。"燕西听说,连忙站起来和他拱拱手,笑道:"那就不胜感激之至,只是这件事越快越好,迟了就怕挽回不及了。"正说到这里,听差的对燕西说:"宅里来了电话,请七爷说话。"燕西跟着到了接电话的地方,一接电话,却是鹏振打来的。他说:"这老雷的脾气,我们是知道的,光说人情,恐怕是不行,你简直可以托梁先生探探他的口气,是要不要钱?若是要钱的话,你就斟酌和他答应罢。"燕西放下电话,回头就来把这话轻轻的对梁海舟说了。梁海舟踌躇了一会,皱着眉道:"这不是玩笑的事,我怎样说哩?我们东家,这时倒是还没有出去,让我先和他谈谈看。老弟你能不能在我这里等上一等?"燕西道:"为朋友的事,有什么不可以?"梁海舟便在书架上找了一部小说,和一些由法国寄来的美术信片,放在桌上,笑道:"勉强解解闷罢。"于是就便去和那位雷一鸣局长谈话去了。去了约一个钟头,他笑嘻嘻的走来,一进门便道:"幸不辱命,幸不辱命!"燕西道:"他怎么说了?"梁海舟道:"我绕了一个很大的弯子,才说到这事,他先是很生气。他后来说了一句,历任局长未必有姓刘的弄的钱多,应该让他吃点苦才好。梁先生你别和他疏通,请问他弄了那些个钱,肯分一个给你用吗?"燕西笑道:"他肯说这句话,倒有点意思了。梁先生应该乘机而入。"梁海舟道:"那是当然。我就说,从前的事,那是不管了。现在若是要他吐出一点子来,也不怕他不依。这种事情,本来可大可小,与其他想了法子来弥补,倒不如抢先罚他一笔款子,倒让他真感受着痛苦。这位雷局长说,罚他一下也好。我是不要钱,我们大帅,正打算在前门外军衣庄上要付一笔款子。他若肯担任下来,我就放过他。可是我又怕传出去了,人家倒疑惑我弄钱,我背上这个名声,未免不值得。我就说,这事情不办则已,若一办起来,只要他签一张支票,派人到银行将款子取将出来,有谁知道?他听了我的话,只管抽着烟微笑,那意思自然是可以了。我就说,这位刘君,我虽不大熟识,但是也见过几次面,他那方面,倒有人和他表示事是做错了,只要有补救之法,倒无不从命。他就说,你不能和他直接说吗?我听他说了此话,分明是成功了,索性把这话从头至尾,详详细细一说。他也就说,和刘二爷并没有什么恶感,只要公事上大家过得去,他又何必和刘二爷为难?既是有金府上人来转圜,不看僧面看佛面,他愿担一半责任,不把这事告到部里去,也不打电

报给赵巡阅使,只要大家过得去就是了。总而言之,他是完全答应了。"燕西道:"事情说到这种程度,自然是成功了,但不知开口要多少钱?"梁海舟笑道:"这个数目,他好意思说出口,我倒不好意思说出口。你猜他要多少?他要十万。"燕西道:"什么?"梁海舟笑道:"你不用惊讶,我已声明在先,连我都不好意思说的。"燕西道:"难道他还把刘二爷当肉票,大大绑他一笔不成?刘二爷这事,大概也不至于砍头。他若是有这么些钱,不会留在那里,等着事情平了,他慢慢的受用,何必一下子拿出来给大家去享福呢?"梁海舟望了一望院子,然后走近一步,轻轻的道:"这话不是那样说,他反正有人扛叉杆儿的,设若他绑票绑到底,把刘二爷向他的主人翁那儿一送,你猜怎么样?那结果不是更糟糕吗?"燕西听了这话,心里倒为之软化起来,踌躇着道:"不过一开口就要十万,这叫人可没有法子还价。事情太大了,我也不敢作主,让我和他太太商量商量看。不过由我看来,他太太就是愿出,破了他的产,未必还凑得上呢。"梁海舟笑道:"老弟究竟是个书生,太老实了。他说要十万,我们就老老实实的给十万吗?自然要他大大的跌一跌价钱。给我草草的说了一番,他已经打了对折。因为我不知刘二爷那方面的事,不敢担负讲价,所以没有把价钱说定。由大势说来,自然还是可以减的。"燕西道:"既是数目还可以通融,那就好办。现在我先回去,和刘太太商量一下,究竟能出多少钱,让她酌定。"梁海舟笑道:"这个你放心,他既愿意妥洽,当然不把事情扩大起来的。我等候你的电话罢。"燕西见这方面已不成问题,就坐了车子一直到刘宝善家来。

刘太太和刘宝善一班朋友,都是熟极了的人。燕西一来了,她就出来相见。燕西把刚才的事说了一遍,刘太太道:"只要能平安无事,多花几个钱,倒不在乎。七爷和宝善是至好朋友,他的能力,七爷总也知道,七爷看要怎样办呢?"燕西笑道:"这个我可不敢胡来。据那老雷的意思,是非五万不可的了,我哪敢担这种的担子呢?"刘太太道:"钱就要交吗?若是就要交的话,我就先开一张支票请七爷带去。"燕西道:"二爷的支票,刘太太代签字有效吗?"刘太太沉吟了一会,因道:"我不必叫他名下的,我在别处给他想一点法子得了。"说着,她走进内室去,过了一会子,就由里面拿出了一张支票来交给燕西。燕西接过来看时,正是五万元的支票,下面写了云记,盖了一颗小圆章,乃是何岫云三个字签字,这正是刘太太的名字。燕西看到,心里很是奇怪,怎么她随随便便就开了一张五万元的支票来?这样子,在银行没有超过一倍的数目,不能一点也不踌躇呢。她既如此,刘宝善又可知了。他心里想着,自不免在脸上有点形色露出来。刘太太便道:"七爷,你放心拿去罢。这又不是抵什么急债,可以开空头支票。"燕西笑道:"我有什么不放心?宝善有了事,刘太太难道还舍不得花钱把他救出来吗?我暂时回家去一趟,和三家兄大家兄商量一下子,看看

这支票,是不是马上就要交出去?若是还可以省得的话,就把这支票压置一两天。"刘太太皱了眉道:"不罢! 我们南方人说的话,花了钱,折了灾,只要人能够早一点平平安安的恢复自由,那也就管不得许多,只当他少挣几个得了。"燕西道:"好罢,那我就这样照办罢。"于是告别回家。

今天天气不好,凤举弟兄都在家里坐在外面小客厅里,大家正在讨论刘宝善的事,正觉没有办法。燕西一回来,大家就先争着问事情怎么样?燕西一说,鹏振便首先要了支票去看,因笑道:"人家说刘二爷发了财,我总不肯信,于今看起来,手边实在是方便。我看总有个三五十万。"鹤荪叹了一口气道:"我们空负着虚名,和刘老二一比,未免自增惭愧了。"凤举笑道:"见钱就眼馋。那又算什么,值得叹一口气?"鹤荪道:"并不是我见钱眼馋,我佩服刘老二真有点手段。那雷一鸣绑了票,他有这些个钱,你想搜刮岂是容易吗?"燕西道:"人家正等我们帮忙,我们倒议论人家。我是拿不着主意,现在刘太太这张支票,是不是交出去呢?"凤举道:"她自己都舍得花钱,还要你给她爱惜作什么?他惹了那大的祸,用五万块钱脱身,他就是一件便宜事了。你就把这张支票送去罢。不过你要梁先生负责,支票交了出去,可就得放人。他们这种票匪,可不讲什么江湖上的义气,回头交了钱,他不放人,那可扎手。"鹏振道:"能用钱了,这事总算平易,我就怕要闹大呢。那边既是等着你回话,你就去罢。"

557

燕西见大家都如此主张,他也不再犹豫,揣了支票,又到雷家来了。见了梁海舟,将支票交给他,笑道:"款子是遵命办理了,人能够在今天恢复自由吗?"梁海舟道:"大概总可以罢?让我去和他说说看。"于是将支票藏在身上,去见雷一鸣了。那雷一鸣等着梁海舟的消息,却也没有出门。过了一会,梁海舟笑嘻嘻的走来,进门对燕西拱拱手道:"事情妥了,妥了,妥了! 我原想银行兑过支票以后,才能放人。他倒更直接痛快,说是人家干脆,我也干脆,已经打了电话给局子里,将监视刘二爷的警察取消了。"燕西道:"这样说来,人是马上可以恢复自由了?"梁海舟道:"当然。他还说了,你若是愿意送他回家,你就可以坐了你的汽车去接他出来。"燕西不料轻轻悄悄的就办成了这样一件大事,很是高兴。便道:"既然马上可以接他,我又何必不顺便去接他出来。"于是一面和梁海舟道谢,一面向外走。坐上汽车,就告诉车夫直开造币局。汽车走了一截路,才想起来,刘宝善被监视在什么地方,也不曾打听清楚。再说,只有撤销监视的话,究竟让不让人来接他,也没有一句切实的话。况且雷局长通电话到现在,也不到一点钟,急忙之间,是否就撤销了监视,还未可知。自己马上就来接人,未免太大意一点了。他在车上,正自踌躇着,汽车已到造币局门口停住。燕西要不下车,也是不可能,只好走下车来,直奔门房。不料刚到门房口,就见刘宝善由里面自自在在的走将出来。他老远的抬起一只手,向燕西招了一招,笑道:"我接到梁海舟的电话,说是你已经起身由那里来了。我知道你是没有到这儿来过的,所以我接到外边来。"说着话,二人越走越近,刘宝善就伸着手握了燕西的手,连摇了几摇,笑道:"把你累坏了,感激得很。将来有用我老大哥的时候,我是尽着力量帮忙。"燕西笑道:"你出来了,那就很好。你太太在家里惦记得很,我先送你回家去罢。"刘宝善跟他一路上车,燕西和他一谈,他才知道家里拿出了五万块钱来赎票。因笑道:"我们太太究竟是个女流,经不得吓。人家随便一敲,就花了五万元了。"燕西道:"什么?据你这样说,难道说这五万块钱出得很冤吗?我原打算考量考量的,可是我也问过好几位参谋,都说只要人出来就得了,花几个钱却不在乎。我因为众口一词都是如此说,也就不肯胡拿主意。若是照你的办法,又怎么样呢?大概你还能有别的良法脱身吗?"刘宝善笑道:"虽然不能有良法脱身,但我自信账目上并没有多大的漏缝,罪不至于坐监。我就硬挺他一下子,他也不过把我造币局里的地位取消。可是政治上的生活,日子正长,咱们将来也不知道鹿死谁手呢?"燕西道:"那末,这五万块钱算是扔到水里去了?"刘宝善微笑了一笑道:"出钱也有出钱的好处,我相信我这位置,他是不能不给我保留的,那末……"说着,又微笑了一笑。燕西待要问个究竟,汽车已经停在门口了。刘太太听说刘宝善回来了,喜不自胜,一直迎了出来,笑道:"怎么出来得这样快?这都是七爷的力量,我们重重的谢谢。"燕西道:"别谢我,谢谢那五万元一张的支票罢。"刘宝善夫妇说得挺高兴。燕西一想,就不必在这里误了人家的情话,就道:"刘二爷,回头见罢,我忙了一上午,还没有吃饭呢。"也不等刘宝善表现出挽留的意思,他已经抽开身子走得很远了。燕西到了家,很是得意的,见着人就说,把宝善接回来了。

这个时候,家里已吃过了饭,回房换了衣服的时候,就叫老妈子去分付厨房里另开一客饭,送到外面屋子里吃。这时清秋勉强起了床,斜靠在沙发椅上。燕西先是没有留心到她的颜色,以为她对于前天的事,还没有去怀,不理会她的好。后来找了一个鞋拔子拔鞋,一只脚放在小方凳上,一弯腰正对着清秋的脸色,见她十分的清瘦,便问道:"你真的病了吗?"清秋微笑道:"你这话问的有点奇怪,我几时又假病过呢?"燕西且不答复她的话,只管使劲去拔鞋。把两只鞋都拔好了,还把刷子去刷了一刷。虽和清秋相距很近,并不望着她的脸。清秋道:"这下雨的天,穿得皮鞋好好的,干吗又换上一双绒鞋?换了也就得了,这样苦刷做什么?"燕西这才把鞋拔子一扔,坐到沙发上道:"忙了一早上,真够了,我这一换鞋,今天不出去了。"清秋道:"结果怎样呢?"燕西就把大概情形说了一说,又道:"我出了面子来说,总得办好。若不是我,恐怕要出十万,也未可知呢。话又说回来了,就是十万，刘二爷也出得起。我真奇怪，他怎么会有许多钱？"清秋道："我不说心里忍不住，说出来或者又会不快活。据我看，他发财是该的，一点不希奇。这种人高比一点，是我们家的门客，实在说一句，是你们贤昆仲的帮闲。你欢喜小说，你不曾看到《红楼梦》上说的赖大家里，还盖着园子吗？这赖大家里有这样子好，那些少爷哪比得上？"燕西道："你胡扯！刘二爷是我们的朋友，怎把他当起老管家的来？"清秋道："据我看，还比不上呢。你想，他终年到头，都是陪着你们玩，有屁大的事情，你们也叫他帮忙。他口里虽有时也推诿一下子，但是实际上，没有不出全力和你去办的。你们请客，是假座他家，你们打小牌，也是假座他家。还有许多在家里不方便做的事情，都可以在他家里办。若说是朋友，天下有这样在朋友家里闹的吗？若说他是父亲的僚属，勉强敷衍你们贤昆仲。那也不过偶尔为之，出于不得已罢了。现在终年累月这样，那决不能是不得已。要是不得已的话，那就宁可得罪你们贤昆仲，放事不干了。"燕西道："据你这样说，难道他还揩我们的油吗？"清秋道："凭你这句话，你就糊涂。你们贤昆仲一年玩到头，花钱虽冤，都是为着装面子，明明的花去。若是要你们暗中吃亏，是不可能的。刘二爷哪敢揩你们的油？就揩油，又能揩你们多少钱呢？"燕西道："据你说，他就有钱，也是他的本事弄来的，与我们无干。你怎么又说他是门客帮闲那些话？"清秋望着燕西，不由得微笑了一笑道："我猜你不是装傻，惟其你们不明白这道理，他才好弄钱。你想，他因为和你们熟识，父亲有什么事，他全知道，得着你们的消息，他要作投机的事，比之别人，总是事半功倍。同时，人家要有什么事，不能不求助于父亲，又不能不找个消息灵通的人接洽接洽。刘二爷终年到头和你们混，无论他能不能在父亲面前说话，人家也会说他是我们的亲信。他对于外面，就可借此挟天子以令诸侯，要求什么不得？对于内呢，利用你们贤昆仲给他通消息，父亲有点对他不满，你们还有不告诉他的吗？他自然先设法弥补起来。他若是要求得父亲一句话，一张八行，在父亲分明是随便的，人家就以为是金总理保荐了他的亲信，总要想法子给他一分兼差。有了差事之后，他那样聪明的人还不会弄钱吗？他有钱不必瞒别人，只要瞒我们金家人就行了。外人知道他有钱，他是没关系的。你们知道他有钱，把这事传到父亲耳朵里去，哪里还能信他穷，到处给他想法子找事呢？所以他应该发财，你们也应该不知道。"燕西将她的话，仔细一想，觉得很对，因笑道："你没做官，你也没当过门客，这里头的诀窍，你怎么会知道这样清楚？"清秋道："古言道得好，王道不外乎人情。这些事我虽没有亲自经历，猜也猜出一半，况且你们和刘二爷来往的事，你又喜欢回来说。我冷眼看看，也就知道不少了。你想，他也是像你们贤昆仲一样，敞开来花钱吗？他可没有你们这样的好老子呢。"燕西听了他夫人这些话，仔细想了一想，不觉笑道："听君

一夕话,胜读十年书。"清秋道:"这就不敢当,你回家来,少发我一点大爷脾气,我也就感激不尽了。"燕西觉得夫人如此聪明,说得又如此可怜,不觉心动,望着夫人的脸,只管注意。男女之间,真是有一种神秘。这一下子,燕西夫妇又回复到了新婚时代了。

560

第七十一回

四座惊奇引觞成眷属
两厢默契坠帕种相思

清秋如此说了一遍,燕西虽觉得她言重一点,然而是很在理的话,只是默然微笑。在他这样默然微笑的时候,眼光不觉望到清秋面上,清秋已是低了头,只看那两脚交叉的鞋尖,不将脸色正对着燕西,慢慢的呆定着。燕西一伸手,摸着清秋的脸道:"你果然是消瘦得多了,应该找位大夫瞧瞧才好。"清秋把头一偏,笑道:"你不要动手罢,摸得人怪痒痒的。"燕西执着她一只手,拉到怀里,用手慢慢的摸着。清秋要想将胳膊抽回去,抬起头看看燕西的颜色,只把身子向后仰了一仰,将胳膊拉的很直。燕西又伸了手,将一个指头,在清秋脸上爬了一爬,笑道:"你为了前天的事,还和我生气吗?"清秋道:"我根本上就不敢生气,是你要和我过不去。你既是不生气,我有什么气可生呢?我不过病了,打不起精神来罢了。"燕西道:"你这话我不信。你既是打不起精神来,为什么刚才和我说话有头有尾,说了一大堆?"清秋道:"要是不能说话,我也好了,你也好了。现在偶然患病,何至于弄到不能说话哩?"燕西道:"你起来,我倒要躺躺了,早上既是冒着雨,跑了这大半天,昨晚上又没有睡得好。清秋听他昨晚上这句话,正想问他昨晚在哪里睡的。忽然一想,彼此发生了好几天的暗潮,现在刚有一点转机,又来挑拨他的痛处,他当然是不好回答。回答不出来,会闹成一个什么局面呢?如此想着,就把话来忍住。燕西便问道:"看你这样子有什么话要说,又忍回去了。是不是?"清秋道:"可不是,我看你的衣服上,有几点油渍,不免注意起来。只这一转念头,可就把要说的话忘了。"燕西倒信以为实,站起来,伸了一伸懒腰,和衣倒在床上睡了。不多大的工夫,他就睡得很酣了。李妈进来看到,笑道:"床上不离人,少奶奶起来,七爷倒又睡下了。他早上回家,两边脸腮上红红的,好像熬了夜似的,怪不得他要睡。"清秋道:"他大概是打牌了。"李妈却淡淡的一笑,不说什么走了。清秋靠着沙发,只管望了床上。只见燕西睡得软绵绵的,身子也不曾动上一动,因对他点了点头,又叹了一口长气。

　　燕西一睡，直睡到天色快黑方才醒过来。阴雨的天，屋子里格外容易黑暗，早已亮上了电灯。燕西一个翻身，向着外道："什么时候了？天没亮你就起来了。"清秋道："你这人真糊涂！你是什么时候睡的，大概你就忘了。"燕西忽然省悟，笑着坐了起来，自向浴室里去洗脸。只见长椅上放了一套小衣，澡盆边挂的铁丝络子里，又添了一块完整的卫生皂。燕西便道："这为什么？还预备我洗澡吗？"清秋道："今天晚上，我原打算你应该要洗个澡才好，不然，也不舒服的。衣是我预备好了的，洗了换上罢。"燕西想不洗，经她一提，倒真觉得身上有些不爽。将热水汽管子一扭，只见水带着一股热气，直射出来。今天汽水烧得正热，更引起人的洗澡兴趣。这也就不做声，放了一盆热水，洗了一个澡。洗澡起来之后，刚换上小衣，清秋慢慢的推着那扇小门，隔了门笑问道："起来了吗？"燕西道："唉！进来罢。怕什么？我早换好衣服。"清秋听说，便托了两双线袜，一双丝袜，笑着放到长椅上。燕西笑道："为什么拿了许多袜子来？"清秋道："我知道你愿意要穿哪一种的？"说着话，清秋便伸手要将燕西换的衣袜，清理在一处。燕西连忙上前拦住道："晚上还用它作什么？"说着，双手一齐抱了，向澡盆里一扔。清秋在旁看到，要拦阻已来不及，只是对燕西微笑了一笑，也就算了。燕西穿好衣服，出了浴室，搭讪着将桌上的小金钟，看了一看，便道："不早了，我们应该到妈那儿吃饭去了吧？"清秋道："你看我坐起来了吗？我一身都是病呢，还想吃饭吗？"燕西道："刚才我问，你只说是没精神，不承认有病。现在你又说一身都是病？"清秋道："你难道还不知道我的脾气？我害病是不肯铺张的。"燕西道："你既是有病，刚才为什么给我拿这样拿那样？"清秋却说不出所以然来，只是对他一笑。燕西远远的站着，见清秋侧着身子斜伏在沙发上，一只手只管去抚摩靠枕上的绣花，似乎有心事说不出来，故意低了头。燕西凝神望着她一会，因笑道："你的意思，我完全明白了，但是你有点误会。十二点钟以后，我再对你说。"清秋道："你不要胡猜，我并没有什么误会。不过我自己爱干净，因之也愿意你干净，所以逼你洗个澡。别的事情，我是不管的。"燕西道："得啦！这话说过去，可以不提了。我们一路吃饭去罢。你就是不吃饭，下雨的天，大家坐在一处，谈谈也好，不强似你一个人在这里纳闷。"清秋摇了一摇头道："不是吃不吃的问题，我简直坐不住。你让我在屋子里清静一会子，比让我去吃饭强得多。"

　　燕西一人走到金太太屋子里来吃饭，只见金太太和梅丽对面而坐，已经在吃了。梅丽道："清秋姐早派人来告诉了，不吃饭的，倒不料你这匹野马，今天回来了。"燕西笑道："妈还没有说，你倒先引起来了？"说着，也就坐下来吃饭。金太太道："你媳妇不舒服，你也该去找大夫来给她瞧瞧。你就是公忙，分不开身来，也可以对我说一声，她有几天不曾吃饭了。"燕西道:"不是我不找大夫,她对我还瞒着,说没有病呢。看也是看不出她有什么病来。"金太太将一只长银匙,正舀着火腿冬瓜汤,听了这话,慢慢的呷着,先望了一望梅丽,将汤喝完,手持着筷子,然后望着燕西道:"我看她那种神情,不要不是病吧?你这昏天黑地的浑小子,什么也不懂的,你问问她看吧。要是呢?可就要小心了。她是太年轻了,而且又住在那个偏僻的小院子里,我照应不着她。"梅丽笑道:"妈这是什么话?既不是病,又要去问问她。"金太太瞪起她一眼,又笑骂道:"作姑娘的人,别管这些闲事。"梅丽索性放下手上的筷子,站起来鼓着掌笑道:"我知道了,我知道了,七哥,恭喜你啊!"金太太鼓着嘴又瞪起她一眼。梅丽道:"别瞪我,瞪我也不行,谁让你当着我的面说着呢?"金太太不由得噗哧一声笑了,因道:"你这孩子,真是淘气,越是不让你说,你是越说得厉害,你这脾气几时改?"燕西道:"梅丽真是有些小孩子脾气。"梅丽道:"你娶了媳妇几天,这又要算是大人,说人家是小孩子。"燕西笑着正待说什么,梅丽将筷子碗一放,说道:"你别说,我想起一桩事情来了。"说罢,她就向屋外一跑。燕西也不知道她想起了什么心事?且不理会,看她拿什么东西来?不一会工夫,只见梅丽拿着几个洋式信封进来,向燕西一扬道:"你瞧这个。明天有一餐西餐吃了。"燕西拿过来看时,却是吴蔼芳下的帖子,请明日中午在西来饭店会餐。数一数帖子,共有八封,自己的兄弟姊妹姐妹都请全了。有一人一张帖子,有两人共一张帖子的。燕西道:"怪不得你饭也不要吃,就跑去拿来了,原来是吴二小姐这样大大的破钞,要请我们一家人。无缘无故这样大大的请客,是什么用意呢?"梅丽道:"我也觉得奇怪。我把请帖留着,还没有给她分散呢。我原是打算吃完了饭拿去问大嫂的。"燕西道:"你去问她,她也和我们一样的不知道。帖子是什么时候送来的?该问一问下帖子的人就好了。"梅丽道:"是下午五点才送来的,送的人,送来了还在这里等着人家问他吗?要问也来不及了。"金太太道:"你们真是爱讨论,人家请你们吃一餐饭,也很平常,有什么可研究的?"燕西道:"并不是我们爱讨论,可是这西来饭店,不是平常的局面,她在这地方请我们家这多人,总有点意思的。"他说着,觉得这事很有味,吃完了饭,马上就拿着帖子去问润之和敏之。润之道:"这也无所谓,她和我们家里人常在一处玩的,我们虽不能个个都做过东,大概做过东的也不少。她那样大方的人,当然要还礼。还礼的时候,索性将我们都请到,省去还礼的痕迹,这正是她玩手段的地方。有什么不了解的呢?"燕西点点头道:"这倒有道理。五姐六姐都去吗?"润之道:"我们又没有什么大了不得事情的人,若是不去,会得罪人的,那是自然要去的。"燕西见他们都答应去,自己更是要去的了。

到了次日,本也要拉着清秋同去的,清秋推了身上的病没有好,没有去。燕西却和润之、敏之、梅丽同坐一辆汽车到西来饭店去。一到饭店门口,只见停的汽车马车人力车却不在少数。只一下车，进饭店门，问着茶房吴小姐在哪里请客？茶房说是大厅。燕西对润之轻轻的笑道："果然是大干。"润之瞪了他一眼，于是大家齐向大厅里来。一路进来，遇到的熟人却不少。大厅里那大餐桌子，摆成一个很大的半圈形，大厅两边小屋子里，衣香帽影，真有不少的人，而且有很多是不认识的。燕西姐妹们，找着许多熟人一块坐着，同时凤举、鹤荪、鹏振三人也来了。看看在场的人，似乎脸上都带有一层疑云，也不外是吴蔼芳何以大请其客的问题。这大厅两边小屋子里，人都坐满了，蔼芳却只在燕西这边招待，对过那边，也有男客，也有女客，她却不去。不过见着卫璧安在那里走来走去，似乎他也在招待的样子。他本来和蔼芳很好的，替蔼芳招待招待客，这也不足为奇，所以也不去注意。过了一会了，茶房按着铃，蔼芳就请大家入座。不料入座之后，蔼芳和卫璧安两个人，各占着桌子末端的一个主位。在座的人，不由得都吃了一惊，怎么会是这样的坐法？大家刚刚是落椅坐下，卫璧安敲着盘子当当响了几下，已站将起来。他脸上带着一点笑容，从从容容道："各位朋友，今天光降，我们荣幸得很。可是今天光降的佳宾，或者是兄弟请的，或者是吴女士请的。在未入席之前，都只知道那个下帖子的一位主人翁，现在忽然两个主人翁，大家岂不要惊异吗？对不住，这正是我们弄点小小的玄虚，让诸位惊异一下子。那末，譬之读一首很有趣味的诗，不是读完了就算了事，还要留着永久给诸位一种回忆的呢。"说到这里，卫璧安脸上的笑容格外深了。他道："但是，我们为什么要这样引得大家感到趣味呢？就是引了大家今日在座一笑而已吗？那又显得太简单了。现在我说出来，要诸位大大的惊异一下子，就是我和吴女士请大家来喝一杯不成敬意的喜酒，我们现在订婚了。不但是订婚了，我们现在就结婚。不但是结婚了，我们在席散之后，就到杭州度蜜月去了。"这几句话说完，在席的人，早是发了狂一般，哗啦哗啦鼓起掌来。等大家这一阵潮涌的鼓掌声过去了，卫璧安道："我对于吃饭中间来演说，却不大赞成。因为一来大家只听不吃，把菜等凉了。只吃不听，却又教演说的人感觉不便。所以我今天演说，在吃饭之前，以免去上面所说的不妥之点。今天来的许多朋友，能给我们一个指教，我们是非常的欢迎的。"说毕，他就坐下去了。在座的人听了他报告已经结婚，已经是忍不住。等着要演说完了，现在他自己欢迎人家演说，人家岂有不从之理？早有两三个人同时站立起来，抢着演说。在座的人，看见这种样子，不由得哈哈大笑起来。于是三人之中，推了一个先说。那人道："我们又要玩那老套子的文章了。卫先生吴女士既然是有这种惊人之举动，这就叫有非常之人，有非常之功。这种非常之事的经过，是值得一听的，我们非吴女士报告不可！"卫璧安对于这个要求，总觉得有点不好依允，正自踌躇着，吴蔼芳却敲了两下盘子站将起来。新娘演说，真是不容易多见的事，所以在座的来宾，一见之下，应当如何狂热？早是机关枪似的，有一阵猛烈的鼓掌。这一阵掌声过去，蔼芳便道："这恋爱的事情，本是神秘的，就是个中人对于爱情何以会发生?自己也说不出所以然来。惟其是这样神秘，就没有言语可以形容。若是可以形容出来，就很平常了。这事要说，也未尝不能统括的说两句，就是我们原不认识，由一个机会认识了，于是成了朋友。成了朋友之后，彼此因为志同道合，我们就上了爱情之路，结果是结婚。"说毕，便坐下去了。这时大家不是鼓掌，却是哄天哄地的说话，都道："那不行，那不行，这完全是敷衍来宾的，得重新说一遍详详细细的。"大家闹了一阵子，蔼芳又站起来道："我还有真正的几句话，未曾报告诸位，现在要说一说。我们结婚以前，所以不通知诸位好友，不光是像璧安君所说，让大家惊异一下子，实在是为减省这些无谓的应酬起见。可是话又说回来了，既是要减省这些无谓的应酬，为什么我们又要请酒呢?这就因为度蜜月以后，也就要出洋，当然要和大家许久不见面。所以我们借这个机会，来谈一谈。"大家听她说到这里，却不知道她是什么用意。蔼芳又道："惟其如此，我们在一处聚餐的时候，却是很匆促。很想聚餐之后，还照几张相。照相之后，我们还要回去料理铺盖行李，这时间实在怕分配不开来了。若是诸位真要我们报告恋爱的经过，我们就在蜜月里头，用笔记下来，将来印出若干份来，报告诸位罢。我们还很欢迎大家给我们一个批评呢。"大家一听吴蔼芳如此说了，就不应再为勉强，只得算了。临时有几个人起来演说，恭维了吴卫二人几句，后来在场的孟继祖，却笑嘻嘻的站起来演说道："兄弟今天所恭贺新人的话，前面几位先生都说了，我用不着再来赞上几句。我所要说的，就是吴女士说的，得了一个机会和卫先生认识，这是事实，而且兄弟也曾参与那个机会。不但兄弟参与了那个机会，在场的诸位先生们女士们，大概曾参与的，也不少哩。是哪一回呢?就是金燕西、冷清秋二位先生结婚，四个男女傧相中，吴卫两君却在其内，这一对璧人就是那时一见倾心了。由此说来，结婚的场合，不光是为着主人翁而已，还要借这机会，实行愿天下有情人都成眷属的工作。所以吴卫二君，在打破婚姻虚套仪式之下，今天还主张聚餐，实在大有用意。这用意，说明了就没有意思，不说明，又怕有人辜负主人翁的好意。所以我得点破一句。"他说到这里，已经把前面斟满了的一只玻璃杯子，举着道："我们恭祝新夫妇前途幸福无量，同时又恭祝参与今天盛筵的人，他若是有得机会的资格，就庆贺他们今天得机会。"食堂里面许多的青年男女，自然不少未订婚的，听了这话，都不免心里一动。在女宾里面，还不过是一笑，在男宾里面，早就要鼓掌，因为孟继祖有那一番做作，只好等着他说完。他正要举着杯子喝酒呢，这里的鼓掌声，已经是惊动了屋瓦。这时在招待一切的谢玉树，却站起来道："我要代表新人说一句，请大家原谅。来宾喝酒吃菜罢，人家时候不多呢。"他坐下来，在座就有人笑道："谢先生，记得燕西那天结婚，你和璧安一般，也是一个男傧相啊,怎么你没有得着机会呢?"于是在座的人,哄堂大笑了。又有人道:"说这话的这位先生,未免太武断一点,在他未宣布以前,我们又怎么知道他没有得着机会呢?也许他的对手方,就在食堂里,比吴卫二位的经过,更守得很秘密,将来让我们惊异一下子,那更是有趣味了。"这一遍话说完,大家笑得更厉害。经过五分钟之久,声浪才平静。

　　说这话的人,原是无心,可是他误打误撞,这几句话,真的射中两人的心坎了。这其中第一个听了不安的,便是谢玉树。他心想,我的心事,小卫是知道的,他的嘴一不稳,我这事,就很容易传到别人耳朵里去的,大概孟继祖这话,不能平空捏造,必定有所本。他心里这样想着,眼睛就不免向对过那排座位上的梅丽看去。梅丽听孟继祖演说时,她也想着,这个促狭鬼在哪里瞎诌了这一篇演说?到这里来拿人开玩笑。那天当傧相的,除了卫璧安,还有个谢玉树,论起人才来,他不见得不如小卫,不知道有了爱人没有?若没有爱人,在那天,倒是不少的人注意他,他要找个对手,那天果然他是一个机会。他有两次和我碰见的,倒不免有些姑娘调儿,见人脸先红了。心里想着时,目光也不免向对面看来。两个有心的人,不先不后,目光却碰个正着。梅丽倒不十分为意,谢玉树却是先扎了一针麻醉剂一般,不由得身上酥麻一阵。现在用的是一碗汤,于是只管低了头,将长柄的勺子,不住的舀着汤喝。梅丽是知道他这个人是最善于害臊的,见他如此,不由得噗哧一声笑了。润之和梅丽紧邻坐着的,因轻轻的问道:"你笑什么?我看到谢玉树向我们这边望着来的呢。"梅丽笑道:"我笑他,既是偷着看人,又怕人家看着他,真是作贼的心虚。我就不信这位卫先生和他也一样的,怎么现在就改变了?"润之笑道:"小卫果然是比从前开敞多了。你要知道这种开敞,是蔼芳陶融出来的。若是小谢也有人去陶融他,我想不难做到小卫这种地步的。"梅丽也不再说什么,就笑了一笑。

　　西餐到了上咖啡,大家就纷纷离座,卫璧安和蔼芳两人便在一处走着,和大家周旋完了,他两人就双双出门,同坐一辆汽车而去。这饭店里的男女来宾,自有吴卫几个友人招待。燕西见主人翁一去,也就无须再在这里盘桓,就和姊妹们一块儿出门。刚走到大厅门口,恰好和谢玉树顶头相遇,便笑说:"小谢,你今天作何感想呢?"谢玉树一见他身后站着三位小姐们,这却不可胡开玩笑,便含着微笑点点头道:"这件事情,大概你出于意料以外吧?照说,他们是不应该瞒着你的。可是他是不得已。因为你这人太随便了,一高兴起来,你对人一说,他们所谓要让人惊异一下子的,就成了泡影了。"说着,敏之们都笑了。燕西道:"都认识吗?要不要介绍一下子?"谢玉树连连点头道:"都认识的,都认识的。"正说着话,孟继祖也走过来了。他和金家是世交,小姐们自是都认识的。因之他就比较放肆些,就拍着谢玉树的肩膀道:"我说的话,你听清楚了没有?对于我有什么批评呢?很对的吧?"

谢玉树见了梅丽，不免就有点心神不定。孟继祖竟把这话直说出来，他大窘之下，红着脸只说了四个字："别开玩笑。"梅丽见他们说笑，站在两个姐姐后面，也是微笑。燕西上前一步握着谢玉树的手道："你好久不到我那里去玩了。我很想跟你学英语，你能不能常到舍下去谈谈？"谢玉树道："我是极愿意去的，可是不容易会着你。可记得正月里那一次吗？在你书房里，整整等六个钟头，真把我腻个够。"他一提这话，梅丽倒记起了，那次是无意中碰见过他的。正自想着，润之忽然一牵手道："走哇，你还要等谁呢？"梅丽一抬头，只见燕西已走到门边，连忙笑着走了。手正一开门，想起来了，手里原捏着一块白花印度绸手绢，现在哪里去了？回头一看，只见落在原站之处的地板上，所幸发觉得早，还不曾被人拾了去。就回身来，要去拾那手绢。但是她发觉之时，恰好谢玉树也发觉了，他站得近，已是俯了身子拾将起来。梅丽一见，倒怔住了，怎样开口索还呢？谢玉树拾了手绢，心里先一喜，一抬头见梅丽站在一边看着，就一点不考虑，将手绢递给她，心里原想说句什么，一时又说不出来，就只笑着点了一个头。梅丽接过手绢，道了一声劳驾。见燕西等已出门，便赶上来。梅丽退到门外，润之道："你都出来了，又跑回去做什么？倒让我们在这里先等你。"梅丽道："我手绢丢了，也不应当回去找吗？"润之道："你的手绢，不是拿在手上的吗？"梅丽笑道："是倒是拿在手上的。我可不知道怎么样会丢了？现在倒是寻着了。"润之道："大厅里那末些个人，都没有看见吗？"梅丽一红脸道："我又没走远，就是人家看见，谁又敢捡呢？"润之本是随便问的一句话，她既能答复出来，哪里还会注意？于是大家坐上汽车回家。

到了家里，梅丽早跑到金太太那里去告诉了，回头又到佩芳屋子里去，问佩芳可知道一点？佩芳道："我若知道，就是事先守秘密，今天我也会怂恿你们多去几个人了。"梅丽道："你和你二嫂不去，那是当然的。玉芬姐好好的人，为什么不去呢？"佩芳道："这个我知道。这几天她为了做公债，魂不守舍，连吃一餐饭的工夫，都不敢离电话，她哪有心思去赴不相干的宴会？"梅丽道："她从前挣了一笔钱，不是不干了吗？"佩芳道："挣钱的买卖，哪有干了不再干的？这一回，她是邀了一班在行的人干，自信很有把握。不料这几天，她可是越做越赔，听说赔了两三万了。好在是团体的，她或者还摊不上多少钱。"梅丽道："怪不得，我今天和三哥说话，他总是不大高兴的样子。"佩芳道："你又胡扯了。玉芬做公债和鹏振并不合股，她蚀了本，与鹏振什么相干？"梅丽道："这有什么不明白的？三嫂公债做蚀了本，三哥有不碰钉子的吗？大概见着面，三嫂就要给他颜色看，钉子碰多了，他……"还不曾说下去，只听着院子里有人叫着梅丽梅丽，这正是鹏振的声音。梅丽向佩芳伸了一下舌头，走到玻璃窗边，将窗纱掀起一只角，向外看了一看。只见鹏振站在走廊上，靠了一个柱

子，向里边望着，像是等自己出去的样子。因此放下窗纱，微笑着不做声。鹏振道："你尽管说我，我不管的。我有两句话对你说，你出来。"梅丽躲不及了，走出房来，站在走廊这头，笑嘻嘻的向鹏振一鞠躬，笑道："得！我正式给你道歉，这还不行吗？"鹏振笑道："没有出息的东西，背后说人，见了面就鞠躬。别走，别走，我真有话说。"梅丽已走到走廊月亮门边，见他如此，慢吞吞将手摸着栏杆一步一步走来。鹏振笑道："我的事没有关系，可是你三嫂作公债亏了，你别嚷说，若是让父亲知道了，是不赞成的。知道与我不相干，不知道的，还不知道我私下积蓄了多少私款呢。"梅丽笑道："就是为了这个吗？这也无所谓，我不告诉人就是了。"说到这里，脸色便正了一正道："三哥，我有一句话得说明，我心里虽然搁不住事，可是不关紧要的事我才说。嫂嫂们的行动，我向来不敢过问，更是不会胡说。况且我自己很知道我自己的身份，我是个庶……"鹏振不等她说完，就笑道："得了，得了，我也不过是谨慎之意，何曾说你搬什么是非。"说着话时，早在腰里掏出皮夹子来，在皮夹子里，拿了一张电影票，向梅丽手上一塞道："得！我道歉，请你瞧电影。"梅丽笑道："瞧你这前倨而后恭。"拿了电影票也就走了。

第七十二回

苦笑道多财难中求助
逍遥为急使忙里偷闲

　　鹏振走回自己屋子,只见玉芬躺在一张长沙发上,两只脚高高的架起,放在一个小屉几上。她竟点了一支烟卷,不住的抽着。头向着天花板,烟是一口一口的向上直喷出来。有人进来,她也并不理,还是向着天花板喷烟。鹏振道:"这可新鲜,你也抽烟,抽得这样有趣。"玉芬依旧不理,将手取下嘴里的烟卷,向一边弹灰。这沙发榻边,正落了一条手绢,她弹的烟灰,全撒在手绢上。鹏振道:"你瞧,把手绢烧了。"说着话时,就将俯了身子来拾手绢。玉芬一扬脸道:"别在这里闹!我有心事。"鹏振道:"你这可难了,我怕你把手绢烧了,招呼你一声,那倒不好吗?若是不招呼你,让你把手绢烧了,那会又说我这人太不管你的事了。"说着,身子向后一退,坐在椅子上,不由得叹了一口气。玉芬见他这样子,倒有些不忍,便笑着起来道:"你不知道我这几天有心事吗?"鹏振道:"我怎么不知道?公债是你们大家合股的,你蚀本也有限,你就把买进来的抛出去拉倒。摊到你头上有多少呢?"玉芬道:"抛出去,大概要蚀二千呢,然而这是小事。"说到这里,眉毛皱了两皱。刚才发出来的那一点笑容,又收得一点没有了。看那样子,似乎有重要心事似的。鹏振道:"据你说,蚀二千块钱是小事,难道还有比这更大的事吗?"玉芬道:"人要倒霉,真没有法子,我是祸不单行的了。"鹏振听了,突然站立起来,走到她身边问道:"你还有什么事失败了?"玉芬道:"果然失败了,我就死了这条心,不去管了。"说着把大半截烟卷,衔在口里,使劲吸了一阵,然后向痰盂子猛一掷,好像就是这样子决定了什么似的,便昂着头问道:"我说出来了,你能不能帮我一点忙?若是本钱救回来了,我自然要给你一点好处。"说着,便向鹏振一笑。鹏振也笑起来道:"什么好处哩?难道……"说着,也向沙发上坐下来。若是往日,鹏振这样一坐下来,玉芬就要生气的。现在玉芬不但没看见一般,依然安稳的坐着。鹏振笑道:"究竟是什么事?你说出来,我好替你打算。好处哩……"玉芬道:"正正经经的说话,你

别闹。你若是肯和我卖力，我就说出来，你若是不能帮忙，我这可算白说，我就不说了。"鹏振道："你这是怎么了？难道我不愿你发财，愿你的大洋钱向外滚吗？只要可以为力，我自然是尽力去干。"玉芬昂着头向天花板想了一想，笑道："你猜吧？我有多少钱私蓄？"鹏振道："那我怎么敢断言，我向来就避免这一层，怕你疑我调查你的私产。"玉芬道："惟其是这样，所以我们都发不了财。我老实说一句，我积蓄一点钱也并不为我自己。就是为我自己，我还能够把钱带到外国去过日子吗？无论如何，这里面，你多少总有点关系的。我老实告诉你罢，我一共有这个数。"说着，把右手四个指头一伸。鹏振笑道："你又骗我了。无论如何，你总有七八千了，而且首饰不在其内的。"玉芬道："你真小看我了。我就上不了万数吗？我说的是四万。"鹏振笑道："你有那么些个钱，干吗常常还要向我要钱用？"玉芬道："我像你一样吗？手上有多少就用多少。要是那样，钱又能积攒得起来？"鹏振笑道："得！你这理由是很充足。自己腰里别着五六万不用，可要在我这月用月款的头上来搜刮。我这个人，就不该攒几文的？"玉芬胸脯一伸，正要和他辩论几句，停了一停，复又向他微笑道："过去的事，还有什么可说的？算我错了就是了。现在我这笔钱，发生了危险，你要不要想法子挽救呢？"鹏振笑道："那当然要挽救，但不知道挽救回来了，分给我多少？"玉芬道："你这话，岂不是自己有意见外吗？从前我不敢告诉你，无非是怕你拿去胡花掉。现在告诉你了，就是公的了。这个钱，我自然不会胡花的，只要你是作正当用途，我哪里能拦阻你不拿。"鹏振听了这话，直由心里笑出来，因道："那末，你都把这钱做了公债？这可无法子想的，除非向财政界探听内幕，再来投机。"玉芬道："若是做了公债，我倒不急了，一看情形不好，我就可以赶快收场。我现在是拿了五万块钱，在天津万发公司投资……"鹏振不等她说完，就跳起来道："嗳呀！这可危险得很啦！今天下午，我还得了一个秘密的消息，说是这家公司要破产呢。但是他有上千万的资本，你是怎样投了这一点小股呢？"玉芬道："我还和几位太太们共凑成三十万，去投资的。他们都挣过好些个钱呢！不然……唉！不说了，不说了。"说着只管用脚擦着地板。鹏振道："大概你们王府上总有好几股吧？不是你们王府上有人导引，你也不会走上这条道的。这个万发公司经理，手笔是真大，差不多的人，真会给他唬住了。有一次，我在天津一个宴会上会着他，有一笔买卖，要十八万块钱，当场有人问他承受不承受？他一口就答应了，反问来人要哪一家银行的支票。那人说是要汇到欧洲去的，他就说是那要英国银行的支票省事一点了。他找了一张纸，提起笔来，就写了十八万的字条，随便签了一个字，就交给那人了。那人拿了支票去了，约有半个钟头，银行里来了电话，问了一问，就照兑了。在外国银行，信用办到了这种程度，不能不信他是一个大资本家。"玉芬道："可不是吗？我也是听到人说，这万发公司生意非常好，资本非常充足，平常的人，要投资到那公司里去是不可能的。他还要大资本家，大银行，才肯作来往呢。我因为做公债究竟无必胜之券，所以把存款十分之八九，都入了股。不料最近听得消息，这个经理完全是空架子，不过是善于腾挪，善于铺张，就像很有钱似的。最近在印度做一笔买卖，亏空了六七十万，又发现了他公司里，借过好几笔三五万的小债，因此人家都疑惑起来。但是我想他的资本有一二千万呢，总不至于完全落空吧？"鹏振道："做大买卖的人，大半就是手段辣的，一个钱也不肯他让放空。这里钱来了，那边就赶快想一个输出的法子，好从中生利。到了后来，有了信用，不必拿钱出来，一句话也可以生利，更挣得多。越是挣的多，越向空头买卖上做去，结果总是债务超过资本，有一天不顺手了，债就一齐出头，试问有什么不破产之理？不过他大破产就不知道要连累多少人小破产。大家维持场面起见，只有债权人不和他要债，股东不退股，甚至于还加些股本进去，然后公司不倒，多少还有挽回之余地。据我所知，现在有些银行，有些公司，都是这样……"玉芬道："得！得！得！哪个和你研究经济学？要你说这个。我就是问你，这笔款子，能不能想法子弄回来？"鹏振笑道："你别忙呀，我正是解释款子，或者不至于生多大的问题。这不是瞎子摸海的事。你等我到银行界里去打听打听消息看。"玉芬听说，就将鹏振挂在衣架上的帽子取下来，递到他手里，将手推了他一推道："好极了，我心都急碎了，你就去罢，我等你的信。"鹏振待要缓一缓，无奈见他夫人两眉尖几乎要锁到一处，眼睛眶子深陷下去了，白脸泛黄，真急了。只得勉强出去。

571

鹏振被玉芬催了出来，走到外书房里，就向外面打了几个电话，找着经济界的人，打听这个消息。这究竟是公司里秘密的事，知道的很少，都说个不得其详。有几个人简直就说没有这话，像那样的大公司，哪里会有倒闭的事，这一定是经济界的谣言。鹏振问了好多处，都没有万发公司倒闭的事，心里不免松动了许多，就把积极调查的计划，放下来了。挂上了电话，正自徘徊着，不知道要个什么事消遣好？金贵却拿了一封信进来，笑道："有人在外面等回话呢。"说着将信递了过来。鹏振接过去一看，只是一张信纸，歪歪斜斜，写了二十三个笔笔到头的字，乃是：

　　　三爷台鉴：即日下午五时，请到本宅一叙。恭候台光。
　　　台安！

　　　　　　　　　　　　　　　　　　　花玉仙启

鹏振不由得噗嗤一笑，因向金贵道："你叫那人先回去罢。不用回信了，我一会儿就

来。"金贵答应去了。鹏振将信封信纸一块儿拿在手里，撕成了十几块，然后向字纸篓里一塞，又把字纸抖乱了一阵，料着不容易再找出来了，然后才坐汽车先到刘宝善家里去，再上花玉仙家。玉芬在家里候着信，总以为鹏振有一个的实消息带回来。到了晚上两点钟，鹏振带着三分酒兴，才走一步跌一步的走进房来。玉芬见他这个样子，便问道："我这样着急，你还有心思在外面闹酒吗？我托你办的事，大概全没有办吧？"鹏振被他夫人一问，人清醒了一大半，笑道："那是什么话？我今天下午，到处跑了一周，晚上还找了两个银行界里的人吃小馆子。我托了他们仔细调查万发公司最近的情形，他们就会回信的。"玉芬道："闹到这时候，你都是和他们在一处吗？"鹏振道："可不是！和这些人在一处是酸不得的，今天晚晌花的钱，真是可观。"玉芬道："他们怎样说，不要紧吗？"这句话倒问得鹏振不知如何回答是好，因已走向浴室来，便只当着没有听到，却不答复这个问题。玉芬一直追到屋子里来，连连问道："怎么样？要紧不要紧？"鹏振冷水洗了一把脸，脑筋突然一凉，清醒了许多。因道："我仔细和他们打听了，结果，谣言是有的，不过据大局看来，公司有这大的资本，总不至于倒的。"玉芬一撒手，回转身去，自言自语的道："求人不如求己，让他打听了这一天一宿，还是这种菩萨话。若是这样，我何必要人去打听，自己也猜想得出来呀！"鹏振知道自己错了，便道："今天我虽然卖力，究竟没有打听一些消息出来。我很抱歉！明天我抽一点工夫，给你到天津去一趟。无论如何，我总可以打听一些消息出来。"玉芬跑近前，拉着鹏振的手道："你这是真话吗？"鹏振道："当然是真话，不去我也不负什么责任，我何必骗你呢？"玉芬道："我也这样想着，要访的实的消息，只有自己去走一趟。可是我巴巴的到天津去，要说是光为着玩，恐怕别人有些不肯信。你若是能去，那就好极了，你也不必告诉人，你就两三天不回来，只要我不追问，旁人也就不会留心的。我希望你明天搭八点钟的早车就走。"鹏振听说，皱了眉，现着为难的样子，接上又是一笑。玉芬道："我知道，又是钱不够花的了。你既是办正事，我岂有袖手旁观之理？我这里给垫上两百块钱，你衙门里发薪水的时候，还我就是了。"鹏振听到，心里暗想，这倒好，你还说那笔款子救回来了，大家公用呢。现在我给你到天津去想法子，盘缠应酬等费，倒都要花我自己的。便向玉芬拱了拱手笑道："那我就感激不尽了，可是我怕钱不够花，你不如再给我一百元。干脆，我就把图章交出来，盐务署那一笔津贴，就由你托人去领，利息就叨光了。"说着，又笑着拱了拱手。玉芬道："难道你到天津去一趟，花两百块钱，还会不够吗？"鹏振道："不常到天津去，到了天津去，少不得要多买一些东西。百儿八十的钱，能作多少事情呢？"玉芬笑道："你拿图章来，我就给你垫三百块钱。"鹏振难得有这样的好机会，可以在外面玩儿天不归家。反正钱总是用的，便将自己的图章拿出，交给玉芬。玉芬看了一看，笑道："可是这一块

图章?你别把取不着钱的图章拿来。"鹏振道:"我这人虽然不讲信用,也应当看人而设,在你面前,我怎么能使这种手段呢?你想,你拿不着钱,能放过我吗?"玉芬笑了。等到鹏振睡了,然后悄悄的打开保险箱子,取了三百块钱的钞票,放在床头边一个小皮箱里。到了次日早上醒时,已是九点多钟了。玉芬道:"好,还赶八点的车呢!火车都开过一百多里了。"于是将鹏振推醒,漱洗完了,打开小皮箱,将那卷钞票取了出来,敞着箱子盖也不关。鹏振指着小箱子道:"还不盖起来,你那里面有多少钱,都让我看到了。"玉芬听说,索性将箱子里东西翻一翻,笑道:"请看罢,有什么呢?我一共只剩了三百块钱,全都借给你了。现在要零钱用,都要想法子呢,这还对你不住吗?"鹏振见她是倾囊相助,今天总算借题目,重重的借了一笔大债。这也就算十分有情,不然和她借十块钱,还不肯呢。

　　当时叫秋香到厨房里去要了份点心吃,要了一个小皮包,将三百块钱钞票揣在里面。就匆匆的出门,坐了汽车到花玉仙家来,就要她一路到天津玩儿去。花玉仙:"怎么突然要上天津去?"鹏振道:"衙门里有一件公事,要派我到天津去办,我得去两三天。我想顺便邀你去玩玩,不知道你可能赏这个面子?"花玉仙:"有三爷带我们去玩玩,哪里还有不去之理?只是今天我有戏,要去除非是搭晚车去。"鹏振道:"那也可以。回头我们一路上戏馆子,你上后台,我进包厢。听完了戏,就一路上车站。"花玉仙道:"那就很好,四天之内,我没有戏,可以陪你玩三天三晚呢。"鹏振听说大喜。到了晚上,二人就同坐了一间包房上天津去了。玉芬总以为鹏振十一点钟就走了,在三四点钟起,就候他的电话,一直候到晚上十二点钟,还不见电话到。玉芬急得什么似的,实在急不过了,知道鹏振若是住旅馆,必在太平饭店内的,就打电话去试试,问有位金三爷在这里没有?那边回说三爷是在这里,这个时候不在旅馆,已经出去听戏去了。挂上了电话,玉芬倒想起来,不曾问一声茶房,是和什么人一路出去听戏的?也只得罢了。到了晚上一点钟,鹏振却叫回电话来了。原来玉芬自从作公债买卖而后,自己却私安了一个话机,外面通电话来,一直可到室内的。当时玉芬接过电话,首先一句就说道:"你好,我特派你到天津去打听消息,真是救兵如救火,你倒放了不问,带了女朋友去听戏!"鹏振说道:"谁说的?没有这事。"接上就听到鹏振的声浪离开了话机,似乎像在骂茶房的样子。然后他才说道:"绝对没有这事,连戏也没去听。戏出在北京,干吗跑到天津来听戏?"玉芬道:"别说废话了,长途电话是要钱的,打听的事情怎么了?"鹏振道:"我打听了好多地方,都说这公司买卖正作得兴旺,在表面上一点破绽也没有。明天中午我请两个经界界的人吃饭,得了消息,一定告诉你。是好是歹,明天下午,我准给你一个电话。"玉芬听得鹏振如此说,也就算了。

　　天津那边,鹏振挂上电话。屋子里电灯正亮得如白昼一般,花玉仙脱了高跟皮鞋,踏着拖鞋，斜躺在沙发上。手里捧了一杯又热又浓的咖啡，用小茶匙搅着，却望了鹏振微微一笑，点头道："你真会撒谎呀！"鹏振道："我撒了什么谎？"花玉仙道："你在电话里说的话，都是真话吗？"鹏振道："我不说真话，也是为了你呀。"说着，就同坐到一张沙发椅上来。于是伸了头，就对她的咖啡杯子边看了一看，笑道："这样夜深了，你还喝这浓的咖啡，今天晚上，你打算不睡觉了吗？"花玉仙瞅了他一眼，微笑道："你也可以喝一杯，豁出去了，今天我们都不睡觉。"鹏振笑道："那可不行，我明天还得起早一点，给我们少奶奶打听打听消息呢。"花玉仙道："既然是这样，你就请睡罢。待一会儿，我到我姐姐家里去。"鹏振一伸手将她耳朵垂下来的一串珍珠耳坠，轻轻扯了两下，笑道："你这东西，又胡捣乱，我使劲一下，把你耳朵扯了下来。"花玉仙将头偏着，笑道："你扯你扯，我不要这只耳朵了。"鹏振道："你不要，我又不扯了。这会子，我让你好好的喝下这杯咖啡，回头我慢慢的和你算账。"花玉仙又瞅了他一眼，鼻子里哼了一声。这时，不觉时钟当当的两下，鹏振觉得疲倦，自上床睡了。这一觉睡的不打紧，到了第二天上午十二点以后方才醒过来。鹏振一睁眼，看见玻璃窗上，有一片黄色日光，就在枕头底下将手表掏出来一看，连忙披着睡衣爬了起来。漱洗以后，茶房却送了几份日报进来，鹏振打开来，便支着脚在沙发上看。他先将本埠戏园广告、电影院广告看了一遍，然后再慢慢的来看新闻。看到第二张，忽然有几个加大题目的字，乃是"华北商界最大事件，资本三千万之万发公司倒闭"。鹏振一看这两行题目，倒不由得先吓了一跳，连忙将新闻从头至尾一看，果然如此。说是公司经理昨日下午就已逃走，三时以后，满城风雨，都说该公司要倒闭。于是也来不及叫茶房，自己取下壁上的电话分机，就要北京电话。偏是事不凑巧，这天长途电话特别忙，挂了两个钟头的号，电话方才叫来。那边接电话的，不是玉芬，却是秋香，她道："你是三爷，快回来罢。今天一早，少奶奶吐了几口血，晕过去了，现在病在床上呢。"鹏振道："她知道万发公司倒闭的消息吗？"秋香道："大概是吧？王三爷今天一早七点钟打了电话来，随后九点钟，他自己又来一趟，我听到说到公司里的事情。"鹏振再要问时，秋香已经把电话挂上了。鹏振急得跳脚，只得当天又把花玉仙带回京来。

原来玉芬自鹏振去后，心里宽了一小半，以为他是常在外面应酬的，哪一界的熟人都有。他到了天津去，不说他自己，就凭他父亲这一点子面子，人家也不能不告诉他实话。他打电话回来，说没有问题，大概公司要倒的话，总不至于实现。于是放了心，安然睡了一觉。及至次日清早，睡得朦朦胧胧的时候，忽然电话铃响，心里有事，便惊醒了，以为必是鹏振打来的长途电话。及至一接话时，却是王幼春打的电话，因问道："你这样早打电话来，有什么消息吗？"王幼春道："姐姐，你还不知道吗？万发公司倒了。"玉芬道："什么？公司倒了,你哪里得来的消息?"王幼春道:"昨天晚上两点多钟,接了天津的电话,说是公司倒了。我本想告诉你的,一来恐怕靠不住,二来又怕你听了着急。反正告诉你,也是没有办法的,所以没有告诉你。今天早上,又接到天津一封电报,果然是倒闭了。"玉芬听了这话,浑身只是发抖,半晌说不出话来。那边问了几声,玉芬才勉强答道:"你……你……你还给我……打……听打听罢。"挂上电话,哇的一声,便吐了一口血。电话机边,有一张椅子,身子向下一蹲,就坐在上面。老妈子正在廊檐下扫地,见着玉芬脸色不对,便嚷了起来。秋香听见,首先跳出房来。玉芬虽然晕了过去,心里可是很明白的,就向他们摇了几摇手。秋香会意,就不声张,因问道:"少奶奶,你要不要上床去躺一躺呢?"玉芬点了点头。于是秋香和老妈子两人,便将她搀上床去。秋香知道她有心事,是不睡的了,将被叠得高高的,放在床头边,让她靠在枕上躺着。玉芬觉得很合意,便点了点头。秋香见她慢慢的醒了过来了,倒了一杯冰开水,让她漱了口,将痰盂接着,然后倒了一杯温茶给她喝。玉芬喝了茶,哼哼两声,然后对她道:"吐的血扫了没有?"秋香道:"早扫去了。"玉芬道:"你千万不要告诉人,说我吐了血,人家知道,可是笑话。你明白不明白?"秋香道:"我知道。王少爷也许快来了,我到前面去等着他罢。他来了,我就一直引他进来就是了。"玉芬又点了点头。秋香走到外面去,不多一会儿,王幼春果然来了。秋香领他引来,他在外面屋子里叫了两声姐姐。玉芬道:"你进来罢。"王幼春走了进来,见她脸色惨淡,两个颧骨,隐隐的突起来。便道:"几天工夫不见,你怎么就憔悴到这种样子了?"玉芬道:"你想,我还不该着急吗?你看我们这款子,还能弄多少回头呢?"王幼春道:"这公司的经理,听说已经在大沽口投了海了,同时负责的人也跑一个光,所有的货款,在谁手里,谁就扣留着。我们空拿着股票,哪里兑钱去?"玉芬道:"照你这样说,我们所有的款子,一个也拿不回来了吗?"王幼春道:"唉!这回事,害得人不少,大概都是全军覆没呢。"玉芬听到,半晌无言,垂着两行泪下来道:"我千辛万苦攒下这几个钱,现在一把让人拿了去了,我这日子怎么过呢?"说毕,伏在床沿上,又向地下吐了几口血。秋香哟了一声道:"少奶奶你这是怎么办?你这是怎么办?"说着,走上前一手托了她的头,一手拍着她的背。玉芬道:"你这是怎么了?把我当小孩子吗?快住手罢。"说着,便伏在叠的被条上。王幼春皱眉道:"这怎办?丢了钱不要闹病,赶快去找大夫罢。"玉芬摇了一摇头道:"快别这么样!让人家听见了笑话。谁要给我嚷叫出来了,我就不依谁。"王幼春知道他姐姐的脾气的,守着秘密的事,不肯宣布的;而且为了丢钱吐血,这也与面子有关。她一时心急吐了两口血,过后也就好了的,用不着找大夫的了。因道:"那么,你自己保重,我还要去打听打听消息呢。我们家里,受这件事影响的,还不在少处呢。姐夫不是到天津去了吗?他也许能在哪方面,打听一点真实消息,找一个机

575

会。"玉芬听说,她那惨白的脸色,立刻又变一点红色,格格笑上一阵说道:"他能找一点机会吗?我也是这样想呢!"王幼春一看形势不对,就溜了。刚才到了大门口,秋香由后面惊慌惊张的追了上来,叫道:"王三爷,你瞧瞧去罢,我们少奶奶不好呢。"王幼春不免吃了一惊,就停了脚问道:"怎么样,又变了卦了吗?"秋香道:"你快去看罢,她可真是不好。"王幼春也急了,三脚两步跟她走到房内,只见玉芬伏在叠被上,已是不会说话,只有喘气的份儿。王幼春道:"这可是不能闹着玩的,我来对她负这个责任,你们赶快去通知太太罢。"秋香正巴不得如此,就跑去告诉金太太了。一会儿工夫,金太太在院子里就嚷了起来道:"这是怎么样得来的病?来得如此凶哩。"说着,已走进屋子里来,看见玉芬的样子,不由得向后退了一步,呀了一声道:"果然是厉害,赶快去找大夫罢。"身边只有秋香一个人可差使,便道:"糊涂东西! 你怎么等少奶奶病到这样才告诉我哩? 到前面叫人坐了汽车找大夫去罢。不论是个什么大夫,找来就行。"王幼春道:"伯母,也不用那样急,还是找一位有名的熟大夫妥当一点,我来打电话罢。"王幼春到外面屋子里打了一个电话。好在是早上,大夫还没有到平常出诊的时候,因此电话一叫,大夫就答应来。不到十五分钟的工夫,就有前面的听差,把梁大夫引进来。这时,家中人都已知道了,三间屋子,都挤满了人。王幼春也不便十分隐瞒,只说是为公债亏了,急成这样的。金太太听到起病的原因,不过是如此,却也奇怪。心想,玉芬不是没有见过世面的人,就是公债上亏空两三千,也不至于急到这田地。让大夫瞧过之后,就亲自问梁大夫,有什么特别的病状没有?大夫也是说,不过受一点刺激,过去也就好了。金太太听说,这才宽了心。一直等大夫去后,王家又有人来看病,金太太才想起来了,怎么闹这样的厉害,还不见鹏振的影子? 这也不用问,一定是在外面又做了什么坏事。玉芬本来在失意的时候,偏是他又置之不顾,所以越发急起病来了。因此金太太索性装着糊涂,不来过问。玉芬先是晕过去了,有一小时人是昏昏沉沉的。后来大夫扎了一针,又灌着喝下去好多葡萄糖,这才慢慢的清醒了。清醒了之后,自己又有些后悔,这岂不是让人笑话?我就是那样没出息,为了钱上一点小失败就急得吐血。但是事已作出去了,悔也无益。好在我病得这样,鹏振还不回来,他们必定疑心我为了鹏振,气出病来。若是那样,比较也有点面子,不如就这样赖上了。本来鹏振也太可恶,自己终身大事相托,巴巴让他上天津去,不料他一下车,就去听戏,也值得为他吐一口血。如此想着,面子总算找回一部分,心里又坦然些了。

576

第七十三回

扶榻问黄金心医解困
并头嘲白发蔗境分甘

　　鹏振赶回北京的时候,已经两点多钟了。自己是接花玉仙一路走的,当然还少不得先送花玉仙回去,然后再回家。自己也觉乱子捅大了,待要冒冒失失闯进屋去,怕会和玉芬冲突起来。因此先在外面书房里等着,就叫一个老妈子进去,把秋香叫出来。秋香一见面,就道:"三爷,你怎么回事?特意请你到天津去打听消息的,北京都传遍了,你会不知道?"鹏振笑道:"你这东西没上线下的,倒批评起我来,这又和你什么相干呢?"秋香道:"还不和我相干吗?我们少奶奶病了。"鹏振问是什么病?秋香把经过情形略说了一说,因道:"现在躺着呢,你要是为省点事,最好是别进去。"鹏振道:"她病了,我怎能不进去?我若是不进去,她岂不是气上加气?"秋香望着他笑了笑,却不再说什么。鹏振道:"我为什么不能进去?"秋香回头看了一看,屋子外头并没有人,就笑着将身子蹲了一蹲道:"除非你进去,和我们少奶奶这么,不然,"说着脸色一正道:"人有十分命,也去了七八分了。你瞧着她那样子,你忍心再让她生气吗?我真不是闹着玩,你要不是先叫我出来问一声,糊里糊涂的跑进去,也许真会弄出事情来。"鹏振道:"你说这话,一定有根据的,她和你说什么来着吗?"秋香沉吟了一会子,笑道:"话我是告诉三爷,可是三爷别对少奶奶说。要不然,少奶奶要说我是个汉奸了。"鹏振道:"我比你们经验总要多一点,你告诉我的话,我岂有反告诉人之理?"秋香笑了一笑,又摇摇头道:"这问题太重大了,我还是不说罢。"鹏振道:"你干吗也这样文绉绉的,连问题也闹上了。快说罢!"秋香又沉吟了一会,才笑着低声说道:"这回可不是闹着玩的,少奶奶要跟你离婚哩。"鹏振笑道:"就是这句话吗?我至少也听了一千回了,这又算什么?"秋香道:"我是好意,你不信算了。可是你不信我的话,你就进去,闹出祸事来了,后悔就迟了。少奶奶还等着我呢。"说毕,她抽身就走了。

　　鹏振将秋香的话一想,她究竟是个小孩子,若是玉芬真没什么表示,她不会再三说得这样恳切的。玉芬的脾气，自己是知道的，若是真冒昧冲了进去，也许真会冲突起来。而自己这次作的事情，实在有些不对，总应该暂避其锋才是。鹏振犹豫了一会子，虽然不敢十分相信秋香的话，却也没有这样大的胆子敢进屋去，就慢慢的踱到母亲屋里来。金太太正是一个人在屋子里闲坐，一个陪着的没有。茶几边放了两盒围棋子，一张木棋盘，又是一册《桃花泉围棋谱》。鹏振笑道："妈一个人打棋谱吗？怎么不叫一个人来对着？"金太太也不理他，只是斜着身体，靠了太师椅子坐了。鹏振走近一步，笑道："妈是生我的气吗？"金太太板着脸道："我生你什么气？我只怪我自己，何以没有生到一个好儿子？"鹏振笑道："哎哟！这样子，果然是生我的气的。是为了玉芬生病，我不在家吗？你老人家有所不知，我昨天到天津去了，刚才回来呢。"金太太道："平白的你到天津去做什么？"鹏振道："衙门里有一点公事，让我去办，你不信，可以调查。"金太太道："我到哪儿调查去，我对于这些事全是外行，你们爱怎么撒谎，就怎么撒谎。可是我希望你们自己也要问问良心，总别给我闹出大乱子来才好。"鹏振道："我又不能未卜先知，我要是知道玉芬今天会害病，昨日就不到天津去。"金太太冷笑道："你指望我睡在鼓里呢？玉芬就为的是你不在家，她才急病的。据我看来，也不知你们这里头，还藏了什么机关？我声明在先，你既然不通知我，我也不过问，将来闹出乱子来了，可别连累我就是了。"鹏振见金太太也是如此说，足见秋香刚才告诉的话，不是私造的，索性坐下来问玉芬是什么情形。金太太道："你问我作什么？你难道躲了不和她见面，这事就解决了吗？女子都是没有志气的，不希望男子有什么伟大的举动，只要能哄着她快活就行了。你去哄哄罢。也许她的病就好了。"鹏振听了母亲的话，和秋香说的又不同，自己真没了主意，倒不知是进去好，是不进去好？这样犹豫着，索性不走了，将桌上的棋盘展开，打开一本桃花泉，左手翻了开来，右手就伸了到棋子盒里去，沙啦沙啦抓着响。人站在桌子边，半天下一个子。金太太将桃花泉夺过来，向桌上一扔，将棋盘上的棋子，抹在一处，抓了向盘子里一掷，望了他道："你倒自在，还有心打棋谱呢？"

　　鹏振笑道："我又不是个大夫，要我急急去看她做什么呢？"但是嘴里这样说着，自己不觉得如何走出了房门。慢慢踱到自己院子里，听到自己屋子里静悄悄的，也就放轻着脚步走上前去。到了房门口，先掀着门帘子伸头向里望了一望，屋子里并没有别人。玉芬侧着身子向外面睡，脸向着窗子，眼睛却是闭了的。鹏振先微笑着进了房去。玉芬在床上，似乎觉得有人进来了，却把眼睛微微睁开了一线，然后又闭上，身子却不曾动一动。鹏振在床面前弯腰站着，轻轻叫了两声玉芬。玉芬并不理会，只是闭眼不睁，犹如睡着一般。玉芬不做声，鹏振也不做声，彼此沉寂了许久，还是鹏振忍耐不住，因道："你怎样突然得了这样的重病？"玉芬睁开眼望了他一望，又闭上了。鹏振道："现在你觉得怎么了？"玉芬突然

向上一坐，向他瞪着眼道："你是和我说话吗？你还有脸见我，我可没有脸见你呢？你若是要我快死，干脆你就拿一把刀来。要不然，就请你快出去。我们从此永不见面。快走快走！"说着话时，将手向外乱挥。鹏振低着声音道："你别嚷，你别嚷，让我解释一下。"玉芬道："用不着解释，我全知道。快走快走！你这丧尽了良心的人。"她口里说着，手向床外乱挥。一个支持不住，人向后一仰，便躺在叠被上。秋香和两个老妈子听到声音，都跑进来了。见她脸色转红，只是胸脯起伏，都忙着上前。鹏振向她摇了一摇手道："不要紧，有我在这里，你们只管出去。"他们三人听到，只好退到房门口去。鹏振走到床面前，给玉芬在胸前轻轻抚摩了一番，低着声音道："我很对你不住，望你原谅我。我岂有不望你好，不给你救出股款的吗？实在因为……得了，我不解释了，我认错就是了。我们亡羊补牢，还得同心去奋斗，岂可自生意见？哪！这儿给你正式道歉。"说时，他就退后了两步，然后笑嘻嘻的向玉芬行了两个双鞠躬礼。玉芬虽然病了，她最大的原因是痛财，对于鹏振到天津去不探听消息这一件事，却不是极端的恨，因为公司要倒是已定之局，多少和公司里接近的人，一样失败。鹏振一个事外之人，贸然到天津去，他由哪里入手去调查呢？不过怨他不共患难罢了。现在听到鹏振这一番又柔软又诚恳的话，已心平气和了一半。及至他说到我这里给你鞠躬了，倒真个鞠躬下去。一个丈夫，这样的和妻子道歉，这不能不说他是极端的让步了。因道："你这人怎么一回事？要折死我吗？"说时，就不是先紧闭双眼不闻不问的样子了，也微微的睁眼偏了头向鹏振望着。鹏振见她脸上没有怒容了，因道："你还生我的气吗？"玉芬道："我并不是生你的气，你想，我突然受这样大的损失，怎样不着急？巴巴的要你到天津去一趟，以为你总可以给我帮一点忙。结果，你去了的，反不如我在家里的消息灵通。你都靠不住了，何况别人呢？"鹏振道："这回实在是我错了，可是你还得保重身体，你的病好了，我们就再来一同奋斗。"说着，他就坐在床沿上，侧了身子，复转来，对了玉芬的耳朵轻轻的说。玉芬一伸手，将鹏振的头向外一推，微微一笑道："你又假惺惺。"鹏振道："我是受不了良心的谴责，只因偶然一点事不曾卖力，就弄得你遭这样的惨败，我怎能不来安慰你一番呢？"玉芬道："我失败的数目，你没有对人说吗？"鹏振道："我自然不能对人说，去泄漏你的秘密……"

　　下面还不曾接着说，就有人在院子里说道："玉芬姐。"鹏振一听是个女子的声音，连忙走到窗子边。隔着窗纱向外一看，原来是白秀珠，这真出乎意料以外的事。自从金冷二家的婚事成了定局以后，她就和这边绝交了。不料她居然惠然肯来，作个不速之客。赶着就招呼道："白小姐，稀客稀客，请到里面来坐。"玉芬在床上问道："谁？秀珠妹妹来了吗？"鹏振还不曾答话，她已经走进来了。和鹏振点了一个头，走上前，执着玉芬的手道："姐姐，

579

你怎么回事？突然得了这样的重病。我听到王家的伯母说，你为了万发公司倒闭了。是吗？"玉芬点了点头，又叹了一口气。秀珠回转头来，就对鹏振道："三爷，我要求你，我单独和玉芬姐说几句话，行不行？"鹏振巴不得一声，笑道："那有什么不可以？"说时，就起身走出房门去了。秀珠等着鹏振脚步声音走远了，然后执着玉芬的手，低低的说道："你那个款子，还不至于完全绝望，我也许能帮你一个忙，挽救回来。"玉芬紧紧握着秀珠的手，望着她的脸道："你不是安慰我的空话吗？"秀珠道："姐姐，你怎么还不明白？我要是说空话，我也不必自己来跑一趟了。你想，你府上，我还愿意来吗？我就知道我这剂药，准能治好你的病，所以我自己犯着嫌疑来一趟。"玉芬不由得笑了。因道："小鬼头，你又瞎扯。我有什么病，要你对症下药哩？不过我是性子躁，急得这样罢了。你说你有挽救的办法，有什么法子呢？"秀珠正想说，你已经说不是为这个病，怎么又问我什么法子？继而一想，她是一个爱面子的人，不要说穿罢。就老实告诉她道："这个公司里，承办了一批洋货，是秘密的，只有我哥哥和一两个朋友知道。这洋货足值五六十万，抵偿我们的债款，大概还有富余。我就对我哥哥说，把你这笔款子，也分一股，你这钱不就回来了吗？我哥哥和那几个朋友都是军人，只要照着他们的债款扣钱，别人是不敢说话的。"玉芬道："这话真吗？若是办成了，要什么报酬呢？"秀珠道："这事就托我哥哥办，他能要你的报酬吗？这事详细的情形，我也不知道，反正他们和万发公司有债务关系，款子又收得回来，这是事实。要不然，等你身体好了，你到我家里去，和我哥哥当面谈谈，你就十分明白了。"玉芬道："若是令兄肯帮我的忙，事不宜迟，我明天上午就去看他。"秀珠道："那也不忙，只要我哥哥答应了，就可以算事。等你好了，再去见他，也是一样。"玉芬道："我没有什么。我早就可以起床的，只是我恨鹏振对我的事太模糊，我懒起床。现在事情有了办法，我要去办我的正事，就犯不着和他计较了。"秀珠笑道："你别着急，你自己去不去，是一样的。我因为知道你性急，想要托一个人来转告诉你，都来不及，所以只得亲自前来。我这样诚恳的意思，你还有什么不放心的吗？"玉芬道："我很感激你，还有什么不放心？我就依你，多躺一两天罢。"于是二人，说得很亲热，玉芬并留秀珠在自己屋里吃晚饭。秀珠既来了，也就不能十分避嫌疑，也不要人陪，厨房开了饭来，就在外面屋子里吃。饭后又谈到十点钟，要回去了，玉芬就叫秋香到外面打听打听，自己家里有空着的汽车没有？秀珠连忙拦住道："不，不。我来了一天了，也没有人知道。现在要回去，倒去打草惊蛇，那是何必？你让我悄悄的走出去。你这大门口，有的是人力车，我坐上去就走了。"玉芬觉得也对，就分付秋香送她到大门口。

　　秀珠经过燕西书房的时候，因指着房子低低的问秋香道："这个屋子里的人在家里吗？"秋香道："这个时候，不见得在家里的。有什么事要找我们七爷吗？我给你瞧瞧去。"秀

珠道:"我不过白问一声,没有什么事。你也不必去找他。"秋香道:"也许在家里,我给你找他一下子,好不好?"秀珠道:"你到哪里去找他?"秋香道:"自然是先到我们七少奶奶那里去找他。"秀珠扶着秋香的肩膀,轻轻一推道:"这孩子说话,干吗叫得这样亲热?谁抢了你七少奶奶去了?还加上我们两个字做什么?"秋香也笑了起来了。二人说着话,已走到洋楼门下,刚一转弯,迎面一个人笑道:"本来是我们的七少奶奶吗,怎么不加上我们两个字呢?"秀珠抬头看时,电灯下看得清楚,乃是翠姨。便笑道:"久违了,你忙呢?"说到这里,顿了一顿,又笑道:"也许,各人有各人的事,哪里说得定呢?几时来的?我一点儿不知道,坐一会儿再走罢。"秀珠道:"我半下午就来了,坐了不少的时候了,改天再见罢。"说着,就匆匆的出门去了。翠姨站在楼洞门下,等着秋香送客回来。因问道:"这一位今天怎么来了?这是猜想不到的事呀。"秋香道:"她是来看我们少奶奶病来的。"翠姨笑道:"你这傻瓜!你不知道和她说七少奶奶犯忌讳吗?怎么还添上我们两个字呢?可是这事你也别和七少奶奶说,人家也是忌讳这个的。"秋香道:"七少奶奶她很大方的,我猜不会在这些事上注意。"翠姨道:"七少奶奶无论怎样好说话,她也只好对别的事如此,若是这种和她切己有关的事,她也麻糊吗?"两人说着话,一路笑了进来。秋香只管跟翠姨走,忘了回自己院子,及走到翠姨窗外,只见屋子里电光灿烂,由玻璃窗内射将出来,窗子里头,兀自人影摇动。秋香停住了脚,接上又有人的咳嗽声,秋香一扯翠姨衣襟道:"总理在这里了,我可不敢进去。"说完,抽身走了。

翠姨走进房去,只见沙发背下,一阵一阵有烟冒将出来。便轻轻喝道:"谁扔下火星在这儿?烧着椅子了。"这时,靠里一个人的上身伸将出来,笑道:"别说我刚才还咳嗽两声,就是你闻到这种雪茄烟味,你也知道是金总理光临了。"说着,就将手上拿的雪茄烟,向翠姨点了两点。翠姨先不说话,走到铜床后,绣花屏风里换了一件短短的月白绸小紧衣,下面一条葱绿短脚裤比膝盖还要高上三四寸,踏着一双月白缎子绣红花拖鞋,手理着鬓发,走将出来。问道:"这个时候,你跑到我这里来做什么?"金铨口里衔着雪茄,向她微笑,却不言语。翠姨道:"来是尽管来,可是我有话要声明在先,不能过十二点钟,那个时候我要关房门了。再说,你也得去办你的公事。"金铨衔着雪茄,只管抽着,却不言语,又摇了一摇头。翠姨道:"你这是什么玩意?我有些不懂。"金铨笑道:"有什么不懂?难道我在这屋子里,还没有坐过十二点钟的权利吗?"翠姨笑道:"那怎样没有?这屋子里的东西,全是你的,你要在这里坐到天亮也可以。但是……"金铨道:"能坐,我就不客气坐下了,我不知道什么叫着但是。"翠姨也坐到沙发上,便将金铨手上的雪茄,一伸手抢了过来。皱着眉道:"我就怕这一股子味儿,最是你当着人对面说话,非常的难受。"金铨笑道:"我为了到你屋

581

子里来,还不能抽雪茄不成?"翠姨将雪茄递了过来,将头却偏过去。笑道:"你拿去抽去,可别在我这里抽,两样由你挑了。"金铨笑道:"由我挑,我还是不抽烟罢。"翠姨撇嘴一笑,将雪茄扔在痰盂子里了。坐了一会,翠姨却打开桌屉,拿了一本账簿出来。金铨将账簿抢着,向屉里一扔,笑道:"什么时候了,还算你的陈狗屎账?"翠姨道:"我亏了钱呢,不算怎么办?算你的吗?"金铨道:"算我的就算我的。难道你那一点小小的账目,我还有什么担负不起吗?"翠姨笑道:"得!只要你有这句话,我就不算账了。"于是把抽屉关将起来。金铨随口和翠姨说笑,以为她没有大账。到了次日早晌,因为有公事,八点钟就要走,翠姨一把扯住道:"我的账呢?"金铨笑道:"哦!还有你的账,我把这事忘了。多少钱?"翠姨道:"不多,一千三百块钱。"口里说着,手上扯住金铨的衣服,却是不曾放。金铨笑道:"你这竹杠,未免敲得凶一点。我若是昨天不来呢?"翠姨道:"不来,也是要你出。难道我自己存得一注家私,来给自己填亏空吗?"金铨只好停住不走,要翠姨拿出账来看。翠姨道:"大清早的,你有的是公事,何必来查我这小账呢?反正我不能冤你。今天晚晌,你来查账也不迟,就是这时候,要先给我开一张支票。"金铨道:"支票簿子不在身上哪行呢?"翠姨道:"你打算让我到哪家去取款呢?你就拿纸亲笔写一张便条得了。只要你写上我指定的几家银行,我准能取款,你倒用不着替我发愁。"金铨道:"不用开支票,我晚上带了现款来交给你,好不好?"翠姨点点头笑道:"好是好,不过要涨二百元利息。"金铨笑道:"了不得!一天工夫,涨二百块钱利钱,得!我不和你麻烦,我这就开支票罢。"说着,见靠窗户的桌上,放了笔和墨盒,将笔拿起,笑道:"你这屋子里,会有了这东西,足见早预备要讹我一下子的了。"翠姨道:"别胡说,我是预备写信用的。"说时,伏在桌沿上,用眼睛斜睨着金铨道:"你真为了省二百块钱,回头就不来查账了吗?"金铨哈哈大笑,这才一丢笔走了。

　　到了这天晚上,金铨果然就拿了一千五百元的钞票,送到翠姨屋子里来。笑道:"这样子,我总算对得住你吧?"翠姨接过钞票,马上就打开箱子一齐放了进去。金铨道:"我真不懂,凭我现在的情形,无论如何,也不至于要你挨饿,何以你还是这样的拚命攒钱?这箱子里关了多少呢?"说着,将手向箱子连连点了几下。翠姨道:"我这里有多少,有什么不知道的?反正我的钱,都是由你那儿来的啊。你觉我这就攒钱不少。你打听打听看,你们三少奶奶,就存钱不少,单是这回天津一家公司倒闭,就倒了她三万。我还有你撑着我的腰,我哪里比得上她?"金铨笑道:"你可别嫌我的话说重了。若是自己本事挣来的钱呢,那就越挣的多越有面子。若是滚得人家的钱,一百万也不足为奇。你还和她比呢!"翠姨道:"一个妇人家,不靠人帮助,哪里有钱来?"金铨道:"现在这话说不过去了,妇女一样可以找生活。"翠姨道:"好吧,我也找生活去。就请你给我写一封介绍信,不论在什么机关找一个位置。"金铨听了，禁不住哈哈大笑，因站起身来，伸手拍着翠姨的肩膀道："说来说去，你还是得找我。你也不必到机关上去了，就给我当一名机要女秘书罢。"说着，又哈哈大笑起来。翠姨道："你知道我认识不了几个字，为什么把话来损我？可是真要我当秘书，我也就去当。现在有些机关上，虽有几个女职员，可是装幌子的还多着呢。"金铨笑道："难道还要你去给我装幌子不成？"翠姨道："瞎扯淡，越扯越远了。"说着话，她就打开壁上一扇玻璃门，进浴室去洗手脸。金铨在后面笑着，也就跟了来。到了浴室里，只见翠姨脱了长身，上身一件红鸳鸯格的短褂子，罩了极紧极小的一件蓝绸坎肩，胸下突自鼓了起来。她将两只褂袖子高高举起，露出两只雪白的胳膊，弯了腰在脸盆架上洗脸。她扭开盆上热水管，那水发出沙沙的响声，直射到盆里打漩涡。她却斜着身子等水满。这脸盆架上，正斜斜的悬了一面镜子，翠姨含着微笑，正半抬起头在想心事。忽然看到金铨放慢了脚步，轻轻悄悄的，绕到自己身后，远远伸着两只手，看那样子，是想由后面抄抱到前面。当时且不做声，等他手伸到将近时，突然将身子一闪，回过头来对金铨笑道："干吗？你这糟老头子？"金铨道："老头子就老头子罢，干吗还加上个糟字？"翠姨将右手一个食指，在脸上轻轻耙了几下，却对金铨斜瞅着，只管撇着嘴。金铨叹了一口气道："是呀！我该害臊呀。"翠姨退一步，坐在洗澡盆边一张白漆的短榻上，笑道："你还说不害臊呢？我看见过你对着晚辈那一副正经面孔，真是说一不二。这还是自己家里人，大概你在衙门里见着你的属员，一定是活阎罗一样的。可是让他们这时在门缝里偷瞧瞧你这样子，不会信你是小丑儿似的吗？"金铨道："你形容得我可以了，我还有什么话说？"说着，就叹了一口气。于是在身上掏出一个雪茄的扁皮夹子来，抽了一枝雪茄，放在嘴里。一面揣着皮夹子，一面就转着身子，要找火柴。翠姨捉住他一只手，向身后一拉，将短椅子拍着道："坐下罢。"金铨道："刚才我走进来一点，你就说我是小丑，现在你扯我坐下来，这就没事了？"翠姨笑道："我知道你就要生气。你常常教训我一顿，我总是领教的。我和你说两句笑话，这也不要紧，可是你就要生气。"

金铨和她并坐着，正对了那斜斜相对的镜子。这镜子原是为洗澡的人远远在盆子里对照的。两人在这里照着影子，自然是发眉毕现。金铨对了镜子，见自己头上的头发，虽然梳着一丝不乱，然而却有三分之一是带着白色的了。于是伸手在头上两边分着，连连摸了几下，接上又摸了一摸胡子。见镜子里的翠姨乌油油的头发，配着雪白的脸儿，就向镜子点了点头。翠姨见他这种样子，便回转头来问道："你这是什么一回事？难道说我这样佩服了你，你还要生气吗？"金铨道："我并不是生气。你看着镜子里那一头斑白的头发，和你这鲜花一朵并坐一处，我有些自惭形秽了。"翠姨道："你打了半天的哑迷，我以为你要说什么?原来是一件不相干的事。慢说你身体很康健,并不算老。就是老的话,夫妻们好不好,也不在年岁上去计较。若是计较年岁,年岁大些的男子,都应该去守独身主义了。"金铨拍了她的肩膀笑道:"据你这样说,老头子也有可爱之道,这倒很有趣味啊!"说着,昂头哈哈大笑起来。翠姨微笑道:"老头子怎么没有可爱之道?譬如甘蔗这东西,就越老越甜,若是嫩的呢,不但嚼着不甜,将甘蔗水嚼到口里,反有些青草气味。"金铨走过去几步,对了壁上的镜子,将头发理上两理,笑道:"白头发你还不要发愁,有人爱这调调儿呢。"说着,又笑了起来。因对翠姨道:"中国人做文章,欢喜搬古典,古典一搬,坏事都能说得好。老头子年岁当然是越过越苦,可是他掉过头来一说,年老还有点指望,这就叫什么蔗境。那意思就是说,到了甘蔗成熟的时候了。书上说的,我还不大信,现在你这样一说,古人不欺我也。"翠姨皱了眉道:"你瞧,这又用得搬上一大套子书?"金铨道:"不是我搬书,大概老运好的人,都少不得用这话来解嘲的。其实我也用不着搬书。像你和我相处很久,感情不同平常,也就不应该嫌我老的。"说着,又笑起来。翠姨道:"你瞧,只管和你说话,我放的这一盆热水,现在都凉过去了。你出去罢,让我洗澡。"金铨道:"昨天晚响天气很热,盖着被出了一身的汗。早响起来,忙着没有洗澡,让我先洗罢。"翠姨道:"我们盖的是一床被,怎么我没有出汗呢?你要洗你就洗罢。"说着,就起身出浴室,要给他带上门。金铨道:"你又何必走呢?你花了我那些钱,你也应该给我当一点小差事。"翠姨出去了,重新扶着门,又探了头进来笑问道:"又是什么差事?"金铨道:"劳你驾,给我擦一擦背。"说时,望了翠姨笑。翠姨摇着头道:"不行不行,回头溅我一身水。"金铨道:"我们权利义务,平等待遇,回头你洗澡,我是原礼儿退回。"翠姨道:"胡说!"一笑之下,将门带上了。

584

第七十四回

三戒异时微言寓深意
百花同寿断句写哀思

　　这个时候，也就到了开稀饭的时候了。那边金太太屋子里吃晚餐，因为儿辈们都散了，一个人吃的时候居多，有时金铨也就于此时进来，和金太太吃饭，藉以陪着说笑。这晚晌，金太太想起老头子有一星期不曾共饭了，倒有点奇异起来。金太太越想越有点疑惑。这屋子里伺候杂事的，就是陈二姐一人，她是个中年的孀居，有些话，又不便和她说。一人喝罢了稀饭，因道："今天晚上，天气暖和得很，这水汽管子，热得受不了，我到外面透透空气去罢。"说着，就慢慢的踱到外面来。陈二姐追出来道："太太，晚上的风吹得怪凉，别……"金太太喝道："别嚷，别嚷，我就只在廊子下走走。"陈二姐不敢做声，退进屋子去了。金太太在廊子下转了半个圈圈，不觉踱到小跨院子门边来。这里就是翠姨的私室。除了丫头玉儿，还有一个老妈子伺候她。这时下房都熄了电灯了，只有上房的玻璃窗子有电光。那电光带着紫色，和跳舞厅里，夜色深沉、酒醉醺舞的时候一样的颜色。金太太想了一想，她屋子里哪有这样的灯光？是了，翠姨曾说在床头边要安盏红色电灯泡，这大概是床头边的电灯泡了。金太太正在凝想，不觉触着廊下一只白瓷小花盆，当的一声响。自己倒吓了一跳，向后一缩，站着靠了圆月亮门。再一看时，只见玻璃窗边，伸出一只粉臂，拉着窗纱，将玻璃掩上了。窗子里的灯光，就格外朦胧。金太太呆呆的站了一会儿，却听到金铨的嗓子，在屋子里咳嗽了几声。金太太一个人冲口而出的，轻轻骂了一句道："越老越糊涂。"也就回房去了。金太太走回房去。连忙将房门一关，插上了横闩，只一回身，就看到陈二姐走了过来，她笑道："太太，你怎么把我也关在屋子里?"金太太这才知道只管关门，忘了有人在屋子里，不觉笑了起来。陈二姐开了门，自己出去了。这里金太太倒不要睡觉，又自斟了一杯茶，坐在沙发椅上慢慢的喝将起来。自己只管一人发闷，就不觉糊里糊涂的坐到两点钟了。空想也是无益，便上床安歇了。

　　次日吃午餐的时候，叫人到金铨办公室里去看看，由衙门里回来没有？打听的结果，回来说总理刚到那屋子里去，今天还没有上衙门呢。金太太坐了一会儿，缓缓踱到办公室来。在门帘子外，先问了一声谁在这里？有金贵在旁答应出来了。金太太道："没有什么公事，我看有没有人在这里呢？你们是只顾玩，公事不管罢了，连性命不管，也没有关系的。"金贵也不知什么事得罪了太太，无故碰一个钉子，只得退到一边，连喳了几声。金太太一掀帘子，走进房去，只见金铨靠住了沙发抽雪茄。金太太进来，他只是笑了一笑，没说什么，也没起身。金太太道："今天早上，你没有上衙门去吗？"金铨道："没有什么事，今天可以不去。"金太太道："你什么时候起来的？"问到这句话，金铨越发的笑起来了，因道："今天为什么盘问起这个来了哩？"金太太道："你笑什么？我是问你正话。"金铨笑道："说正话，反正不是说气话，怎么不笑呢？说正话，你有什么问题要提出来呢？"金太太道："正经莫过于孔夫子，孔夫子曾说过，君子有三戒。这三戒怎么分法呢？"金铨听了这话，看着夫人的颜色，笑道："这有什么难懂？分为老壮少罢了。"金太太道："老时候呢？"金铨将嘴里雪茄取出来，以三个指头夹住，用无名指向雪茄弹着，伸到痰盂子上去落灰。那种很安适而自然的样子，似乎绝不为什么担心，笑着道："这有什么不能答的呢？孔子说，戒之在得。得呀，就是贪钱的意思。"问道："壮年的时候呢？"答："戒之在斗。那就是和人生气的意思。"问道："少年的时候呢？"金铨又抽上雪茄了，靠着沙发，将腿摇曳了几下，笑道："戒之在色。要不要下注解呢？"说着望了他夫人。金太太点了点头道："哦！少年戒色，壮年和老年就不必戒的，是这样说吗？"金铨笑道："孔子岂会讲这一家子理？他不过是说，每个时候，有一个最容易犯的毛病，就对那个毛病特别戒严。"金太太连摇着头道："虽然是孔子说的话，不容后人来驳，但是据我看来，有点不对。如今年老的人哪，他的毛病，可不是贪钱呢。你相信我这话，不相信我这话呢？"说到这里，金铨却不向下说了，他站了起来，将雪茄放在玻璃缸子上，连忙一推壁下的悬镜，露出保险箱子来，就要去开锁。原来这箱子是专门存放要紧的公文的。金太太道："我要不来和你说话，你就睡到下午三点钟起来也没有事。我一来找你，你就要办公了。"金铨又把玻璃缸子上的雪茄拿起，笑道："你说你的，我干我的，我们两不妨碍。"金太太道："你不要误会了我的意思，我来和你说话，完全是好意。你若不信，我也不勉强要你信。"金铨口里含着雪茄，将两只手背在身后，在屋子里来回的踱着，笑道："你这话，我有点不明白。"金太太道："你不明白吗？那就算了。只是我对于你有一个要求，从今天起，请你不必到里边去了，就在这边楼上那间屋子里安歇。据我看，你身上有点毛病，应该要养周年半载。"金铨笑道："就是这事吗？我虽然寂寞一点，老头子了，倒无所谓。可是这样一来，连自己家里的晚辈，和那些下人，都会疑心我们发生了什么裂痕?"金太太道:"决不,决不,决不能够的。"说时,将脚在地板上连连踏了几下。又道:"你若不照我的话办,也许真发生裂痕呢。谁要反对这事,谁就对你不怀好意。我非……"金铨笑道:"得,得,就是这样办罢。不要拖泥带水,牵上许多人。"金太太冷笑一声道:"你有了我这一个拖泥带水的,你比请了十个卫生顾问还强呢。你心里要明白一点。我言尽于此,听不听在乎你。"

　　说毕,马上站起身,就走出他的屋子了。刚刚走出这办公室的屋子,一到走廊外,就见翠姨打扮得像个花蝴蝶子似的,远远的带着一阵香风,就向这边来。她一遇到了金太太,不觉向后退了一步。金太太一看身边无人,将脸色一正道:"他这会子正有公事要办,不要去打他的搅了。"翠姨笑道:"我不是去见总理的。今天陈总长太太有电话来,请太太和我去吃便饭。我特意来问一声,太太去我就去,太太不去我又不懂规矩,我就不去了。"金太太本来不高兴,见她这种和颜悦色的样子,又不好怎样申斥,便淡淡的答道:"我不去。你要去,你就去罢。"翠姨道:"那我也不去了。"说着话时,闪到一边,就陪着金太太,一路走到屋里来,又在金太太屋子里陪着谈了一会儿话。因大夫瞧玉芬的病刚走,便道:"我瞧瞧她去。病怎么还没有好呢?"这就走出来了。先到玉芬屋子里坐着,听到清秋这两天身体也常是不好,又弯到清秋这院子里来。走进院子,便闻到一种很浓厚的檀香味儿,却是一点声音也没有。一掀帘子,只见清秋卧室里,绿幔低垂,不听到一些响动。再掀开绿幔,钻了进去,却见清秋斜靠在沙发上,一手撑了头,一手拿了一本大字的线装书,口里唧唧哝哝的念着。沙发椅旁边,有一个长脚茶几,上面只放了一个三脚鼎,有一缕细细的青烟,由里面直冒上空际。看那烟只管突突上升,一点也不乱,这也就觉得这屋里是十分的安静,空气都不流动的。清秋一抬头,看见她进来,连忙将书放下,笑着站起来道:"姨娘怎么有工夫到我这里来谈谈?请坐请坐。"翠姨笑道:"你真客气。以后把这个娘字免了,还是叫我翠姨罢。我比你大不了几岁,这个娘字我不敢当。"说着,拉了清秋的手,一块儿在沙发上坐下了。因摸着她的手道:"我听说你身上不大舒服,是吗?"清秋笑道:"我的身体向来单弱,这几月来,都是这样子的。"翠姨拍着她的肩膀,笑着轻轻的道:"你不要是有了喜了吧?可别瞒人啦。你们这种新人物,总也不会为了这个害臊吧?"清秋脸一红道:"我才不会为这个害臊呢,我向来就是这个样子。"翠姨道:"老七在家,你就陪着老七。老七不在家,你也苦守着这个屋子做什么?随便在哪个屋子里坐坐谈谈都可以,何必老闷着看书?我要学你这样子,只要两三天,我就会闷出病来的。"清秋笑道:"这话我也承认。你是这样,就会闷成病。可是我要三天不这样,也会闷成病的。"翠姨道:"可不是!我就想着,我们这种人,连读书的福气都没有。"清秋笑道:"你说这话,我就该打,难道我还在长辈面前,卖弄

587

认识字吗? 姨娘,你别看我认识几个字,我是十二分无用,什么也不懂,说话也不留心,什么能说,什么不能说,全不知道。我有不对的事,姨娘尽管指教我。"翠姨对于这些少奶奶们向来不敢以长辈自居的,少奶奶们虽不敢得罪她,可是总不恭维她,现在见清秋对她这样客气,心里反老大的不过意。笑道:"我又懂得什么呢? 不过我比你早到金家来几年,这里一些人的脾气,都是知道的。其实这里的人除了玩的时候,大家不常在一处,各干各的,彼此不发生什么关系。你不喜欢玩,更是看你的书去好了。慢说你这样的聪明人,用不着人来说,就是个傻子,也不要紧。不过你也不可以太用功了,大家玩的时候,你也可以凑在一处玩。你公公就常说什么人是感情动物,联络联络感情,彼此就格外相处的好的,这话我倒也相信。二十块底的小麻雀,他们也打的,玩玩不伤脾胃。听戏,看电影,吃馆子,花钱很有限,而且那是大家互相作东的。你听我的话没有错,以后也玩一玩,省得那些不懂事的下人,说你……"说到这里,翠姨顿了一顿,笑了一笑,才接着道:"说你是书呆子罢了,也没有说别的。"清秋听了她的话,自然很感激,也不去追求是不是人家仅笑她书呆子。可是要照着这样办,越发是向堕落一条路上走。因对她笑道:"谁不愿玩? 可是我什么玩意儿也不行。那还得要姨娘指导指导呢。"翠姨笑道:"行哪,你说别的事,我是不在行。若要说到玩,我准能来个双份儿。"清秋道:"年轻的人,都喜欢玩的,这也不但是姨娘一个人呀。"翠姨却不说什么,深深的叹了一口气。她原以为清秋有病的,所以来看一看。现在见她也不像什么有病,说了几句话,也就走了。

　　清秋送着客走了,见宣炉里香烟,更是微细,添上一点儿小檀条儿。将刚才看的一本书,又拿起来靠着沙发看。但是经翠姨一度来了之后,便不住咀嚼着她说的那几句话,眼睛虽然看在书上,心里可是念着翠姨说的话。大概不是因话答话偶然说出的,由此可知自己极力的随着人意,无所竞争,结果倒是这个主义坏了事。古人所谓有不虞之誉,有求全之毁,这是个明证了。回转来想想,自己并不是富贵人家的女子,现在安分守己,还觉不忘本,若跟他们闹,岂非小人得志便颠狂吗? 我只要居心不作坏事,他们大体上总也说不出什么坏处来,我又何必同流合污? 而且就是那样,也许人家说我高攀呢。她一个人,只管坐在屋子里,沉沉的想着,也不知道起于何时,天色已经黑了。自己手里捧着一本书,早是连字影子都不看见,也不曾理会得,实在是想出了神了。自己一想,家里人因为我懒得出房门,所以说病很沉重,我今天的晚饭,无论如何,是要到母亲屋里去吃的。这样想着,明了电灯,洗了一把脸,梳了一梳头发,就到金太太屋子里来。

　　金太太戴了眼镜,正坐在躺椅上看小说。见她进来,放下书本,一只手扶了眼镜腿,抬起头来,看着清秋道:"你今天颜色好些了。我给你一盒参,你吃了些吗?"清秋笑道:"吃了一些。可是颜色好一些,乃是假的,因为我抹了一些粉哩。省得他回来一见,就说我带着病容。"金太太笑道:"不要胭脂粉,那也是女子唱高调罢了。其实年轻的人,谁不爱个好儿?你二嫂天天和那些提倡女权的女伟人一块儿来往,嚷着解放这里,解放那里,可是她哪一回出门,也是穿了束缚着两只脚的高跟鞋。"清秋笑道:"我倒不是唱高调,有时为了看书,或者作事,就把擦粉忘了。"说着话时,走近来,将金太太看的一本书,由椅上拿起来翻了一翻,乃是《后红楼梦》。因道:"这个东西,太没有意思,一个个都弄得欢喜团圆,一点回味也没有。你老人家倒看着舍不得放手。"金太太笑道:"这书很有趣呀。贾府上不平的事,都给他弄团圆了,热闹意思,怪有趣的。所有的《红楼梦》后套,什么续梦,后梦,复梦,圆梦,重梦,红楼梦影,我全都看了。我就爱这个。什么文学不文学,文艺不文艺,我可不管。我就不懂文学是什么意思?好好的一件事,一定要写得家败人亡,那才乐意。"清秋可不敢和金太太讨论文学,只一笑,便在对面椅子上坐下。金太太道:"我就常说,你和老七的性情,应该掉换掉换才好。他一谈到书,脑袋就痛,总是玩,你又一点也不运动,总是看书。"清秋道:"母亲是可以坐着享福的人呢,还要看书,何况我呢?"金太太道:"我看什么书?不过是消遣消遣。"清秋道:"母亲是消遣?我又何尝不是消遣?难道还想念出书来作博士吗?我也想找点别的事消遣,可是除了打麻雀,还勉强能凑付一脚而外,其余什么玩意,我也不行,不行就没有趣味的。我看书,倒不管团圆不团圆,只要写得神乎其神的,我就爱看。"金太太笑道:"这样说,我是文学不行,所以看那不团圆的小说心里十分难过。我年轻的时候,看小说还不能公开的。为了看《红楼梦》,不知道暗下掉了多少眼泪。你想一个人家,落到那样一个收场,那是多么惨呀!"正说到这里,梅丽一掀门帘,跳了进来,问道:"谁家收场惨?又是求帮助来了。"金太太道:"我们在这儿谈小说,你又想打听消息和谁报告去?做小姐的时候,你喜欢多事,人家不过是说一句快嘴快舌的小丫头罢了。将来做了少奶奶,可别这样。"梅丽皱了眉道:"不让我说话,就不让我说话,干吗提到那些话上面去?"金太太望了清秋笑道:"做女孩子的人,都是这样,总要说做一辈子姑娘,表示清高。可是谈到恋爱的时候,那就什么都会忘了,只是要结婚。"梅丽不和她母亲说话了,却把手去抚弄桌上的一套活动日历。这日历是用玻璃罩子罩了,里面用钢丝系在机纽上,外面有活纽,可以扯过去,也可以退回来的。梅丽拨了那活纽,将里面的日历,乱拨了一阵,把一年的日历全翻过来了。金太太道:"你瞧,你总是没有一下子消停不是?"梅丽将头一偏,笑道:"你不和我说话,又不许我动手,要我做个木头人儿坐在这里吗?"清秋就站起来,笑着将日历接过来,一张一张翻回来,翻到最近的日子,翻得更慢了。及至翻到明日,一看附注着阴历日子,却是二月十二日,不觉失声,呀了一声。梅丽:"我弄坏了吗?你呀什么?"清秋

589

道："不是，我看到明日是花朝了。"金太太道："是花朝吗?这花朝的日子，各处不同，有定二月初八的，有定十二的，有定十五的。明天是阴历什么日子?"清秋道："是十二，我们家乡是把这日当花朝的。"金太太道："这花朝也不足为奇，为什么你看到日历，有些失惊的样子?"清秋笑道："糊里糊涂，不觉春天过去了一半了。"金太太道："日子还是糊里糊涂混过去的好。像我们算着日子过，也是没有事，反而会焦躁起来。倒不如糊里糊涂的过去，忘了自己是多大年纪。"清秋先以金太太盘问起来，倒怕是金太太会问出什么来。现在她转念到年纪老远的问题上去，把这事就牵扯开了。

　　大家吃过晚饭，清秋却推有东西要去收拾，先回房去。在路上走着，却碰着小大姐阿囡，清秋便叫她到自己房里来，因问道："我听说你在这个月内，要回上海去，这话是真的吗?"阿囡微微一笑，将身子连忙掉了转去。手掀了帘子，作要走的样子。清秋扯着她的衣裳道："傻子，回来罢。我并不是和你开玩笑，有正经话和你说呢。因为你若是真回南去的话，我倒有些事，要托你办，所以我把你拉住，好问几句话。"阿囡听她如此说，就回转身来，望着清秋微笑道："我也是这样说，你不至于和我开玩笑哩。"清秋将她按了一按，让她在沙发上坐下，又倒了一杯茶递给她。阿囡见她倒茶，以为她是自己喝，及至一伸手过来，连忙站起来，两手捧着，呵了一声道："那还了得! 折煞我了。"清秋笑道："你这叫少见多怪，你又不是伺候我的人，我顺手递一杯茶给你喝，你就受折。你不过穷一点儿，在我家帮工，又不是晚辈对着长辈，折什么呢?"阿囡笑道："七少奶奶，你这话和二少奶奶常说的一样。可是要论到你这样客气，她可没有做出来呢。"清秋道："她为人的确是很讲平等的，不过因为你少和她接近，你若是常和她在一处，她自然也和我这样的客气了。"二人谈了一阵子，清秋就问到她的生辰上去，又问这些少奶奶过生日平常是怎样的办法呢? 阿囡道："也无所谓办法。大家闹一阵子，吃吃喝喝，回头听听戏罢了。"清秋道："除此以外，没有别的乐子吗?"阿囡道："这也就够了，还有什么闹的呢? 七少奶奶是什么时候生日?"清秋昂着头想了一会儿，微笑道："早着哩。"阿囡道："我仿佛听到说是春天似的，春天都快过完了，怎么还远着呢?"清秋微笑，又想了一想道："也许要等着明年了。"阿囡道："啊! 你把生日都瞒着过去了，那可了不得。"清秋笑道："这也无所谓了不得，不过省事罢了。"阿囡又谈了一会儿，见清秋并没有什么事，又恐怕敏之、润之有事，便起身走了。回房之后，他姊妹二人写信的写信，看书的看书，都没有理会到她。

　　次日吃午饭的时候，阿囡在一边陪着闲谈。谈到清秋真是讲平等时，润之笑道："你和她向无来往，怎么好好的和她宣传起来了?"阿囡便说："并不是无缘无故的。"就把昨晚上的事，细述了一遍。润之道："这可怪了，她好好的把你叫了去，又没有什么事，不过和你闲谈几句,这是什么意思呢?"敏之道:"据我想,一定是她有什么事情要问,又不好意思说出来,于是就叫阿囡去闲谈,以便顺便将她口风探出来,你看对不对?"润之道:"我想起来了,清秋的生日不是花朝吗?今天阴历是什么日子呢?"敏之道:"我也仿佛记起花朝,那就是今天了。"阿囡道:"怪不得我问她是哪天的生日,她就对着我笑,先不肯说,后来才说早过去了。我看那神气就很疑心的,倒不料就是今天。"润之道:"我先去瞧瞧,她在做什么?"说着,马上吃了饭,跟着净了手脸,就到清秋这边院子里来。转过走廊,屋子里还是静悄悄的,寂无人声。润之以为是还在金太太屋子里吃饭,不曾回屋子。正待转身,却听到清秋房子里一阵吟哦之声,达于户外,这正是清秋的声音。于是停了脚步,听她念些什么?可是清秋这种念书的调子,是家传的,还是她故乡的土音。因之润之站在外面听了一会子,一个字也听不出来。还待要听时,老妈子却在下房看见了,早叫了一声六小姐。润之只得一掀帘子,自走进房去。清秋站着在收拾窗户前横桌上的纸笔,笑道:"六姐静悄悄的就来了,也不言语一声。"润之指着她笑道:"言语一声吗?我要罚你呢?"清秋道:"你罚我什么呢?"润之道:"你手里拿些什么稿子?只管向抽屉里乱塞。"清秋将手上的稿子,一齐塞进去了,然后将抽屉一推,便关合了缝。笑道:"没有什么可研究的价值,我是一个人坐在屋子里无聊,瞎涂了几句诗。"润之走过来,笑着将她一拉,向沙发上一推,笑道:"你一个小人儿,可别和我讲打,要打,你是玩不过我的。"清秋根本就未曾防备到她会扯上一把的,所以她一拉一推,就让她拉开了。润之也不征求她的同意,扯开抽屉,将稿子一把拿在手里。然后向身后一藏,笑问道:"你实话,是能看不能看的呢?若是能看的,我才看。不能看的,我也不胡来,还给你收起。"清秋笑道:"我先收起来,不是不给你看,因为写得乱七八糟的。你要看就看,可别见笑。"润之见她如此,才拿出来看。原来都是仿古云笺,拦着细细直横格子,头一行,便写的《花朝初度》。润之虽是个新一点的女子,然而父亲是个好谈中国旧学的。对于词章也略为知道一点,这分明是个诗题了。初度两个字,仿佛在哪里念过,就是生日的意思。因问道:"初度这两个字怎么解?"清秋道:"初度就是初次过,这有什么不懂的?"润之也不敢断定初度两个字就是生日,她说初度就是初次过,照字面也很通顺的,就没法子再追问她,且先看文字。清秋道:"你不要看了,那是零零碎碎的东西,你看不出所以然来的。"润之且不理会,只看她写的字。只见头一行是:

　　锦样年华一指弹,风花直似梦中看,
　　终乖鹦鹉贪香稻,博得鲇鱼上竹竿。

那鹦鹉一句，已是用笔圈了一路圈儿，字迹只模糊看得出来。第二行是：

不见春光似去年，却觉春恨胜从前。

这底下又没有了。第三行写的是：

百花生日我同生，命果如花一样轻。

润之叫起来道："这两句我懂了。这不是明明说着你是花朝过生日吗？只是好好的过着生日，说这样的伤心话，有点不好吧？"清秋道："那也无所谓，旧诗人都是这样无病而呻的。"润之道："你问我罚要你什么？我没有拿着证据，先不敢说，现在可以说了。你今天的生日，为什么一个字也不吐露出来？怕我们喝你一杯寿酒吗？"清秋道："散生日，过去了就过去了，有什么可说的？"润之道："虽然是散生日，可是到我们金家来的第一个生日，为什么不热闹热闹呢？你不说也罢了，老七这东西也糊涂，为什么他也和你保守秘密？"清秋鼻子微微哼了一声，淡淡的笑道："他忙着哩，哪里还记得这个不相干的事？"润之看她这种神色，知道燕西把清秋的生日忘了。虽明明知道燕西不对，然而无如是自己的兄弟，总不好完全批评他不对。因道："老七这种人，就是这样，绝对不会把正经事放在心上的。"清秋道："过散生日，这不算什么正经事。不过他有两天不见面了，是不是还记得我的生日，我也无从证明。"润之道："两天没有见着他，难道晚上也没有回家来吗？"清秋想了一想笑道："回来的，但是很晚，今天一早他又出去了。这话你可不要告诉两位老人家，我早是司空见惯的了！"润之道："你愿意替他遮掩，我们还有替他宣布的道理吗？不过你的生日，我们不知道也就算了。我们既然知道，总得热闹一下子才好。"清秋连连摇手道："那又何必呢，就算今天的生日，今天也过去大半天了。"润之道："那不成，总得热闹一下子。"说着，将稿子丢了下来，就向外面跑。清秋想要拦阻，也来不及了。

润之走回房去，一拍手道："可不是今天生日吗？"敏之道："你怎知道？她自己承认了吗？"润之就把看出证据的话说了出来。因道："那张稿子，全写的是零零碎碎的句子。可想她是心里很乱。你说要不要告诉母亲去？"敏之道："她写些什么东西不必说了，至于她的生日，当然要说出来。她心里既然不痛快，大家热闹一下，也给她解解闷。"润之笑道："我这么大人，这一点事都不知道，还要你先照应着哩？"说着，便向金太太屋子里来。金太太斜斜的躺在沙发上，看着梅丽拼益智图。梅丽将一本画样，放在桌上，手上拿着十几块大

小木板,只管拼来拼去,一心一意的对着图书出神。润之笑道:"我瞧这样子,大概大家都无聊得很,我现在找一个有趣味的事情,大家可以乐一阵子了。"梅丽站起来,拍着胸道:"你这冒失鬼,真吓我一大跳,什么事?大惊小怪。"润之向她笑道:"你这会打听新闻的人,要宣告失败了。清秋是今天的生日,你怎么会没打听出来?"梅丽一拍手,哦了一声道:"我想起来了,怪不得昨日她见日历发愣哩,这明明是想起生日来了。"金太太也道:"她昨日吃饭的时候,提到过花朝来的。原来花朝是她的生日。这孩子就是这个脾气不好,过于守缄默了。这也不是什么不能告人的事,为什么守着秘密呢?日子过了半天去了,找什么玩意?到账房去拿两百块钱,由你们大家办去罢。她是到我们金家来的第一个生日,冷淡了她,可不大好。"梅丽笑道:"喝寿酒不能安安静静的喝,找个什么下酒哩?"说到这里,燕西由外面嚷了进来,问道:"喝谁的寿酒,别忘了我啊!"他这一说,大家都向他笑。正是:粗忽恒为心上事,疏慵转是眼前人。

第七十五回

日半登楼祝嘏开小宴
酒酣谢席赴约赏浓装

　　却说燕西问起谁过生日,大家向他发笑,他更是莫名其妙。因道:"大家都望着我做什么?难道我这句话说错了吗?"金太太正色道:"阿七,你整天整晚的忙些什么?"燕西笑道:"你瞧,好好的说着笑话,这又寻出我的岔儿来了!"金太太道:"我找你的岔儿吗? 若是像你这样的瞎忙,恐怕将来连自己姓甚名谁都忘了。你自己媳妇的生日,你不记得,倒也罢了,怎么连人家说起来了,你还是不知道? 你两个人不像平常的小两口儿,早是无话不说不谈的,难道哪一天的生日,都没有和你提过吗?"燕西伸起手来,在自己头上轻轻的拍了一下,笑道:"该打! 今天是她的生日,我全忘了。她倒不在乎这个,忘了就忘了。可是我们那位岳母冷老太太,今天一定在盼这边的消息,等到现在,音信渺然,她一定很奇怪的。我瞧瞧去,她在作什么事?"说着掉转身子,就向自己屋子里来。一掀帘子便嚷道:"人呢? 人呢?"清秋答:"在这儿。"燕西听声音,在卧室后面浴室里,便笑问道:"我能进来吗?"清秋道:"今天怎么这样客气? 请进来罢。"燕西走了进去,只见她将头发梳得溜光,似乎脸上还微微的抹了一点胭脂,那白脸上,犹如喝酒以后,微微有点醉意一般。因笑道:"除了结婚那一天,我看见你抹胭脂,这还是第一次呢! 今天应该喜气洋洋。这样就好。"清秋笑道:"今天为什么要喜气洋洋的? 特别一点吗?"燕西深深的点了一个头,算是鞠躬。笑道:"这是我不对,你到我家来第一个生日,我会忘了。昨晚晌我就记起来了的,偏是喝的醉得不成个样子,我也不好意思来见你,就在外面书房里睡了。今天起来又让人家拉去吃小馆子,刚刚回来,一进门我心里连说糟了,怎么会把你的生日都忘了呢? 你是一定可以原谅我的,只是伯母那里,也不知道你今天是热热闹闹的过着呢? 也不知道是冷冷清清的过着?所以我急于来见你,问问你看要怎么样的通知你家里? 你觉得我这话说的撒谎吗?"清秋笑道:"什么人也有疏忽的时候,我一个散生日,并不是什么大事。这一程子我又没和你提过,本容易忘记的,何况你一进门就记起来了,究竟和别人的关系是不同。不要说别的,只这几句话,我就应该很感激你的了。"燕西一伸手,握住清秋的手,一只手拍着她的肩膀,笑道:"你这一句话,好像是原谅我,又像是损我,真教我不知道要怎样答复你才好?本来我自己不对。"清秋道:"你别那样说,我要埋怨你就埋怨几句,旁敲侧击损人的法子,我是向来不干的。这是我对你谅解,你倒不对我谅解了。"燕西点着头笑道:"是是是,我说错了。这时候要不要我到你家去通知一声呢?"清秋笑道:"你今天真想得很周到。最好是自己能回家一趟,但是大家都知道了,我要回去,反是说我矫情了。"燕西道:"你偷偷去一趟,也不要紧,不过时候不要过多了,省得大家盼望寿星老。"清秋摇摇头道:"你作不了主,等我见了母亲问上一问再说罢。"

正说到这里,只听得院子里,一阵嚷着:"拜寿拜寿,寿星老哪里去了?"清秋听说,连忙迎到外边。这里除了敏之姊妹,还有刘守华,都拥了进来。刘守华虽是年长,然而他是亲戚一边,可以不受拘束的开玩笑。因笑道:"这事老七要负一大半责任,怎么事先不通知我们?这时候要我们预备寿礼都来不及。"清秋笑道:"这不能怨他,原是我保守秘密的。我守秘密,就因为十几岁的人,闹着过生日,可是有点寒碜。"敏之道:"这话可就不然,小孩周岁作寿,十岁也作寿,十几岁倒不能作寿吗?"清秋道:"那又当别论,因为过周岁是岁之始,十岁是以十计岁之始,是一个纪念的意思。"梅丽笑道:"文绉绉的,你真够酸的了。妈正等着你,问你要什么玩?走罢,我们还要乐一阵子呢。"说着,拉了清秋的手向外就跑。清秋笑道:"去就去,让我换一件衣服。"这句话说出来,自己又说得不对,这就是装出一个过生日的样子了。梅丽笑道:"对了,寿星婆应该穿得齐齐整整的。穿一件什么衣服?挑一件红颜色的旗袍子穿,好吗?"本来已是将清秋簇拥到走廊子上来了,于是复又簇拥着她回房去。清秋笑道:"得了,我也用不着换衣了,刚才是说着玩的。你想,真要换新衣服,倒是自己来作寿,岂不是笑话吗?而且见了母亲也不大方便。"梅丽究竟老实,就听她的话,又把她引出来。大家到金太太屋子里,金太太笑道:"你这孩子太守缄默了。自己的生日,纵然不愿取个热闹,也该回去看看你的母亲。我拿我自己打比,娘老子对于儿女的生日,那是非常注意的。"说到这里,抬头一看清秋脸上头上,笑着点了点头道:"原来你是预备回家去的这也好。你先回家去罢,这里让大家给你随便的凑些玩意儿,你早一点回来就是了。若是亲家太太愿意来,你索性把她接了来,大家玩玩。"清秋听她如此说,觉得这位婆婆不但是慈祥,而且十分体贴下情,心中非常的感激。便道:"我正因为想回去,打算先来对母亲说一声。母亲这样说,我就走了。"金太太道:"别忙,问问家里还有车没有?若是有车,让车子送你回去。"燕西道:"有的,刚才我坐了那辆老车子回来。"说了这句,觉得有点不合适似的，就向清秋看了一看。清秋对于这一层，倒不甚注意，便道："好极了，我就走吧。"燕西也十分凑趣，就道："你只管回家罢，这里的事，都有我和你张罗。"清秋道："你不阻止大家，还和我张罗热闹吗？"燕西道："你去罢，你去罢，这里的事，你就不必管，反正不让你担受不起就是了。"清秋听了他如此说，这才回房换了一件衣服，坐了汽车回家去。

到了门口，汽车喇叭只一响，冷太太和韩妈早就迎了出来。韩妈抢上前一步，搀着她下了汽车，笑道："我就猜着你今天要回来的。太太还说，不能定呢，金家人多，今天还不留着她闹一阵子吗？我正在这里盼望着，你再不回来，我也就要瞧你去了。"冷太太道："依着我，早就让她去了，倒不料你自己果然回来。"三个人说着话，一路进了上房。韩观久提着嗓子，在院子里嚷起来道："大姑娘，我瞧你脸上喜气洋洋的，这个生日，一定过得不错。大概要算今年的生日，是最欢喜了。"清秋道："是啊，我欢喜，你还不欢喜吗？"说着话，隔了玻璃向外张望时，只见韩观久乐的只用两只手去搔着两条腿，韩妈也嘻嘻的捧着茶来，回头又打手巾把。清秋道："乳妈，我又不是客，你忙什么？现在家境宽裕一点了，舅舅又有好几份差事，家里就雇一个人罢。"冷太太道："我也是这样说呀。可是他老夫妻俩都不肯，说是家里一共只有四人，还有一个常不落家的，雇了人来，也是没事，我也只好不雇了。"清秋道："虽然没有什么事可作，但是家里多一个人，也热闹一点子，那不是很好吗？"说着话时，韩妈已在外面屋子里端了一大盘子玫瑰糕来。笑道："这是我和太太两个人做的，知道你爱吃这个，给你上寿呢。"她将盘子放在桌上，却拿了一片糕递给清秋手上，笑道："若是雇的人，也能作这个吗？我们自己作东西，虽是累一点，倒也放着心吃。"清秋吃着玫瑰糕，只是微笑。冷太太道："你笑什么？你笑乳妈给你上寿的东西太不值钱吗？"清秋道："我怎么说这东西不值钱？你猜得是刚刚相反，我正是爱吃这个呢。我歇了许久没有看见这种小家庭的生活，今天回来，看见家里什么事都是自己来，非常的有趣。我想到从前在家里过的那种生活，真是自然生活。而今到那种大家庭去，虽然衣食住三大样，都比家里舒服，可是无形中受有一种拘束，反而，反而……"说到这里，她只将玫瑰糕咀嚼微笑。韩妈道："哟！我的姑奶奶，你怎说出这种话来了呢？我到了你府上去过几次，我真觉得到了天宫里一样。那样好的日子，我们住一天半天，也是舒服的，何况过一辈子呢？我倒不明白，你反是不相信那种天宫，这不怪吗？"冷太太道："在家过惯了，突然掉一个生地方，自然有些不大合适，由做姑娘的人，变到做少奶奶，谁也是这样子。将来你过惯了，也就好了。"清秋笑道："妈这话还只说对了一半，有钱的人家，和平常的人家那种生活，可是两样呢。"说到这里，笑容可就有点维持不住。便借着将糕拿在手上看了几看，又复笑道："可真是比平常家里有些不同，又干净，又细致，这样就好，只要我受用就得了。金家那些小姐少奶奶们，这

一下午,可不知要和我闹些什么?"说完了这话,又坐下来说笑。冷太太道:"既是你家里很热闹,你就回家热闹去罢。人家都高高兴兴的给你上寿,把一个寿星翁跑了,可也有点不大好。"清秋道:"妈,你记得吗?去年今日,我还邀了四五个同学在家里闹着玩呢。今年我走了,我想你一个人太寂寞,你也一路跟我到金家去玩玩好吗?"冷太太道:"等一会儿,你舅舅就要回来,他一回来,就要开话匣子的,我不会寂寞。再说,和你在一处闹着玩的,都是年轻的人,夹我一个老太婆在里面,那有什么意思?我能那样不知趣,夹在你们一处玩吗?"清秋一想,这话也对,看看母亲的颜色,又很平稳,不像心中有什么伤感,这也就不必再劝了。又坐了一会儿,回来共有两小时之久。心想,对于那边怎么样的铺张,也是放开不下,因笑道:"这玫瑰糕是我的,我就全数领收了,带回去慢慢的吃罢。"韩妈笑道:"是呀,我们这位姑爷就很爱吃这个呢。"说着,就找了一张干净纸来,将一盘玫瑰糕都包起来了。冷太太和韩妈,也都催着清秋早些回去。清秋站着呆了一呆,便走到里面屋子里去,因叫着韩妈送点热水洗手,趁着冷太太不在面前,轻轻的道:"乳娘,我有点事托你,请你过两三天到我那里去一趟。可是你要悄悄的去,不要先说出来。"韩妈连连点着头,说是知道了。清秋见韩妈的神气,似乎很明白,心里的困难觉得为之解除了一小部分。这才出门上汽车回家。

只是一到上房,大家早围上来嚷道:"寿星回来了,寿星回来了。"也不容分说,就把她簇拥到大客厅楼上去。楼上立时陈设了许多盆景,半空悬了万国旗和五彩纸条,那细纸条的绳上,还垂着小红绸灯笼。正中音乐台挂上了一副丝乡绣的《麻姑骑鹿图》。前面一列长案,蒙上红缎桌围,陈设了许多大小锦匣,都是家中送的礼。立时这楼上,摆得花团锦簇。清秋笑道:"多劳诸位费神,布置得真好真快,但是我怎样承受得起呢?"因见燕西也站在人丛中,就向燕西笑道:"我还托重了你呢!怎么让大家给我真陈设起寿堂来?"燕西道:"这都是家里有的东西,铺陈出来,那算什么?可是这些送礼的给你叫了一班大鼓书,给你唱落子听呢。"说时,手向露台上一指。清秋向露台上看时,原来是列着桌椅,正对了这楼上,桌上摆了三弦二胡,桌前摆了鼓架,正是有鼓书堂会的样子。因笑道:"你们办是办得快,可是我更消受不起了。我怎样的来答谢大家呢?"燕西笑道:"这个你就不用操心了,我已经叫厨房里办好几桌席面,回头请大家多喝两杯就是了。"说时,佩芳和慧厂也都来了,一个人后面,跟随着一个乳妈抱着小孩。佩芳先笑道:"七婶上坐呀,让两个小侄子给你拜寿罢。"两个乳妈听说,早是将红绸小褓子里的小孩,向清秋蹲了两蹲,口里同时说着给你拜寿。佩芳也在一边笑道:"虽然是乳妈代表,可是他哥儿俩,也是初次上这楼,参加盛典,来意是很诚的呢。"清秋笑着,先接过佩芳的孩子,吻了一吻,又抱慧厂的孩子吻了一吻。

当她吻着的时候，大家都围成一个小圈圈，将两个孩子围着。梅丽笑着直嚷："你瞧，这两个小东西，满处瞧人呢。"只这一声，就听到有人说道："你们这些人一高兴，就太高兴了，怎么把两个小孩子也带出来了呢？这地方这多人，又笑又嚷，仔细把孩子吓着了。"大家看时，乃是金太太来了。燕西笑道："这可了不得！连母亲也参加这个热闹。"金太太道："我也来拜寿吗，你这寿星公当不起吧？我听说两个孩子出来了，来照应孩子的。"燕西笑道："你老人家这话漏了，儿子受不住，特意的来瞧孙子，孙子就受得住吗？"说毕，大家哄堂一笑。金太太连忙指着乳妈道："赶快抱孩子走罢。这里这些个人，这么点大的孩子，哪里经得住这样嘈杂呢？"两个乳妈目的只是在拜这个寿领几个赏钱。寿是拜了，待一会儿，赏钱自然会下来的，这就用不着在这里等候了。因之她们也笑着抱孩子走了。只在她们走后，楼下就有人笑了上来道："这可了不得，连这点儿大的小孩子，都把寿拜过去了，你瞧，我还不曾出来呢。"大家一看，原来是玉芬到了。当时玉芳走上前握了清秋的手，一定要她站在前面，口里笑道："贺你公母俩千秋。"清秋笑道："三嫂，你这样客气，我怎样得了？有过嫂嫂给弟媳拜寿的吗？"玉芬笑道："这年头儿平等啦。"清秋看她眉飞色舞，实实在在是欢喜的样子。便道："道贺不敢当，回头请你唱上一段罢。"玉芬道："行，上次老七作寿，我玩票失败了，今天我还得来那出《武家坡》。"说时，望了望大家一笑。清秋心里，好生疑惑，她闹了大亏空之后，病得死去活来，只昨天没有去看她，怎么今天完全好了？而且是这样的欢喜。向来她是看不起人的，今天何以这样高兴和亲热？这真是奇怪了，难道自己的生日，还会引起她的兴趣吗？那倒未必。不但清秋是这样想，这寿堂一大部分人也是这样想。她前几天如丧家之犬一般，何以突然快乐到这步田地呢？不过大家虽如此想，也没有法问了出来，都搁在心里。这舞厅上，已经安设了一排一排的椅子，一张椅子面前一副茶点。燕西笑着，请大家入座，一面就有听差将大鼓娘由露台下平梯上引上来。佩芳、慧厂是初出来玩，玉芬又高兴不过，她们都愿意听书，其余的人也就没有肯散的。燕西一班朋友，有接着电话的，也都来了，所以也有一点小热闹。到了晚上吃寿酒的时候，临时就加了五席，家里人自然没有不到的。这其间却只有鹤荪在酒席上坐了一半的时候，推着有事下了席。女宾里头的乌二小姐，正坐在寿星夫妇的一桌，回过头来，一看鹤荪要走，便笑道："二爷，我有一件事托你。"说着，走近前来道："我有一个外国女朋友，音乐很好，还会几种外国语，有什么上等家庭课，请你介绍一两处。"鹤荪说着可以，走出了饭厅外。乌二小姐又觉着想出了一句什么话要追加似的，一直追到走廊上，回头望了一望，低低的笑道："你们老七知道吗？"鹤荪道："大概知道吧？但是回头怕要打小牌，他未必走得开。"乌二小姐道："你先去，我就来，你和他们说，我决不失信的。"说毕，匆匆又归座了。只说到这里，那边桌上,已有人催乌二小姐喝酒,便回座了。

　　鹤荪轻轻悄悄的走到外边。今天家里的汽车,都没有开出去,就分付金荣,叫汽车夫开一辆车到曾小姐家里去。汽车夫们坐在家里,是找不着外花的,谁也愿意送了几位少爷出门,不是牌局,便是饭局,总可以得几文。而今又听说是到曾小姐家去,更是乐大发了。鹤荪溜出大门,坐上汽车,就直上曾美云家来。原来曾美云和家庭脱离关系的,自己在东城另觅了一幢带着浓厚洋味的房子,一人单独住家。屋子里除了几个不甚相干的疏远亲戚而外,其余就是仆役们。她在这里,无论怎样交际,也没有人来干涉她。有些男朋友,以为她这里,又文明,又便利,也常在她这里聚会。鹤荪和曾美云的感情,较之平常人又不同一点,有时竟可借她这地方请客。客请多了,曾美云多次作陪,也不能不回请一次。今晚这一会,就是曾美云回席。除了几位极熟的女朋友而外,还有两位唱戏的朋友,约了今晚,大家小小同乐一宿。鹤荪在三日前就约定好了今天的日期,不料突然发表出来,却是清秋的生日。在情理上固然是非到不可,同时也觉得不到又很露形迹,所以勉强与会,吃了半餐饭。这边曾美云,也早已得了他的消息,好在这些朋友,一来各家都有电话,二来他们并不怕晚,所以都通知了一声,约着十点钟才齐集。鹤荪吃了半餐就跑了出来,不过九点钟刚刚过去,还要算他来得最早。他一下汽车,只见里面屋子里电灯,接二连三的一齐亮着,很像是没有客到的样子。所以他走到院子里便笑道:“我总以为来得最晚呢。原来倒是我先到。”隔着纱窗,就看见曾美云袅袅婷婷的由里面屋子里,走到外面客厅里来。等到鹤荪上了走廊下的石阶,她就自己向前推着那铁纱门,来让鹤荪进去。鹤荪望了她笑道:“你这样客气,我真是不敢当。”曾美云等人进来了,也不说什么,就一伸手,在他头上取下帽子,一回手交给了老妈子。鹤荪见她穿了绿绸新式的旗衫,袖子长齐了手脉,小小的束着胳膊。衣服的腰身,小得一点空幅没有,胸前高高的突起两块。这绸又亮又薄,电灯下面一照,衣服里就隐约托出一层白色。这衣服的底襟,长齐了脚背,高跟皮鞋移一步,将开岔的底摆踢着有一小截飘动。她在左摆上面,又垂着一挂长可二尺的穗子,上面带着一束通草藤萝花,还有一串小葡萄。走起来哆哩哆唆,倒有个热闹意思,鹤荪不由得先笑了。曾美云见鹤荪老是笑嘻嘻的望着她,便笑问道:“什么事,你今天这样的乐,老是对着我笑?”鹤荪笑道:“我看你这一身,美是美极了。不过据我看来,也有些累赘似的,不知道你觉得怎么样?”曾美云道:“这就太难了。我常穿西服,你们说我过于欧化,失去东方之美。我穿着中国衣服,又说太累赘了,到底是哪一种的好呢?”鹤荪道:“这话还是你不对。中国衣服有的是又便利又好看的。这种衣服,我敢说浑身上下都受了一种束缚,而且还有许多不便。”说着,向曾美云微微一笑。正燃了一支烟卷抽着,于是衔了烟卷,斜靠在沙发上,望了曾美云。她瞟了鹤荪一眼道："你这人是怎么了?总说不出好的来。"说着,挨了鹤荪,也就在沙发上坐下,笑着道："你说你说,究竟是哪一点不便利,你自己不望好处着想,我有什么法子呢?"鹤荪道："我就指点出几种坏处来,譬如手胳膊上的痒,你可没有法子搔,用手做事,如下水洗手之类,不能不小心。这衣服下摆是这样的小,虽然四角开了岔口,总不像短旗袍,光着两腿,可以开大步。上起高台阶,自己踏着衣服,也许摔你一个跟头。再说,如今讲曲线美,两条玉腿,是要紧的一部分,长旗袍把腿遮了起来,可有点开倒车。"曾美云笑道："据你这样说,这种最时新的衣服,倒是一个钱不值。"鹤荪道："衣服不管它时新不时新,总要合那美观和便利两个条件。若是糊里糊涂的时新,究竟是不久就会让人家来打倒的。"曾美云笑道："这样时新的衣服,我还做的不多,要说打倒的话,我很愿意这种衣服先倒。因为大袖子短身材的衣服,我还多着呢,我自然愿意少数的牺牲。"

　　只说到这里,院子外就有人接着嘴说道："要牺牲谁呀?无论站在哪一方面说,我都是少数的,不要将我牺牲了。"鹤荪听了这话,向外问道："咦!这不是老五?"外面答道："是我呀。你料想不到今晚来宾之中,有我这样一位吧?"说着话,这人已是由外面推了门进来,就是上次燕西和曾美云所讨论有曲线美相片的那个李倩云小姐。她手上搭着一件紫色夹斗篷,身上穿一件对襟半西式的白褂子,袖口比两胁长出二三寸。下面穿着猩猩血的短绸裙,其长不到一尺。上面两条光胳膊,下面两条丝袜子裹着大腿,都是圆圆溜溜的。鹤荪因她说了猜不到我吧,这里面言中有物,不好意思把这话追下去说了,便笑道："这孩子真是,只要俏,冻得跳。为什么这样早的时候,你就穿着这样露出曲线美的衣服?"李倩云还不曾答复,曾美云便笑道："你这人怎么这样说话?我穿了这长袖子的衣服,你说是不好,人家穿了短衣服,你又说不好。"鹤荪道："我并不是说不好,不过我觉得这样太薄一点罢了。"说时,便伸手捞住李倩云的胳膊。李倩云笑道："你摸着我的手,我凉不凉,你还不知道吗?"说时,也就向他一挨身坐下,挤着下去。曾美云是坐在鹤荪右边,她就在鹤荪左边,将头靠在鹤荪肩膀上,脸一偏望着曾美云笑道："我这样,你讨厌不讨厌?"说毕,昂着头,眼睛又向鹤荪一溜。曾美云道："老五,你这话是什么意思?"李倩云将嘴对鹤荪一努,笑道："他不是你的吗?我们朋友太亲热了,与你友谊有碍吧?"曾美云道："你这话就自相矛盾,你既然承认是你的朋友,又说恐碍了我的友谊,分明大家都是朋友了。朋友和朋友亲热,与别个朋友有什么相干?二爷又怎能够是我的呢?"李倩云道："虽然都是朋友,可是朋友也要分个厚薄呀。"曾美云道："我和二爷很熟,这是我承认的,但是你和二爷熟的程度,也不会在我以下。我就是听到别人说,关于和二爷交朋友,你我发生了误会。我想,这是哪里的话?谁也不能只交一个朋友哇?所以我今天请客,非把你请到不可,表示我们没有什

么成见。"李倩云笑道:"惟其是这样,所以你一请,我今天就来。我要有成见,今天我也是不会到的了。"鹤荪笑道:"你二位不必多说了,所有你们的苦衷,我都完全谅解。"李倩云将右手伸出,中指按住大拇指,中指打着掌心,拍的一下响。在这响的中间,眼睛斜望着鹤荪道:"反正你不吃亏,你有什么不谅解的呢?"鹤荪伸着手,将她的大腿拍了几下,笑道:"瞧你这淘气的样子。"曾美云笑道:"你们俩在这里蘑菇罢。"说毕,她就起身入室去了。鹤荪和倩云,都以为她果真有事,这也就不跟着去问。过了一会儿,她走了出来,却是焕然一新,原来她也照着李倩云的装束,换了一身短衣短袖的西服出来。鹤荪本想说两句俏皮话,转身一想,那或者有些不好意思,也就向她一笑而已。

第七十六回

声色无边群居春夜短
风云不测一醉泰山颓

　　只在这时，院子里一阵喧哗，刘宝善、朱逸士、赵孟元三个人一同进来了。鹤荪劈头一句便道："老刘，你今天有一件事失于检点。"刘宝善听说，站着发愣，脸色就是一变。鹤荪道："老七的少奶奶今天生日，你怎么也不去敷衍一阵？"刘宝善笑道："我的二爷，你说话太过甚其词，真吓了我一跳。"说完这一句话，才将头上的帽子摘下来。朱逸士笑道："二爷，你有所不知，人家成了惊弓之鸟了。还架得住你说失于检点这一句话吗？"鹤荪笑道："你们一说笑话，就不管轻重，真把刘二爷看得那样不值钱，为了上次那点小事，就惶恐到这样子？"刘宝善将肩膀抬了一抬笑道："二哥，你别把高帽子给我戴，我到现在为止，心里可真是有点不安呢。今天七少奶奶寿辰，我并不是不知道，可是我就怕碰到了总理，问起我的话来，我没有话去回答。衙门里的事，现在我托了有病请着假，真得请你们哥儿几位，给我打个圆场才好。"鹤荪见曾李二小姐在一边含着微笑，自己很不愿朋友失面子，便道："你在哪里喝了酒？说些无伦次的话。"朱逸士、赵孟元也很知鹤荪的用意，连忙将别的言语，把这话扯开。朱逸士就问曾美云道："还有些什么客没到？我给你用电话催一催。"曾美云笑道："你这话有点自负交际广阔，凡是我的朋友，他们的电话，你都全知道，这还了得？不过这里头有两个人你或者认识，就是王金玉和花玉仙。"朱逸士笑道："了不得！这两位和他们哥儿们的关系，你也知道吗？你说我的交际广阔。这样看起来，实在还是你的交际广阔，这件事，知道的人还不会多哩。花玉仙的电话……"只这一句未完，院子里有人接着答道："是六八九九。"说这话的，正是花玉仙的嗓音，已是一路笑着进来了。王金玉、花玉仙两个人，牵着手笑嘻嘻的走了进来。鹤荪道："今天晚上怎么回事？提到谁，谁就来了。"花玉仙道："倒有个人想来，你偏不提一提。"鹤荪便问是谁，花玉仙道："我们来的时候，黄四如在我那里，她很想来。可是她不认识曾小姐，不好意思来。"曾美云道："那要什么紧？

只管来就是了。朋友还怕多吗?花老板,就请你打个电话,替我请一请。"鹤荪道:"那不大好吧?她是王二哥的人,只有她没有王二哥,王二哥年纪轻,醋劲儿大,会惹是非的。"王金玉道:"他们俩感情有那么好,那就不错了。四如倒真有点痴心,可是王二爷真看得淡极了,总不大理会她。"曾美云道:"那个王二爷?不就是金三爷的令亲吗?我也认识的,那就把他也请上罢。"鹤荪道:"你请多少客,还能够添座?"曾美云道:"除现在几位之外,就是李瘦鹤和乌老二,原是预备临时加上两位的。"刘宝善听说,便去打电话催请。花玉仙家到这里不远,首先一个便是黄四如到了。她一进来,就请花玉仙给她介绍两位小姐。曾美云见她异常的活泼,就拉着她的手笑道:"我为了黄老板要来,把王二爷也请了,你想我这主人翁想的周到不周到?"黄四如笑道:"曾小姐,你别听人家的谣言,王二爷和我,也不过是一个极平常的朋友,他来不来,与我是没有关系的。"鹤荪笑道:"你这人,看去好像调皮,其实是过分的老实,我听说你对王二爷感情不错,可是王二爷对你很寡情。既是这样,你应该造一个空气才好,为什么反说你和王二爷没有什么关系,这样一来,他是乐得推个干净了。老刘,我们可以作点好事,小王来了,我们给她拉拢拉拢。"刘宝善笑道:"这个我是拿手,只要黄老板愿意的话……"说着,望了黄四如。黄四如道:"刘二爷,你别瞧我,我总是乐意的。拉人交朋友,总是好心眼。"李倩云听了,向她点了点头,笑道:"你说话很痛快,我就欢喜这样的人。"黄四如看到李倩云那样子,似乎是个阔小姐,便借了这个机会,和她坐在一处谈话。一会子工夫,李瘦鹤来了,王幼春也来了,只有乌二小姐一个人了。

　　曾美云分付听差不用等,在别一间小客厅子里开了席,请大家入座。刘宝善早预备席的次序,四周放了来宾的姓字片,将王黄二人安在邻席。王幼春不知道黄四如在这里,进来之后也没法子躲,就敷衍了几句。黄四如也很自量,只和李倩云说话。王幼春见李倩云浑身都露着曲线美,脸上淡淡的胭脂,衬着深深的睫毛,眼睛微微低着看人,好像有点近视似的,越发的增了几分媚态。她又不时的微笑,露出一嘴齐整的白牙来。王幼春只闻其名,今日一见,果然名不虚传,不觉多看她几眼。他只知道李倩云小姐和金家兄弟们有交情,却不知黄四如却也和她好。现在看出来了,要想认识认识她,少不得还要走着黄四如的路子才好。因此把不理会黄四如的心思,又活动一点。这时入席见自己的位子和黄四如的位子相连,待要不愿意,很显然得罪她。得罪了她,怎能借着她和李倩云去亲近?因此只装着模糊,大家按照名字入席,自己也就按了名字入席。黄四如坐下,拿起王幼春的杯筷,就用碟子底下的纸片来擦。王幼春笑道:"你还和我来这一手?"黄四如笑着轻轻的道:"怎么样?巴结不上吗?"王幼春道:"哪有这样的道理?你就说得我这人那样不懂事?我是说我们不应该客气。"黄四如道:"既不应该客气,你就让我动手得了,又说什么呢?"于是王幼春也就只好一笑了之。他二人说话，声音是非常的细微，在座的人，有听见的，少不得向着他们笑。

李倩云道："大家笑，我可不笑。朋友在一处，客气一点，擦擦杯筷，这也不算什么？"因看见右手李瘦鹤的杯筷，还不曾擦，便笑道："我也给你擦擦罢。"说着，就把他面前的杯筷拿了起来擦。李瘦鹤只呵呵两声，连忙站了起来，一面用双手接了过来道："真不敢当! 真不敢当!"口里说着，眼睛又望着鹤荪。刘宝善在对面看见，笑道："这样一来，我倒明白了一个典故，晓得书上说的受宠若惊，是一句什么意思了。你瞧我们这李四爷。"李瘦鹤笑道："你不是心里觉着难受吗? 这一会子，你的嘴又出来了。"刘宝善道："不错，我心里是很难受。可是我这分子难受，也应该休息一会儿，若是老这样难受下去，你猜我不会急死吗?"李瘦鹤笑道："你这话我倒赞成，中国真正的过渡时代，总算咱们赶上了。在这只破船里遇着这样的大风大浪，咱们都是不知命在何时? 干吗不乐上一乐?"李倩云已是把杯筷擦干净了，听他这样说，就伸手拍了他的脊梁道："你这话很通，我非常的赞成。"王幼春见李倩云是这样的开通，他想道: 自己若是坐在李瘦鹤那个地方，就是不要什么介绍，也未尝不可以和她玩起来的。可惜事先不知道，要知道她这样容易攀交情的，我就硬坐在那边去。他心里是这样想着，眼睛少不得多看了李倩云几眼。李倩云的眼光，偏是比平常人要锐利些。她便望着王幼春抿嘴一笑。这个时候，听差斟过了一遍酒，大家动着筷子吃菜。王幼春见李倩云笑他，他就不住的夹了几筷子咀嚼着，想把这一阵微笑敷衍过去。李倩云笑道："二爷这人有点不老实，既然是看人家，就大大方方的看得了，干吗又要躲起来不好意思呢?"这一说不打紧，王幼春承认看人家是不好，不承认看人家也是不好，红着脸只管笑着说："没有这话，没有这话。"心里可就想着，这位小姐浪漫的声名，我是听到说过的，可不知道她是这样敞开来说。赵孟元就道："李老五，我有一句话批评你，你可别见怪。"李倩云一偏头道："说呀! 你能说，我就能听，我不知道什么叫着见怪?"赵孟元道："那我就说了。你这人开通，我是承认的。可是两性之间，多少要含一点神秘的意味，那才感觉得有趣。若是像你这一样，遇事都公开，大煞风景。譬如王老二，他偷看你，是赏鉴你的美。据你刚才那种表示，虽不能说是你欢迎他的偷看，可是不拒绝他偷看。你既不是拒绝，口里就别言语，或者给一点暗示也可以。那末，王老二对于你这份感情那就不必提了，至少他把你心事当哑谜猜，够他猜一宿的了。你这一说，他首先不好意思再看你，或者还要误会你故意揭他的短处，把他羡慕你的心思，至少也要减除一半。你把一个刚要成交的好朋友，兜头浇了一盆凉水了。"李倩云且不答复赵孟元，却笑问王幼春道："老赵的话对吗? 你真怪我吗?"王幼春怎样好说怪她，连说："不不。"李倩云笑道："我不敢说我长得美，可是哪一个女子,也乐意人家说她美的。要不然,女子擦粉,抹胭脂,烫头发,穿高跟鞋为着什么?为着自己照镜子给自己看吗?所以我并不反对人家看我的。"在桌上的男宾,除了王幼春而外,都鼓起掌来。赵孟元就向她伸了一个大拇指,笑道:"你这种议论,总算公道,所有女子不肯说的话,你都说出来了。"李倩云笑道:"你别瞧我欢喜闹着玩,可是交朋友又是一件事。谁要愿意和我交朋友,我嘴里不说出来,心里未尝不明白。譬如王二爷他今天一见着我,就有和我交朋友的意思,不过初次见面,不好意思十分接近。其实社交公开年头儿,那没有关系,爱和谁交朋友,就和谁交朋友去。至于哪个人愿意不愿意和你交朋友,那又是一个问题,就别管了。"李瘦鹤道:"这样说,你愿不愿和王二爷交朋友?"李倩云道:"在座的人,谁要和女人交朋友,都有这意思,就算是发生了恋爱。这一点,我不便直说。"赵孟元拿了手上的筷子,轻轻在桌子上一敲笑道:"得!我们索性敞开来说。我问你,你和鹤荪交情是不错的了,究竟是朋友,是爱人呢?"李倩云倒不料他会问出这一句话来,不直说了,他们一定要批评自己还是不能硬到底。果然直说了,又怕会对不住曾美云。先望着鹤荪笑了一笑,然后右手用筷子夹了几丝菜,在嘴里咀嚼着,左手端起酒杯子来,咕嘟喝了一口酒。笑着用筷子指着鹤荪道:"我和他的事,你不是明知故问吗?"曾美云一看他们这样的玩笑,不免有点不高兴,可是碍着面子,又不便说什么,只得望了大家傻笑。鹤荪因为李倩云说的话,也是太露骨一点,便笑道:"傻孩子,你喝醉了酒了吗?"李倩云笑道:"你别怪我,我是骑虎莫下。你想,我拿人家打冲锋,已经说在前面了。到了我自己,我就不说,那还不是自己打自己的嘴巴吗?其实我们也不过深进一层的朋友,谈到爱人,你当着大众,是不肯承认的。就是我在这席上面,也不敢硬说出来我和你有什么关系。"曾美云道:"老五,你今天的酒,果然是喝多了。他们都拿你开心,你上了人家的当,还不知道吗?"李倩云见鹤荪和曾美云都有点不乐意的样子,心想,若继续的向下说,一定会闹得不欢而散,不如就借了这个机会转圜,因笑道:"可不是吗?他们都拿我开心的,我不说了。"回转头来,就向李瘦鹤笑道:"李老,你怕嚷不怕嚷?若是不怕,我们来豁上几拳,你看好不好?"李瘦鹤也是醉心于李老五的,他特别的见邀,岂有不从之理?马上点头笑道:"来来来!"上话时,左手卷着右手袖口,左手已是伸出拳头来了。马上七巧八马,总算把刚才的话锋遮掩过去了。但是一开了端,大家豁起拳来,就闹了个不休。曾美云看了李倩云风头出足了,却提议道:"老五的酒量很好,拳也很好,能打一个通关吗?"李倩云道:"你想灌醉我的酒吗?"曾美云道:"并不是我要灌醉你的酒,不过我看你这样兴高采烈,给你凑一凑趣。你若没有那个胆量,你就不必尝试了,好在你又不是三岁两岁的小孩子,给人家一冤就冤上了。你说我是冤你,就算是冤你,我也不去否认。"李倩云笑道:"得!我就打一个通关。"于

605

是左手将右手的光胳膊擦了一擦，就向李瘦鹤笑道："来来来！这该先轮着你了。"李倩云究竟是个女子，对于这种武剧化的猜拳，决不也像男子那样有经验，因之打到一半，就退回来。她又不服这口气，非打通不可，只管向下打了去。这样一来，酒就喝得可以了。只有半餐酒席的工夫，李倩云两脸喝得通红，只管笑哈哈的高声说话。只见耳朵根上带的两根耳坠子，只管摇摆不定，已经醉得可以了。鹤荪看了有些不过意，就对她笑道："你还闹什么？人家糊弄你，你不知道呢。我看有好几拳，都是你赢了，人家手快，手指头一伸一缩，就混过去了。你的拳实在好，人家不和你正正经经的豁，也是枉然。"说着，向李瘦鹤丢了一个眼色。李瘦鹤一见会意，便笑道："老五，他们大家都不忠厚，你不要来吧。"李倩云道："是真的吗？"说着话，鼓了嘴，呼都呼都的呼出两口气，因见旁边茶几上放有两碟水果，便走身拿了一个大梨，站在当地咬。恰好王幼春也起来拿烟卷，李倩云就笑向他道："你看我醉不醉？"王幼春笑道："醉不醉？问你自己，我怎样知道呢？"李倩云笑道："也许我喝得多一点了，脸上都发烧了，你摸摸我的脸。"王幼春当了许多人，已经觉得不便伸手摸人家的脸，况且李倩云又说了在先，自己是偷看人家的，更不好摸人家，只得向她笑了一笑。李倩云见他不好意思摸，就拿着他的手，用脸向前一伸，一直伸到王幼春怀里，跷起脚来，脸在王幼春脸上一贴，斜着眼睛问道："你看发烧了不是？"王幼春真不料她有这种直率，吓得向后一退。李倩云将嘴一撇道："你瞧，他还害臊！"鹤荪皱了皱眉道："她真是醉了，让她躺下罢。"于是站起身来，两手挽着她，向隔壁屋子里一张长椅上躺下。她倒是睡下了，鹤荪待要走时，她一把将鹤荪拉住，笑道："你别走，咱们谈谈。"鹤荪坐在长椅的尾端，笑道："你今天也闹得够瞧了，还打算闹吗？"

说到这里，那面散了席，大家一窝蜂似的，拥到这边屋子来。刘宝善笑道："饭是吃过了，我们找一点什么娱乐事情？"李瘦鹤道："打牌打牌。"刘宝善道："我们有这些个人，一桌牌，如何容纳得下？"李瘦鹤道："打扑克，推牌九，都成。"刘宝善道："娱乐的事情也多，为什么一定要赌钱？让曾小姐开了话匣子，我们跳舞罢。"黄四如一见李倩云和王幼春闹的那样热闹，心里十二分不高兴，可没有法子劝止一句，只是脸上微笑，心中生闷气。这时刘宝善提到跳舞，她不觉从人丛中跳了起来，拉着刘宝善的手道："这个我倒赞成，我早就想学跳舞，总是没有机会。今天有这些个教员，我应该学一学了。"王金玉道："我也是个外行，我也学一学，哪个教我呢？"刘宝善用手指着鼻子尖，笑道："我来教你，怎么样呢？"王金玉笑道："胡说！"刘宝善道："你才胡说呢？跳舞这件事，总是男女配对的，你就不让爷们教，你将来学会了，难道不和爷们在一处跳吗？你要是不乐意挨着爷们，干脆，你就别学跳舞。"王金玉道："我也不想和别人跳，我只学会了就得了。"刘宝善道："那更是废话！不想和人家跳,学会了有什么意思?"曾美云道:"不要闹,你先让她看看,随后她就明白了。"于是指挥着仆役们,将屋子中间桌椅搬开。话匣子也就放在这屋子里的,立刻开了机器,就唱了起来。只在这时,乌二小姐嚷了进来,连说:"来迟了,来迟了。"鹤荪道:"你怎么这时候才来呢?可真不早哇。"乌二小姐还不曾答复这问题,赵孟元迎着上前,将她一搂,笑道:"咱们一对儿罢。"说着,先就跳舞起来。其余曾美云和鹤荪一对,刘宝善和花玉仙一对,王幼春和李倩云一对。王幼春不曾想到和李倩云一对跳舞的,只因站在沙发椅的头边,李倩云一听到跳舞音乐,马上站立起来,他看见王幼春站着发愣,笑道:"来呀。"面对王幼春而立,两手就是一伸。王幼春到了这时,就也莫名其妙的和她环抱起来。环抱之后,这才觉得有言语不可形容的愉快。王金玉和黄四如站在一边,都只是含着微笑。曾美云这个话匣子,是用电气的,放下一张片子,开了电门,机器自己会翻面,会换片,所以他们开始跳舞之后,音乐老没有完,他们也就不打算休息。还是曾美云转到话匣子边,将电门一关,然后大家才休息。刘宝善走过来问黄四如道:"你看,这不是很平常的事情吗?值得你那样大惊小怪。"黄四如看他们态度如常,也就只对他们微笑点点头。刘宝善道:"你若愿意来的话,我就叫王二爷来教你。"李倩云道:"王二爷的步法很好,让他教你罢。"王幼春见人家当面介绍了,自然是推辞不得,也就只是向着大家微笑。

又休息了一会,话匣子开了起来,便二次跳舞。黄四如虽是有点不好意思,但是看着有人为之在先了,也就不十分害臊。王幼春道:"你一点都不懂吗?"黄四如抿着嘴唇,点了点头。王幼春笑道:"你这个蘑菇,我告诉你一个死诀窍,你既是不会跳,你就什么也不用管,只管身子跟我转,脚步跟我移。"黄四如笑着,点了点头。于是王幼春将她环抱着,混在人群中跳。黄四如刚才在一边,仔细看了那末久,已经有些心得,现在王幼春又教她不要作主,只管跟了跑,当然还不至于十分大错。王幼春原是不大欢喜黄四如的,这个时候手环抱着她的腰,她的手在肩上半搭过来,肌肤上的触觉,有两个消息告诉心灵,便是异样的柔软与温暖,加上一阵阵的粉香,尽管向人鼻子里送来,人是感情动物,总不能无动于衷。因之经过一回跳舞之后,王幼春也就和黄四如坐在一张沙发上同喝茶。笑问道:"你觉得有趣没有趣?"黄四如道:"当然是有趣,若是没有趣,哪有许多人学跳舞呢?"王幼春道:"你吃力不吃力?"说着,伸了手摸黄四如的胳膊,觉得有些汗涔涔的。黄四如因轻轻的用脚碰着他的腿道:"这一会子你不讨厌我了吗?"王幼春觉得她这话怪可怜的,不由得哈哈笑起来。因道:"你这话可得说清楚,我什么时候又讨厌你了?"黄四如是明明有话可答的,她想着是不答复出来的好,便笑道:"只要这样就好哇!我还不乐意吗?"说时,握了王幼春的手,望了他一眼,轻轻的道:"明天到我家里去玩,好不好?"王幼春笑着,点了点头。黄四如拉住他的手，将身子扭了两扭，哼着道："我不！你要说明你究竟去不去？我不！你非说明不可。"王幼春笑道："去是去的，不知道是预备什么送你？"黄四如正色道："那样你就是多心了。难道说我要你到我家里去，我是敲你竹杠吗？"王幼春道："不是那样说。因为我初次到你府上去，就这样人事一点没有，似乎不大好看似的。"黄四如道："你真老妈妈经了，怎么还要带东西，才好到人家家里去呢？若是二爷要一点面子的话，给我们老妈子三块五块的，那就很好。只要交情好，还在乎东西吗？哟！这话我可说得太亲热一点。"说着，掏了手绢掩住嘴笑。王幼春喝的酒，这时慢慢的有点发作了，精神兴奋起来，不觉得有什么倦容，就只管和黄四如谈话。偶然感到口渴了，站起来要倒一杯茶喝。四周一看，这屋子里只剩电光灿烂，那些坐客，全不知道哪里去了。因笑道："我听说他们要到前面打牌去，也没有留神，怎么就去了？"黄四如将右手中间三指捏着，将大拇指小指伸出来，大拇指放在嘴上一比道："是这个吧？"王幼春道："不能吧？他们都没有瘾的，除非借此闹着玩两口。我瞧瞧去。"于是悄悄的掀开左边的帷幔，只见面里点了两盏绿电灯，并不见人。由这屋拐过去，便是曾美云的内室。走进去，听到隐隐有笑声，好像是曾美云说把客送到这里再说罢。王幼春便退出来了，右边是刚吃酒的地方，拐过去是东厢房。果然有鸦片气味，却是刘宝善横在一张小铜床上吸烟，王金玉陪着。王幼春道："一会子工夫，人都哪里去了？"刘宝善道："他们说是打扑克去了，大概在前院罢。他们的意思，是怕吵了主人翁。"王幼春走回来，叫着黄四如道："小黄，他们打扑克去了，我们也去加入。"黄四如却没有答应，缩了脚，侧着身子睡在沙发上。王幼春道："别睡着呀，仔细受了冻。"黄四如伸了一个懒腰，朦胧着两眼，慢慢的道："好二爷，什么时候了？我真倦，你有车子吗？请你送我回家去。"说毕，又闭上眼睡了。王幼春推了她几推，她还是睡着。没有法子，一个人只好坐着陪了她。静静悄悄的，过了一会子。黄四如坐起来，手抚着鬓发道："呀！电灯灭多久了？窗子上怎么是白的？天亮了吧？"王幼春将窗纱揭开，隔玻璃向外张望，因笑道："可不是天亮了吗？春天的夜里，何以这么短？混了一下子，天就亮了！"黄四如笑道："现在，你该送我回家了吧？还有什么可说的？"王幼春道："这个时候天刚亮，谁开门？索性等一会子罢。"黄四如笑道："真是糟心，回又回去不得，睡又没有地方睡。"王幼春道："你在那沙发上躺着罢，我到别的地方，找个地方打个盹儿。"黄四如果然在沙发上睡了，王幼春却转到烧鸦片那间屋子里去。只见烟盘子依然放在床中间，刘宝善却和王金玉隔着灯盘子睡了。再转到前面，只见那小客厅里，桌子斜摆着，上面铺了厚绒垫，散放了一桌的扑克牌，和红绿筹码子，还有一张五元的钞票。王幼春自言自语的道："这也不知是谁的钱太多了？"捡了起来，向裤子袋里一塞。屋子里并没有人，李倩云、李瘦鹤、乌二小姐，都不知道到哪里去了？这时候也不便去叫听差的，还是回到上房，就在一张小沙发上坐下，把两只脚抬起来，放在别张沙发上，这也可以算是躺下，就睡下了。

及至醒来，已是十二点钟了，有人摇着他的肩膀道："你这样睡着，不受累吗?"抬头一看，却是鹤荪。王幼春将两只脚慢慢的放下来，用手捶着腿道："真酸真酸。"鹤荪道："既然酸，为什么还睡得很香哩?"王幼春道："你不知道，昨天晚晌实在闹得太厉害，倦极了，所以坐下来就睡了。"曾美云也在身后站着了，笑着，向王幼春道："这样闹，可是可一而不可再呀。"王幼春笑道："要闹也是大家闹，不是我一个人呀。"王金玉搭着花玉仙的肩膀，走进了屋来，笑着对黄四如道："小黄，睡够了没有?我们该走了。"黄四如在里面屋子里，理着头发，和曾美云深深的道了一声谢，然后走了。其余男客女客，也各有事，各自告辞。惟有鹤荪本人，曾美云要留着吃了午饭再走。鹤荪因闹了一夜，总还没有睡得好，在这里能休息一会儿，也是好的，因此就表示可以吃午饭。又是两点钟才开出来，吃过了午饭，天就快黄昏的时候了。鹤荪想起有几件事，要办一办，又到别处混了一混，并没有回家。到了晚上八点钟，电话约了曾美云在中外饭店吃饭，带看跳舞，算是对于昨晚的宴会小小回席。

到了九点钟的时候，只见饭店里的西崽，引着金荣一直到舞厅里来。鹤荪见金荣的颜色有些不对，连忙在跳舞场出来，将金荣拉到一边，轻轻的问道："家里有什么事吗?是二少奶奶找我吗?"金荣满面愁容的道："不是的，总理喝醉了酒，身体有些不舒服。恰好几位少爷都不在家，我们这个忙，不用说，到处找人。"鹤荪道："喝醉了酒，也不妨事，你们大惊小怪的做什么?"金荣道："不是光喝醉了，而且摔了一跤，人……是不大好，找了好几个大夫在家里瞧。二爷，你赶快回家去罢，现在家里是乱极了。"鹤荪听了这话，心里也卜通一跳，连问："怎样了?"一面说话，一面就向外走，连储衣室的帽子，都忘了去拿。走出饭店门，才想起没有坐车来。看看门口停的汽车号码，倒有好几辆是熟朋友的汽车，将里面睡的汽车夫叫醒，说明借车一用，也不让人家通知主人，坐上去就逼着他开车。到了家门口，已经停了七八辆车在那里，还有一两辆车上画了红十字。鹤荪一跳下车，进了大门，遇到一个听差，便问总理怎么样了?听差说："已经好些。"鹤荪一颗乱蹦的心，才定了一定。往日门房里面，那些听差们总是纷纷议论不休，这时却静悄悄的一点声息没有。鹤荪一直向上房里走，走到金铨卧室那院子里，只见唧唧喳喳，屋子里有些人说话，同时也有一股药气味，送到人鼻子里。风举背了两手，在走廊上走来走去，尽管低了头，没有看到人来了似的。燕西却从屋子里跑出来，却又跑进去。隔了玻璃窗子，只见里面人影摇摇，似乎有好些人都挤在屋子里。鹤荪走到风举面前，风举一抬头，皱了眉道："你在哪里来?"鹤荪道："我因为衙门里有几件公事办晚了，出得衙门来，偏偏又遇到几个同事的拉了去吃小馆子，所以迟到这个时候回来。父亲究竟是什么病?"凤举道:"我也是有几个应酬,家里用电话把我找回来的。好端端的,谁料到会出这样一件事呢?"鹤荪才知这老大也犯了自己一样的毛病,是并不知道父亲如何得病的。只得闷在肚里,慢吞吞的走进金铨卧室里去。

　　原来金铨最近有几件政治上的新政策要施行,特约了几个亲信的总长,和银行界几个人在家里晚宴。本请的是七点钟,因为他的位分高,作官的人也不敢摆他的官派,到了六点半钟,客就来齐了。金铨先就发起道:"今天客都齐了,总算赏光。时间很早,我们这就入席。吃完饭之后,我们找一点余兴,好不好?"大家都说好,陪总理打四圈。金铨笑道:"不打就不打,四圈我是不过瘾,至少是十六圈。"说毕,哈哈大笑。听差们一听要赌钱,为了多一牌多一分头子的关系,马上就开席,格外陪衬得庄重起来。宾主入席之后,首席坐的是五国银行的华经理江洋,他是一个大个儿,酒量最好。二席坐的是美洲铁路公司华代表韩坚,也是个酒坛子。金铨旁边坐的财政赵总长,便笑道:"今天有两位海量的佳宾,总理一定预备了好酒。"金铨笑道:"好不见得好,但也难得的。"于是叫拿酒来。大家听说有酒,不管尝未尝,就都赞了一声好。金铨笑道:"诸位且不要先说好,究竟好不好?我还没有一点把握。"便回头问听差道:"酒取来了没有?"听差说:"取来了。"金铨将手摸了一摸胡子笑道:"当面开封吧。纵然味不好,也让大家知道我决不是冤人。"说着,于是三四个听差,七手八脚的扛了一坛酒来。那坛子用泥封了口,看那泥色,转着黑色,果然不是两三年的东西了。金铨道:"不瞒诸位说,我是不喝酒,要喝呢,就是陈绍。我家里也有个地窖子,里面总放着几坛酒。这坛是年远的了,已有十二年,用句烂熟的话来赞它,可以说是炉火纯青。"在座的人,就像都尝了酒一般,又同赞了一声好。听差们一会儿工夫,将泥封揭开。再揭去封口的布片,有酒漏子,先打上两壶。满桌一斟,不约而同的,各人都先呷了一口。呷了的,谁也不肯说是不好。金铨也很高兴,分付满席换大杯子,斟上一遍,又是一遍,八个人约摸也就喝了五六斤酒。金铨已发起有酒不可无拳,于是全席豁起拳来。直到酒席告终,也就直闹两个钟头了。金铨满面通红,酒气已完全上涌,大家由酒席上退到旁边屋子里来休息的时候,金铨身子晃荡晃荡,却有点走不稳,笑道:"究竟陈酒力量不错,我竟是醉……"一个了字不曾说完,人就向旁边一歪。恰好身边有两个听差,看到金铨身子一歪,连忙抢上前一步,将他扶住。然而只这一歪身子之间,他就站立不住,眼睛望了旁边椅子,口里啰儿啰说了两声,手扶了椅子靠,面无人色的,竟倒了下去。这一下子,全屋子人都吓倒了。

第七十七回

百药已无灵中西杂进
一瞑终不视老幼同哀

　　这个时候,听差李升,在一边看到,正和他以前伺候的李总长犯了一样的毛病,乃是中风。说了一声不好,抢上前来一把搀住,问道:"总理,你心里觉得怎样?难受吗?"金铨转眼睛望着他,嘴里哼了一声,好像是答应他说难受。大家连忙将金铨扶到一张沙发上,嚷道:"快去告诉太太,总理有了急病了。"旁的听差,早跑到上房去,隔着院子就嚷道:"太太,不好了!太太,不好了!"金太太一听声音不同,将手边打围棋谱的棋盘一推,向外面问道:"是谁乱嚷?"那一个听差,还不曾答复,第二个听差又跑来了,一直跑到窗子外边,顿了一顿,才道:"太太,请你前面去看罢。总理摔了一下子,已经躺下了。"金太太觉得不好,一面走出来,一面问道:"摔着哪里没有?"听差道:"摔是没有摔着哪里,只是有点中风,不能言语了。"金太太听说,呀了一声,虽然竭力的镇定着,不由得浑身发颤,在走廊上走了两步,自己也摔了一跤。也顾不得叫老妈子了,站了起来,扶着壁子向前跑。到了前面客厅里,许多客围住一团,客分开来,只见金铨躺在沙发上,眼睛呆了,四肢动也不动。金太太略和他点了一点头,便俯着身子,握着金铨的手道:"子衡,你心里明白吗?怎么样?感觉到什么痛苦吗? 我来了,你知道吗?"金铨听了她的话,似乎也懂得,将眼睛皮抬起望了望她。那些客人这一场酒席,吃的真是不受用。现在主人翁这样子,走是不好,不走也是不好,就远远的站着,都皱了眉,正着面孔,默然不语。有一个道:"找大夫的电话,打通了没有?"这一句话,把金太太提醒,连忙对听差道:"你们找了大夫吗?找的是哪个?再打电话罢,把我们家几个熟大夫都找来,越快越好,不管多少钱。"几个听差的答应去了。同时家里的人,都拥了出来。来宾一看,全是女眷,也不用主人来送,各人悄悄的走了。因为这正是吃晚饭刚过去的时候,少奶奶小姐们,都在家里,只有二姨太和翠姨不曾上前。原来二姨太听了这个消息,早来了,只是远远的站着,不敢见客。一看金铨形色不好,也不知道两眶眼泪水,由何而至?无论如何,止它不住,只是向外流。自己怕先哭起来,金太太要不高兴,因此掏出手绢,且不擦眼睛,却捂住了嘴,死命的不让它发出声音来。及至大家来了,她挤不上前,就转到一架围屏后去,呜呜咽咽的哭。翠姨吃过晚饭之后,本打算去看电影,拢着头发,擦好胭脂,换了一身新鲜的衣服,正待要走。听说金铨中了风,举家惊慌起来。这样子上前,岂不先要挨金太太一顿骂?因此换了旧衣服,又重新洗了一把脸,将脸上的胭脂粉一律擦掉,这才赶忙的走到前面客厅里来。好在这时金太太魂飞魄散,也没有心去管他们的事,叫听差找了一张帆布床来,将病人放在床上,然后抬进房去。同时,金太太也进房了。

将金铨抬入卧室,就平正放在床上。他们家那个卫生顾问梁大夫也就来了。梁大夫一看总理得了急病,什么也来不及管,一面挂上听脉器,一面就走到床面前,给金铨解衣服的钮扣,将脉听了一遍,试了一试温度。这才有工夫,回头见身后挨肩叠背的挤了一屋子人,因问道:"大爷呢?"听差的在一旁插嘴说:"都不在家。"梁大夫一看金太太望着床上,默然坐在旁边的椅子上,便半鞠着躬向她问道:"这病不轻,名叫脑充血。救急的办法,先用冰冰上,当然还得打针。是不是可以,还要请太太的示。"梁大夫这样半吞半吐的说着,话既没有说完全,金太太又不明白他的意思所在,便道:"人是到了很危急的时候了,怎能救急,就请梁大夫怎样作主张去办。要问我,我哪里懂得呢?"梁大夫待要说时,德国大夫贝克也来了。梁大夫和他也是朋友,二人一商量之下,便照最危急的病症下手。刘守华急急忙忙的首先来了,他手上拿着帽子乱摇,口里问:"怎么样?怎么样?"他虽不是金家人,究竟是个半子职分的女婿。只走到房门口,道之就将他拦住,把大略情形告诉了他。刘守华连连点头道:"当然当然,这还有什么问题。"于是到了房里,轻轻和两位大夫说了,责任由家庭负,请他只管放手去诊。两位大夫听了这话,就准备动手。可是一个日本田原大夫,又带了两个女看护来了。金铨睡的卧室虽大,无如里面的人也不少,因此梁大夫就和金太太商量,将家里人都让出屋子外来,只留金太太和刘守华在里面。梁大夫和德国大夫日本大夫一比,当然是退避三舍,就让贝克和田原去动手。正在动手术的时候,燕西却由外面首先回家了。走到走廊外,听屋子里鸦雀无声。只是屋子里电光灿烂,在外面可看到人影幢幢。正要向前,那脚步不免走得重一点,润之却由外面屋子里走出来,和他连连摇摇手,并不说话。这样子分明是不让进去,不让高声。燕西便皱了眉,轻轻的问道:"现在怎么样了?"润之道:"正在施行手术,也许打了针就好了。"燕西走过一步,探头向里面看时,只见父亲屋子里,四个穿白衣服的,都弯了腰将床围住。刘守华背了两只手,站在医生后面探望。母亲却坐在一边躺椅上,望着那些人的背影,一语不发。由人缝里可以看见金铨直直

的躺在床上，一动也不动，而且是声息全无。燕西一见，才觉得情形依然很是严重，站在门口，呆呆的向里望着。刘守华一回头，见他来了，便掉转身，大大的开着脚步，轻轻的放下来。两步跨到门外，拉了燕西的衣襟，嘴向屋里一努，意思是让他进去。燕西听到父亲突患急病，这是一生最大关键的一件事，怎么够忍耐着不上前去看？因此轻轻的放着脚步，踏一步，等一步，走到里面。在医生后面伸头望时，见女看护手上，拿了一个玻璃筒子，满满的装了一筒子紫血，似乎是手术已经完了，三个大夫正面面相觑，用很低微的声音说着英语。看那神气，似乎也许病要好一点。因为他们说着话，对了床上，极表示很有一种希望的样子。再看床上，金铨上身高高的躺着，垂着外边的一只手，略略曲起来。脸是像蜡人似的，斜靠在枕上，只是眼睛微张，简直一点生动气色没有。燕西不看还好，一看之下，只觉心口连跳上了一阵。一回头，鹏振也站在身后，一个大红领结，斜坠在西服衣领外面，手上拿了大衣和帽子，也呆了。三个医生在床前看了一看，都退到外面屋子来，燕西兄弟也跟着。早有听差过来，将鹏振的衣帽接过去，轻轻的道："三爷坐的汽车，是雇的吧？还得给人车钱呢。"鹏振在身上掏出一沓钞票，拿了一张十元的，悄悄塞在听差的手上，对他望了一望，又皱了一皱眉。听差知道言语不得，拿着钱走了。燕西已是忍耐不住，首先问梁大夫道："你看老人家这病怎么样？现在已经脱了危险的时期吗？"梁大夫先微笑了一笑，随后又正着颜色道："七爷也不用着急，吉人自有天相。过了一小时，再看罢。"燕西不料他说出这种不着痛痒的话来，倒很是疑惑。凡是大夫对于病人的病，不能说医药可活，推到吉人自有天相上去，那就是充量的表示没有把握。鹏振听了，更是急上加急。一想起他们的这个家庭，全赖老头子，仗着国务总理的一块牌子，一个人在那里撑持着。所以外面看来，觉得非常的有体面。而他们弟兄们，也得衣食不愁，好好的过着很舒服的日子。倘然一旦遭了不讳，竟是倒了下来，事情可就大大的不同了。这实是一种切己的事情。任他平日就是一个混蛋，当他的念头如是的一转，除了着急之外，心中自然觉得一阵的悲切。这眼泪就再也忍不住，几乎要扑簌簌的掉下来了。像他已是这般的悲切，这二姨太比他的处境更是不同，正有说不出的一种苦衷，心中当然更要加倍的难过，早坐在外边屋子垂泪。一会儿，方揸着泪道："老三走来，我和你商量商量。"她口里叫着人过来，自己倒走出屋子去了。鹏振、燕西都跟了来，问什么事？二姨太看看屋子里的医生，然后轻轻的道："西医既没有办法，我看请个中医来瞧瞧罢，也许中医有办法呢。"鹏振道："也好，几个有名的中医，都托父亲出名介绍过的。一找他们，他们自会来的。"于是就分付听差打电话，把最有名的中医谭道行大夫请来。一面却请几位西医在内客厅里坐，以免和中医会面。

这个谭大夫，是陆军中将，在府院两方，都有挂名差事，收入最多。为了出诊便利起见，也有一辆汽车。所以不到半个钟头，他也来了。听差们引着，一直就到金铨的卧室里来。他和鹏振兄弟拱手谦让了一会儿，然后侧身坐在床面前，偏着头，闭着眼，静默着几分钟，分别诊过两手的脉。然后站起来，向鹏振拱拱手向外，意思是到外面说话。鹏振便和他一路到外面屋子来，首先便问一句怎么样？谭大夫摸了两下八字须，很沉重的道："很严重哩! 姑且开一个方子试试罢。"桌上本已放好笔砚八行，他坐下，擂着墨，出了一会子神，又慢吞吞的蘸着笔许久，整了一整纸，又在桌上吹了一口灰，才写了一张脉案，大意是断为中风症。并云六脉沉浮不定，邪风深入，加以气血两亏，危险即在目前，已非草木可治。鹏振拿起方子一看，虽不知道药的性质如何，然而上面写的邪风深入，又说是危险即在目前，这竟和西医一样，认为无把握了。因道："看家父这样，已是完全失了知觉，药熬得了，怎样让他喝下去呢？"谭大夫道："那只好使点蛮主意，用筷子将总理的牙齿撬开灌了下去。"鹏振虽觉得法子太笨了，然而反正是没用了，将药倒下去再说。于是将方子交给听差们，让快快的去抓药。谭大夫明知病人是不行了，久待在这里，还落个没趣，和鹏振兄弟告了辞，匆匆的就走了。金太太先听说请中医，存着满腔的希望，以为多少有点办法。及至中医看了许久，结果，还是闹了个危险即在目前。而且药买来了，怎样让病人喝下去，也还是个老大的问题。看看床上躺的人，越发的不动了，连忙嚷道："快请大夫，快请大夫。"大家一听嚷声，便不免各吃一惊。有些人进房来，有些人便到客厅里请大夫。这三个大夫，已经受了燕西的委托，就在这里专伺候病人。至于医费要多少，请三个大夫只管照价格开了来，这里总是给。三个大夫听了这种话，当然无回去理由之可言，所以都在客厅里闲谈，只一请，便都来了。那梁大夫和金家最熟，在头里走，以为病人有什么变卦了，赶紧走到床前，诊察了一回，因对金太太道："现在似乎平稳了一点，还候一候再说罢，急着乱用办法来治，是不妥的。"金太太道："病人这个样子沉重，还能够等一会儿再看吗？"梁大夫皱了一皱眉道："虽然是不能等待，但是糊里糊涂，不等有点转机，又去扎上一针，也许更坏事。至于药水，现在是不便用了。"说着，三个大夫，又用英语讨论了一阵子。这时，鹤荪回来了。

等了一会儿，大夫还是不曾有办法。金家平常一个办笔札的先生，托人转进话来，说是他认识一个按摩专家，总理的病，既是药不能为力，何不请那位按摩大夫来试。听差们悄悄的把金太太请到外面来，就问这样可以不可以？金太太道："总理正是四肢不能动，也许正要按摩。就派一辆汽车把那大夫接来罢。"金贵站在一边道："我倒有个办法，也不用吃药，也不用按摩，就怕太太不相信。"金太太道："除此之外，还有什么法子？你说出来试试看。"金贵道："我路上有个画辰州符的，法子很灵。他只要对病人画一道符，就能够

把病移在树上去，或移到石头上去。"凤举走了过来道："这个使不得，让人知道，未免太笑话了。"金太太冷笑一声道："你知道什么使得使不得？不是四下派人找你，你还不知道在哪里找快乐呢! 设若你父亲有个三长两短，我看你们这班寄生虫，还到哪里去找快乐?"凤举不敢做声，默然受了。金贵道："把他请了来，他只对着总理远远的画下一道符，纵然不好，也决计坏不了事。"金太太道："你不必问了，干脆就把那人请来罢。"金贵道："那个按摩大夫请不请?"金太太道："自然是请。只要有法子可以治好总理的病，你们只管说。不管花多少钱，你们只管给我做主花。总理病好了，再重重的提拔你们。"金贵见金太太这样信任，很得意的去了。凤举虽然觉得这样乱找医生，不是办法，然而自己误了大事，有罪还不曾受罚。若是从中多事，又不免让母亲驳回。驳回了，不要紧，若把自己兄弟们全不在家，父亲病了，没有人侍候的话也说出来，真会影响得很大，因此只好让母亲摆布，并不做声。就和这三个西医混在一处，详细的问了一问病状。及至按摩医生来了，听差悄悄的给凤举一个信，凤举就把三位西医引出金铨卧室来。

那按摩大夫走到卧室里床面前一看，才知道病已十分沉重。屋子里站着一位总理夫人，三个公子，眼睁睁的看他治病。他想，总理不像平常人，已是不可乱下手，而况这病又重到这种程度，设若正在按摩的时候，人不行了，千斤担子，都让按摩的人担着，这可不是闹着玩的。因伸手按了一按金铨的脉，又故意看了一看脸色，便往后退了一步。因听到人家叫鹤荪二爷，大爷不在这里，自然是二爷做主了。因向鹤荪拱拱手道："二爷，我们在外面说话罢。"说着，就到外面屋子去了。金太太拦住鹤荪轻轻的道："这样子，他是要先说一说条件哩。无论什么条件，你都答应。只要病好了，哪怕把家产分一半给他呢。"鹤荪不料母亲对于这位按摩医生，倒是如此的信任，既是母亲说出这种重话来，也就不能小视，因此便一直到外面来和按摩医生谈话。按摩医生一见，就皱了眉道："总理的病症太重，这时候还不可以乱下手术，只好请他老人家，先静养一下子罢。"鹤荪道："难道按摩这种医治的方法，也有能行不能行的吗?"他道："医道都是一理，那自然有。"他说着话时，充分的显出那踌躇的样子来。鹤荪看那神情，明知道他是不行，也只好算了。和他点了点头，就让听差将他带了出去。

他一出去，那个画辰州符的大夫就来了。这位大夫情形和西医中医以及按摩医生都不同。他穿了一件旧而又小的蓝布袍子，外罩一件四四方方的大袖马褂。头上戴了一顶板油瓜皮小帽，配上那一张雷公脸，实在形容不出他是何性格。听差引他到金铨卧室外时，他已经觉得这里面的富贵气象真可吓人，转过许多走廊与院落，只觉头晕目眩。这时，见屋里屋外这些人，而又恰是鸦雀无声，不由得不肃然起敬。早是两只大袖按了大腿，一步

615

一步，比着尺寸向前走去。到了外边屋子里，鹤荪出来接见。听差告诉他，这是二爷。他一听二爷两个字，便齐了两只袖子，向鹤荪深深的作了三个揖。一揖下去，可以打到鞋尖，一揖提上来，恰是齐了额顶。只看那情形，可以知道他十二分恭敬。这个样子很用不着去敷衍他的了，就很随便的向他点了一点头。燕西、鹏振在一处看着，也是十分不顺眼，这是天桥芦席棚内说相声带卖药的角色，怎么也找来了？只是金太太有了新主张，只要是能治病，管他是什么人，用什么办法来治，她都一律欢迎，那么，也只好让他试试再说。天下事本难预料，也许就是他这种人能治好。本来中西医以及按摩大夫都束手无策，也不能就眼看着不治。这个画辰州符的，倒不像旁人，他的胆子很大，和鹤荪作了一揖以后，便拱拱手问道："但不知道总理在哪里安寝？"鹤荪向屋里一指道："就是那里。"这画符的听说，先向屋子里看了一看，然后又在屋外周围上下看了一看，点了一点头，似乎有什么所得的样子。然后又向鹤荪道："二爷，请你升一步，引着我进去看看总理。"这时，屋子里只有金太太和道之夫妇，大家都在外面屋子里候着。画符的医生，进去之后，先作了一阵揖，然后走到床面前。离床还有二尺路，便不敢再向前一步了，只是伸了腰，向前看了一看金铨的颜色。再倒退一步，向鹤荪轻轻的道："我不敢说有把握，让我给总理治着试看。请二爷分付贵管家，给预备一张黄纸，一碗白水，一支朱笔，再赐一副香烛，我就可以动手。"说着，又向鹤荪笑着将手拱了两拱。这样一来，一家人便转得一线希望，大家以为他能治，金铨未必到了绝境。听差们连忙就照着他的话，将香烛朱笔白水，一齐预备了来。那医生分付听差，将香烛在院子里墙根下燃烧了，他然后手上托了那碗清水，在香头上熏了一熏。碗是在左手托着的。右手掐了诀，就手对着水碗，遥遥的在空中连画了几遍，连圈了几圈。做了一套手脚之后，喝了一口饱水，回过头来，呼的一声，就向金铨的卧室窗子外一喷。喷过之后，便拿了朱笔黄纸，在院子走廊下的电灯光里，伏在一个茶几上画了三道符。鹤荪背了两手，在远远的看着，心里不住的揣想，像这种行为，照着道教中说，这是动天兵天将的勾当的，是如何尊严的事，不料他就含含糊糊的在廊子下闹将起来，看来是未必有何效验吧？他正这样想着，那医生拿了这三道符，就向着天打了三个拱，然后在烛头上将符焚化了。昂着头向了天，两片嘴唇一阵乱动，恍惚口中念念有词。然后左手五指伸开，向天空一把抓下来，捏了一个诀。右手拿了一支朱笔，高抬过顶，好像得着了什么东西似的，连忙掉转身子，向屋子里跑了进来。走到床面前，距离着金铨约摸也有二尺路之远，挺着身子立定，闭了双眼，只管出神。鹤荪兄弟，都静静的跟随在身后，燕西看了这样子，倒吓了一跳，这是什么意思？莫不是传染了中风？那画符医生嘴唇又乱动了一阵，然后两眼一睁，浑身一使劲，将笔对准了金铨的头，遥遥的就画上了三个大圈圈。左手的诀一伸，

再向空中一抓，这右手的笔，就如通了电流一样，只管上下左右，一阵飞舞，画了一个不停。这一阵大画之下，又把左手作佛手式的中指伸直向上，其余四指，全在下面盘绕起来。鹤荪见他忙个不了，不敢从中插言，只管遥遥的看着他。这时，凤举溜开了那三位西医，特地到屋子里来，看看他是怎么医治的法子。进来之时，便见金铨的面色有点不佳。那医生越画的凶，金铨的面色越不好看。凤举忍耐不住了，走上前，正待和医生说一句话，那医生就像是如有所得，立刻向金铨作抓东西之势，抓了三大把，掉转身去，就向屋子外跑，然后又作抛东西之势，对墙头上抛了三下，将朱笔一丢，喝了一声道："去!"去字刚完，凤举接着在屋子里大嚷起来。原来他这种手脚，凤举却不曾看，只是在屋子里细察父亲的病，伸手一摸金铨两手，已是冰冷。又一摸鼻息，好像一点呼吸没有，不由得嚷了一声不好了。接上道："快请前面三位大夫来瞧瞧罢。"那画符的医生本来还想做几套手脚，以表示他的努力，现在一听凤举大嚷，知道事已危急，趁着大家忙乱，找了一个听差引路，就溜走了。

这里鹤荪兄弟向屋子里一拥，把床围住，只见金铨面如白纸，眼睛睁着望了众人。金太太从人丛挤了过来，握住金铨的手道："子衡，你不能就这样去呀! 你有多少大事没办呢! 我们几十年的夫妻，你忍心一句话也不给我留下吗？你你……"金太太说到这里，万分忍不住了，眼泪向下流着，就放声哭了起来。二姨太在外面屋子里逡巡了几个钟头，可怜要上前，又怕自己不能忍耐，会哭出来；要上不前，究竟不知道病人的现象是什么样子，万分难受。这时，听到金太太在屋子里有哭声，一阵心酸，哇的一声，由屋外哭到屋里来。几位小姐早是眼泪在暗中不知弹了多少，现在母亲一哭，也引动了。小姐们一哭，少奶奶们也哭，一时屋里屋外，人声鼎沸。究竟凤举年纪大一点，有些经验，垂着泪向大众摇手道："别慌，别慌，大夫还在这里呢。请大夫来看看，纵然不能治好，或则将时间延长一点，也许让父亲留下几句遗嘱。"大家听了这话，更是伤心，哭声哪里禁得住？三个西医，已经让听差请了进来。还是梁大夫挤着上前，到床边仔细看了一看。只一看金铨的颜色，也不用再诊脉了，便正着颜色对凤举道："大爷，你还是预备后事罢。纵然再施手术，再打针，也是无用，总理已经算是过去了。"说着，向后退了一步，其余两个医生，也不愿在这里多讨没趣，一齐走了。金太太听到说完全绝望，便猛然的向铜床上一扑，抱着金铨的颈脖，放声大哭。金太太究竟是有学问的人，伤心是伤心，表面上总是规矩的。二姨太和金铨的感情，本就不错，而今又失了泰山之靠，心里有什么事，就藏不住，挤到床边，伏在床栏上，一边哭着，一边说着，只说是，"我怎样得了呢？日子还长着啦，我靠着谁？你待我们那些好处，我们一丝丝也没报答你，叫我们心里怎么过得去呀？你在世，你让我们享福。你陡然把我们

617

丢开,我们享惯了福,干什么去呢?你是害了我们啦。"二姨太这一遍老实话,也差不多是全家人心里要说的话。她一说不打紧,兜起大家一肚皮心事,越发的大哭起来。金太太垂着泪向佩芳、慧厂道:"叫奶妈把两个孩子快抱了来,送他爷爷去罢。是他的骨肉,都站到他前面来,一生一世,就是这一下子告别了。"说毕,又放声大哭起来。不多一会儿,两个乳孩子也抱了来。孩子听到一片哭声,也吓得哇哇的直哭。两个小孩子一哭,大家倒不像往常一样,怕小孩子受了惊,却觉得这大的小孩子都哭了,这事是十分的凄惨,于是大家更哭起来。在大家这样震天震地的哭泣声中,金铨所剩的一缕悠悠之气,便完全消灭了。

第七十八回

不惜铺张慎终成大典
慢云长厚殉节见真情

　　金铨一去世，在屋子里的人，大家只有哭的份儿，一切都忘了。翠姨走近前，靠了墙，手上拿了手帕，掩着脸，也哭得泪珠雨下。听差们丫头老妈子因屋子里站不下，都在房门外，十停也有七八停哭。凤举哭了一阵，因对金太太道："妈，现在我们要停一停哭了，这丧事，要怎样的办呢？"金太太哭着将手两边一撒道："怎么办呢？怎么完全，就怎样办罢。"凤举正待回话，金铨的两个私人机要秘书韩何二先生，站在走廊下，叫听差来请大爷说话。凤举将袖子擦着眼泪走了出来，两个秘书劝了一顿，然后韩秘书道："现在大爷要止一止哀，里里外外，有许多事要你直起肩膀来负责任了。第一，是国家大事，政府方面，得用你一个名义，赶快通知院里，总理已经出缺。一方面也要以私人名义写一封呈子到府里去报丧，这样院里就好办公事。总理在政治上的责任很大，这是不可忽略的。第二，府上与外省的疆吏和国外的使领，很多有关系的，是否要马上拍电去通知，应当考量一下。"凤举听了这话，踌躇了一会儿道："这种事情，我不但没有办过，而且没有看人办过，我哪里拿得什么办法出来？就请你二位和我办一办罢。"韩秘书听了，几乎要笑出来。但立刻想到，少主人正有这样重大的血丧，岂可当面笑人？于是脸色沉了一沉道："大爷，这是如何重大的事，我们岂能代办？对于府院两处通知一层，那是必不可少的，这倒无所谓。至于对京外通电一层，这是不是影响到政局上面去，很可研究。在政府方面说，当然是愿意暂时不把消息传出去。可是在府上亲友方面，私谊上有该知道的，若是不给他们知道，也许他们见怪。大爷总也要到政治上去活动的，是否要和他们联络，这就在大爷自己计划了。"凤举听了这话，心里才恍然大悟，便道："既是这样，我一时也拿不定主意，让我去和家母商量商量看。"两个秘书道："既然如此，那就请太太出来，大家商量一下也好。"凤举于是转身进房，将金太太请到外面屋子里来，把话告诉她。金太太坐下，一面擦着眼泪，一面心里计划这件事，因道："对外的电报，那还从缓拍出去罢。你们将来的出身，总还少不了要府里提拔，就是内阁一部分阁员，也都是和你父亲合作的人。在他们还没定出什么法子以前，回头疆吏就来了两个电报，让他们更难应付，那不是我们的过错吗？"凤举道："我也是这样想啊！那末，妈就不必出去见他们，我叫他们办通知府院两方的事情就是了。"金太太道："这一说通知，我倒想起一件事了，是亲戚和朋友方面，都要去通知一个电话。你们兄弟居丧，有些事情，是不能出面过问了。我把里面的事都交给守华办，外面的事我想刘二爷最好。"凤举道："不过他有了上次那案子以后，有些人他不愿见，我想还是找朱逸士好一点。"金太太道："关于这一层，我也没有什么成见，只要他周旋得过来就是了。"于是凤举走至外面，回复两个秘书的话。

这时，已是十点多钟了，刘宝善、朱逸士、赵孟元、刘蔚然都得了消息，先后赶到金府来。因上房哭泣甚哀，有许多女眷在那里，他们不便上前，只在内客厅里坐着。现在凤举抽出身子来办事，听差就去告诉他，说是刘二爷都来了。凤举听说，走到内客厅里，他们看到，一齐迎上前道："这件事我们真出于意料以外呀。"凤举垂着泪道："这样一来，我一家全完了，老人家在这个时候，实在丢下不得呀。"说着，两手一撒，向沙发上一躺，头枕着椅子靠，倒摇头不已。刘宝善道："大爷，你是长子，一切未了的事，你都得扛起双肩来办，你可不能过于伤心。"凤举擦着泪，站了起来，一手握着刘宝善的手，一手握着朱逸士的手道："全望二位帮我一个忙。"因把刚才和金太太商量的话说了。朱逸士道："照情理说，我们是义不容辞的。不过这件事，我怕有点不能胜任罢。"赵孟元道："现在凤举兄遭了这种大不幸，我们并不是说客气话的时候。既是凤举兄把这事重托你，你就只好勉为其难。"凤举道："还是孟元兄痛快，我的事很麻烦，就请你也帮我一点忙罢。"赵孟元偏着头想了一想，因道："这里没外人，我倒要打听一件事，关于丧费的支出，以及丧事支配，你托付有人没有？"凤举道："没有托人，我想这事，由守华大概计划一下子，交帐房去办，反正尽量的铺张就是了。"赵孟元听了这话，且不答应，望着刘宝善。刘宝善微微摆了一摆头。凤举道："怎么样？不妥吗？"刘宝善道："令亲刘先生，人是极精明，然而他在外国多年，哪知道北京社会上的情形。你说诸事紧缩一点也罢了，你现在笼统一句话，放开手去办，这不是让……"说到这里，走近一步，低声道："这分明是开一条帐房写谎帐的大路。经理丧事的人，趁着主人翁心不在焉的时候，最好落钱，何况你们又是放开手办呢？"说到这里，鹏振鹤荪兄弟都出来了。接上和金家接近的一些政界要人，已经得了消息，也纷纷的前来探候。于是推了朱逸士、刘宝善二人在前面客厅里招待。凤举和一些至好的亲友，就在内客厅会议一切。一面分付账房柴先生，庶务贾先生，合开一分丧费单子来。

贾柴二位,在账房里,又商议了一阵,将单子呈上。赵孟元和他兄弟们围在桌上看,只见写道:寿材一具,三千八百元,寿衣等项五百元,珍宝不计,白棚约一千五百元,添置灯烛五百元,酒席三千元,杠房一千元。只看到这里,赵孟元一看单子后面,千元上下的,还不计有多少。因将单子一按道:"大致还差不离。只是我有一个疑问,这寿材一样东西,原是无定格的,开三千不为少,开五千不为多,何以开出一个零头三千八百元?"他手按了单子,回过头去,望了柴贾二位先生的面孔。贾先生笑道:"这事不是赵五爷问,我们也得先说明呢。刚才我和几家大槐厂子里通了电话,问他们有好货没有?我可没有敢说是宅里的电话,他们要知道是总理去世了,他准能说有一万块钱的货,反正他拿一千的货来抵数,我们又哪里知道。所以我只说是个大宅门里有丧事,要打听价钱而已。问到一家,有一副沉香木的,还是料子,不曾配合,他说四千块钱不能少,我想:一二百块钱,总可以退让,所以开了三千八百块钱。不过这也没有一定,我们还可以设法去找好的。"赵孟元听他说毕,点了点头道:"这算二位很在行。可是这单子上漏着没开的还多,请你二位到前面再去商议一下子,我们再在这里计议。"柴贾二人听了如此说,自出去了。凤举连忙问道:"怎么样?这里面有弊病吗?"赵孟元望了一望屋里,见没有听差,又看了一看屋外,然后拉着凤举的手,低了声音道:"不是我多事,也不是我以疏间亲。"鹤荪连忙插嘴道:"五哥,你为什么说这话?岂不是显得疏远了?"赵孟元道:"是啊!因为你们托重了我,所以我不管那些,就实在办起来。我看这单子,头一下子,我就看出毛病了。一说到价目,他们就说是用电话在槐厂子里打听来的。他不举这个证据也罢了,举了这个证据,我倒发生一个极大的疑问。无论是谁,不会注意到棺材铺里的电话。若是注意到棺材铺里的电话,当然和他们是很熟,我们叫他开单子,统共有多少的时间,居然就在槐厂子里把价钱打听出来了,这里面不能无疑问。无论南北,替人经手丧事的,多少要落一点款子,说是以免倒霉。就是至亲好友也要从中落个块儿八毛,买点东西吃。我看你们账房,怕不能例外。而且寿材这样东西,果然像他所说的那话,完全是蒙事,你嫌三百元的东西不好,回头他将一百元的东西给你看,说是最好的了,要值五百元,你有什么法子证明他不确?一个经手人要和槐厂子认识,你想,这买卖应该怎样呢?"这一席话,说得凤举兄弟真是闻所未闻。燕西道:"五哥,你说得很有情理,但是这些事情,你怎样又会知道?"赵孟元道:"你们过的快活的日子,怎么会料到这些事上来?而且贤昆仲所接近的,都是花钱不在乎的大爷,又哪听过这样打盘算的事?我曾有过两回丧事,吃亏不小。当时经过也不知道,事后慢慢人家点破,所以才知道很多了。这些事,诸位也不必说破,只说诸事从简省入手……"凤举听他说到这里,连忙接嘴道:"那不很妥当吧?我们本来就不从简省入手,老人家做了他这一生的大事业,到了他

的丧事,倒说从简省入手,人家听了,未免发生误会,而且与面子有关。"赵孟元皱了眉,向凤举拱了拱手道:"呵哟! 我的大爷,这不过一句推诿之词罢了,并不是把丧事真正从简省入手。我们和账房这样说,别人怎么会知道?"凤举道:"那究竟不妥,宁让他们从中吞没我一点款子,我也不对他们说从简省入手。无论怎样说一句推诿话都可以,为什么一定要说从简省入手呢?"赵孟元听了他这话,肚子里嚷道:"他们怎样得了!"可是一想到一向受金家父子提携之处,人家有了这种大事,当然和人家切实的帮忙。他们要这样的虚面子,且自由他,犯不着和他们去计较。便点点头,低低说了一声那也好。鹤荪见赵孟元有一种有话要说又止住的样子,连忙道:"五哥说得很对的,我老大只是怕账房发生了误会,真会省俭起来。我看这事就重托五哥仔细参酌开一个单子,分付他们照这单子去办。是办得体面,或是办得省俭,这都用不着细说的。"

赵孟元是一番好意,替金家省俭一点款子。现在听他们弟兄口音,总是怕负省俭两个字的名义,自己又何必苦苦多这事去吃力不讨好,便道:"还是这话适得其中,就照这样办罢。现在第一要办的,便是府上大大小小、上上下下要穿的孝衣,总在一百件以上。就是上房里穿的,也有三四十件。这要叫一班裁缝来,连夜赶快的做。"凤举道:"这倒说的是。不过平常人家用的,都是一种粗白布做的,未免寒酸。我们不在乎省那几个钱,我想用一种俄国标或者漂白竹布。"赵孟元听了这话,眉毛又皱了几皱,虽有十二分的忍耐性,到了这时,也不得不说上一两句,便道:"若论平常的孝衣呢,寒酸倒是寒酸。不过古人定礼,这种凶服,本来就不要好布,为了形容出一种凄惨的景象出来。自古以来,无论谁家都是这样。府上若用粗布做了,越显得很懂古礼,我想决没人反说省钱的。关于这些事,都会斟酌,贤昆仲用不着操心,只要给我一个花钱的范围就是了。"凤举道:"没有范围,家母说了,尽量去办。"说到这里,柴贾二位,把账单已经开来了。赵孟元却不似先那样仔细的看,只看了一个大概。就是这账单子,也不是先前那样吓人,把数目都写了个酌中。赵孟元道:"这样子就很好了,应该只有添的,没有减少的了。事不宜迟,你们就去办起来罢。"柴先生道:"现在账房里还共存有一千多元现款,动用大数目,少不得要开支票。"凤举道:"这个你又何必问呢?只管开就是了。"赵孟元道:"大爷这话可没有领会到柴先生的意思。往日帐房运用数百元的数目,或者开支票,都是要向总理请示的。现在总理去世了,他还照着老例,遇到大事,不能不问大爷一下。"凤举被他一提,这才明白,因道:"你这话说得对。我想这两天要用整批款子的地方,一定不在少处,可以先报一个总数目,然后我再向太太请示去。"柴先生道:"太太这两天是很伤心的,我们不能时时刻刻到上房去麻烦,我想遇事请大爷作主就行了。就是大爷不在前面,还有二爷三爷七爷呢,都可以问的,那就便当多了。"凤举也不曾深为考量，听到这种说法，倒以为账房里很恭维他们兄弟。就点点头答道："你这话也说的是，就是这样的办罢。"柴贾二位照着往日对金铨的态度，向凤举连说两声是，便退下去了。

刘守华本早出来了，他一看到前面客厅里来的客很多，因此替凤举兄弟们出去应酬了一遍。这时他到内客厅里，听了他们所议丧事的办法，有点不对。在外国看过许多名人的丧事，只是仪式隆重而已，没有在乎花钱图热闹的。可是开口，又怕他们说洋气重，不懂中国社会风俗。因此也不说什么。凤举说是托他和赵孟元共同指挥着，他也就答应了。这样一来，仆役们都知道丧事是要铺张的，大家也就放开手来干了。

自这日十点钟起，金家上上下下，电灯一齐亮着。乌衣巷这一条胡同，都让车子塞满了。上房里是亲戚来慰问的，外客厅里是政界银行界来唁问的，内客厅里齐集了金家的一些亲信，账房里是承办丧事的来去接洽，门房围着许多外来的听差，厨房预备点心。这除了上房女眷们哭声而外，这样闹轰轰的，令人感觉不到有抱恨终天的丧事。前后几重院子，为了赶办丧棚，临时点着许多汽油灯。这汽油灯放着白光，燃烧出一种嘶嘶的声音，许多人在白光之下跑来跑去，自然表示出一种凌乱的景象来。上房里，许多女眷们都围着金太太在自己屋里，不让她到停丧的屋子里去。金太太的喉咙，带着哑音，只向众人叙述金铨一生对人对己种种的好处，说得伤心了，便哭上一遍。举家人忙到天亮，金太太也就又哭又说坐到天亮。凤举兄弟们，神经受了重大的刺激，也就忘了要睡觉，混混沌沌，闹到天亮。还是朋友们相劝，今天的事更多，趁早都要去休息一下子，回头也好应酬事情。凤举兄弟们一想，各自回房安息。

弟兄里面，这时各有各的心事，尤以燕西的心事最复杂。他知道，男女兄弟或有职业，或有积蓄，或有本领，或有好亲戚帮助，自己这四项之中，却是一件也站立不住。父亲在日，全靠一点月费零用，父亲去世了，月费恐怕不能维持。要说去弄差事，好差事已经失了泰山之靠，不容易到手了。小差事便有了，百儿八十的薪水，何济于事？有父亲是觉察不到可贵，而今父亲没了，才觉得失所依靠了。他这样一肚子心事，在大家一处谈着，还可以压制一下，离开了众人，心事就完全涌上来。走到自己房里，只见清秋侧着身子躺在沙发上，手托着半边脸呆了，只管垂泪珠儿。燕西进来了，她也不理会。燕西道："这样子，你也一宿没睡吗？"清秋点了点头，不做声。燕西道："你不是在母亲房里吗？几时进来的？"清秋道："我们劝得母亲睡了，我就回房来。我想，我这人太没有福气，有这样公正这样仁慈的公公，只来半年，便失去了。我们夫妇，是一对羽翼没有长成的小鸟，怎能……"说到这里，就哽咽住了。燕西听她这一番话，正兜动了自己满腹的心事，不觉也垂下泪来。因拿手绢擦着眼睛道："谁也作梦想不到这件事。事到如今，有什么法子？我们只好过着瞧瞧罢。"正说到这里，院子外有人叫道："七爷在这里吗？"燕西在玻璃窗子里向外一看，只见金荣两手托着一大叠白衣服进来。因道："有什么事？你进来罢。"金荣将衣服拿进来，放在外面屋子里桌上，垂着泪道："你的孝衣得了，少奶奶的也得了，连夜赶起来的。"燕西一看，白衣服上，又托着两件麻衣，麻衣上，又是一顶三梁冠。自己一想，昨日早上很高兴起来，哪料到今日早上会穿戴这些东西哩？两手捧了脸，望着桌子，顿脚放声大哭。哭到伤心之处，金荣也靠了门框哭起来。清秋垂了一会儿泪，牵着燕西的手道："尽哭也不是事。你熬了一夜，应该休息一会子了。待一会子起来，恐怕还有不少的事呢。"燕西哭伤了心，哪里止得住？还是两个老妈子走来带劝带推，把他推到屋子里床边去。他和衣向下一倒，伏在床上呜咽了一会儿，就昏睡过去了。但是他心里慌乱，睡不稳贴，只睡了两个钟头便醒了。起来看时，清秋依然侧身坐在沙发上，可把头低了，一直垂到椅靠转拐的夹缝里去，原来就是这样睡着了。燕西见她那娇小的身材，也不是一个能穷苦耐劳的人。父亲一死，这个大家恐怕要分裂。分裂之后，自己的前途太没有把握，难道还让她跟着去吃苦吗？想到这里，望着她，不由呆了一呆。只在这静默的时间，却听到远远有哭声。心想，这个时候，不是房间里想心事的时候，于是便向外面走来。刚出院门，只见家中仆役们，都套上了一件白衣。自己身上还穿一件绸面衬绒袍子，这如何能走出去？复转身回房，将孝衫麻衣穿上了，更捆上白布拖巾，戴了三梁冠，这才向前面来。

到了上房堂屋时，各大小院子里已是把孝棚架起来了。所有的柱子和屋檐一齐都用白布彩挂绕着。来来往往的人，谁也是一身白。看了这种景象，令人说不出有一种什么奇怪的感想。刚走到母亲房门口，金太太垂泪走了出来道："去看看你父亲罢，看一刻是一刻了，寿材已经买好了，未时就要入殓了。"说着，一面向前走。燕西一声言语不得，扶了金太太向金铨卧室里去。这时，凤举正陪着梁大夫和两个助手，在屋子里用药水擦抹金铨的身体。女眷们在外面屋子里坐着，眼圈儿都是红红的。凤举见母亲来了，便上前拦住了道："妈，就在外面屋子里坐罢。"金太太也不等他说下句，便道："我还能见几面？你不让我看着你父亲吗？"说时，便向前奔。可是一到房门口，就哽咽起来了。在外面屋子里的女眷们，一齐向前，再三劝解，说是等洗抹完了，再看也不迟，这时候上前，不免碍大夫的事。金太太勉强也不能进去，只得算了。然而就是坐在这外面屋子里，对着金铨那屋子，想到室中人亡，也不由得悲从中来。加上满眼都是些穿白衣的，金铨屋子玻璃窗里垂着绿幔。往日卷着绿幔，远远的就可以看到他坐在靠窗子一张椅子边，很自在的抽着雪茄。而今桌子与绿幔依然，却在玻璃上纵横贴了两张白纸条。便是这一点，结束了四十年的夫妻，不由得金太太又哭起来。她昨天一晚，已经是哭了数场，又不曾好好的睡上一觉，因此哭得伤心了，身子便昏晕着支持不住，人斜靠了椅子慢慢的就溜了下去。同时哭声也没有了，嘴里只会哼。燕西连忙就叫梁大夫过来，问是怎么了。梁大夫诊了一诊脉，说是："不要紧，这是人过于伤感，身体疲倦了，让太太好好的休息一会儿，也就回过来了。不吃药也不碍事的。为慎重一点起见，我可以打一个电话回家，叫家里送点药水来。"燕西于是叫听差们将母亲抬到一张藤椅上，先抬回房去。

这里刚进房，外面又是一阵大嚷，只听说是："不好了！二姨太不好了！快快找大夫罢。"燕西听了这话，也是一阵惊慌，便问："谁嚷？二姨妈怎么样了？"二姨太屋里一个老妈子，走上前拉住燕西道："七爷瞧瞧去，二姨太不好了！"燕西见那老妈子脸色白中透青，料是不好，遂分付屋子里的人，好好的看着母亲，自己连忙到二姨太屋子里来。只见二姨太直挺挺睡在床上，声息全无。梅丽站在面前，乱顿着脚，娘呀妈呀的哭着嚷着。燕西问道："二姨妈怎么了？怎么了？"梅丽哭道："我也不知道是怎么的，刚才我要进房来拿东西，门是关的，随便怎样叫不应。还是刘妈打破玻璃窗，爬进来开的门。见娘睡在床上，一点声音没有，动也不动，我才知道不好了。七哥，怎么样办呢？"说着，拉了燕西的手，只管跳脚。燕西伸手摸了二姨太的鼻息，依然还有，再按手脉，也还跳着。因道："大夫还在家里，大概不要紧的。"说到这里，清秋同凤举夫妇先来了，接上其余的家人，也都来了，立刻挤满了一屋子的人。梁大夫在屋外就嚷着道："无论是吃什么东西，只要时间不久，总有法子想。"说着挤上前，就看了看脉，口里道："这是吃了东西，请大家找找看，屋子里犄角上，桌子抽屉里，有什么瓶子罐子没有？知道是吃了什么东西，就好下手了。"一句话将大家提醒，便四处乱找，还是清秋在床底下发现了一张油纸，捡起来嗅一嗅，很有烟土气味。便送给梁大夫看。他道："是的，这是用烟泡了水喝了。不要紧，还有救。我再打电话回去，叫他们送救治的东西来。"说着，他马上又在人丛中挤了出来。梁大夫一面打电话，一面就分付金宅的听差，去取药品。不到二十分钟，药品取来了，梁大夫带着两个助手，就来救治。这时，二姨太在床上睡着，两眼紧闭，脸上微微白中透青，不时的哼上两声。梁大夫解开她的胸襟，先打了两药针，接上就让助手扶着她的头，亲自撬开她的口，用小瓶子对着嘴里，灌了两瓶药水下去。二姨太似有点知道有人救她了，又大大的哼上了两声。梁大夫这才回转头来对大家道："大概吃的不多，不过时间久一点，麻醉过去了，再给她洗洗肠子，就可没事。府上哪里来的烟土呢？"凤举道："这都是为了应酬客预备的，谁提防到这一着棋呢！"梁大夫道："大爷有事，就去料理事情罢。这里病人的事，有我在这里，总不至于误事。"凤举也因为要预备金铨入殓，就让佩芳陪梅丽在屋子里看守二姨太。清秋也对燕西说，若是没有什么事，暂时也愿在这屋子里。燕西也很赞成。他们兄弟们这才出了二姨太屋子去应付丧事。一大清早，都算为了二姨太的事混过去了。

到了一点钟以后，是金铨入殓的时候了。前面那个大礼堂，只在一晚半天之间，把所有一切华丽的陈设，撤消得干净。正中，蓝白布扎了灵位，两边用白布设了孝帷，正中两个大花圈，一是金太太的，一是二姨太的。此外大大小小分列两边。一进这礼堂，满目的蓝白色，已是凄惨。加上正灵位未安，一张大灵案上，两支大蜡台上插了一对绿蜡。正中放着空的寿材，不曾有东西掩护，简直是不堪入目。金家是受了西方文明洗礼的，金铨向来反对僧道闹丧的举动。加之主持丧仪的刘守华，又是耶稣教徒，因之，并未有平常人家丧事锣鼓喇叭那种热闹景象。这只将公府里的乐队借来了，排列在礼堂外。关于入殓的仪典，刘守华请了礼官处和国务院几位秘书，草草的定了一个仪式。一、金总理遗体在寝室穿国定大礼服。二、男女公子，由寝室抬遗体至礼堂入棺。三、入棺时，视殓者全体肃静，奏深沉哀乐。四、封棺，金夫人亲加栓。五、金夫人设灵位。六、哀乐止。七、三位夫人献花。八、家族致敬礼。九、亲友致敬礼。十、全体举哀。以上仪节，又简单，又严肃，事先曾问过了金太太。她很同意，到了入殓时，便照仪式程序做下去。金铨尸体在寝室里换了衣服之后，在医院里借得一张帆布病床来移了上去，将一面国旗，在上面掩盖了。然后凤举、鹤荪背了带子，抬着两端，其余男女六兄弟，各用手扶着床的两边，慢慢抬上礼堂来。金太太和翠姨带着各位少奶奶们，在后面鱼贯而行。到了礼堂，有力的仆役们，就帮助着将尸体缓缓移入棺去。金铨入棺之后，金太太亲自加上栓，然后放下孝帷。大家走到孝帷前来，旁边桌上，已经题好了的灵牌，由凤举捧着送到金太太手上，金太太再送到灵案前。这时，那哀乐缓缓的奏着。人的举动，因情感的关系，越是加倍的严肃。设灵已毕，点起素蜡，哀乐便止了。司仪喊着主祭人献花，金太太的眼泪，无论如何止不住了，抖抖擞擞的将花拿在手上，眼泪就不断的洒到花上与叶上。只是她是一个识大体的妇人，总还不肯放声哭出来。金太太献花已毕，本轮到二姨太，因为她刚刚救活过来，不能前来，便是翠姨献花了。关于这一点，在议定仪典的时候，大家本只拟了金太太一个人的。金太太说："不然，在名分上虽说是妾，然而和亡者总是配偶的人，在这最后一个关节，还是让两位姨太太和自己平等的地位，谁让中国有这种多妻制度呢?再说二姨太的孩子都大了，也不应看她不起。"因为有金太太这一番宏达大度的话，大家就把仪式如此定了。当金铨在日，只有二姨太次于金太太一层，似乎有半个家主的地位。翠姨无论对什么人，都不敢拉着和家主并列，就是对于小姐少奶奶们还要退让一筹呢。所以关于丧仪是这样定的，她自己也出于意料以外，心想，或是应当如此的吧?金太太献花已毕，司仪的喊陪祭者献花，翠姨就照着金太太样式做一

套,献花已毕,用袖子擦着眼睛,退到一边去。这以下晚辈次第行礼。到了一声举哀,所有在场的人,谁不是含着一腔子凄惨之泪?尤其是妇女们,早哇的一声,哭将出来。立刻一片哀号之声,声震屋瓦。

在场有些亲友们,看了也是垂泪。朱逸士将赵孟元拉到一边,低声道:"我们不要听着这种哭声了,我就只看了这满屋子孝衣,像雪一般白,说不出来有上一种什么感想哩。"赵孟元道:"就是我们,也得金总理不少的提拔之恩,我们有什么事报答过人家?而今对着这种凄惨的灵堂,怎能不伤心?"说到这里,朱逸士也为之黯然,不能接着说下去。这天正是一个阴天,本来无阳光,气候现着阴凉。这时,恰有几阵风由礼堂外吹进里面来,灵案上的素烛,立刻将火焰闪了两闪,那垂下来的孝帷,也就只管摇动着。朱逸士、赵孟元二人站在礼堂的犄角上窗户边,也觉得身上一阵凉飕飕的。赵孟元拉了一拉朱逸士的衣襟道:"平常的一阵风,吹到孝帷上,便觉凄凉得很。这风吹来得倒很奇怪,莫不是金总理的阴灵不远,看到家里人哭得这样悲哀,自己也有些忍耐不住吧?"朱逸士呆呆的做声不得,只微微点了一点头。旁观的人尚属如此,这当事人的悲哀,也就不言可知了。

第七十九回

苍莽前途病床谈事业
凄凉小院雨夜忆家山

这里孝堂上，大家足哭了半小时，方才陆续停止。女眷仍都回到上房。凤举兄弟却因为有许多亲密些的亲友来谒灵和慰问，事实上不能全请刘宝善代表招待，也只得在内客厅里陪客。所以丧事虽然告了一个段落，凤举兄弟们，依然很忙。金家虽不适用旧式的接三送七，但是一班官场中的人物，都是接三那天前来吊孝，这又大忙了一天。哀感之余，又加上一种苦忙，男兄弟四个之中，到了第四天，一头一尾，都睡倒了。大夫看了一看，也是说"这种病，吃药与不吃药，都没有多大的关系，只要好好的休养两天，就行了。"

燕西住在屋子里，前面有深廊，廊外又是好几棵松树。大夫说："阳光不大够，可以掉一个阳光足的屋子，让病人胸心开朗一点。"清秋听了大夫的话，就和燕西商量，将他移到楼上去住。这楼上本是清秋的书房，陈设非常干净，临时加了两张小铁床，清秋就陪着他在楼上住。这几日，天气总也没有十分好过，不是阴雨，便是刮大风。燕西在楼上住着第二天，又赶上阴天，天气很凉。依着燕西，就要下楼在外面走动。清秋道："你就在屋子里多休息一天罢，大哥对内对外，比你的事多得多，他信了大家的话，就没有出房门。你又何必不小心保养一点？家里遭了这种大不幸，你可别让母亲操心。"燕西道："这个你怕我不知道吗？一天到晚把我关在屋里，可真把我闷的慌。"清秋道："你现在孝服中，不闷怎么着？你就是下了楼，还能出大门吗？"燕西叹了一口气道："这是从哪里说起？好好的人家会遭了这样的祸事。我这一生的快乐，就从此而终了。"燕西说话时，本和衣斜躺在床上。清秋拿了一本书，侧身坐在软椅上看着，带和他谈着话。燕西说了这句话，她将手上拿着的书，向下一垂，身子起了一起，望了燕西一下。但是她又拿起书来，低着头再看了。燕西道："你好像有什么话要说的样子，怎么又不说了？你还有心看书？"清秋道："我的心急比你还恐怕要过十二分呢。你都说我有心看书，我真有心看书吗？我不看书怎么办？呆坐在这里，心里只管焦急，更是难受了。"燕西道："你和我谈话，我们彼此都心宽一点。刚才你有一句什么话，不肯直说出来？"清秋道："这话我本不肯说的，你一定要我说，我只得说了。刚才你说一生的快乐，从此完了。这个时候哪里容你我作子媳的谈快乐二字？你既是说了，倒可以研究研究。不知道你所说的快乐，是从前那种公子哥儿的快乐呢？还是作人一种快乐呢？"燕西皱了眉道："你这是什么话？快乐就是快乐，怎么有公子哥儿的快乐，作人的一种快乐？难道公子哥儿就不是作人吗？"清秋道："所以我说不和你讨论，我一说你就挑眼了。你想，一个人随便谈话，哪里能够用讲逻辑的眼光来看？你愿听不愿听呢？你不愿听，我就不必谈了，省得为了不相干的事，又惹你生气。况且你现在正有病，我何必让你生闲气？"燕西道："据你这样说，倒是我没有理了。你有什么意见？你就请说罢。"清秋道："你别瞧我年轻，但是我的家庭，从前虽不大富大贵，究竟也不曾愁着吃喝。后来我父亲一死，家道就中落了。自我知道世事而后，人生的痛苦，我真看见和听到不少。凡是没有收入，只有花钱出去的，这种穷是没有挽救的穷。自己有钱，慢慢会用光。自己没钱，只有借贷当卖了。我家里就过了这样不少的日子，所以我觉得人穷不要紧，最怕是没有收入。"燕西道："这个我何尝不知道？不过我们总不至于像别人，多少有一点财产，产业不能说不是一种收入。只是这种收入，是有限的，不能由我们任性的花罢了。"清秋道："你这话就很明白了。所以我就问你是要哪一种快乐？若是要得做总理儿子时代的快乐，据我想，准是失败。若是你要想找别的一种快乐呢，我以为快乐不光是吃喝嫖赌，最大的快乐，是人精神上可以得着一种安慰。精神上的安慰，也难一言而尽，譬如一件困难的事，自己轻轻易易的就做完了，这就可以算的。"燕西道："这个我也明白的，何须你说。"清秋道："这不就结了，刚才我所说的话，还是没有错呀。我以为你不像大哥，他早就在政界里混得很熟了，人也认识，公事也懂得，无论如何，他要混一点小差事，总不成问题。你对于那些应酬的八行，老实说，恐怕还不在行，更不要谈公事了。"燕西道："你就看我这样一钱不值？"清秋道："你别急呀。不懂公事那不要紧的，一个人也不是除了做官就没有出路，只要把本领学到就得了。"燕西道："到了这个年岁了，叫我学本领来混饭吃，来得及吗？我想还是在哪个机关找一个位置，再在别的机关，挂上一两个名，也就行了。"清秋道："若是父亲在日，这种计划要实现都不难。现在父亲去世了，恐怕没有那样容易吧？"燕西道："哪个机关的头儿，不是我们家的熟人？我去找他们能够不理吗？你一向把事情看得难些，又看得太难了。"清秋见燕西谈到差事，满脸便有得色，好像这事，只等他开口似的。他的态度既是如此，若一定说是不行，也许他真会着恼。因道："你对于政界活动的力量，我是不大知道。既是你自己相信这样有把握，那就很好。"燕西道："据我想，找事是不成问题的，我急的，就是我从来没有办

629

过事,能不能干下去,倒不可知呢。"清秋先是疑他未必能在政界混到事,现在他说有如此之容易,未必就毫无把握,只要真能在政界混下去,以后好好的过日子,未尝不可以供应自己两小口子的衣食。只是他一做官之后,还是和这些花天酒地的朋友在一处混,那末,是他自己本领赚来的钱,更要撒手来一花,那如何是好?她心里如此想着,关于燕西所答应的话,一时就不曾去答应。燕西望着她道:"我所说的话你看怎么样?不至于说得很远吗?"清秋道:"当然啦,你们府上是簪缨世家,有道是百足之虫,死而不僵,何至于你要出来找事会生什么困难。不过是你们府上门面是这样的大,混到政界上去若是应酬大起来,恐怕也是入不敷出呢!"燕西点点头道:"这个你倒说的是。譬如老大去年在外另组织一个小家庭,一月用一千还不够呢,何况我们将来还要正式布置呢。"当燕西说凤举小家庭一句,清秋就想说如何能比?不料这一句话还没有说出来,他连忙就说:"比这还要正式的布置一番。"如此说,是比凤举那番组织还要阔。待要批评两句,这又不是三言两语说得清的。说不清,彼此恐怕还会发生纠葛,这倒不如不说,还可以省了许多事了。因此又默然坐着。燕西道:"说着说着,怎么你又不做声了?"清秋道:"这种事情,至少也在三个月以后吧?我们又何必忙着讨论呢?你的身体又不大好,我不愿意空着急,分你的神。将来等家中丧事了结了,慢慢的蹉商罢。"燕西也是因为提到这种事,心神不免要增加许多烦恼,清秋不肯说,也就不说了。可是有了这一番谈话,清秋又平空添了无限的心事。这一生,真要是像燕西执著维持原有生活状况的态度过下去,不能没危险。别的事不必说,就以现在而论,他不但没有一个钱私储,倒有好几千块钱的私债。设若一旦自己组织家庭起来,马上就会感到拿钱不出来了。关于将来谋生的事,燕西虽未必肯听自己的话,然而这件事关系甚大,究竟不能不和他说个详细。自己年轻,见解总还有不到之处,这件事少不得要私自向自己母亲请教一下,看她怎样说。不过自己母亲,以为金家有的是钱,女婿也很像有才干,将来也不可限量的。这时若把实话告诉她,她不但要大大的失望,恐怕也要把燕西的为人看穿。在母亲面前,揭出丈夫的短处来,这究竟也是不相宜的事情呀。这样看起来,还是自己慢慢的打算,不要告诉母亲为妙罢。清秋沉沉的想了又想,反而把自己弄得一点主意没有,神志昏昏的,手上捧着一本书,坐下一边,只是爱看不看的。

这一天的天气,格外的坏,到了下午六七点钟,竟是希希沙沙的下起雨来。自从家中有了丧事以后,金太太总不很大进饮食。大家劝着,或者喝一碗稀饭,或者用热汤泡一点饭,就是这样麻麻糊糊的算了。清秋虽不至于像金太太那样的悲伤,然而满腹忧愁,不减于第二人,要她还是像平常一样的吃饭,当然是不能够的。但是向来是陪着金太太吃饭的,在金太太这样眼泪洗面的日子里,不能不打起精神来,增加她的兴趣。因之这天晚上,

纵然是一点精神没有，也不得不勉强走下楼，到金太太屋子里来吃晚饭。饭盒子这时已经拿到屋子里来了，正坐着一屋子人。原来这两天，除了梅丽陪着二姨太、佩芳陪着凤举之外，只有道之夫妇另外是一组，其余金太太的子女都在这里吃饭，是好让母亲心里舒服些。金太太一看到清秋进来，便道："今晚上你还来做什么？你屋子里不是还躺着一个吗？"清秋道："他睡着了，现时还不吃晚饭呢。"金太太道："我这里坐着一大桌人，够热闹的了，你还是到自己屋子里去吃饭罢。若是没有心思看书，把我这里的益智图带去解解闷。省得那位一个人在屋子里。"清秋本来也吃不下饭去，既是金太太叫自己回房去，落得回自己房里静坐一番。因是在书橱子里拿着了益智图竟自先走了。

　　这个时候，雨下的正紧。清秋回到自己屋子里，虽然全有走廊可走，可是那一阵阵的晚风，由雨林里吹过来，将雨吹成一片的水雾，挟着冷气，向人身上直扑过来。那丝丝的吹到脸上和脖子里，不由人连打了两个寒噤。自己所住的这个院子，本来就偏僻的，往常还听到邻院里，有各种嬉笑娱乐之声，现在都没有了，仿佛就是特别的冷静。加上自己又搬到楼上去住了，就只有廊檐下一盏电灯，其余的灯都熄了。远远望着自己屋子里，也好像又新添了一种凄凉景象似的，心里也就有点害怕。走到那海棠叶门边下，就叫了两声，都没有人答复，更是害怕。自己勉强镇静着，生着气道："我越是好说话，这些底下人越是不听话。只是我一转眼的工夫，又不知道他们跑到哪里去了？"一面说着，一面赶快的上楼，走进房去。燕西已是醒了，便道："我仿佛知道你走了的，这一会子工夫，你就吃了饭吗？"清秋道："我哪里要吃饭？我原是去陪母亲。那里倒有一屋子的人，她说让我回屋子来陪着你。我也以为你一人在屋子里怪闷的，所以回来。幸而是我来了，你瞧，就是我走开这一会子的工夫，两个老妈子都不见了。要不然，你一个人在这里，更要闷呢。"燕西道："既是母亲那里人多，我去坐一会子罢，你可以一个人在这里吃饭。"说毕，出房就走。清秋正有些害怕，幸得燕西是醒的，正好向他说几句话。不料他反要去赶热闹，自己又不好说两个老妈子走了，留他做伴。只得说道："外面雨倒罢了，那雨里头吹来的风，可有些不好受。"燕西道："你让我出去谈谈罢，若是在屋子里坐着，那更是憋得难受呢。"说着，已是下楼而去。

　　清秋一时情急，楼壁上有个叫外面听差的电铃，也不问有事没有，忙将电铃一阵紧按。因之燕西出院去不多大一会儿，金荣就进来了，站在楼下高声问道："七爷叫吗？"清秋道："我这院子里一个人没有，我还没吃饭呢。"金荣道："我刚才看到这院子的李妈，在厨房里呢，我去叫她罢。"清秋道："不，不，你先找一个人来给我作伴罢，然后你再找他们去。"金荣见清秋真是害怕，就隔着墙大声嚷道："秋香姐在院子里吗？七少奶奶叫你过来有事呢。"秋香以为果然有事,答应着就走过来了。清秋听到秋香的声音,心下大喜,连忙走到栏杆边,向下面招了几招手,笑道:"快来,快来,我正等着你呢。"金荣道:"少奶奶,我该叫他们送饭来了吧?"清秋道:"稀饭就行,一样菜就够了。"金荣答应着去了。秋香走上楼来,清秋握着她的手道:"你吃过了饭没有?"秋香道:"我们少奶奶到太太那里去了。我们用不着等,吃过了。"清秋执着她的手,一路走进房来,因道:"幸而你来给我作个伴,要不然,我一个人守着这一幢楼,孤寂死了。"清秋在沙发上坐下,也让秋香坐了。秋香笑道:"七少奶奶,你的脾气有好些和七爷相同,七爷和我们不分大小的,从前这里的小怜和他很好。小怜走了,阿囡、玉儿和我,都和七爷不错。只是春兰年纪太小些,不和我们在一处玩。"清秋听了这些话,忍不住要笑,便问道:"你说话这样天真烂漫,你今年几岁了?"秋香道:"我哪里知道呢?我是小的时候,拐子把我拐出来的。那个时候问我,我自己会说四岁,就算是四岁,其实我是瞎说的。后来让拐子把我卖在杨姥姥家里,也不知过了多少年,就转卖到王家,跟着三少奶奶到这里来了。我到王家的时候,都说是十二岁,连那年共四个年头了,我就算是十五岁了。"清秋道:"你姓什么呢?"秋香摇了一摇头道:"我不大记得,好像是姓黄,可是和黄字音相同的房呀,方呀,王呀,都说不定呢。"清秋道:"你记得你的父母吗?"秋香道:"我还记得一点,我父亲还是个穿长衣服的人,天天从外面回来,都带

632

东西给我吃。我母亲也常抱着我,但是这不过是一点模糊的影子罢了。仔细的情形,我是一点也不记得。"清秋道:"你家在什么地方,你知道吗?"秋香道:"我的少奶奶,我哪里能记得清许多呢?就是我在杨姥姥家里的事,而今想起来,也好像在梦里的一样,你想,我还能够记得许多吗?我若记得许多,我为什么不逃回去呢?我就常说,像我这种人,在世上就算白跑了一趟,姓名不知道,年岁不知道,家乡父母不知道。"清秋听她说得这样可怜,心里一动,倒为她垂下几点泪。秋香究竟是孩子气,自己说着,其初不觉得怎么样,及至清秋一垂泪,自己也索性大哭起来。清秋擦着泪道:"傻孩子,别哭了,我心里正难受呢。你再要哭,我更是止不住眼泪了。有手绢没有?擦一擦罢。"秋香听她如此说,一想也是,人家正丧了公公,十分懊丧,不能安慰人家,还要特意去惹出人家的眼泪来吗?因之立刻止住了哭,掏出手绢将两只眼睛擦了两擦。这时两个老妈子,都回屋来了,接上厨子又送了稀饭小菜来。清秋让老妈子一直送到楼上屋子里来,掀开提盒,送上桌子,早有一阵御米香味,袭人鼻端。老妈子将菜碟搬上桌子来看时,乃是一碟花生仁拌香干,一碟福建肉松,一碟虾米炒菜苔。除了一大瓷罐子香米稀饭而外,还有一碟子萝卜丝烧饼。清秋对秋香道:"这菜很清爽,你不吃一点吗?"秋香道:"我刚吃完饭了。"说着,便在老妈子手上接了碗,在暖水瓶里倒了小半碗热水,将碗荡了一荡,然后给清秋盛了一碗稀饭,放在桌上。又把书桌上的

纸，裁了两小方块，将筷子擦了一擦，齐齐整整的放在桌沿上，再端一张方凳让清秋坐下。清秋道："你们少奶奶太享福了。有你这样一个孩子伺候，多么称心!"秋香道："这很容易呀，七少奶奶出钱买个使女来就是了。"清秋道："我听了你刚才所说的话，我恨不得把天下做拐子的全杀了才称心，我还能自己去作这个孽，花钱拆散了人家的骨肉吗?"李妈便接嘴道："少奶奶你是知其一，不知其二呢。卖人口，谁是亲爹娘作主呀?都是拐子手上的人了，你若不买，他也卖给别人。像卖到咱们这种人家来当使女的，真算登了天了。有些人家的使女，吃不饱，穿不暖，那还罢了，叫人家孩子做起事来，真是活牛马，做得好，没有一个好字，做不好，动不动打得皮破血出，或者把好孩子逼傻了，或者把活跳新鲜的孩子打死了，有的是呢。你若买了使女，你就算是救了那孩子了。"清秋道："说虽然是这样说，我总不愿在我手上买使女。一个人不买使女，两个人不买使女，大家不买使女，这拐子拐了人来，没有人要，也就不干这坏事了。"秋香点点头道："七少奶奶，你存这样好心眼，将来一定有好报。"清秋叹了一口气道："小妹妹，你还没有我那种阅历，你哪里知道!"说时，见老妈子还站在一边，因道："我有一个人在这里做伴就行了，你们晚饭还没有吃吧?去吃饭去。"李妈便笑着请秋香多待一会，自下楼去了。清秋吃一碗稀饭，又吃一个半萝卜烧饼。说是饼很好吃，一定要秋香吃了一个。秋香给她收了碗碟到提盒子里去，送到廊外，又陪着清秋到楼下洗澡屋里去擦了手脸。清秋复上楼来，她又跟着上楼。清秋道："我这院子里的人回来了，你来得太久了，你们少奶奶回来了，不看到你，又要怪你了，你去罢。"秋香道："不要紧，三爷回来了，蒋妈会来叫我的。我在别个院子里，常常玩得很晚回去，也没有说过呢。"清秋道："你平常怎么不到我这里来玩玩呢?"秋香听说，向清秋微微一笑。清秋道："哟! 你因为七爷在这里，就不来吗?一家人避什么嫌疑哩?"秋香道："不是为了这个，我们从前和七爷老在一处呢，那要什么紧?这件事你就别问了，我也不愿意说出来。"清秋道："为什么不愿说出来?难道还有什么不能说的事吗?"秋香望了一望清秋的脸，又不敢向下说。向屋子外看了一看，见没有人上楼，这才低着声音微笑道："七少奶奶，你和我们少奶奶感情怎么样?"清秋道："不坏呀，我和三位少奶奶，四位小姐，都过得像自己的姊妹似一样，和谁也不错。你干嘛问我这一句话?"秋香道："我也是这样说，你和谁也不错，可是你有件事不大清楚吧?从前有一位白小姐，和七爷很好，她是我们少奶奶的表妹呢。"说着，向清秋又是微微笑道："这话我不能说了，说了又要说我多事。"清秋道："我怎么不知道?我知道得很清楚呢。这位白小姐和我在舞场会过，人也很和气的。而且很活泼，不像我这样死板板的。你们七爷不能要她作少奶奶，真是可惜。"秋香望着清秋的脸，好大一会，才道："果然是那样，你怎么办呢?我们也不会认识的，那更可惜了。"清秋道："你这孩子，

不知高低,倒问得我无言可答。我来问你,你说不能到我这里来,和白小姐有什么关系?"秋香笑道:"少奶奶,你有点装傻吧?我这样说了,你有什么不明白的?"清秋道:"明白虽明白,我还不知道详细。这件事,怎么会让你都知道了?"秋香道:"我怎会不知道呢?我们少奶奶就常和三爷提这一件事。三爷先还和少奶奶抬杠,后来说不过少奶奶,也就不说了。"清秋听了这话,当然是十分的难过。转念一想,她究竟是个小孩子,她一高兴,能把听到的话都告诉我,也许她把我的话告诉人。有了她这几句话,事情也很明白,不必多问了。因道:"你这孩子有点胡扯!你少奶奶也不过和三爷说着开开玩笑罢了,哪真会为我的事抬杠子呢?这句话可不许再说了,说多了,我也会生气的。"秋香笑道:"你这人真老实。"清秋道:"你们少奶奶大概也就回到家里来了,你回去罢。"秋香因她提到这句,也不敢多说,就自行下楼了。

这样一来,清秋倒不害怕了,一个人对着一盏惨白的银灯,也不看书,也不作事,只是坐了呆想。这时,楼外一阵阵的雨声,又不觉的送入耳鼓。那雨本是松一阵,紧一阵,下得紧的时候,也不过听到他屋上树上,一片潮声。及至松懒之际,一切的声音都没有了,只有那松针上的积雨,滴答滴答不绝的溜下雨点。偶吹上一阵风,这雨点子,也就紧上一阵。古人所谓松风,所谓松子落琴床,都是一种清寒之韵。这种清寒的夜色里,院子里又没有一点人声,那雨点声借着松里呼呼的风势,那一分凄凉景象,简直是不堪入耳。清秋在丧翁之后,本已感到自己前途的苍莽,再又感到自己环境恶劣,伤心极了。就在她这伤心的时候,那雨点是卜笃卜笃,只管响着,那一点一滴,都和那凄凉的况味,一齐滴上心头。因之这种响声,不但不能打破岑寂,而且岑寂加甚。这屋子门外,悬的那幅绿呢帘子,只管飘荡不定,掀起来多高。楼廊外,由松树穿过来的晚风,一直穿进屋子来。清秋身上,只穿了一件旧绸的衬绒旗衫,风掀动了衣角,不知不觉之间,有一种寒气,自由皮肤透入心里。这种冷气,比把自己的身子放在冷水缸里,还觉得难受。本待先去睡觉,然而燕西身体不好,自己本来伺候他的,而今他还不曾回房,自己先倒去睡了,这也未免本末倒置。因之只管坐了在沙发上,静静的等候。等了一点钟,又等一点钟,只听到楼下的壁钟,当当的敲过了十下响,这院子里,也就觉得又度过了一重寂寞之关似的。这夜色是更深沉了。听听楼下时,一点声音没有,连那两个老妈子,都无甚言语了。坐着也是很无聊,便站起来,将茶壶里的茶倒了一杯,喝着消遣。恰是吃过饭以后,忘了添开水,这一杯茶,也就一点热气也没有。喝到嘴里,把口漱了一漱,便吐出来了。放下茶杯子,又呆坐着。

那雨点声依然不曾停止。清秋烦恼不过,就索性走出房来,看看这雨色,究竟是怎样?只刚伏到栏杆边,燕西站在楼下海棠叶的门中,只管向她乱招着手。清秋道:"你有事不会

上楼来?偏偏要我下去。"燕西不答,只管笑着招手。清秋不知不觉之间翩然下了楼。燕西执着她的手道:"你一个人坐在屋子里,不是烦闷得很吗?雨声是多么讨厌啦!"清秋道:"那也不见得,仁者见仁,智者见智。小楼一夜听春雨,深巷明朝卖杏花。这不是由很好的印象中,产生出来的香艳句子吗?"燕西笑道:"果然的,这是看杏花的时候了。你瞧,咱们后院子里那几棵杏花又红又白,开的是多么好看!走,咱们一块看花去。"清秋道:"雨是刚刚停止,路又湿又滑,不去也罢。"燕西道:"不要紧,搀着你一点。不趁着这花刚开的时候去看,等花开过了,再想看又没有了。走罢!"说时,拉了清秋的手就走。清秋虽然不愿,可是在燕西一方面,总是好意,也只得勉强跟了他走。走的路上,正长遍了青苔,走得人前仰后合,好容易到了后院,果然几棵杏花,开得像堆云一般繁盛。杏花下面,有一个女子一闪,看不清是谁。燕西丢了清秋,便赶上去。清秋原是靠了他扶持的,他陡然一摔手,清秋站立不住,由台阶向下一滚。这里恰是一个水坑,清秋浑身冰冷,拖泥带水爬了起来,又跌下去,身上的泥水,也越滚越多,便招手乱嚷燕西。燕西只管追那女子去了,哪里听见呢。

第八十回

发奋笑空劳寻书未读
理财谋悉据借著高谈

这个时候，清秋心里又是急，又是气，挣命把手伸了出来，只管乱招乱抓。忽然省悟过来，原来是一场噩梦。自己依然斜躺在沙发上，浑身冰冷。屋子里那盏孤灯，惨白的亮着，照着人影子，都是淡淡的。自己回想梦中的情形，半天做声不得，身子也像木雕泥塑的一般，一点儿也不会动，只管出了神。心想，梦这样事情，本来是脑筋的潜忆力回复作用，算不得什么。不过这一个梦，梦得倒有点奇怪。这岂不是说我已落絮沾泥，人家置之不顾了吗？正想到这里，屋子外面，希希沙沙又是一阵雨，响声非常之急，这才把自己妄念打断。起来照着小镜子，理了一理乱发，觉得在楼上会分外的凄凉，就一人走下楼去，分付李妈沏上一壶热茶，斟了一杯，手里端了慢慢呷着出神。呷完了一杯，接上又呷一杯，接连喝完几杯茶，也不知道已喝足了，还是继续的向下喝。老妈子送她新沏的一壶茶，不知不觉之间，都喝完了。这时心神完全镇定了，想着又未免好笑起来。我发个什么傻？只管把这种荒诞不经的梦，细细的咀嚼什么？腿上还穿的单袜子，坐久了，未免冷的难受，不如还是睡到被里去的舒服。于是将床上被褥展开了，预备在枕上等着燕西。不料人实在疲倦了，头刚刚挨着枕头，人就有点迷糊，不大一会儿工夫，就睡着了。睡得正香，只觉身体让人一顿乱搓。睁眼看时，只见燕西站在床面前掀了被乱推过来。连忙坐起来笑道："对不住，我原打算等你的，身上有些凉，一躺到床上就睡着了。"燕西解了衣服，竟自上床来睡，并不理会清秋的话。清秋道："现在什么时候了？你觉得舒服些吗？"燕西道："没事，你别问。"清秋道："你瞧，就算我没有等人，也不是存心，这也值得生这么大的气。"燕西依然不理会，在那头一个翻身向里，竟自睡着了。清秋倒起来替他盖好了被，自己坐着喝了一杯热茶再睡下去。

到了次日，自己起来，燕西也就起来了。清秋见房中无人，便低声问道："你昨晚为什么事生气呀?"燕西道:"昨晚在母亲那里谈话,大家都瞧不起我,说现在家庭要重新改换一下子。别人都好办,惟我们一对,恐怕是没有办法。母亲说让我好好的念几年书,大家的意思,以为我再念书也是无用。"清秋道:"就是这个吗?我倒吓的一跳,以为又是我得罪了你呢。他们说你无用,那就能量定吗?我虽不能帮助你的大忙,吃苦是行的。我情愿吃窝窝头,省下钱来,供给你读书。你就偏偏努一努力,做一点事业给他们看看,只要有了学问,不愁做不出事业来。你以为我这话怎么样?这并不是光生气的事呀。"燕西将脚一跺道:"我一定要争上这一口气,我看那些混到事情的,本事也不见得比我高明多少,我拿着那些人作标准,不见得就赶他们不上。"说着,又将脚跺了两跺。清秋道:"你的志气自是很好,但是这件事,是要慢慢的做给人家看的。不是一不合意,就生气的。"燕西道:"我自然要慢慢的做出来给人家看,为什么只管发气?"当时他说完了,板着脸也不再提。漱洗完了,点心也不及吃,就向外走。清秋道:"你到哪里去?这个样子忙。"燕西道:"我到书房里去,把书理上一理。"清秋道:"这也不是说办就办的事呀。"燕西哪里等得及听完,早出了院子门一直向书房里来。

　　到了书房里,一看桌子上,全摆的是些美术品,和一些不相干的小杂志,书橱子的玻璃门,可是紧紧的锁上了。所有从前预备学习的中西书籍,一齐都锁在里面。因之按了电铃,把金荣叫来,分付用钥匙开书橱门。金荣道:"这两把钥匙放到哪里去了,一时可想不起来,你得让我慢慢找上一找。"燕西道:"你们简直不管事,怎么连这书橱钥匙都会找不着。"金荣道:"七爷,你就不想一想,这还是一年以前锁上的了。钥匙是我管着,你总也没开过。再说,有半年多了,不大上书房,哪里就会把这钥匙放在面前呢?"燕西道:"你别废话,赶快给我找出来罢。"说时,坐在一张转椅上,眼睛望了书橱,意思就是静待开书橱。金荣也不敢再延误,就在满书房里乱找。只听到一片抽屉滑达滑达抽动之声。燕西道:"你这样茫无头绪,乱七八糟的找,哪里是找?简直是碰。你也应该想一想,究竟放在什么地方的呢?"金荣道:"我的爷,我一天多少事,这钥匙是不是你交给了我的,我也想不起来。你叫我想着放在什么地方,哪成呢?"燕西眉毛一皱道:"找不着,就别找,把橱门子给我劈开得了。"金荣以为他生气,不敢做声,把已经开验过的抽屉,重新又检点回来,找得满头是汗。燕西冷笑道:"我叫你别找,你还要找,我就让你找,看你找到什么时候?我等着理书呢,你存心捣乱,不会把玻璃打破一块吗?"金荣道:"这好的花玻璃,一个橱子敲破一块,那多么可惜!"燕西正待说时,屋子外有人叫道:"七爷,太太有话说呢,你快去罢。"燕西听到声音呼得很急促,不知道有什么要紧的事,起身便走了。金荣见他等着要开书橱门，恐怕是要取什么东西，不开不成。真要打破一块玻璃，取出了东西来，恐怕还是不免挨骂。想起金铨屋子里四架书橱，和这里的钥匙差不多的，赶快跑到上房，把那钥匙寻了来。拿着那钥匙，和这书橱一配，所幸竟是同样的，一转就把锁开了。将锁一一开过了之后，把橱门大大的打开，就等着燕西自己来拿东西。书橱门既是开了，自己也不敢离了书房，说不定他有什么事要找。不料足足等了两小时，还不见燕西前来，自己原也有事，就不能再等了。只好将书房门一总锁起来，自到门房里去等着。直到下午，送东西到燕西屋子里去，才顺便告诉他。清秋在一旁听到，便问道："你追着金荣要开书橱做什么？难道把满书橱子书，都要看上一遍吗？"燕西道："我原来的意思，本想翻一翻书本子的，可是自己也不知道要看哪一部书好？所以把书一齐翻了出来。偏是越急越不行，书橱子关着，老打不开锁，我因为妈叫我有事，我就把这事忘了。"金荣道："橱子都开着呢，我把书房门锁上的了。"燕西皱眉道："我知道了，你怪麻烦些什么？"金荣不料闹了半天，风火电炮要开橱门，结果是自己来问他，他倒说是麻烦，也就不敢再问了。

燕西道："我今天一天，都没有看见大爷，你知道大爷在哪里？"金荣道："我为着七爷要看书，整忙了一天，什么事也没有去办。上午听说蒙藏院的总裁介绍了几个喇嘛来，好像是要给总理念喇嘛经。大爷就在内客厅里见着那些喇嘛的。又听说不一定要在家里做佛事，就是庙里也行的。"燕西道："那末，他一定是在家里的了，我找他去。"说着，一直向凤举院子里来。前面院子里，寂焉无人。院子犄角下，两株瘦弱的杏花，长长的、小小的干儿，开着稀落的几朵花，在凉风里摇摆着，于是这院子里，更显得沉寂了。燕西慢慢走进屋去，依然不见一个人。正要转身来，却听到一阵脚步声。只见那墙后向北开的窗子外，有一个人影子闪了过来，复又闪了过去。那墙后并不是院子，乃是廊檐外一线天井，靠着白粉墙，有一个花台，种了许多小竹子，此外还有些小树，倒很幽静。燕西由凤举卧室里推开后门，伸头一望，只见凤举背着了两只手，只管在廊下走来走去。看那样子，也是在想什么心事。他忽然一抬头看见燕西，倒吓了一跳，因道："你怎么不做声就来了？有事吗？"燕西道："我找你一天，都没有看见你，不知道你到哪里去了？我有两句话，要和你商量一下子。"凤举见他郑而重之说起来，倒不能不听，便道："我也正在这里作闷主意呢。"燕西道："现在家里事都要你担一分担子了，我的问题，你看怎么样解决？就事？我怕没有相当的。读书呢？又得筹一笔款的。但是读书而后，是不是能有个出路，这也未可料。"凤举道："我以为你要商量什么急事，找着我来问。这个问题很复杂的，三言两语，我怎么能替你解决？"燕西道："当然不是三言两语所能解决，但是你总可以给我想一个计划。"凤举道："我有什么计划可想?我私人方面,有一万多块钱的债务,这两天都发生了。你们都是这样想,以为父亲去世了,钱就可由我手里转,我就能够胡来一气了。"燕西道:"你何必在我面前说这种话?只要别人不问,你随便有多少私债,由公款还了都不要紧。"凤举道:"你以为钱还在我手里管着吗?今天早上,母亲把两个账房叫去了,和我当面算得清清楚楚。支票现款账本,一把拿过去了。这事难为情不难为情,我不去管他。有两笔款子,我答应明天给人家的,现在叫我怎样去应付呢?真是糟糕!到了明日,我没什么法子,只有装病不见人。"说着,依然在走廊下走来走去。

　　燕西一看这种情形,没法和他讨论,回身又折到金太太屋子里来。这里正坐了一屋子人,除了道之四姊妹,还有鹏振夫妇。佩芳和金太太斜坐在侧面一张沙发上。金太太道:"也许是凤举有些觉悟了,从来银钱经过他的手,没有像这样干净的。"佩芳道:"这一层我倒知道的,他虽是乱七八糟的用钱,公私两个字,可分得很清楚。现在家里遭了这样的大难,他也心慌意乱,就是要扯公款,也想不到这上面来的了。"说到这里,正是燕西一脚由外面踏了进来,金太太道:"老七,你今天有什么心事?只看见你跑进跑出,坐立不安。"燕西一看屋子里有这些人,便道:"我有什么心事?我不过是心里烦闷得很罢了。"说着,在金太太对面一张椅子上坐下。这一坐下,不觉希沙一阵响,连忙回头看时,原来是椅子上有一把算盘呢。因道:"妈现在实行做起账房来了,算盘账簿,老不离左右。"金太太道:"摽!你知道什么?凡是银钱经手的人,谁见了会不动心?不过总有一种限制,不敢胡来罢了。一到了有机可乘,谁能说不是混水里摸鱼吃?现在除了家里两位账房经手的账不算,外面大小往来账目,哪里不要先审核一下?光是数目上少个一万八千,我都认为不算什么。最怕就是整笔的漏了去,无从稽考。钱是到人家手上去了,他不见你的情,还要笑你傻瓜呢。所以我在你父亲临危的那一天,我只把里外几只保险箱子管得铁紧。至于丧费怎样铺张,我都不会去注意。他们要花,就放手去花,就是多花些冤枉钱,也不过一万八千罢了。若总账有个出入,那可难说了。所以人遇到大事,最忌的是察察为明。"说到这里,用眼望着道之姊妹道:"我也是个妇人,不敢藐视妇女。可是妇女的心理,往往是抱定一个钱也不吃亏的主义,为了一点小事,拼命去计较。结果是你的眼光,注意在小事上的时候,大事不曾顾到,受了很大的损失了。这是哪一头的盘算呢?前几天,我心里有了把握,什么也不管,这几天我可要查一查了。总算不错,凤举办得很有头绪,花钱并不多。"道之姊妹听了,倒也无所谓,只有玉芬听了,正中着心病,倒难过一阵。当时望了一望大家,都没有说什么。在她这眼光像电流似的一闪之间,清秋恰是不曾注意着,面向了金太太。金太太向她补了一句道:"你看我这话说得怎么样?"清秋本来是这样的主张的,何况婆婆说话，又不容她不附和呢。因道："你老人家不要谈修养有素了，就是先说经验一层，也比我们深得很。这话自然是有理的，我们就怕学不到呢。"玉芬听了这话，深深的盯了清秋身后一眼。清秋哪里知道，回转身见道之望着她，便道："四姐是能步身母亲后尘的，其实用不着母亲教训，你也就很可以了。"道之不便说什么，就只微点了一点头。道之不说，其余的人，也是不肯说。金太太所说的一番话，无人答复，就这样消沉下去了。

玉芬向佩芳丢了一个眼色，轻轻的道："大嫂，我还有两样东西在你那里，我要去拿回来。"佩芳会意，和她一同走出来。走出院子月亮门，玉芬首先把脸一沉道："你瞧，这个人多么岂有此理！上人正在说我，你不替我遮掩，倒也罢了，还要火上加油，在一边加上几句，这是什么用意？我大大的受一番教训，她就痛快了吗？"佩芳望了玉芬的脸道："夹枪带棒，这样的乱杀一阵，你究竟说的是谁？我可没有得罪你，干吗向我红着小脸？"玉芬道："我是说实话，不是开玩笑，凭你说句公道话，清秋刚才所说的话，应不应当？"佩芳道："母亲那一番话，是对大家泛说的，又不是指着你一个人，干吗要你生这样大的气？"二人说时，不觉已是走到佩芳院子里。佩芳道："你调虎离山把我调了回来，有什么话说？"玉芬道："别忙呀，让我到了你屋子里去再说也不迟，难道我身上有什么传染病，不让进屋子不成？"佩芳道："你这人说话真是厉害，今天你受了什么肮脏气，到我头上来出？"说着，自己抢上前一步，给她打着帘子，便让她进去。玉芬笑道："这就不敢当了。"佩芳让她进了房，才放下帘子一路进来，也笑道："你总也算开了笑脸了。"玉芬道："并不是我无事生非的生什么气，实在因为今天这种情形，我有点忍耐不住。"佩芳道："你忍耐不住又怎么样呢？向着别人生一阵子气，就忍耐住了吗？"玉芬道："不是那样说，我早有些话要和你商量。"说着，拉了佩芳的手，同在一张沙发椅上坐下，脸上立刻现了一种庄严的样子道："我们为着将来打算，有许多事不能不商量一下子。就是这几天我听母亲的口音，这家庭恐怕不能维持现状了。而且还说，父亲既去世，家里也用不着这样的大门面。就是这大门面，入不敷出，也维持不了长久。"佩芳笑道："你这算是一段议论总帽子吧？以下还有什么呢？帽子就说得这样透彻，本论一定是更好的了。"玉芬把眉头一皱道："怎么一回事？人家越是和你说正话，你倒越要开玩笑。你想想看，家庭不能维持现状，我们自然也不能过从前一样的生活了。"佩芳道："这是自然的，我看多少有钱的人家，一倒就倒得不可收拾，这都是由于不会早早的回头之故。母亲的办法，我们当然极力赞成。"玉芬道："极力赞成什么？也用不着我们去赞成呀。你以为家庭不能维持现状以后，她老人家还要拿着这个大家庭在手上吗？这样一来，十分之九，这家是免不了要分开的。凭着这些哥儿们的能耐，大家各自撑立门户起来，我以为那是盲人骑瞎马，夜半临深池的情形。"佩芳先还不为意，只管陪着她说话，及至她说到这里，心中一动，就默然了。她靠了沙发背躺着，低了头只管看着一双白手出神。手却翻来覆去，又互相抢着指头，好像在这一双手上，就能看出一种答案出来的样子似的。半响，便叹了一口气。玉芬道："你叹什么气？这样重大的事情，你不过是付之一叹吗？"佩芳这才抬头道："老妹，这件事，我早就算到了，还等今天才成问题吗？据你说，又有什么法子呢？"玉芬道："这也不是没有法子一句话，可以了却的，没有法子，总也得去想一个法子来。我想了两天，倒有一条笨主意，不知道在你看去，以为如何？"佩芳道："既有法子，那就好极了。只要办得动，我就惟命是听。"玉芬道："那就不敢当，不过说出来，大家讨论讨论罢了。我想这家产不分便罢，若是要分的话，我们得向母亲说明，无论什么款子，也不用一个大，可是得把账目证明清清楚楚的，让我们有一分监督之权。除了正项开支，别的用途大家不许动。若是嫌这个办法太拘束，就再换一个法子，请母亲单独的拨给我们一分产业。我们有了产业在手，别人无论如何狂嫖滥赌，管得着就管，管不着就拉倒。"佩芳听着这话，默然了一会，将头连摆了几下，淡淡的道了一个字："难。"玉芬道："为什么难？眼睁睁的望着家产分到他们手上去，就这样狂花掉吗？"佩芳道："我自然有我的一层说法。你想，业产当然是儿子承继的，儿媳有什么权要求监督？而且也与他们面子难堪，他们肯承认吗？现在他们用钱，我们在一边啰唆着还不愿意呢，你要实行监督起来，这就不必问了。至于第二步办法，那倒成了分居的办法，未免太着痕迹。那样君君子子的干，恐怕母亲首先不答应。"玉芬道："这就难了。那样也不成，这样也不成，我们就眼巴巴的这样望着树倒猢狲散吗？"佩芳道："这有什么法子？只好各人自己解决罢了，公开的提出来讨论那可不能的。"玉芬听了这话，半响不能作声，却叹了一口气。佩芳伸着手在她肩上连连拍了两下道："老妹，你还叹什么气？你的私人积蓄不少呀。"玉芬道："我有什么积蓄？上次做公债，亏了一塌糊涂，你还有什么不知道？我一条小命，都几乎在这上面送掉了。"佩芳笑道："你还在我面前弄神通吗？你去的钱，早是完全弄回来了。连谁给你弄回来的，我都知道。你还要瞒什么呢？"玉芬听了这话，不由得脸上不通红的一阵。顿了一顿，才低低的说了一句："哪里能够全弄回来呢？"只说了这样一句，以下也就没有了。佩芳知道她对于这事要很为难，也不再讨论下去。坐了一会，扶着玉芬的肩膀起来，又拍了两下，笑道："你的心事，我都明白了，让我到了晚上，和凤举商量商量看，先探探他们弟兄是什么意思？若是他们弟兄非分居不可，我们也无执拗之必要。然后再和他们商议条件，别忙着先透了气。"说时，又连连拍了玉芬几下。玉芬眼珠一转，明白这是佩芳不愿先谈的，只得也站起来道："可也不急在今日一天，慢慢商量得了。要是急着商量，他们还不定猜着我们要干什么事哩。"佩芳点了一点头,玉芬出门而去。可是她走出院子里,却又转身回来,笑向佩芳道:"我知道你们夫妻感情好的时候,是无话不谈的,你和大哥谈论起来,不许说这话是我说的。"佩芳道:"我们有什么无话不谈?人家可是说你夫妻无所不为哩。"玉芬听着,啐了一口,才抢着跑了出去了。

佩芳听了玉芬这一番话之后,心想,机灵究竟是机灵的,大家还没有梦到分家的事,她连分家的办法,都想出来了。照着她那种办法,好是好,可是办不通。若是办不通,就任凭凤举胡闹去,自然是玉芬所说的话,树倒猢狲散了。心里有了这样一个疙瘩,立刻也就神志不安起来,随后仿佛是在屋里坐不住,由屋后转到那一条长天井下,靠了一根柱子,只是发呆望着天。自己也不知道站了多久,正待回屋子里去的时候,只听凤举在屋内嚷道:"不是在屋子里的吗?怎么没有看到人呢?"佩芳道:"什么事,要找我?"凤举听说,也走到后面天井里来,咦一声道:"这就怪了,我今天躲在后面想正事了,你也躲在后面想心事,这可以说是一床被不盖两样的人了。"佩芳将眼瞪了一瞪道:"说话拣好听的一点材料,不要说这种不堪入耳的话。"凤举道:"这几句话有什么不堪入耳?难道我们没有同盖过一床被吗?"说到这里,就伸着脖子向佩芳微微一笑。佩芳又瞪了他一眼道:"你有这样的热孝在身,亏你还笑得出来! 这是在我面前做这样鬼脸,若是让第二个人看见,不会骂你全无心肝吗?"这几句话太重了,说得凤举一个字也回答不出来。还是佩芳继续的道:"你不要难为情,我肯说你这几句话,我完全是为你好,并不是要找出你一个漏洞来挖苦你几句,我就心里痛快。我私下说破了,以后省得你在人面前露出马脚来。"凤举一个字也不说,对着佩芳连连作了几个揖道:"感谢,感谢! 我未尝不知道死了老子,是平生一件最可痛心的事,但是这也只好放在心里。叫我见着人,就皱眉皱眼,放出一副苦脸子来,我实在没有那项工夫。反正这事放在心里,不肯忘记也就是了,又何必硬梆梆的搬到脸上来呢?"佩芳道:"你要笑,你就大笑而特笑罢。我不管你了。"说毕,身子向后一转,就跑进屋子去了。凤举道:"你瞧,这也值得生这样大的气。你教训我,我不生气,倒也罢了,你倒反要生我的气,这不是笑话吗?"佩芳已经到了屋子里去,躺在沙发椅子上了。凤举说了这些话,她只当没有听见,静静的躺着。凤举知道虽然是一句话闹僵了,然而立刻要她转身来,是不可能的,这也只好由她去,自己还是想自己的心事。不料她这一生气,却没有了结之时,一直到吃晚饭,还是愤愤不平的。凤举等屋子里没有人了,然后才问道:"我有一句话问你,让问不让问?"佩芳在他未说之先,还把脸向着他,及至他说出这话之后,却把脸向旁边一掉。凤举道:"这也不值得这样生气,就让我说错了一句话,驳我一句就完了,何必要这样?"这时,也就挨着佩芳,一同在大睡椅上坐下。佩芳只是绷着脸,爱理不理的样子。凤举牵着她一只手，向怀里拖了一拖，一面抚着她的手道："无论如何，以后我们做事要有个商量，不能像从前，动不动就生气的了。而况父亲一大部分责任都移到了我们的头上来，我正希望着你能和我合作呢。"佩芳突然向上一站，望着他道："你居然也知道以后不像从前了，这倒也罢。我要和你合作，我又怎么办呢？你不是要在外面挑那有才有貌的和你合作吗？这时才晓得应该回头和我合作了。"凤举道："咳！你这人也太妈妈经了，过去了这久的事情，而且我又很忏悔的了，为什么你还要提到它？"佩芳道："好一个她！她到哪里去了？你且说上一说。"凤举道："你又来挑眼了，我说的它，并不是指着外面弄的人，乃是指那一件事。有了那一件事，总算给了我一个极大的教训，以后我决不再蹈覆辙就是了。"佩芳鼻子一耸，哼了一声道："好哇！你还想再蹈覆辙呢。但是我看你这一副尊容，以后也就没有再蹈覆辙的能力吧？"凤举道："我真糟！说一句，让你驳一句，我也不知道怎样说好？我索性不说了。"说毕，两手撑了头，就不做声。佩芳道："说呀！你怎么不说呢？"凤举依然不做声。佩芳道："我老实告诉你罢，事到如今，我们得做退一步的打算了。"凤举道："什么是退一步的打算？你说给我听听。"佩芳道："家庭倒了这一根大梁，当然是要分散的了。到了那个时候，我们这一部分，你是大权在握。你有了钱，敞开来一花，到后来用光了，只看着人家发财，这个家庭我可过不了。趁着大局未定，我得先和你约法三章。你能够接

643

受，我们就合作到底。你不能接受，我们就散伙。"凤举道："什么条件，这样的紧张？你说出来听听。"佩芳道："这条件也不算是条件，只算是我尽一笔义务。我的意思，分了的家产，钱是由你用，可是得让我代你保管。你有什么正当开支，我决不从中阻拦，完全让你去用。不过经我调查出来，并非正当用途的时候，那不客气，我是不能支付的。"凤举道："这样说客气一点子，你是监督财政。不客气一点，就是我的家产让你代我承受了，我不过仰你的鼻息，吃一碗闲饭而已。你说我这话对不对？"佩芳道："好！照你这样的说，我这个条件，你是绝对不接受的了？"凤举道："也并非不接受，不过我觉得你这些条件，未免过于苛刻一点，我希望你能通融一些。我也很知道我自己花钱手太松，得有一个人代我管理着钱。但是像你这样管法，我无论用什么钱，你都认为是不正当的开支，那我怎么办？"佩芳见他已有依允之意，将头昂着说道："我的条件就是这样，没有什么可通融的。你若是不愿受我的限制，我也不能勉强。你花你的钱，花光了就拉倒。但是我不像以前了，有了你一个孩子，你父亲给你留下不少的钱，你也是人家的父亲，就应当一文不名的吗？你也该给我的孩子留下一些。这一笔款子，在你承受产业的时候，就请你拿出来，让我替孩子保管着。将来孩子长大，省得求人，你也免得由自己腰包里掏出来有些肉痛。我的话，至此为止，你仔细去想想。"说毕，竟自出门去

了。凤举望了她的后影，半晌做声不得，究竟不知道她毅然决然的提出这样一个条件什么用意？既是她已经走了，也不能追着她去问，只好等到晚上，她回房之后，再来从从容容的商量。自己也就慢慢的踱到前面客厅里来。

第八十一回

飞鸟投林夜窗闻愤语
杯蛇幻影晚巷走奔车

金家因为有了丧事以后,弟兄们常在这里聚会的。鹏振一见凤举进来,起身相迎,拉着他的手道:"我有话和你说。"说了这句,不容分说,拉了凤举就向屋外走。到了走廊下,凤举停了脚,将手一缩道:"到底有什么事,你说就是了,为什么这样鬼鬼祟祟的?"鹏振道:"自然是不能公开的事,若是能公开的事,我又何必拉你出来说呢?"说了这句话,声音便低了一低道:"我听到说,这家庭恐怕维持不住了,是母亲的意思,要将我们分开来,你的意思怎么样?"凤举听说,沉吟了一会,没有做声。鹏振又道:"你不妨实说,我对于这件事,是立在赞成一方面的。本来西洋人,都是小家庭制度,让各人去奋斗,省得谁依靠谁,谁受谁的累,这种办法很好。做事是做事,兄弟的感情是兄弟的感情,这决不会因这一点,受什么影响。反过来说,大家在一起,权利义务总不能那样相等,反怕弄出不合适来哩。"凤举听他说时,只望着他的脸,见他脸上,是那样的正板的,便道:"你这话未尝没有一部分的理由。但是在我现在的环境里,我不敢先说起此事。将来论到把家庭拆散,倒是我的罪魁祸首。"鹏振道:"你这话又自相矛盾了,既然分家是好意的,罪魁祸首这四个字,又怎能够成立?况且我们办这事,当然说是大家同意的,决计不能说谁是被动,谁是主动。"凤举抬起手来,在耳朵边连搔了几下,又低着头想了一想,因道:"果然大家都有这意思,我决不拦阻。有了机会,你可和母亲谈上一谈。"鹏振道:"我们只能和你谈,至于母亲方面,还是非你不可。"凤举道:"那倒好,母亲赞成呢,我是无所谓。母亲不赞成呢,我算替你们背上一个极大的罪名,我为什么那样傻?我果然非此不可,我还得邀大家,一同和母亲去说。现在我又没有这意思,我又何必呢?"鹏振让他几句话,说得哑口无言。呆立了一会,说了三个字:"那也好。"

正这样立着,翠姨却从走廊的拐弯处,探出头来,看了一看,缩了转去。不多一会,她依然又走出来，便问道："你们两个在这里，商量什么事呢？能公开的吗？"鹏振道："暂时不能公开，但是不久总有公开之一日的。"翠姨点了点头道："你虽不说，我也知道一点，不外家庭问题罢了。"凤举怕她真猜出来了，便道："他故意这样说着冤你的，你又何必相信。"一面说着，一面就走开了去。但是翠姨刚才在那里转弯的地方，已经听到两三句话。现在凤举一说便跑，她更疑心了。而且鹏振又说了，这事不久就要公开，仿佛这分家就在目前，事前若不赶作一番打算，将来由别人来支配，那时计较也就迟了。她这样想着，心里哪能放得下？立刻就去找佩芳，探探她的口气。然而佩芳这时正在金太太那边，未曾回去。就转到玉芬屋子里来，恰是玉芬又睡了觉了，不便把她叫醒来，再问这句话。回转身来，听到隔院清秋和老妈子说话，便走到清秋院子里来。一进院子门，便道："七少奶奶呢？稀客到了。"清秋正站在走廊下，便迎上前，握了她的手，一路进房去坐着。见她穿了一件淡灰呢布的夹袄，镶着黑边，腰身小得只有一把粗。头发不烫了，梳得光溜溜的，左耳上，编着一朵白绒绳的八节花，黑白分明。那鹅蛋脸儿，为着成了未亡人，又瘦削了两三分，倒现着格外的俊俏。清秋这一看之下，心里不觉是一动。翠姨将她的手握着，摇了两摇道："你不认得我吗？为什么老望着我？"这样一说，清秋倒有点不好意思，便索性望着她的脸道："不是别的，我看姨妈这几天工夫，格外瘦了，你心里得放宽一点儿才好。"翠姨听了，深深的叹了一口气，然后坐下道："一个二十多岁的人，死了丈夫，有不伤心的吗？可是我这样伤心，人家还疑我是故意做作的呢。咳！一个女人，无论怎样，总别去做姨太太，做了姨太太，人格平白的低了一级，根本就成了个坏人，哪好得了呢？"清秋宽解着她道："这话也不可一概而论。中国的多妻制度，又不是一天两天，如夫人做出惊天动地的事情的，也不知多少。女子嫁人做偏房的，为了受经济压迫的，固然不少，可是也有很多的人为了恩爱两字，才如此的。在恩爱上说，什么牺牲，都在所不计的，旁人就绝对不应看轻她的人格。"翠姨道："你这话固然是不错。老头子对我，虽不十分好，但是我对他，绝无一点私心。他在的日子，有人瞧不起我，还看他三分金面。现在他去世了，不但没有人来保护我，恐怕还要因为我以前有人保护，现在要加倍的和我为难呢。我这种角色，谁肯听我的话？就是肯听我的话，我只有这一点儿年纪，也不好意思端出上人的牌子来。我又没有一个儿女，往后，谁能帮着我呢？再说，有儿女也是枉然，一来庶出的，就不值钱，二来年纪自然是很小，怎样抚养得他长大？总而言之，在我这种环境之下，无论怎样家庭别分散了。大家合在一块儿去，大家携带我一把，我也就过去了。现在大家要分家，叫我一个年轻的孀妇，孤孤单单的，怎么办呢？七少奶，你待我很不错，你又是个读书明理的人，请你指教我。"清秋不料她走了来，会提起这一番话。不听犹可，一听之下，只觉浑身大汗向下直流，便道："我并没有

听到说这些话呀。姨妈,你想想看,我是最后来的一个儿媳,而且又来了不多久,我怎敢提这件事?而且就是商议此事,也轮不到我头上来哩。你是哪里听来的?或者不见得是真的吧?"翠姨以为清秋很沉静的人,和她一谈,她或者会随声附和起来。不料现在一听这话,就是拦头一棍,完全挡了回来。便淡淡的笑道:"七少奶,你以为我是汉奸,来探你的口气来了吗?你可错了。我不过觉得你是和我一样,是个没有助手的人,我同病相怜,和你谈谈罢了,你可别当着我有什么私心啦。"清秋红了脸道:"姨妈说这话,我可受不起,我说话是不大漂亮周到的,不到的地方,你尽管指教我,可别见怪。"翠姨道:"并不是我见怪,你想,我高高兴兴的走来和你商量,你劈头一瓢冷水浇了下去,我有个不难受的吗? 这话说破了,倒没有什么,见怪不见怪,更谈不上了。"清秋见她这样说着,又向她赔了一番小心。翠姨这口气,总算咽下去了。然而清秋对于分家这件事,既然那样推得干干净净,不肯过问,那末,也就不便再说,只说了一些别的闲事,坐了一会子就走了。

清秋等她走后,一个人坐在屋子里纳闷。这件事真怪,我除了和燕西谈了两句而外,并没有和别人谈过,她何以知道?再说,和燕西谈的时候,并不曾有什么分家的心思,不过这样譬方说着,将来前途是很暗淡的,家庭恐怕不免要走上分裂的一途。这种话慢说是不能作为根据的,就是可以作为根据,这是夫妻们知心之谈,怎样可以去瞎对第三个人说?翠姨虽然是个长辈,究竟年轻,而且她又不是那种谈旧道德的女子,和她谈起分家的话来,岂不是挑拨她离开这大家庭?这更是笑话了。她谁也不问,偏来问我,定是燕西在她面前漏了消息,她倒疑心我夫妇是开路先锋。这一件冤枉罪名,令人真受不了呀! 设若这话传了出去,我这人缘不大好的人,一定会栽一个大跟头,这是怎样好?我非得把燕西找来,问他是怎样说出来的不可。越想越是不安,也就不能再在屋子里坐了。又转身到金太太屋子来,可是燕西早已离开此地了。清秋因为屋子里只金太太一个人,便陪着金太太坐下。金太太说到金铨在时,事事有人拿主意,也就无所谓的过太平日子。现在孀居,才感到了种种痛苦。说着,又谈到了冷太太。金太太便说:"我有这些儿女,衣食也是不必去发愁的了。当年亲家老爷去世,丢下亲家太太,你们母女孤苦伶仃度到现在,真是不容易哩。"这几句话,说得清秋加倍难受,两行眼泪,不由人作主便流了出来。转念一想,怕如此更惹出金太太的眼泪,忙掏出手绢,将眼睛连续擦了几擦。金太太似乎也知道她的意思,便向着她叹了一口气。所幸不久的时间,便吃晚饭,人也来多了,这种伤心的话,搁下不提。

吃过晚饭,金太太屋子里,兀自坐着许多人。金太太心里烦得很,暂时不愿和这些人坐在一处,就一人走出来顺着走廊,不觉到了隔院翠姨屋子边。只听到翠姨一个人,在屋子里说着话不歇。心里不觉得暗骂了一声,只有这种人,是全无心肝的,一个女子,年轻死

了丈夫，还有工夫发脾气，你看她倒不在乎。金太太想着，就慢慢腾腾的走过来。到了窗户外，靠着一根柱子立着，一听那口声，却是翠姨和一个老妈子说话。那老妈子道："你怕什么？拔出一根毫毛来，比我们腰杆儿还粗呢。你还愁吃喝不成？"翠姨道："一个人不愁吃喝就完了吗？再说，就靠我手上这几个钱，也不够过日子的，就叫我怎样不发愁呢？"金太太一听，心里大吃一惊，心想，她为什么说这话，有吃有喝还不算，打算怎么样呢？于是越发沉默了靠了柱子，侧着头向下听去。只听见老妈子道："天塌下来，有屋顶着呢，你怕什么？"翠姨冷笑一声道："屋能顶得吗？要顶得天，也是替别人顶着，可摊不上我呀！我想到了现在，太阳落下山去，应该是飞鸟各投林了。我受他们的气，也受够了，现在我还能那样受气下去吗？你瞧，不久也就有好戏唱了，还用不着我们出头来说话呢。"金太太听了这话，只气得浑身抖颤，两只脚其软如绵，竟是一步移动不得。本想嚷起来，说是好哇，死人骨肉未寒，你打算逃走了。这句话达到舌尖，又忍了回去。心想，和这种人讲什么理？回头她不但不说私议分家，还要说我背地里偷听她的话，有意毁坏她的名誉，我倒无法来解释了。她既有了这种意思，迟早总会发表出来的。到了那个时候，我再慢慢的和她计算，好在我已经知道了她这一番的意思，预防着她就是了。

　　金太太又立了一会，然后顺着廊檐走回自己屋子去。一看屋子里还坐有不少的人，这一肚子气，又不便发泄出来，只是斜着身子坐在沙发上，望了壁子出神。凤举这时也在屋子里，一看母亲这样子，知道生了气，不过这气由何而来，却不得而知。因故意问道："还有政府里拨的一万块钱治丧费，还没有去领。虽然我们不在乎这个，究竟是件体面事，该去拿了来吧？"金太太对于凤举的话，就像没有听到一样，依然板着面孔坐在那里。凤举见母亲这样生气，将话顿了一顿。然而要想和母亲说话，除了这个，不能有更好的题目。因此又慢慢的踱着，缓步走到金太太前面来，像毫不经意似的，问道："你老人家看怎么样？还是把这笔款子收了回来罢。"金太太鼻子里突的呼了一口气，冷笑道："还这样钻钱眼做什么？死人骨肉未寒，人家老早的就要拆散这一分家财了。弄了来我又分了多少？"凤举一听这话，才知母亲是不乐分家的这一件事。这一件事自己虽也觉得可以进行，似乎时间还早，所以鹏振那一番话，很是冒昧，自己并无代说之心。而今母亲先生了气，幸而不曾冒失先说，然而这个空气，又是谁传到母亲耳朵里来的哩？鹏振当然是没有那大的胆，除非燕西糊里糊涂将这话说了。这件事，母亲大概二十四分不高兴，只有装作不知道为妙。因之默然的在屋子里踱来踱去几步，并不接嘴向下说去。金太太看他不做声，倒索性掉过脸来向凤举道："我也要下到这一着棋的，但是不知道发生得有这快。一个家庭，有人存下分家的心事，那就是一篓橘子里有了一个坏橘子，无论如何，非把它剔出来不可。我也不想维持大家在一处。分得这样快，只是说出去了不好听罢了。"金太太发过了一顿牢骚，只凤举没有搭腔，便回转脸来问道："你看怎么样?这种事情，容许现在我们家里发生吗?"凤举对于这件事，本来想不置可否，现在金太太指明着来问，这是不能再装糊涂的了。因道："我并没有听谁说过这个话。你老人家所得的消息，或者事出有因，查无实据……"金太太突然向上一站，两手一张道："怎么查无实据?我亲耳听到的，我自己就是一个老大的证据呢。"凤举道："是谁说的?我真没有想到。"金太太道："这个人不必提了。提了出来，又说我不能容物。现在我开诚布公的说一句，既是大家要飞鸟各投林，我水大也漫不过鸭子去，就散伙罢。只有一个条件，在未出殡以前，这句话绝对不许提。过了七七四十九天，在俗人眼里看去，总算满了热服，然后我们再谈。俗言说得好，家有长子，国有大臣，我今天对你说了，我就绝对的负责任。你可以对他们说，暂时等一等罢。"凤举道："你老人家这是什么话?我并没有一点这种意思，你老人家怎么对我说出这种话来?"金太太道："说到家事，你也不必洗刷得那样干净。我也不怪你，我对你说这话，不过要你给我宣布一下子就是了。"凤举一看金太太的神气，就知道母亲所指的人是翠姨，不过自己对于翠姨平常既不尊敬，也不厌恶。现在反正大家是离巢之燕，也更用不着去批评她。母亲说过了，自己也只是唯唯在一边哼了两声，等着金太太不说，也就不提了。

坐了一会，金太太气似乎消了一点，凤举故意扯着家常话来说，慢慢的把问题远引开了。金太太道："说到家庭的事，我总替燕西担心，你们虽是有钱便花，但是也知道些弄钱的法子，平常账目，自然也是清楚的。燕西他却是第一等的糊涂虫，对于这些事丝毫不关心，将来有一天到了他自己手上掌家，那是怎样办?而且他那位少奶奶，又是对他一味的顺从，他更是要加倍的胡闹了。"凤举道："我想他还不急于谋事，今年只二十岁，就是入大学里读书去，毕了业出来再找事，还不晚啦。"金太太道："我也是这样想。这个日子，叫他出去作什么事?想来想去，总是不妥。从前让他在家里游荡，那就不成话，而今失了泰山之靠，这更不能胡来了。第一，就是那三百块的月钱，我要取消。原是给一笔整数，省得时时要钱零用。结果为了有这一笔钱，放开手来用，更大闹亏空了。"说到这里，只见门外边，有一个人影子一趸，又缩转去了。金太太伸头向外望了一望，连问两声是谁?外面答应着是我，燕西却走进来了。金太太道："你这样鬼鬼祟祟的做什么?"燕西道："并不是鬼鬼祟祟的，因为这儿正提到了我，我为什么闯进来?"凤举道："母亲说，要裁掉你的月费哩。我不敢赞一词。"燕西站着靠了桌子，五个指头，虚空的扶了桌沿，扑通扑通的打了一阵，只是默然不做声。金太太道："我刚在屋子里说的话，大概你也听见。你因为有了这一笔月费，倒放开手来乱用，你想对不对?结果，钱反而不够。你的手笔反而也用大了，那是何必

呢?"燕西听了这话,依然不做声,将五个手指头,把桌子扑通扑通,又打着响了几下。那脸微微朝下,可没有理会到金太太说些什么。金太太道:"你说罢,怎么不做声?我这话说的对不对呢?"燕西依然向下看着,才慢慢地道:"若是家用要缩小呢,当然把我的月费免了,不过我除此以外,可没有什么收入。至于用钱用得过分的话,那也不能一概而论。"说话时,将鞋尖只管在地板上乱画。金太太道:"论说,也不省在你头上这一点儿钱。只要你不胡花,我照常给你,也不算什么。"凤举听说这话,心想,这倒好,刚才对我说要裁他的月费。这会子当面说,只要他不胡花,也不在乎。那末,我若先说出来,倒像是我多事了。因对燕西道:"我也是这样想,你是没有就事的人,这月费如何可以取消?可是我也不敢保举,免得我们像约好了,通同作弊似的。我的主张最好还是找个相当的学校去读书。"燕西道:"为什么你们主张我去读书呢?"金太太道:"据你这种口气说,好像你的学问已经够了,大可以就事了?"燕西道:"倒不是那样说,我想父亲去世了,我要赶快作个生利的人,不要依然做个分利的才好。并不是我觉得自己的能力够了。"金太太道:"只要你有这一番意思,你就有出头的希望了。平常人家,还把儿女读书,读上二十多岁呢,咱们家里,何至于急急要你挣钱?只要你明白,好好读书,将来自然是生利的,无论你用多少钱,我都供给你。"燕西当金太太说时,背了两手,在屋子里当中走两步打一个转身,似听不听的样子,更也没有去看金太太的颜色。这时,忽然转身向着金太太道:"你老人家这话真的吗?"金太太道:"你这话问得奇了,我做娘的人,以前只有替儿子圆谎的,几时向儿子撒过谎?"燕西道:"这话诚然,哪个也不能否认。但是我的意思不是那样说,怕是反过来说我无用呢。既是你老人家有这样好的意思,我一定努力去读书,本来前几天我就预备看过一次书了。"凤举听他说出这种话来,只管向他望着,头微微的点上几点。金太太哼了一声道:"这倒是你的老实话,预备过了一次。这一次,不知道有多少时候?第二次在什么时候预备呢?大概是不可知的了。"燕西这才知是失言,微微笑了一笑。因为有了这两个爱儿在身边,金太太略微解除了一些愁闷。因为解除愁闷的原故,对于翠姨说的那一番话,暂时也就搁了一搁,就不像以前那样愤愤不平的样子了。凤举自父亲去世以后,孝心是格外的重了,每日都要抽出工夫来,陪着母亲说说话。而且每日的账目,金太太大致要问一问,小节目都是凤举报告。因为这样,凤举更是不能不多费一点工夫,细细报告出来。凤举先是背靠了桌子和金太太说话,那样子好像随时都可以走的样子。现在索性走到金太太对面一张椅子上坐下来,便不像要走的情形了。燕西见老大所说的一些家常话,非常之细琐,金太太倒偏是爱听,心想,老大也为什么学得一肚子奶奶经?半天没有插嘴的机会,就自行走出房来。

　　燕西自关在家里不能出去，苦闷异常，只是这个屋里坐坐，那个屋里坐坐，始终也得不到适当的安身法。今晚为了不知怎样好，才到母亲房里来的。到了母亲房里以后，又遇着凤举在谈家常，依然是不爱听的事。所以又跑出来。跑出来以后，倒是站在走廊下呆了一呆，这应该到哪里去好？母亲说是让我再进学校，以后要和书本子作朋友了。无聊的时候，正好拿书本子来消遣，自然不会感到苦闷，书也就慢慢的到肚子里去了。这样想着，不觉得信着脚向书房这院子里走来。老远的向前一看，连走廊下一盏电灯，也昏暗不明，书房里面，黑洞洞的，一线光明也没有，这又跑去做什么？夜是这样深，何必跑到那里去受孤凄？只这一转念之间，人已离开了院子门好几步，一直向自己房子里走来。隔了窗户就微微听到清秋叹了一声气。进房看时，清秋侧着身子坐了，抬起一只右手，撑了半面脸，两道眉毛深锁，只管发愁。燕西道："这日子别过了，我整天的咳声叹气，你是整天的叹气咳声。"清秋这才将手一放，站了起来，向燕西道："你还说我，我心都碎了。我刚才接到韩妈一个电话，说是我母亲病了。"燕西道："既是岳母病了，你就回家去看看得了，这也用不着发什么愁。"清秋道："我就是愁着不能回去了。一来是在热孝中，大家都不出门呢，偏是我首先回去，自己觉得不大妥当。二来我怕这话说给人家听，人家未必相信，倒说是我藉故回家去。电话里说，我母亲不过一点小烧热，也不是什么大毛病。不回去看，我母亲知道我的情形，当然也不会怪我。真是睡在床上不能起来的话，我想韩妈明天早上一定会来的，那个时候，就问明白了，我再前去，或者妥当一点。"燕西皱了眉道："人家说你小心，你更小心过分了。你母亲病了，你回去看看，又不是好玩，有什么热孝不热孝？依我说，趁着今天夜晚，什么人也不通知，你就坐了家里的车，跑去看一趟。一两个钟头之内，悄悄的回来，谁也不会知道。我替你通知前面车房里，叫他们预备一辆车子，又快又省事多么好。"清秋本来急于要回去看看母亲，只是不敢走。现在燕西说悄悄的回去一趟，马上就回来，果然可以做得利落，不会让什么人知道。这样想着，不觉是站起身来，一手扶了桌子，一手扣着大襟上的纽扣，望着燕西出神。燕西脚一踩，站了起来道："你就不用犹豫了，照了我的话，准没有错，我给你通知他们去。"清秋对于这种办法，虽然很是满意，但是终觉瞒了出门，不大慎重。自己只管这样考量，燕西已经走出院子门去了。不多一会儿，燕西走回房来，将清秋的袖子拉了一拉，低声道："时候还早，趁此赶快回去。我在家里等着你，暂不睡觉，你上车子的时候，打一个电话回来，我就预先到前面去等着你，然后一路陪你进来。你看，这岂不是人不知鬼不觉的一件事？"清秋随着燕西这一拉起了身，对着桌上一面小镜子，用手托了一托微蓬的头发，在衣架上取了一件青斗篷向身上一披，连忙就出门。刚刚走到院子门下，又向后一缩。燕西正在身后护送着，她突然一缩，倒和燕西一碰。燕西问

651

道："做什么？做什么？你又打算不去吗？"清秋踌躇了一会子，斜牵着斗篷，向外一翻，因道："你瞧！这还是绿绸的里子，我怎能穿了出去？"燕西跺着脚，咳了一声，两手扶了清秋的肩膀，只向前推。清秋要向回退，也是不可能，纵然衣服是绸的，好在是青哗叽的面子，而且又是晚上回娘家去，也就不会有谁看见来管这闲事。自己给自己这样的转圜想着，已是一步一步的走上了大门口。老远见大门半开，门上的电灯放出光亮来，果然一切都预备好了。走到大门下，已有两个门房站在大门一边伺候。据这种情形看来，分明是大家都知道的事情，这还要说是瞒这个瞒那个，未免掩耳盗铃。不过已经到了车成马就的程度，就是不回家去，也是大家都知道的了。低着头，一声不言语出门，家里一辆最好的林肯牌汽车，横了门外的台阶停着。这是金铨在日，自己自用的汽车，家里人不敢乱坐。不料燕西却预备了这样一辆，心里又觉得是不安。燕西已对车夫说好，是开往落花胡同，原车子接七少奶奶回来。汽车折光灯一亮，一点响声没有，悠然而逝的去了。燕西觉得这件事很对得住夫人，心里很坦然的回房去。

　　但是，这晚瞒着出门的人，不止清秋，还有个王玉芬，清秋的车子走到半路上的时候，玉芬坐了家里另一部汽车，由外面回家的时候，在一条胡同口上，两个相遇了。清秋心里一面念着母亲的病，一面又在惦念着怕在金家露出了马脚，心里七上八下，只低了头计划着，哪有工夫管旁的闲事。玉芬由外面回家，心里却是坦然的，坐在车子里只管向外乱看。这胡同出口的地方，双方汽车相遇，彼此都开慢了许多。在这个当儿，玉芬向外看得清楚，对方开来的这一辆蓝色林肯牌汽车，正是自己家里的车子。再一看车子里坐的不是男客，却是女性，更是可注意的了。玉芬猜想中，以为家里有女子坐这汽车出来，不过是道之姊妹。乃至仔细一看，却是清秋，这真是一桩意料所不及的事了。恰是清秋低着头的，又好像是躲开人家窥视她似的，这让玉芬更加注意了。她这样跑出来，决不会得燕西同意的。别的事我不能说，至少的成分，是跑回娘家去，商量分家的事。看她不出，她倒是先下手为强了。我回去得查一查这件事，看看这分家的意思，是谁先有意？这样一味的沉思，汽车不觉到了家门口。自己下车走进大门，门房站在一边，玉芬便问道："七少奶奶刚才坐车出去，你们知道吗？"门房看她那样切实的说着，不敢说是没有出去，只得随便用鼻子哼了一声，答应是不错的样子。玉芬一听这话，站着偏了头问道："大概她回娘家去了吧？谁叫人开这辆好汽车走的？这件事若是让七爷知道了，我看你们是吃不了兜着走呢。"门房道："不是七爷自己跑出来分付开这辆车，我们也是不敢开的。"玉芬脸一沉道："这要是七爷对你说的，那就好。"说毕，挺着胸脯赶快的就向里边去。

　　鹏振在屋里软榻上躺着，一听到的得的得一路皮鞋声，就知道是玉芬回来了。他自己跑出屋来，拧着了屋檐下的电灯，等玉芬进去。玉芬笑着和他点了一点头道："劳驾。"玉芬进了屋子，鹏振跟了进来。鹏振随手将房门向后掩着，就轻轻的对玉芬道："密斯白对于这件事，态度怎么样？总是出于赞成的一方面吧？"玉芬皱了皱眉道："无论什么事，总是不宜对你商量的。若是对你说了，你总是不能保守秘密的。我去商量了，有没有结果，我自然会对你说，何必挂在口头？若是让别人听去了，你看够有多么大麻烦？"鹏振道："我哪知道你总会对我说呢，我是个性急的人，心里有了事，非急于解决不可。"玉芬向他连连摇着手，又摆着头道："不要说，不要说，我全明白了。"说毕，向椅子上一坐，左腿架在右腿上，两手十指交叉，将左腿膝盖一抱，昂着头，却长叹两口气。鹏振心里倒是一吓，这是什么事得罪了她？要她发出这种牢骚来。刚才问了她一句，已经大大的碰了一番钉子。若要再问，正是向人家找钉子碰，恐怕非惹得夫人真动气不可，还是不说的好。于是将两手插在西服裤子袋里，半侧着身子，望着玉芬，只管出神。玉芬道："你不要疑神疑鬼的，做出那怪样子来，我老实告诉你，我们所做的事，是德不孤了。"鹏振抢着问道："真有这样的事吗？这真怪了！谁？谁？"玉芬于是将在胡同口上碰到了清秋的事，对鹏振说了一番。因道："你想，她这样更深夜静溜了出去，又是燕西同意的，不是有重要的事，何至于此？冷家是有名的穷亲戚，趁火打劫的，还不趁我们家里丧乱的时候，拚命的向家里搬吗？我倒要去探探老七的口气，看他说些什么？"鹏振连忙摇着手道："这可使不得，谁都是个面子。你若把人家的纸老虎戳穿了，不但难为情，而且他以为我们有心破坏他的秘密，还要恨我们呢。"玉芬笑道："你以为我真是傻瓜吗？我不过试试你的见解怎样罢了。不过他们也走上这条路了，我们可别再含糊，回头我多出了主意，你又说是女权提高，我可没有办法。"鹏振笑道："我几时又说过这种话呢？我没有你给我摇鹅毛扇子，我还真不行呢。"说时，比齐两袖，向玉芬深深的一揖，然后又走进一步。玉芬一掉脸道："你可别患那旧毛病，你可知道你在服中？我虽不懂什么叫古礼今礼，可也知道什么叫王道不外乎人情。"鹏振脸一红道："我又患什么旧毛病？不过说一句实心眼的话罢了。"玉芬也不计较，自到后房去，换了一件旧衣服，一双蒙白布的鞋，出了房间，却向佩芳这边来。

第八十二回

匣剑帷灯是非身外事
素车白马冷热个中人

　　玉芬向佩芳这边院子经过鹤荪的院子，却听到慧厂冷笑了一声。这一声冷笑，不能说是毫无意思。玉芬一只脚已经下了走廊台阶，不觉连忙向后一缩，手扶了走廊的柱子，且听她往下说些什么？只听见鹤荪道："你就那样藐视人，无论如何，我也要做一番事业你看看。"慧厂道："你有什么事业？陪着女朋友上饭店，收藏春宫相片，这一层恐怕旁人比你不上。若论到别的什么本领，你能够的，大概我也能够。我劝你还是说老实话，不要用大话吓人了。"鹤荪对于慧厂这种严刻的批评，却没有去反诘，只是说了三个字"再瞧罢"。玉芬心里一想，他们夫妻俩，虽然也是不时的抬杠，但是不会正正经经谈起什么事业不事业，这个里头恐怕依然有什么文章，且向下听听看。这一听，他两人都寂默了五分钟，最后还是鹤荪道："我就如你所说，不能做什么大事。难道我分了家产之后，作一个守成者还不行吗？"慧厂道："这样说，你就更不值钱。你们兄弟对于这一层，大概意见相同，都是希望分了家产来过日子的。还有一个女的……"说到这句，她的声音，忽然低了一低，这话就听不出来了。玉芬听那话音，好像是说自己分了财产之后，那家产可是收到自己腰包子里去的。鹤荪又低声道："别说了，仔细人家听了去。"玉芬怕鹤荪真会跑出来侦察，就绕了走廊，由外面到佩芳那边去。远远的只看到佩芳房间的窗户上，放出一线绿光，这是她桌子上那一盏绿纱灯亮着，她在桌子上写字了。屋子里这时是静悄悄的，并无人声，也不见什么人影子，这分明是凤举出去了，佩芳一个人在屋子里待着。这个时候，进去找她说话，那是正合适的了。于是在院子门外，故意的就先咳嗽了一声。佩芳听见，隔着窗户，就先问了一声谁？玉芬道："没有睡吗？我一个人坐在屋子里，无聊得很，我想找你谈一谈。"佩芳道："快请进罢，我也真是无聊得很，希望有个人来和我谈谈哩。"说着，自己走了出来，替玉芬开门。玉芬笑着一点头，道了一声不敢当，然后一同走进屋子来。佩芳笑道："我闲着无事，把新旧的账目寻出来，翻了一翻，敢情是亏空不小。"玉芬一看桌上，叠了两三本账簿，一个日本小算盘，斜压着账簿一只角。一支自来水笔，夹在账簿书页子里面。桌子犄角上，有一只手提小皮箱，已是锁着了，那锁的钥匙还插在锁眼里，不曾抽出来。玉芬明知道那里面的现款存折，各种都有，只当毫不知道，随便向沙发上一靠，将背对了桌子，斜着向里坐了。佩芳对于这只小皮箱，竟也毫不在意，依然让它在桌面前摆着，并不去管它，坐到一边去陪玉芬说话。玉芬道："说句有罪过的话，守制固然是应该的事，但是也只要自然的悲哀，不要矫揉造作，故意做出那种样子来。就以我们做儿媳的而论，不幸死了一个顶天立地的公公，自然是心里难受。可是这难受的程度，一定说会弄得茶不思饭不想，整日整夜的苦守在屋子里，当然是不会的。既是不会，何必有那些做作？"佩芳微笑道："你说的话，我还不大明白。你说那些做作，是些什么做作？"玉芬道："自然就是指丧事里面那些不自然的举动。"佩芳道："嘿! 看你不出! 你胆量不小，还要提倡非孝，打倒丧礼呢。但是我想，你也不会无缘无故说出这种话，必是有感而发。"玉芬点头道："自然是。你知道我心里搁不住事，口里搁不住话。我有点小事非回家去走一趟不可。但是鹏振对我说，不回去也罢，热孝在身上。平常他要这样拦我，我是不高兴的。这次他拦我，我可要原谅他，他实在是一番好意，我也不能不容纳。不过他自己有些家事，万不能不出去，也像大哥一样，出去几回了。今天晚上，他也出去的。他回来，可报告了我一件可注意的新闻。"佩芳道："什么新闻？他还有那种闲情逸致打听新闻吗？"玉芬偷看佩芳的颜色，虽然乘间而入，问了一句令人惊异的话，但是她脸上很平常，在桌上随手摸了一张纸条，两手两个大指与食指，只管抢着玩。玉芬这才道："这话我虽不相信，我料定他也不敢撒这样一个谎，去血口喷人。据他说，在路上遇到了我们七少奶奶，一个人坐着父亲那辆林肯牌的汽车，在街上跑呢。"佩芳道："真的吗？她为什么要瞒着人，冒夜在街上跑呢？"玉芬道："这也很容易证明的事，大嫂派蒋妈到她屋子里要个什么东西，看她在家不在家，就晓得了。"佩芳手上，依然不住的抢着那张纸条，眼光是完全射在那纸条上，却是没有看玉芬的脸色是怎样，淡淡的道："管他呢？家里到了这种田地，各人自扫门前雪，休管他人瓦上霜。"玉芬点点头，表示极赞成的样子，答道："这话诚然，我也是这样想。我也不过譬方说，叫蒋妈去看一看。其实证明了又怎么样？不证明又怎么样？"佩芳道："她没有出去倒罢了。若是出去了，我们也不必再提。因为夜晚出去，平常也不大好，何况现在又是热孝中？你对于她这事的批评怎么样？"玉芬斜躺着，很自在的样子，左脚的脚尖，却连连地地板上敲了几下，顿了一顿，才道："出去是不应该的。不过有急事，也可例外。然而她何必瞒着大家呢？人家都说她对于娘家如何如何，我想或者不至于。像今天晚上的事，外面门房听差车夫等等那些下人，毫无知识，岂能不疑心她是回娘家去有所图吗?咳! 聪明人究竟也有做错的时候。"佩芳这才去收拾桌上的笔砚账簿,对于玉芬所提的一番话,好像是忘了,就没有再去答复。等得东西都收拾好了,然后就找了别的事来谈,越谈越有趣,却让玉芬把话转不过来。玉芬坐了许久,谈不入正题,起身走了。

这时,便是晚间十二点钟了,凤举由外面回房来。佩芳道:"我料定你一点钟以前,不能进房的,不料居然早来了。"凤举道:"往日你说我,犹所说焉,现在我在服中,你怎能疑惑我有什么行动?"佩芳道:"你这真是作贼的心虚了。我说不能早回房,也作兴是说你有事,不见得是说你花天酒地胡闹去了。我没有说,你自己倒说出来了。这个我今天也不和你讨论。刚才玉芬在这里谈了半天的话,她说清秋今晚一个人坐汽车出去了,疑惑有点作用,你看怎么样?"凤举道:"怪不得我在前面,听到老七陪着清秋,一路唧唧唔唔说着话进来。原来他们小两口子,倒在另找出路! 他们少高兴,母亲正在生气,要调查谁提倡分家呢。我听了母亲那口气,好像说要分家的是翠姨,倒不料是他两口子作的事。清秋那孩子,你别瞧她不言语,她的城府极深,你们谁也赶不上她哩。"这一席话,凤举随口道出,不大要紧,可是又给清秋添上一项大罪。佩芳心里想着,婆婆终是疼爱小儿子小女的,保不定私下分给了燕西一件什么东西,所以燕西预先腾移到岳母家里去。凤举总有手足之情的,大概就是在实际上吃一点亏,也未必肯说。趁着清秋刚回来,必定有些话和燕西商量,且偷着去听听,看他们说些什么?于是也不通知凤举,轻轻悄悄走向清秋这边院子里来。恰好这个时候,院子门口那盏电灯,已经灭了,手扶着走廊的柱子,一步一步,走向清秋的院子里。清秋的屋子里,还亮着电灯,她的紫色窗幔,因为孝服中,换了浅蓝的了。电灯由窗子上向外射,恰好看见窗子下,有一个黑影子,斜立在廊下。佩芳贸然看见,浑身一阵冷汗向外一冒,全体都酥麻了,心里扑通扑通乱跳,只是来得尴尬,不便喊叫,就自己下死劲镇定了自己。仔细看那影子,却是一个女子,心里忽然明白,这也是来听隔壁戏的了。所幸自己还未曾走过去,轻轻向后倒退一步,便是院子的圆洞门,缩到圆门里,藉着半扇门掩了自己的身子,再伸着头看看那人是谁?自己家里人,只要看一个影子,也认得出来的。这人不是别个,正是报告清秋今晚消息的王玉芬哩。看了一会,见玉芬不但不走,反而将头伸出去,微微偏着,还要听个仔细。自己在门边,也听到燕西在屋子里说话,他道:"既是你母亲病不怎样重大,我就不去看她了。要不然,人家又要说我只知道捧丈母娘。"直待听完了这句,玉芬才移动了脚。佩芳总怕彼此碰到了,会有许多不便。赶快一抽身,扶着墙壁走了几步,然后闪到向自己院子的路上去。果然玉芬轻轻悄悄,由那院子门出来,回自己院子去了。佩芳直待她走远了,然后从从容容回到自己屋子里去。心里有了这样一件事,且按

捺下不做声，看看玉芬、清秋他们什么表示？然而清秋自己，总以为昨晚回家的事，很秘密的，决计没有人知道。但是就是有人知道，至大的错处，也不过是不该随便出门，而况且这事又完全是燕西主张的，更不必担多大的忧虑。因之到了次日，照常还像平常一样。玉芬呢，遇到了佩芳之时，却不断的以目示意。有清秋在当面时，那就彼此对看看，又要看一看清秋。在王玉芬意思之中，好像说，我已经知道她一件秘密工作，那个秘密工作的人，还闷在鼓里呢。佩芳看了玉芬那得意的样子，倒也有趣。

不过这件事，起初是四五个人知道，过了两天，就变成全家人知道。就是金太太的耳朵根下，也得着这件事一点消息。金太太对于清秋，本来没有什么怀疑之点，这种消息传到她耳朵里去，她虽不全信，可是清秋回家去了一趟，这总是事实。觉得这孩子，未免也有点假惺惺。在表面上，对于一切礼节，都很知道去应付。怎么在这热孝之中，竟私下一个人溜回家去了？这岂不是故意犯嫌疑？然而平常一个自重的人，决无去故意犯嫌疑之理。那末，清秋这次回去，总是有些原因的了。金太太这样想着，就把以往相信她之点，渐渐有点摇动。等清秋到屋子里来坐的时候，金太太的眼光，便射到她身上去，见她依然是那样淡然的神情，就像不曾做一点失检事情的样子。这可以证明她为人是不能完全由表面上观测的。当金太太这样不住的用眼光看清秋的时候，清秋也有些感觉，心里想着，婆婆为什么忽然对我注意起来了？是了，现在是时候了，这身腰未免渐渐的粗大起来，她一定是向我身体上来观察，看着到了什么程度。虽然这件事情，迟早是要公开的，然而在这日期问题上推起来，最好是事先不要说开。因为心里这样想着，金太太越去观察她，她越是有些不好意思，这错误就扩大起来。

在丧期中，内外匆忙，人心不定，日子也就闪电似的过去，不知不觉之间，已过二七，家中就准备着出殡了。对于出殡的仪式，凤举本来不主张用旧式的。但是这里一有出殡的消息，一些亲戚朋友和有关系的人，纷纷打听路线，预备好摆路祭。若是外国文明的葬法，只好用一辆车拖着灵柩，至多在步军统领衙门调两排兵走队子而已，一个国务总理，这样的殡礼，北京却苦于无前例。加上亲友们都已估计着，金家对于出殡，必有盛大的铺张。若是简单些，有几个文明人，知道是文明举动，十之八九，必一定要说金家花钱不起了。家主一死，穷得殡都不能大出。这件事与面子大有妨碍了。有了这一番考量，凤举就和金太太商量，除了迷信的纸糊冥器和前清那些封建思想的仪仗而外，关于喇嘛队，和尚队，中西音乐，武装军队都可以尽量的收容，免得人家说是省钱。金太太虽然很文明，对于要面子这件事也很同意，就依了凤举的话，由他创办起来。凤举仪仗虽可废，但是将匾额挽联依然在街上挑着，这却无伤大雅。这样一来，提取那稍微有名者送的挽联，一共就

657

有四百多副。每人举着一副,也就有四百多人。同时把各区半日学校的童子军都找了来,组织一个花圈队,这也就够排场,抵过旧式的仪仗有余了。风举还怕想的不周到,就问朋友们还有什么热闹的办法没有?他一问,大家也就少不得纷纷贡献意见。有两个最奇怪的建议,一个主张和清河航空厂商量,借一架飞机来。当着出殡的路线,让飞机在半空里撒着白纸。一个主张经过的路线所有的商家都下半旗。这一件事,并不难,只托重警察厅,通知一声就是了。风举也觉这个办法很好,大可以壮壮面子。照说,父亲在日,很替国家办些大事,而且这次病故,政府也有个哀恤令,这样铺张,也不过于,就托人去办。航空厂那边首先回了话,说是没有这个前例,不敢私下答应,总要陆参两部有了命令,才敢照办。警察厅里人听了,却连信也没有回。风举很是生气,说是总理在,他们要巴结差事,还怕巴结不上,这样小而小的两件事他们都不肯办,真是势利眼。不过他们要这样势利,权不在手,没有他们的法子,也只好算了。

又过了两天,便是出殡的日子,早一晚上,全家电灯放亮,就开了大门一晚到天亮。次日上午,亲友和僚属们前来执绋的,除了内外几个客厅挤满了,走廊上及各人的书房里,也都有了人了。全家纷纷攘攘。风举兄弟除了履行已措置妥当的大事而外,其余的事,自己都不能过问,一例让刘守华和朱逸士去主持。里面太太小姐们,又是哭哭啼啼,觉得死别中又是一层死别,自然也是伤心极了,哪里能过问一切琐事?所有内外都是纷乱的。出殡的时间,原是约定了上午九点钟,但是一直到上午十点钟已经敲过,一切仪仗都没有预备妥当,还是外面来执绋的等的不耐烦,纷纷打听什么时候可以走,这才由办事人里面推出两个人来主持,将棺柩抬出去了。女太太们,跟着来送殡的,都坐着马车汽车,有车子的亲友们,知道金家搜罗车辆很费事的,大家都带了车子来。亲友里面最穷的,自然是冷家一门。冷太太虽然身体不好,但是据清秋说,所有的亲戚,没有不来送殡的。她心想,这一门亲戚,只有自己一个人,虽然清秋的舅父,也可以代表,然而他姓宋,不姓冷,究竟又隔了一层了。因之将家事交给了韩妈,也到了金家来。这金家支配送殡车辆的人,对于金氏几门至亲,知道都有车辆的,就不曾支配着。因为不曾和有钱的亲戚支配,连这个无钱的亲戚,也就算在内。清秋自己,又是在混乱中,跟着大家出门,对于母亲车辆这一件事,也不曾想到。大家送殡的女眷们,到了大门口,纷纷让带来的底下人去找车。没有车的,早经这边招待好了,分别坐上署着号头的汽车与马车。这倒把冷太太愣住了,自己没车子带来,也不知道要坐这里的车子有什么手续,不要胡乱的来,一失仪,就给姑娘丢脸了。这些送殡的车子,除了家属而外,数目太多了,都是没有秩序的。哪辆车子预备好了,哪辆车子便开了走。车子开着走了三分之二了,冷太太还是在大门口徘徊着,没有办法。看到一个听差似的人，便将他拦住道："劳你驾，将我引一引，我们亲戚送殡的车子，哪些是的？"那听差的又不认识冷太太，便道："老太太，我也摸不清。你的车子是多少号码？我给你找个人查查去。"冷太太一时说不上来，他也没有等，见人群中有个人和他招手，他就走了。冷太太只得重新进大门，找着门房，告诉要坐车子。门房认得她是亲家太太，便迎了上前笑道："没有给你预备一辆车吗？"冷太太道："也没有人来通知我，我哪里知道？"门房笑道："这天家里也真乱，对不住你，我给你外面瞧瞧罢。"门房出去了一会，笑着进来道："有了，有了，是王家那边多下来的一辆车，正找不着主儿。你要坐，就坐了去。"冷太太也未曾考量，是哪个王家？以为是给亲戚预备的车子，这个不坐，那个就可以坐了去。因此就让这门房引导着，上了那辆车子。这辆汽车，开的时候，门口停的车子，已经是寥寥无几了。这汽车夫将车机一扭，摆着车头偏向路的一边，却只管超过一些开了的汽车去。一直开过去三四十辆车子，再过去，就是眷属的车子了，车夫才将车子开慢，紧跟着前面的车子走。

在这送殡的行程中，无所谓汽车马车人力车之别的，所有的车子，一律都是一尺一尺路挨着走。冷太太所坐的车，是玉芬娘家的车子，当然车夫会把车子开到王家车子一处。王家自己，本只有两辆汽车，今天除了自家两辆汽车都开来而外，又在汽车行另雇两辆汽车。玉芬的大嫂袁氏，原把自己的车子留着自坐，但是一出门，白秀珠却临时坐了哥哥的汽车送殡来了。一见袁氏，便在车子里招手。袁氏走到车边，扶了车门道："你怎么这时候才来？"秀珠道："你有什么不明白？我是不愿到金府上去的。但是金老伯开吊，我没有来，送殡我可不能不来。我叫了这里的听差打电话给我，一出了门，我就赶来，送到城外南平寺，行个礼我就回去的。"袁氏笑道："哟！你至今……"说到这里又忍回去了，改口道："你车上还搭人吗？要不，我坐你的车，一块儿谈谈。我们好久不见，也该谈谈了。"白秀珠道："欢迎欢迎。"口里说着，已经是把车门打了开来，于是二人同坐在车内谈心。袁氏偶然一回头，却由车子后窗里看到后面紧跟着一辆车子，乃是自己的，因对秀珠道："我坐着你的车子，我的车子，倒……"说时，把后面车子看清楚了，呀了一声道："这是谁？这样不客气！哦！是了，这位老太太，我也见过一回了，不就是冷清秋的娘吗？"秀珠听了这句话，也不知是何原故，脸色立刻转变，问道："冷清秋的娘？你的汽车干吗让给她坐？"袁氏道："我和她并不认识，怎会把车子让给她坐？我想，她总以为是这边金家的车子，糊里糊涂上去的。反正我也不坐，就让她坐到南平寺去罢。"秀珠道："我不看你往常的面子，我非逼你上自己的车子去不可，这一趟算让你坐去。有话在先，回来要坐我的车子，可是不行。"袁氏笑着伸手将秀珠的脸蛋掏了一把，笑道："你这个人醋劲真大，到现在你这股子酸劲还没有下去。我听说现在金七爷和你慢慢恢复感情了，你也应该变更态度呀。"秀珠将脸一偏道：

"废话! 恢复感情怎么样? 不恢复感情又怎么样?"袁氏笑道:"事在人为呀! 有本事, 人家在你手里夺过去, 你再在人家手里夺过来。"秀珠鼻子里哼哼, 冷笑了一声。袁氏道:"得! 我瞧你的, 反正这日子也不远啦。"秀珠微微点了一点头, 又冷笑了一声。袁氏和秀珠, 虽不十分亲密, 然而因为玉芬和秀珠要好的关系, 她也就不把秀珠当做外人, 因此彼此都很随便的说话。这话一谈开了端, 袁氏就不断的和她谈起燕西的事来。这话越说越长, 汽车一直到了南平寺, 已然停在庙门口了。秀珠道:"到了, 下车罢, 倒走得不慢。"袁氏将手表抬起来看了一看, 笑道:"十点钟动身, 现在一点多了。还不慢?"秀珠道:"下车罢, 不要多说了。"于是二人夹杂在许多男女吊客之间, 一路走进庙去。

这南平寺的和尚, 知道这是一等阔人金总理的丧事, 庙里的各处客堂佛堂, 都布置得极好。男女来宾, 纷纷攘攘分布在各处。各处虽然都有金家的人招待, 然而这些客彼来此去, 招待的人, 当然也有照顾不到之处。秀珠和袁氏进来之后, 因为她不愿一直到金家内眷那边去, 旁边有个小佛堂, 多半都是些疏远亲友屯集着, 秀珠也就急走两步, 走到那边去。那里只金家两个管事人的太太出面招待, 本来是敷衍之局, 无足轻重。袁氏是不大到金家去, 秀珠也是疏远亲友之流, 自然也是平常的招待, 只迎着一点头, 说声请坐而已。秀珠刚是落坐, 恰是冷太太也跟着来了。她可没有知道这地方是些疏亲远友, 也跟了过来。这里的招待, 偏是认得她的两个人, 一直迎下台阶来, 笑着点头道:"冷太太, 你请到上面内院佛堂里去罢, 七少奶奶都在那边。"冷太太道:"我倒是不拘, 随便在哪里坐都可以的。"一个招待说:"这里也很曲折的, 我来引你老人家去罢。"说着, 就在前面引导, 带了冷太太去了。秀珠亲眼得见这事, 只把脸气得通红, 鼻子里呼呼出气, 用眼睛斜瞟着院子里, 不住的发着冷笑。袁氏在一边, 看着也有点不平。都是儿女亲戚, 为什么七少奶奶的母亲来了, 就这样的捧, 三少奶奶的嫂子来了, 就没有人理会? 你们只知道拣太太喜欢的亲戚捧, 哪里知道人家是穷光蛋一个, 连汽车还是借坐我这不受欢迎的呢? 袁氏心里这样想着, 见着秀珠生气也不去拦阻。巴不得秀珠发作出来, 倒可以出一口气。但是秀珠尽管不好, 嘴里却不肯多吐出一个字来。袁氏走上前, 扯了一扯她的衣角。秀珠回头来, 袁氏招招手, 将她引到一边, 因低声道:"你瞧, 这些当招待员的真是不称职。招待这边客人的, 放了正经客人不招待, 倒飞出界限, 去招待别个所在的客人。咱们微微教训他一下子, 你看好不好?"秀珠道:"看在主人面上, 不要理他就算了。"袁氏笑道:"咦! 你倒不生气? 平常你还不肯在面子上吃亏的, 怎么今天你倒很随便起来?"秀珠道:"不是我不发脾气, 但是人家有丧事, 心里都闹嘈嘈的。就是他们自己出面招待, 也不免有不能周到之处。至于这请的两个招待员, 我看他们就是小家子气象, 他不缠我们, 我们不去缠他也罢。哪个有许多工夫生那些闲气?其余的人,怪我们两句不要紧。若是太太知道,倒说我们不是送殡来了,闹脾气来了,我如何承受得起?"袁氏见秀珠并不十分生气,也不便一味挑拨,因道:"你既来了,也应该到他们一处去打个照面。一面向主人表示人到礼到,二来也让这些不开眼的招待员,知道咱们是谁?"秀珠道:"我们的心尽了就是了,又何必在人家面前表示人到礼到呢?他们不知道我是谁,就让他们不知道我们是谁罢。"袁氏微笑着低声道:"你不是和这边的人,有些言归于好的意思吗?为什么又是这样言无二价的样子呢?"袁氏说着话,可就伏在秀珠肩上,嘴直伸到秀珠的耳朵边,又道:"你不是那样傻的人,来都来了,为什么不和他们打一个照面?"说时,拉了秀珠就走。秀珠虽要挣脱,也是来不及,也就只好由着她,跟到金氏家眷聚居的佛堂上来。这里的佛堂很大,有孝服的,究竟不便出来招待,十几个人,都挤到左边屋子雕花落地罩后面去。亲戚们都在外面走,就可以随便的谈笑。袁氏和秀珠一来,一直就到里屋子里去,将大家安慰了一番,然后重到外面来坐。冷太太本也在这里,一见袁氏,起身相迎道:"请坐请坐,我好面熟,年老了,记性不大好,我忘了你贵姓了。"袁氏笑道:"我不敢说贵人多忘事,但是刚才伯母来到这里,还坐的是我的车子呢!我们本也没有车子富余,因碰到了我们这位妹妹,坐到她车子上来说话,就把自己的车子,空下来了。"说着,用手拍了秀珠的肩膀。这一句话,似乎是随便说的一句玩话,然而用心人听起来,分明又是讥笑冷太太自己没有汽车坐,所以坐人家的车子。冷太太平常为人倒是模糊,惟有和金家的人事往来,总是寸步留心,以免有什么笑话。今天由金家门口登车之时,因为时间匆促,不曾加以考量。现在袁氏一说这话,想起来了,她是王玉芬的娘家的嫂子,刚才便坐着是她的车子了。自己真是大意,如何坐着他们家的车子?我知道王家人是最不满意我们冷家人的……到他们面前露怯,真是不凑巧。不过这事已经作了,悔也是悔不来的,只有直截了当,承认就是了。因道:"这可对不住,我还没有谢谢呢。"然而说了这句话,觉得对不住这三个字,有点无由而起,自己也就脸上红了一阵。袁氏道:"都是亲戚,还分个什么彼此呀?你老人家若是要用的话,随便坐一天两天,也不要紧,怎么还谈谢呢。"她越是这样说,冷太太越觉得是难为情,只红着脸。有些亲戚,知道冷家是很穷的,听袁氏那种话,大有在人家面前摆阔的意思,心里也就想着,在这大庭广众之中,再三的要现出人家是没有汽车的,岂不是故意笑人?同时,各人的脸上,自然也不免得这种神气露出,只望着袁氏,又望望冷太太。有一两个人怕冷太太下不了场,就故意找她说话,把话扯开了。冷太太也知道人家拉着说话,是避开舌锋的,这样一来,心里就未免更难堪。金家在寺里安灵,男女来宾,大家都谒灵了。冷太太因所事已毕,就不愿再到金家去了,因对清秋道:"我不知道怎么一回事,心里突然难过起来,我不能到你家去了,我要先

回去休息休息。"清秋知道母亲身体不好,今天来得就勉强,若是不要她回去,一定拖到金家去,恐怕真会把她拖出大病来。因答道:"你若是身体真不好,就先回去罢。这边母亲,我自会和她说。你有车坐吗?"冷太太恐怕当真说了出来,女儿心里要难受,只说有车,就轻轻悄悄的溜出大门来,自雇了一辆人力车回家去了。

第八十三回

对簿理家财群雏失望
当堂争遗产一母伤心

这些来宾里面,要算是秀珠最注意冷太太的行动。她一见冷太太不声不响走了,分明是为了刚才一句话,马上躲了开来的。于是她悄悄的走到袁氏身边,将她的衣服,轻轻一拉。袁氏回过头,望了她一望。在这一望之间,便是问她有句什么话说?秀珠向前面一望,望着前面一努嘴。轻轻的道:"老的让你两句话气走了,你也特难一点,怎么硬指明着她借了你的车坐呢?"袁氏眉毛一扬道:"谁叫她自己没有车呢?我要是没有车,我就不来送殡了。"他们两人说话之所,原来离开了众人,自坐在佛堂一个犄角上。这犄角便紧邻着内眷们休息的那间屋子,袁氏重声说的几句话,恰是让隔壁的清秋完全听去了,心里倒不由吃了一惊。这个时候,玉芬也坐在近处,清秋待要多听两句,又怕她留了心,反正知道是这样一回事,便好像没事一样,自避开了。在里边转过落地罩,就看见秀珠穿了一件黑旗袍,一点脂粉不涂,也在宾客丛中。自从那回在华洋饭店与她会面而后,已知道她和燕西交情犹在。本想对她淡然置之,可是心里总放不下。这次见了面,越是觉得心里难受。这一股子气,虽然不能发作,然而这一阵热气,由耳朵根下,直涌上脸来,恍惚在火炉上烤火一般,望了她一望,依然避到落地罩里去了。心想,怪不得形容我家没有汽车,原来是有她在这里,你真厉害,一直会逼到我母亲头上来。无论如何,我已然嫁过来了,我看你还有什么法子?你只宣布我家穷,我可没有瞒着人,说我是有钱人家的小姐呢!这样想着,不觉坐在椅子上,一手靠了桌子,来撑住自己的头。

金太太也在这屋子里歇着的。老妈子刚打了一把手巾来,擦过了满脸的泪痕,她一见清秋斜坐在一边,似乎在生闷气,便问道:"清秋,你母亲大概是实在身体支持不住,让她回去就是了。送殡送到了这里,她总算尽了礼,你还要她怎么样?"清秋道:"我也知道她不行,让她回去的。但是我转身一想,怕亲戚们说闲话。"玉芬正把眼睛望着她呢,就淡淡的样子，将脸偏着向窗外看着天道："哪个亲戚管那闲事？有爱尽礼的，有不爱尽礼的，何必拉成一律？"金太太听她二人的口音，彼此互相暗射着，不由得淡淡的叹了一口气。对她二人各望了一望，却没有再说什么。清秋究竟胆小的，她一见金太太大有无可奈何的神气，只得低了头，再不作一句声。金太太道："事情也完了，殡也送了，我要先回去一步了。"说着，她已站起身来向外走。佩芳道："你老人家怎不把孝服脱下来呢？这是不带回去的。"金太太道："没关系，现在家里算我是头了，要说有什么丧气的话，当然是我承受。我也看得空极了，还怕什么丧气？"说着，依然是向外走。几个跟来的老妈子看见，知道太太要回去，就抢上前两步，赶快分付前面预备开车。金太太只当一切都不知道，就一直的向门外走。这一下子，大家料定她是气极了，早有道之领头，带了女眷们，一齐跟了出来。本来这里送殡的人，一个一个到停灵的屋子外去行礼，是很延长时间的事情，直到这时，还在行礼，大家都不便哪个先走。现在金太太是主要人物了，她既走了，大家也不勉强去完成那种虚套。门口的车辆，停着在大路上，有半里路长，一大半不曾预备，这时突然要走，人喊声，汽车喇叭放号声，跟来的警察追逐人力车声，闹成了一片。金家的家人，四处的找自己车子，一刻工夫，倒有七八辆车子抢着开了过来。金太太依然不做声，坐上一辆，只对车夫说了一句回去，就靠着坐靠，半躺着坐在一个犄角上了。大家站在庙门口，目望金太太的汽车，风驰电掣而去，都有点担心，不知道她今天何以状态突变，也不等这里的事情完就走了？不过她一走，大家也就留不住。纷纷的坐车散了。

金家女眷们，一部分留在庙里，料理未了的事，一部分就跟着回家来。清秋见金太太今天生气，自己倒要负一半的责任。金太太回去了，怕她还要生气，也就赶着回来。但是回家以后，金太太只是在她屋子里闲躺着，一点什么话没有说，这事似乎又过去了。清秋也总希望无事，金太太不提，那就更好，也就不敢来见金太太，免得再挑起她的气了。到了吃晚饭的时候，勉强去陪着吃饭，燕西却不在那里，金太太依然没说什么。清秋心里这一块石头，才落了下去。直等吃完了饭，金太太才道："你们暂别走，我还有话呢。"这里同餐的，只有敏之、润之，他们是不会发生什么问题的。清秋一想，恐怕是事到头上了。这也没有法子，只得镇静着坐定。金太太却叫老妈子道："我去告诉你的，叫他们一齐都来。"两个老妈子答应着分头去了。不多大一会工夫，燕西和三对兄嫂，道之夫妇，二姨太和翠姨，还有梅丽，都来了，大家坐着挤满了一屋子。金太太四周一望，人不缺少了，便正着脸色道："我叫你们来不是别事。我先说了，棺材还没有出去，不忍当着死人说分家。现在死人出去了，迟早是分，我又何必强留？今天我问你们一个意思，是愿私分，还是愿官分？"大家听到金太太说出这一套，都面面相觑，谁也说不出话来。金太太道："你们为什么不做声？有话可要说，将来事情过去了，再抢着来说，可有些来不及。"这句话说过，大家依旧是默然。金太太冷笑道："我看你们当了我的面，真是规矩得很，其实恨不得马上就把家分了。这样假惺惺，又何必呢？你们不做声也好，我就要来自由支配了。"到了这时，玉芬忍不住了，本坐在一张圈椅上的，于是牵了一牵衣襟，眼光对大家扫了一遍，然后才道："照理，现在是摊不着我说话的，无奈大家有话都不说，倒让母亲不知道是什么意思？说到分家的心思，母亲是明镜高悬，不能说大家就一点这意思都没有。但是要说父亲今天刚刚出殡，马上就谈到分家的头上，或者不至于。母亲就有什么话要分付大家，也不妨再搁些时。一定要今天提起来，恐怕传到外面去，要说这些作晚辈的太不成器了。"当她说时，金太太斜着身子，靠在一个沙发椅角上，两手抱在怀里，微偏着头听了。一直等玉芬说完，点点头道："这倒对，这急于分家，倒是我的意思了。我倒也想慢慢的，但是我不愿听那些闲言闲语。至于怕人家笑话，恐怕人家笑我们也不见得就自今天为始。散了就散了，比较痛快，还要什么虚面子？玉芬，你不要误会，我并不是驳你的话，我只是想到分开来的妥当，并无别意，也不单怪哪一个人。"玉芬碰了这样一个钉子，真忍不住要说两句。她心里正计划着，要怎样的说几句才好，忽然一想，今天晚上，她老人家发号施令，正要支配一切，我为什么在上菜的时候，得罪厨子，当然是忍耐住了的好。小不忍则乱大谋，现在正用得着那一句话了。这样想着，便立刻把一肚子话逼了回去，也是呆呆坐在一边。一室之间，坐了许多人，反而鸦雀无声起来。金太太见大家不做声，便将脸朝着凤举道："这该你说话了，你有什么意见？"凤举正拿了一支烟卷，靠着一张椅子，抽得正出神。两手抱在胸前，完全是静候的态度，要等人家说话。现在金太太指名问到自己头上来，这却不容推诿，放下手来，拿着烟卷弹了一弹灰，对大家看了一遍，用手向外摊着道："我又没预备怎么样，叫我说些什么呢？"金太太道："这又不是叫你登台演说军国大计，要预备什么？你有什么意思说出来就是了。"凤举道："我也不敢说那句话，说能担保大家依然住得很平安。不过这事要怎么办，我是不敢拿主意。官分呢？私分呢？我也不懂。"说着，把手上的烟卷头丢了，又在身上掏出一支烟卷来，离着金太太远远的，却到靠窗户边的一张桌子上拿洋火，将烟卷点了。金太太道："你过来，你跑什么？你不是问官分私分吗？官分就是请两个律师来，公开的分一分。私分就是由我支配。但是我也很公的，把一切账目都宣布了，再来分配。有反对的没有？"慧厂道："本来呢，中国人是赞成大家庭制度的。其实小家庭制度，可以促成青年人负责任去谋生活，英美文明国家都是一样。母亲是到过外国的，当然和普通人见解不同。不过我们既是中国人，对于中国固有的道德，也应该维持。折衷两可的话，我就说句很大胆的话，分家我虽不曾发起，可是我很赞成。不过怎样的分法，我以为倒可以随便。母亲以为怎样支配适

665

当，就怎样支配。手掌是肉，手背也是肉，母亲也决不会薄哪个厚哪个的。就假如有厚薄，我们分家，为了是各人去奋斗，谋生活独立，这一点就不必去注意。"慧厂先是很随便的说，越说到后来，声调越高，嗓子直着，胸脯挺着，两只手掌，平铺的叠起来，放在大腿上，就像很用力似的。大家听了慧厂一番话，见她竟大刀阔斧这样的干起来，又都替她捏一把汗。哪知金太太听了，一点也不生气，却点了一点头道："你这话倒也痛快! 本来权利的心事，人人都有的，自己愿怎样取得权利，就明明白白说了出来，要怎样去取得。若是心里很想，嘴里又说不要，这种人我就是很痛恨。"金太太说到痛恨两个字，语音格外重一点。大家也不知道这种人三个字，是指着哪一个。大家都不免板了面孔，互相的看了一眼。

金太太倒不注意大家的态度如何，她立起身来走到里边一间屋子里去，两手却捧了一个手提小皮箱出来，向着屋子中间桌子面上一放，接上掏出钥匙将锁开了。大家看到金太太这样动手，都眼睁睁的望着，谁也不能作声。也料不到这手提箱里，究竟放的是些什么? 只见金太太两手将箱子里的东西，向外一件一件检出，全是些大大小小的信套纸片等类。最后，却取出了一本账簿，她向桌上一扔道："你们哪个要看? 可以把这簿子先点上一点。"这里一些儿女辈，谁也不敢动那个手，依然是不做声的在一边站着。金太太道："我原来是拿来公开的，你们要不看，那我就完全一人收下来了。但是，荣华富贵，我都经过了，事后想着，又有什么味? 我这大年纪了，譬如像你们父亲一样，一跤摔下地，什么都不管了，我又要上许多钱做什么? 你们不好意思动手，就让我来指派罢。慧厂痛快，你过来点着数目核对。风举说不得了，你是个老大，把我开的这本账，你念上一念。你念一笔，慧厂对一笔。"慧厂听说，她已先走过来了。风举待还要不动，佩芳坐在他身后，却用手在他膝下轻轻推了一把。风举会意，就缓缓的走上前来，对金太太道："要怎样的念法? 请你老人家告诉我。"金太太向他瞪了一眼道："你是个傻子呢? 还是故意问?"说着，便将那账簿向风举手里一塞道："从头往后念，高声一点。"风举也不知道母亲今天为何这样气愤? 处处都不是往常所见到的态度。接过那账簿，先看了一看，封面上题着四个字：家产总额。那笔迹却是金太太亲自写下的。金太太倒是很自在了，就向旁边一张椅子上坐下去，专望着风举的行动。风举端了那簿子，先咳嗽了两声，然后停了一停，又问金太太道："从头念到尾吗?"金太太道："我已经和你说得清清楚楚的了，难道你还没有了解不成?"风举这才用着很低的声音，念了一行道："股票额一百八十五万元。"他只念了一行，又咳嗽了一声。金太道："你怎么做这一点事，会弄得浑身是毛病? 大声一点念，行不行?"风举因母亲一再见逼，这才高着声道："计利华铁矿公司名誉额二十万元，福成煤矿公司名誉额十八万元，西北毛革制造公司名誉额五万元。"金太太道："且慢一点念。在场的人，对于这名誉股票，恐怕还有不懂得的，我来说明一下。这种股票，就是因为你们父亲在日，有个地位，人家开公司做大买卖，或者开矿，都拉他在内，做个发起人，以便好招股子。他们的条件，就是不必投资，可以送股票给我们，这种股票，是拿不到本钱的，甚至红利也摊不着，不过是说起好听而已。平常都说家里有多少股票，以为是笔大家产，其实是不相干的。风举，你再往下念。"风举当真往下念，一共念了十几项，只有二十万股票，是真正投资的。但是这二十万里面，又有十五万是电业公司的。这电业公司，借了银行的债几百万，每月的收入，还不够还利钱，股东勉强可以少还债，硬拉几个红利回来。这种股票，绝对是卖不到钱。那末，一百八十五万股票，仅仅零头是钱而已。风举念了一样，慧厂就拿着股票点一样。风举把股票这一项念完，金太太就问："怎么样？这和原数相符吗？"慧厂自然说是相符。不过在她说这一声相符的时候，似乎不大起劲，说着是很随便的样子。她是这样，其余的人，更是有失望的样子了。但是金太太只当是完全不知道，依然叫风举接着向下念。风举已是念惯了，声音高了一点，又念道："银行存款六十二万元，计：中西银行三十万，大达银行二十万。"风举只念了这两家，玉芬早就忍不住说话了，就掉转头望了佩芳，当是说闲话的样子，因道："大嫂，你听见没有？"佩芳笑着点了一点头。玉芬道："父亲对于金融这件事，也很在行的，何以在两家最靠不住的银行，有了这样多款子？"她虽是说闲话，那声调却很高，大家都听见了。金太太道："这两家银行，和他都有关系的，你们不知道吗？"佩芳道："靠得住，靠不住，这都没有关系，以后这款子，不存在那银行里就是了。"玉芬道："那怕不能吧？这种银行，你要一下子提出二三十万款子来，那真是要它关门了。"大家听了这话，以为金太太必然有话辩正的，不料她坐在一边，并不做声，竟是默认了。

　　翠姨坐在房间的最远处，几乎要靠着房门了，她不做声，也没有人会来注意到她。这时，她忽然站起身来，大声道："这账不用念了。据我想，大半总是亏空。纵然不亏空，无论有多少钱，都是在镜子里的，看得着拿不着。"金太太冷笑一声道："你真有耐性，忍耐到现在才开口。不错，所有的财产，都是我落下来了，我高兴给哪个，就把钱给哪个。你对我有什么法子？"翠姨道："怎么没有法子？找人来讲理，理讲不通，还可以上法庭呢。"刚说到这里，冬的一声，金太太将面前的桌子一拍，桌上有一只空杯子，被桌面一震，震得落到地上来，砰的一声打碎了。金太太道："好！你打算告哪个？你就告去！分来分去，无论如何，摊不到你头上一文。"翠姨道："这可是你说的，有了你这一句话，我就是个把柄了。你是想活活叫我饿死吗？"金太太向来没有见翠姨这样热烈反抗过的，现在她在许多人面前，执着这样强硬的态度，金太太非常之气愤，脸上颜色转青变白，嘴唇皮都抖颤起来。佩芳一看这样子，是个大大的僵局。若是由翠姨闹去，恐怕会闹出笑话来。于是走上前一把将她的袖子拉住，让她坐下，笑道："这又不是谁一个人的事，母亲自然有很妥当的办法说出来。这里算账还没有开端，何必要你先着起急来？"翠姨道："我是为了不是一个人的事，我才站起来说几句废话。若是我一个人的事，大家不说，我才是不说呢。"金太太道："你说又怎么样？你能代表这些人和我要产业吗？除了梅丽而外，都是我肚皮里养出来的，他们的事，还不至于要你这样一个人出来说话。就是梅丽也不过她娘出来说话罢了。"二姨太听着这话，早哟着一声，站立起来。金太太用手向她一挥道："你坐下，没有你的什么事，我不过这样譬方说一句罢了。"二姨太要坐下去，刚刚落椅子，但是想到金太太这一句话，千万未便默认的，复又站了起来。金太太道："大概这句话不说，一定是憋的难受。有什么话？你就简单说出来罢。"二姨太道："我上半辈子，那样可怜……"梅丽原坐在金太太这边，站起来跳脚道："你这是怎么了？请你简单的说，你索性从上半辈子说起，若要是不简单，这得说上前十辈子了。"在孝期中，本来大家都不敢公然露出笑容来的，有了二姨太这一番表示，又经梅丽这样一拦，大家实在忍不住笑了，都向着二姨太微笑。二姨太被大家这样笑一顿，这才有些难为情，到底是把话忍回去了。金太太看她老实人受窘，也有些不忍，便道："你的话，不必说，我也明白的。你就是说你原来很可怜，总理在日待你很不错，才享了后半辈子福。而今后半辈子未完，总理去世了，难过已极，万事都看灰了，哪有心谈到财产……"二姨太连道："对了！太太，你这话说对了。我虽说不出来，我心里可是这样的想着。"金太太道："本来我们对于死者的关系，哪个也不会比你浅薄。可是只有你能说这句话，叫人想起来，真要难过。"说着，深深的叹了一口气。有了二姨太这样一打岔，比金太太正颜厉色的效力还大，把一屋人那种愤愤不平之气，自然的就这样镇压下去了。在这种情形之下，刚才那一番紧张的情形，完全和缓了。慧厂就把桌上的契纸，完全叠好，向小皮箱子里一放，因道："这许多账目，不是一时可以点完的，慢慢再点罢。而且我为人也就最怕计数目字。大哥，你看怎么样？"当她问这句话时，已是伸了手出来，要接凤举的那本款簿。凤举自也不能将这账簿一定拿在手里，就交给她了。她接过向箱子里一放，然后对金太太道："今天各人的心绪都乱了，一会子工夫，这账可对不清。"她嘴里说着，已是随手把那箱子盖盖上。凤举依旧坐回原位了。金太太道："那不行！快刀斩乱麻，要办就是今天一劳永逸的办。我告诉你们，账全在这里，除了现在住的这一所房子不算，还有城外一个庄子的地，这个得暂时保留着。其余的现款，还有三十万。提出十万来，他们四姊妹，每人分两万。二姨太她说了，她自己有几个钱，而且愿跟着我一辈子，什么也不要。然而没有这个道理，暂分一万。"说着，将头向二姨太连点几下道："以后有什么事，我可以贴补你。"说毕，脸又一板，向翠姨瞪着眼道："我并不是怕你闹，公道话，我不让人家来说我的，你若不出金家的门，你也有一万。"回转头又对凤举道："明知道不能给你们多钱，但是替你们也保留不了一辈子，还有念万现款，和那些股票，作四股分，你们兄弟们拿去。字画古董书籍，统归我保管。我决不动，别人也不能动一根毛。"金太太这样雷厉风行的说了一篇支配法，虽有一大半人不赞成，然而都不敢明白地起来反对。翠姨她一想，反正是破脸了，便站起来道："无论加我一种什么罪名，若是没有证据，我是不怕的，话我也是要说的。大家想，这样一个大名鼎鼎的国务总理，该有多少钱呢？若说丢下来的产业，只有这些，我就不相信。我的年纪还轻，一万块钱，我活不了一辈子，还得给我钱。若是不给，我就破了面子，要登报声明了。若是怕我声明，除非把我杀了。"说着，又站着跳起来。金太太是个吸了文明空气的太太，而且又是满堂儿女，若去和翠姨对骂，这是她认为极失身分的事。便指着道："看你这个泼辣的样子，就知道不是一个好东西！你尽管无赖，我是不怕你的。"翠姨也用手指着金太太道："我怎么无赖？你说！用无赖两个字，就可以把我轰了出去吗？"金太太气得说不出什么话来了，只指着翠姨叫大家你看你看。二姨太一见，这风潮要更会扩大，连忙站起身来，拉着翠姨的手道："你今天怎么啦？倒像喝醉了酒似的。"说着，便拉了她的手向屋外走。佩芳也走了过来，在后面推着，再也不容翠姨分说，就把她推出了房门。于是玉芬也跟在后面，就把她推回房去。

　　金太太望着凤举兄弟们，半响不做声，大家也默然了。还是金太太先开口道："你们瞧，这样子，这个家不分开来还成吗？你们还有什么意见？"说着，把目光就转移到清秋身上来。清秋看了一看燕西，虽然没有说什么，那也就是问他，自己能不能说话。燕西也会意，却没有什么表示。清秋这就对金太太道："刚才二嫂说了，让大家去奋斗图着生活，分家本不能说不好。不过我和燕西，年纪都太轻了，我对于维持家务，以及他怎样去找出身，都非有人指点不可。再说，他还打算求学呢。说不定到外国去跑一趟，我一个人怎样能担一分家？我很想母亲还带携携我们几年。"说着，望了金太太，又望大家。平常若是说着这话，金太太一定很同情的，现在听了这话，知道清秋有回娘家去的一件事，觉得她这话，不见得出于本心，便淡淡的道："话倒是对的，不过我到了现在，也是泥牛入海，自身难保，你要靠我，未必靠得住。其实你就自撑门户，还有你的母亲可以顾问呢。"清秋竟不料金太太会说出这句话来。这几天也知道上次回家的事，已经露了马脚，知道的人，已是不少，分明婆婆这话，有点暗射那件事。想到这里，也不知是何原故，脸上一热，有点不好意思了。燕西便道："那是什么话？我们家里的事，怎么会请外姓作顾问呢？我对于分不分，实在没有预料到。若是勾结外人，我可以发誓，绝对没有这件事。"道之站起来，向燕西丢了一个眼色，拉着他一只手道："你又来了。母亲心里不大痛快，大家要想法子安慰她才是，干吗大家都和她顶嘴？你别说了，出去罢！今天晚上，什么事也不谈了。"清秋正也怕闹成了僵局，自己无法转圜，趁了这个机会，就站起来了。道之一手牵着她，就拉她回房去。到了屋子里，清秋默然无语的坐着。道之笑道："傻子，你还生什么闷气？今天无论是谁说话，也得碰钉子。其实刚才你所说的话，合情合理，自然是谁也不能驳回。你这种办法，我很赞成，你别焦心，好歹全放在我身上。"说着，站起来，走到她身边，拍了两拍她的肩膀，笑道："你今天这个钉子碰得冤枉，我也很给你叫委屈的。"清秋也站起来道："这也不算碰钉子。就是碰钉子，作晚辈的，还有什么可说的呢？"道之见她总还不能坦然，又再三再四的安慰了一番，然后才走了。

当天晚上，闹一个无结果，这也就算了。到了次日，大家也就以为无事，不至于再提了。不料到了次日，吃过午饭，金太太又把凤举四兄弟叫了去，说是"从种种方面观察，已经知道这有非分不可的趋势，这又何必勉强相留？这家暂时就是照昨天晚上那样分法。你们若是要清理财产后彻底一分，那要等我死了再说。"于是就将昨日看的股票、存折都拿出来，有的是开支票为现款，有的是用折子到银行里过户，作四股支配了。这种办法，除了鹏振外，大家都极是赞成。因为这两年以来，兄弟们没有一个不弄成浑身亏空。现在一下各拿五万现款在手，很能作一点事情，也足以过过花钱的瘾，又何必不答应呢？鹏振呢，他也并不是瞧不起这一股家产，因为他夫妻两人，曾仔细研究多次，这一次分家，至少似乎可以分得三十万上下。现在母亲一手支配，仅仅只有这些，将来是否可以再分些，完全在不可知之列。若是就如此了结，眼睁睁许多钱，都会无了着落，这可吃了大亏。因之凤举三人在金太太面前，不置可否的时候，他就道："这件事，我看不必汲汲。"金太太道："对于分家一件事，有什么汲汲不汲汲？我看你准不比哪个心里淡些呢。你不过是嫌着钱少罢了。你不要，我倒不必强人所难。你这一股，我就代你保管下了。"这样一说，鹏振立刻也就不做声。金太太将分好的支票股票，用牛皮纸卷着的，依着次序，交给四个儿子。交完了，自己向大沙发椅上，斜躺着坐下去，随手在三角架上取了一挂佛珠，手里掐着，默然无言。他弟兄四人既不敢说不要，也不能说受之有愧，更绝对的不能说多少。受钱之后，也就无一句话可说，因之也是对立一会，悄悄的走了。金太太等他们走后，不想一世繁华，主人翁只死了几天，家中就闹得这样落花流水，不可收拾。这四个儿子，口头上是不说什么，但没有一个坚决反对分开的。儿媳们更不说，有的明来有的暗来，恨不得马上分开。倒是女儿虽属外姓，他们是真正无所可否，然而也没有谁会代想一个法子，来振作家风的。人生至于儿女都不可靠，何况其他呢？思想到这里，一阵心酸，不觉流下泪来。

670

第八十四回

得失爱何曾愤来逐鹿
逍遥哀自己丧后游园

金太太在这里垂着泪，道之抱着小贝贝进来了。问道："你又伤心，小外孙子来了，快亲亲罢。"说着，抱了小孩子，真塞到金太太怀里去。金太太抚摸着小孩子的头，望了道之道："守华看了半年的房子了，还没有找着一处合适的吗？"道之道："已经看好一处了，原打算这两三天之内就搬。"金太太道："不是我催你搬家，我这里不能容纳你一家了。就是凤举他们也要搬家，自立门户去了。你还寄住在这里，那成什么话呢？"于是就把刚才分财产的话，说了一遍。道之道："你真这样急，眼见得这家就四分五裂了。好比一把沙一样，向外一撒，那可容易。再要团结起来，恐怕没有那一日。"金太太道："团结起来做什么？好让我多受些闲气吗？有你老子在日，他有那些钱，可以养住这些吃饭不做事的人，我可没有那些钱。迟早是一散，散早些，我少受气，不好吗？不过我养了这一大班子，到了晚年还落个孤人，人生无论什么都是空的，真无味呀。"说着，在袖子里抽出一条手绢，在两只眼睛角上又擦了两擦。接着将小贝贝抱了放在大腿上坐着，只管去摸他的头。道之听母亲所说，也觉黯然，不过自己是个出嫁的女儿，有什么法子来安慰母亲的寂寞呢？顿了一顿，因道："那也不可一概而论，老七夫妇，就太年轻一点，让他们离开，也不大好吧？"金太太听到这里，先摇一摇头，接着又叹了一口长气。道之道："你老人家为什么叹气？"金太太道："我叹什么气？我看最了不了的，就是这一对了。清秋这孩子，我先以为她还不错，而今看起来，也是一个外实内浮的女子。我这两天才知道，她和老七胡闹得够了，才嫁过来的。大概不久，笑话就出来了。"道之道："有什么笑话？难道到了日子了？"金太太道："这也不算什么，这年头儿，乳着孩子结婚的也多着啦。只是我最近发现她有一晚上，漏夜回家去了一趟，办什么事我不知道。可是老七也是通了，分明是商量着办的了。我只知道一位……"说着，将三个手指头一伸，接着道："她很有几个钱，老早就大作其公债买卖，而今由清秋这事一推，哪个不是一样呀？他们有钱不能让谁抢了去，偏是表面上极力装着穷，我为这一点，也恨他们不过，让她去造一番乾坤罢。"道之知道母亲是极能容物的人，现在是这样的不平，这话也就不好相劝，因叹了一口气道："若是大家就是这样的散了……"说不下去了，又咳着一声。

　　母女对坐无言的坐了一会，接着玉芬来了，才开始说话。玉芬却望着道之道："四姐，刚才你在这里吗？我们真分了吗？"说着这话，把声浪压得极低，好像有极端不忍的样子。金太太道："这事我就是这样办，并不算分家，家留着我死了再分。现在不过给你们一点钱，让你们去作奋斗的基础罢了。真有不愿要的，谁愿光了手去作出一番事业来，我更是赞成。"说毕，板了脸不做声。坐了一会，玉芬觉得一肚子的议论，给婆婆一个大帽子先发制人的制住了，暂时也就只好不说。恰好老妈子说有电话找，借着这个机会，就离开了这里，回自己屋子里去接电话。一说话时，却是白秀珠。她道："现在你总可以出来了吗？我有几句话和你谈谈，请你到我这里来。"玉芬道："关于哪一方面的事，非马上来不可吗？"秀珠在电话里顿了一顿，笑道："不忙，但是能马上来是更好。"玉芬以为电话里或不便说，就答应马上来。挂上电话，回头见鹏振将所分的那一股纸券，放在桌上，远远坐在沙发上，望了桌面，只管抽烟卷。玉芬一把将那些东西完全拿在手上，打开衣橱向一只小抽屉里放进去。一面锁抽屉的橱门，一面回过头来说道："你真没有出息，不过这几个钱，你就看得那样出神。我姓王的，就不分家产，也比你这个超过几倍去呢，那又算什么？"鹏振笑道："原是因为钱不多，我才想了出神，觉得做这样不够，做那样也不够。若是钱多的话，手边非常顺适，我就用不着想了。秀珠她在电话里怎样的说，是合作的事吗？"玉芬道："合作也好，不合作也好，与你可没有什么关系，你也不必问。"说时，将钥匙放到小皮包里，自己匆匆换了一件衣服，就走出来。

　　这两天家里的汽车，都闲着的时候多，便坐了一辆，独自到白家来。也不用老妈子通报，一直到秀珠屋子里来找她。在窗子外先笑道："我够交情不够交情？一个电话，马上就来了。"秀珠听到玉芬的声音，早迎了上前，握住她的手笑道："真是够朋友，一个电话就来了。"将玉芬让在一张软榻上，自己也坐在上面，因低声笑道："你要怎样谢我呢？你的款子，已全部转存到华国银行去了。因为这笔款子，是由华国银行转拨。家兄不知道你能不能任那银行，不敢给你存定期的，只好给你存活期的。和公司方面，纠缠了几个月，总算告了一个段落。"说着，连忙打开箱子，拿了一个折子，交给玉芬。玉芬虽知道公司里那笔款子，有白雄起在公司的货款上，有法子能弄回来。然而钱没到手，究竟不能十分放宽心。现在不但钱拿回来了，而且人家都代为存好了。白雄起虽系表兄的关系而出此，然而也亏得秀珠在一旁鼎力吹嘘。不然，决不能办得这样的周到。于是站起身来，一只手接了折子，一只手握了秀珠的手，笑道："我的妹妹，这一下子，你帮我的忙帮大了，我怎样的谢你呢？"秀珠笑道："刚才我也不过说着好玩罢了，当真还要你谢我吗？"玉芬道："你虽然不要我谢，然而我得着你这样大的好处，我怎能说不谢？"秀珠笑道："你真是要谢，请我吃两回小馆子就得了。因为这全是家兄办的，我可不敢抢别人的功劳。"玉芬道："吃馆子，哪时候不吃，这算得什么谢礼？"说着，定了眼神想了一想，自言自语的道："我有办法，我有办法。"秀珠拉了她的手，又一块儿坐到软椅上去，两手扶了玉芬的右肩，将头也枕在肩上，笑问道："这么久不出来，你也不闷得慌吗？"玉芬觉得她这一分亲热，也就非常人所可比拟，反过一只手去，抚摸着秀珠的指尖，又抚摸着秀珠的脸，笑道："表妹，真的，我说要感谢你，是必定要做出来的，决不是口惠而实不至的人。"秀珠站了起来，拍着她的肩膀笑道："谁让我们是这样的至亲呢？难道说能帮忙的时候，都眼睁睁望着亲戚吃亏去，也不帮助一把吗？得啦，不要再提这话了，我们再谈别的罢。"玉芬见她这样开诚布公的说了，就不好意思再说酬谢的话，只是向着秀珠笑。秀珠道："现在你金府上，总可以不受那丧礼的拘束了。你在我这儿多谈一会儿，吃了饭再回去，我想伯母总不会见怪吧？"玉芬一抬肩膀，两手又一伸，一撇嘴道："不成问题，树倒猢狲散，我们家今天分家了。但是这家可以说是分了，也可以说是没有分，你觉得奇怪不是？让我……"秀珠便接着道："不用说，我已经

知道了，这种办法也很好，事实上大家干大家的，表面上并没有落什么痕迹。"玉芬道："你怎么会知道？这事也不过刚发生几小时，真是好事不出门，恶事传千里了。"秀珠微笑道："这也不算恶事，也没有传到一千里。我有耳报神，把消息告诉我了。"玉芬一想，就猜着十有八九是燕西打了电话给她了。这话她若不说，也就不必说破。便装麻糊道："这事本也用不着瞒人，亲戚家里，自然是首先知道的。我想着，为了种种便利起见，很打算搬出来，找一所小一点的房子独住，你看如何？"秀珠笑道："哟！这是笑话了，像你这样的智多星，哪样事情不知道，倒反过来请问于我？"玉芬笑道："就算我是智多星，老实说，你也比我不弱呀。我来问你的话，你倒不肯告诉我？"秀珠笑道："你既承认是智多星，我就不妨说了。我以为你最好还是搬出来住，要作个什么，要办个什么，还不至于受拘束。就是我，也可以不受拘束，随便到你府上去谈天了。"玉芬道："你到现在为止，对我们老七，还有些不满意吗？"秀珠听了她这话，顿了一顿，没有答复。两手叉了腰，昂着头道："不！我对他完全谅解了。玉芬姐，你不是外人，我所告诉你的话，谅你也不会宣布。哼！像金燕西这种人才，没有什么出奇，很容易找得着。不过人家既在我手上夺了去，我一定要现现本领，还要在人家手上夺回来。我说这话，你相信不相信？"说着，她又是一摆头，把她那烫着堆云的头发，就

在头顶一旋。玉芬拍着她脊梁笑道："我怎么不相信，只看你这种表示坚决的样子，我就可以相信了。"秀珠被她说破，倒伏在椅子背上笑起来。玉芬道："不是你自己说明，我可不敢说。我看我们老七，就是在孝服中，大概也不止来找你一次了。今天有约会吗？"秀珠一抬头道："有，他说舞场上究竟不便去，我约他在咖啡柜房里谈谈。咱们名正言顺的交朋友，那怕什么？决不能像人家弄出笑话来了，以至于非要这人讨去不可。这种卑劣的手段，姓白的清白人家，不会有的。"玉芬真不料她大刀阔斧，会说出这样一套，笑道："你很不错，居然能进行到这种地步，我祝你成功罢。"秀珠又哼着一声道："这种成功，没有什么可庆祝的，然而我出这一口气，是不能不进行的。"玉芬看她的颜色，以至于她的话音，似乎有点变了常态，要再继续着向下说，恐怕更会惹出什么不好听的话来，只得向她默然笑着，不便提了。便道："我也要看看表兄去，应当专程谢他两句哩。"说着，就出了秀珠的屋子，去看白雄起去了。

秀珠拿起床头边的电话插销，就向金家要电话。不多一会儿，燕西就接着电话了。秀珠道："请你到我们家来坐坐，好不好？你三嫂也在这里。"燕西答说："对不住，有我三嫂在那里，我实在不便来。但是晚上的约会，我可以把钟点提早一点。她在那里，就是你也觉着不方便。"秀珠道："彼此交朋友，有什么叫方便不方便？"燕西道："我刚刚将钱拿到手，少不得我也要计划一下，我们哥儿们正有一个小会议哩。我明天到府上来拜访就是了。"当他二人正在打电话的时候，玉芬在白雄起那边屋子里，也拿了插销打电话，一听有秀珠和燕西说话的口音，就听了没有作声。把这事搁在肚里，也不说出来。当日在白家吃了便饭回去，便留意起燕西的行动来。

到了晚上八点钟打过，燕西就不见了。约摸有一点半钟，在隔院子里听得清楚，燕西开着上房门进屋里去了。于是一切的话，都已证实。燕西这种行动，连玉芬都猜了个透明，清秋和他最接近的人，看他那种情形，岂有不知之理？所以燕西一进房来，清秋睡在床上了。只当睡着了不知道，面朝着里，只管不做声。燕西道："也不过十二点多钟罢了，怎么就睡得这样的死？"清秋也不以为他说得冤枉，慢慢的翻转一个身，将脸朝着外，用手揉着眼睛道："还只十二点多钟吗？不对罢。跳舞场上的钟点，怎样可以和人家家里钟点相比呢？"燕西是穿了西服出去的，一面解领带，一面说道："你是说我跳舞去了吗？我身上热孝未除，我就那样不懂事？我要是到跳舞场上去了，我也该换晚礼服，你看我穿的是什么？你随便这样说一句不要紧，让别人知道，一定会说我这人简直是混蛋。老子的棺材，刚抬出去，就上饭店跳舞了，你转着弯骂人，真是厉害。"清秋道："我是那样转着弯骂人的人吗？只要你知道这种礼节，那就更好哇。不过你闹到这般晚才回家，是由哪里来呢？"燕西道："会朋友谈得晚一点，也不算回事。"清秋道："是哪个朋友？"燕西把衣服都脱毕了，全放在一张屉桌的屉子里，于是扑通一声，使劲将抽屉一关，口里发狠道："我爱这时候回来，以后也许我整宿不回来，你管得着吗？这样的干涉起来，那还得了！我进你一句忠告，你少管我的闲事！"说话时，用脚上的拖鞋，扑通一声，把自己的皮鞋，踢到桌子底下去。到了这时，清秋有些忍不住了，便坐了起来道："你这人太不讲理了，你闹到这时候回来，我白问一声，什么也不敢说，你倒反生我的气？我以十二分的信托你，你却一丝一毫也不信托我。男子们对于女子的态度，能欺骗的时候，就一味欺骗，不能欺骗的时候，就老实不客气来压迫。"燕西道："怎么着？你说我压迫了你吗？这很容易，我给你自由，我们离婚就是了。"清秋自嫁燕西而后，不对的时候总有点小口角，但是离婚两个字，却没有提到过。现在陡然听到离婚两个字，不由得心里一惊，半晌说不出话来。燕西见她不做声了，也不能追着问。他一掀被角，在清秋脚头睡了。清秋在被外坐了许久，思前想后，不觉垂了几点泪。因身上觉得有些冰凉，这才睡了下去。心里便想，再问燕西一句，是闹着玩呢？还是真有这个意思？盘算了一晚，觉得总是问出来的不妥，无论是真是假，燕西一口气没有和缓下去，只有越说越僵的，总是极端的隐忍着。到了次日早上，清秋先起，故意装出极平常的样子，仿佛把昨晚的事全忘了。燕西起来了，一声也不言语，自穿他的衣服。穿好了衣服，匆匆忙忙的漱洗完了，就向前面而去。清秋虽然有几句话想说，因为要考量考量，不想只在这犹豫的期间，燕西便走了，一肚子的话，算是空筹划了一阵。

　　燕西出来，自在书房里喝茶吃点心。在家里混到下午两点钟，秀珠又来了电话，说是在公园里等他了。燕西总还没有公开的出去游逛过，突然提出上公园去，怕别人说他。因之先皱眉，见人只说头痛，因之也没有哪个注意到他，就告诉金荣道："我非常烦闷，头痛得几乎要裂开了。我怕吃药，出去吸吸新鲜空气。有人问我，你就这样说。"金荣也不知道他命意所在，也就含糊答应着。燕西分付毕了，就坐着一辆汽车，向公园里来。知道秀珠是专上咖啡馆的，不用得寻，一直往咖啡馆来。远远看见靠假山边一个座位上，有个女郎背着外面行人路而坐，那紫色漏花绒的斗篷，托着白色软缎的里子，很远的就可吸引人家的目光。在北京穿这样海派时髦衣服的人，为数不多，料着那就是秀珠。及走近来一看，可不是吗？她的斗篷披在身上，并不扣着，松松的搭在肩上，将里面一件鹅黄色簇着豆绿花边的单旗袍透露出来。见着燕西，且不站起，却把自己喝的一杯蔻蔻，向左边一移，笑着将嘴向那边空椅子上一努，意思是让他坐下。燕西见她热情招待，自然坐下了。秀珠看了一看手表，笑道："昨天两点钟回去的，今天两点钟见面，刚好是一周。"燕西道："你这说我来晚了吗？"秀珠道："那怎样敢？这就把你陪新夫人的光阴，整整一日一夜分着一半来了。昨天

晚上回去，你夫人没有责备你吗？"燕西道："她向来不敢多我的事，我也不许她多我的事，这种情形是公开的，决不是我自吹，你无论问谁，都可以证明我的话不假。"秀珠这时似乎有了一点新感动，向着燕西看了一眼，发出微笑来。这种微笑，在往日燕西也消受惯了。不过自与清秋交好，和秀珠见了面，便像有气似的，秀珠也是放出那种愤愤不平的样子，后来彼此虽然言归于好，然而燕西总不能像往日那样迁就。燕西不迁就，秀珠纵有笑容相向，也看着很不自然。总而言之，她笑了便是笑了，脸上绝无一点娇羞之态，就不见含什么情感了。现在秀珠笑着，脸上有一层红晕，笑时，头也低下一低，这是表示心中有所动了。燕西不觉由桌子伸过手去，握了她的手。因问道："请你由心眼里把话说出来，我的话，究竟怎么样？有没有藏着假呢？"秀珠将手一缩，向燕西瞟了一眼道："你又犯了老毛病？"燕西笑道："并不是我要犯老毛病，我要摸摸你，现在是不是瘦了一点？"秀珠道："你怎么说我瘦了？我又没害病。"燕西道："虽然没有害病，但是思想多的人，比害病剥削身体，也就差不多。"秀珠笑着摇了一摇头道："我有饭吃，有衣穿，我有什么可思？又有什么可想？"说着这话，对燕西望了一望。意思是说，除非是思想着你。燕西被她这一望，望得心神奇痒，似乎受了一种麻醉剂的麻醉一样，说不出来一种什么奇异的感觉，望着她也笑了。茶房见秀珠的大半杯蔻蔻，已经移到燕西面前来，于是给秀珠又送了一杯新的来。这时，燕西才知道是喝了人家的蔻蔻，杯子上还不免有口脂香气，自不觉柔情荡漾起来。于是两手一撑，伸了一个懒腰，笑道："你今天到公园里来，光是为了等我说话，还有其他的事情呢？"秀珠笑道："这个你可以不必问，你看我坐在这里静等，还作有别的事情没有？若是没有作别的事情，你想我一个人坐在这里做什么？"说到这里，向着燕西望了一眼，现出那要笑不笑的样子来。燕西笑道："这样说，由今天起，你就是完全对我谅解了？"秀珠将小茶匙，伸在杯子里，只管旋着，低了头，一面呷蔻蔻，一面微笑。燕西躺着在藤椅子上，两脚向桌子下一伸，笑道："你怎么不给我一个答复？我这话问得过于唐突一点吗？"秀珠鼻子里哼着，笑了一声道："这样很明显的事，不料直到今天你才明白，我还有什么可说的呢？"燕西笑道："这样说，你是很早对我谅解的了，我很惭愧，我竟是一点都不知道。不过我现在完了，我不是总理的少爷了，是一个失学而又失业的少年。我的前途，恐怕是黯淡，不免要辜负你这一番谅解盛意的。"秀珠脸色一正道："你这是什么话？难道我是那样势利眼？再说，你这样年少，正是奋斗的时代，为什么自己说那样颓唐不上进的话？"燕西当自己说出一片话之后，本来觉得有点失言，总怕秀珠不快活。现在听秀珠的话，却又丝毫没有生气的意思，不但彼此感情恢复了，觉得她这人也和婉了许多，大不似从前专闹小姐脾气了。在他这样转着良好念头的时候，脸上自然不能没有一点表示。秀珠看见，笑道："你今天怎么回事?好像是初次见着我,不大相识似的,老向我望着。要吃一些点心吗?若不吃点心,我们就在园里散散步如何?"燕西当然目的不是吃东西,便道:"我是在家里闷得慌,在园子里走走,我很赞成的。"于是招呼了一声茶房,二人就向树林子走去。秀珠的斗篷,并不穿在身上,只搭在左胳膊上。于是伸了右手,挽着燕西左胳膊,缓缓的走着。燕西心里也想着,就是在从前,彼此也不曾这样亲热的。这一句话,还不曾出口,不料秀珠倒先说起来,她就笑道:"我们这样的一处玩,相隔有好久的时候了。"燕西道:"可不是,不过朋友的交情,原要密而疏,疏而又密,那才见得好的。"秀珠笑道:"你哪里找出来的古典?恐怕有些杜撰吧?"燕西笑道:"我也不知道是不是杜撰的,不过我心里觉得是这样,所以我就照着这样子说出来。"秀珠点点头道:"原来你为人,是这样喜好无常的。往日如此,来日可知了。"燕西笑道:"这话在你,或者应当这样说的。现在我是无法辨明,将来你望后瞧,自然就明白了。"说到这里,燕西固然是不便向下说,秀珠也就不便向下说,二人倒是默然的在树林外的大道上走着。走了许久,秀珠却不自禁的叹了一口气。燕西道:"好好的为什么你又伤感起来?你这口气,叹得很是尴尬呀。"秀珠笑道:"叹气有什么尴尬不尴尬?我一年以来,全是这样,无缘无故,就会叹上一口气,为了什么连我自己也不知道。"燕西道:"这自然是心里不痛快的表示,希望你以后把这脾气改了。这也容易改的,只要遇事留心,就可以忍回去了。"秀珠笑道:"多谢你的厚意。但是这个脾气也不是空言可以挽回来的。"说到这里,秀珠自摇了一摇头,似乎这话说得不大妥当。于是彼此默然了一会,二人在公园里走着,整整兜了两个圈子。秀珠弯了腰,用手在腿上捶了两下,笑道:"老这样走着吗?我有点累了。"燕西道:"再去喝一杯咖啡去。"秀珠道:"喝了又走,走了又喝,就留恋在公园里,不用走了。我家里还有一点事,要回去料理料理。"燕西道:"不忙不忙,还兜两个圈子。"秀珠皱了眉道:"我实在有事,怎么办呢?但是你的命令,我也不敢违拗,陪你走一个圈子,我的确要走了。"燕西听她说出这种话来,倒过意不去,便道:"你真有事的话,不要为了玩误了正事。"秀珠勉强的笑道:"再走一个圈子也不要紧,我的事固然不能丢下,也不能与你心里不痛快。"说着,缩了脖子一笑。燕西也笑了,又走了一个圈子,倒是燕西先说:"你回去罢,这个圈子,走了有三十分钟,工夫耽误不少了。"秀珠的一只胳膊,让他挽着还不曾抽开。便笑道:"那末,请你送我上大门口。"燕西连说着可以可以。秀珠笑着望了他一眼道:"你的脾气,比从前好多了。"燕西笑道:"这话可以代替我说你。我对于你,也是这样的感想。"秀珠这就不用再说了,只是微笑。二人很高兴的一路出了公园,还是燕西用汽车送了秀珠回家,然后才回去。

677

第八十五回

衰服近优伶不亏好友
红颜计柴米贻笑方家

燕西回到家门口,刚一下汽车,只见门房里有个中年汉子,先迎了出来。燕西很眼熟,却记不起他姓什么。只看他穿了一件黑色长衫,又戴了黑色的呢帽,不是什么高明的衣饰,颇带一点流派。他早走上前,给燕西请了一个安,问道:"七爷,你好?"燕西望了一望他道:"我很是面熟,你贵姓?"那人道:"我是李大,白莲花是我妹妹。"燕西微笑道:"哦!我记起来了,她好吗?好久不见了。我们老爷子过去了,我是什么应酬也不能理会。"李大向后一站,道了一声是。燕西道:"你令妹在天津一趟不错吗?"李大皱了眉道:"别提,赔了。回来之后,倒是有几处邀她。她是让你捧起面子来了,为了戏码子,东不成,西不就。现在倒是自己来个班子,早就要来请七爷的示,知道宅里有白事,不敢过来,连电话也不敢打。今天舍妹让我过来,给七爷请安,给三爷大爷二爷请安。"燕西道:"我们现在不比从前了,虽然说不见得就穷下来,可是这样热闹地方,前去不得。给人家议论一阵,可受不了。"李大连连答应了几个是,可是站着也没敢动。燕西站着想了一想,便道:"你的意思我明白了,再说罢。"说着,进内去了。

李大见他匆匆的进去了,一点没有得着结果,这和今天来的目的,相差未免太远。望着上房,未免发了愣。那门房就叫道:"李大哥,怎么样?和我们七爷说着,得了个信儿吗?"李大走回门房里,皱了一皱眉道:"七爷忙得很似的,没有给我一句准话,我就这样回去了,交不了差,家里准得有麻烦。要不,劳你驾,进去再给我提一声儿,若是有点好处,我准忘不了你。"说着,笑了起来,和门房连拱了两下手。门房笑道:"不用上去回,要是照你这一套话,走上去,准是碰钉子回来。我的意思,最好就是你请李老板自己来说。七爷碍着面子,他自己不便上戏馆捧场的话,他帮个忙,拿出几个钱来,总也没有什么不可以。"李大道:"现在能来吗?她糊里糊涂跑了来,又是个乱子。"门房一笑,接着将头一摇,现出他那很自负的样子来，因笑道："这就用得着我们了。她来了，我们给她找个地方先坐着，然后悄悄的上去一回话。一见了面，怎样的去说话，我想李老板准比我们还机灵，用不着我们去担心。"李大笑道："那敢情好，可是舍妹不像我，要她在这儿等上三四个钟头，那办不到。"门房用手一指鼻子尖道："要我们干吗的？你先打个电话来，七爷在家里，她才来。不在家，回头再打第二回电话，你看这办法妥当不妥当？"李大不料门房自告奋勇，能帮这样一个大忙，就连作两个揖道："那我就感激不尽了，过两天，我先请你喝一壶。"门房笑道："咱们朋友，交情不在乎这上头，你就照我的话办罢。"李大有了这样一个机会，自是喜之不尽，回家去对白莲花一说。白莲花是到过金府多次的，只要门房不挡驾，自己有法子见着面，那就好说了。当日自然是来不及去见燕西。到了次日，梳洗好了，连午饭也不吃，就打了电话到金宅的门房里去。门房连说正是机会，今天上午他要在家里等一个人，不会出门的。白莲花听了这话，挂上电话，赶快就坐了车子前来。到了金宅门口，那门房不待人去找他，他竟自迎上前去，笑道："李老板你来得好，七爷这时候在书房里，你先请到外客厅坐一坐，我去给你送个信儿。"白莲花道："我带了名片来了，你先给我递了这张名片去。"于是交了一张名片给他，向他笑着说了一声劳驾。门房听了这一声劳驾，比得了什么重礼，还要高兴。连道："这不算什么，李老板难得来的，这一点小忙，我们还不应帮的吗？"说着，将那张小名片握在手板心里。到了书房里。只见燕西手上捧了一本图书杂志，架起脚来，躺在沙发上看。门房叫了一声七爷，燕西并不曾起身，只是放下杂志，对他望了一望。门房也不说什么，就把那张白莲花的名片，轻轻向杂志封面上一放。燕西一望是白莲花三个字，将名片拿在手里，将杂志一扔，便笑道："她来了吗？这真胡闹了，怎么办呢？你让她在哪里坐？"门房知道他已完全软化了，便笑道："我没有敢往里头引，让她坐在外边小客厅里。"燕西道："胡闹了，一个女客，怎么让人家在外边小客厅里待着呢？"门房道："那末，请她到书房来坐罢？"燕西对于这办法，还在犹豫着，门房已经走了。

　　不多大一会子工夫，房门一推，白莲花轻轻悄悄的伸着半边身子进来，探望了一下，见并没有别人，然后笑着叫了一声七爷。燕西道："请进罢，好久不见了。"白莲花也不见外，就在燕西坐着的那张沙发上坐下。燕西握了她一只手，见她穿的是一件灰哗叽夹袍，便道："你穿得这样的素净？"白莲花道："你府上有了白事，我穿得那样花花哨哨的来，也不近情理。再说，我不是大哥回去说七爷让我来，我还不敢来呢。"燕西心想，我何曾叫你来？你哥哥和我说话，我都没有听完呢。不过心里虽然是这样的想，口里可不能这样的对人说，便笑道："这更见得你为人客气过分了。"说时，便伸手要按铃。白莲花拦着道："你又要叫听差张罗一气吗？茶也不要，烟也不要，我们的交情不在这上面。说了两句话，我就

679

走，我也不便在这里多耽搁。"燕西道："不要紧，我虽然在服中，难道客还不能来吗？你的来意，我也明白了。我暂时是不好明目张胆出去玩的，这一层你当然也明白，用不着我来说。"白莲花笑道："我连来还不敢来呢，自然是不敢要七爷出去的了，只要肯帮忙，也不敢劳你大驾。"燕西道："用不着我出门的事，像我们这样的交情，我哪里推得了？你实说，要我出多少钱？我尽力而为。"白莲花笑道："七爷虽然是一句老实话，我们听了，可是罪过了。凭着什么，要七爷在金钱上帮忙？我的行头，凑付着还可以唱几出戏，就是怕上台的日子，上座儿不行，那可要了面子。我想，只要七爷给我提倡三个礼拜，我这头一关打破，就好办了。你别听着说三个礼拜，这日子长久了，其实一个礼拜，也不过唱两天戏，凭你七爷代销几个包厢和三排散座，总不成多大问题。"燕西先听她说，并不要在金钱上帮忙，倒有些奇怪。这时她掉了一个方向，就是不作行头，只销戏票，由她的说法算来，不作行头，就不能算是花钱了，这戏票和包厢票不用拿钱去买吗？心里这样的想着，脸上便有些个不高兴。白莲花原是因为燕西把话说得太直率了，所以说着这话，想来遮掩遮掩，不料越遮掩越坏，倒引起主人翁不高兴起来。于是将头斜靠着燕西的肩膀，一手绕过来，搭在燕西的肩膀上，鼻子里连哼了几声，扭着身子道："七爷，你总得帮我的忙。你若不帮我的忙，我可急了。好七爷，你最疼我的，你别让我着急了。"这一下子，不由得燕西不把一肚子气消了干净。便道："你的事情，我有什么法子不答应？不过我现时在服里，实在不敢大闹。花了钱不要紧，真会找上一顿骂挨。"白莲花见燕西已是不能拒绝了，便握着他的手道："你是知道我的情形的，我除了你以外，并没有第二个捧我的。就是有那些不相干的人来捧我，我也不稀罕他捧。平常也没有什么关系，到了这样要紧的时候，我妈就说我平常不肯应酬人，现在怎么样？我让她说了我好几次，我也没有法子替自己来分说了。我明知道七爷这个时候，是不能出面捧人的，我来找你，真是十二分没法。我说这话，我想你未必相信。"这一阵不痛不痒的话，闹得燕西真无法可以说个不字，便笑道："我真是要捧场，不但要瞒着外头人，就是自己家里，也要守极端的秘密。若是让人知道了，我们老太太就不能答应我。你是什么日子上台，请你先通知我一声。我虽然不能来，也会请刘二爷代表的。"白莲花知道他已是完全答应了，便笑道："你若是不便听戏，到后台去玩玩也不要紧。说不定我还可给你介绍介绍两位。"燕西伸手一摸白莲花的嫩脸，笑道："有这样一个，我就受不了，我还能再让你介绍吗？你真大方，倒肯不吃醋。"白莲花瞟了他一眼道："你这是什么话？难道你只认识我一个？那也太难了。你以后就只许捧我一个，你若是捧别人，我不依你的。"说着，鼻子里连哼两声。燕西对于这种醋意，明明是越酸越情浓，心里十分得意。便笑道："我就听你的话，不捧别人了。可是介绍还得介绍呢。"白莲花道："哼！我不介绍了。"燕西哈哈大笑。白莲花道:"你这是不成问题的了,我也不便多在这里坐,我先去。"燕西道:"何必回去?就在我这里吃午饭罢。"白莲花道:"那更是不妥,让老太太知道了,真成了那句话,我吃不了兜着跑呢。你若是诚心赏面子,愿意和我吃饭,中晌来不及了,就请晚上到我家里去吃便饭。我不敢说有什么好菜,我一定亲自做两样菜给你吃。"燕西道:"真的吗?不要是把馆子里菜冒充的吧?"白莲花道:"只要你肯赏光,我一定亲自做菜给你吃。你若是不肯信,回头你就监督着我做菜,你看好不好?我家里到菜市上还不远,我不但是做出来,我还要亲自到市上挑选一番,看是什么东西做出来好吃。可是我忙了一阵,你要不去的话,我真会怪你。"说着话,她已是站了起来,两手都握了燕西的手,装出那种十分亲热的样子来。燕西始终也没有说去,不料她倒说得那样肯定,简直是非去不可。因点点头,向她微笑。白莲花撅了嘴,微微的跳着脚,又扭着身子道:"那不行,你骗着我去买了菜,我倒是自己来吃吗?"燕西笑道:"你有点不讲理了。你说要做菜,又说要亲自去买菜,好意虽是一番好意,但是我自己想着我自己的事,是不是有工夫去呢?我还没有算计好。"白莲花不等他向下分辩,便道:"我明白七爷的心事,以为我现在要七爷捧场,才请七爷去吃饭,有点势利眼。其实吃饭是吃饭,捧场是捧场,决不能混在一处说的。"燕西道:"糟了,这样说,倒是我怕捧场,所以今天不去吃饭。我们一言为定,下午六点钟,我一定到你家去。可是我和你有约在先,千万不要弄出许多菜。要弄许多的话,留着我下回再去吃。你看我这样多干脆,你只约我吃这一餐,我连第二第三餐,都答应去了。"白莲花一听燕西的口音,决不会反悔的,这就高高兴兴的辞别回家。

681

　　燕西当时原是碍着她的面子,及至她走了,一想到这样热孝在身,就到女戏子家里去捧场,人家知道了,固然是要骂。就是自己良心上说来,这种举动,也太不通情理。难道说父亲去世,又接着分家,这样生离死别的环境之下,还能作乐吗?白莲花自己来了,这面子驳不过去,给她几个钱,也就完了,何必一定要自己捧场?这样一想,所说的话,也就不觉得完全推翻。正午本约了两位旧同学,商量自己出洋求学的问题,留着吃过饭,谈谈说说,自然也就不觉是下午三四点钟了。所谈的结果,是自己要补习英语,这一步不预备得充足,纵然是身边多带一些钱,也减少许多兴味。自己一想,也是不错,我的英文,本来有些底子的,无故把它丢了,实在可惜。就是不出洋,把英文练习好了,也不算坏。这样想着,客去以后,就在书房里不走,翻出几本英文书来看。然而当他翻着英文书看了几页之时,白莲花催请的电话就来了。她在电话里说,不一定在吃饭的时候到,早些去,也可以多谈谈。燕西一接电话,便笑道:"何以这样快?我这人真未免太馋了。"白莲花在电话里再三央告着,说是必得去,若不去,我就急了。燕西被她央告不过,笑了一笑,只好答应就来。白莲花还怕他这话靠不住,说毕,又切实叮咛了几句。燕西原是想着,用话能敷衍过去,也就算了,现在白莲花这样殷勤的表示着,若是不去的话,未免太不给人家面子。好在到女伶家里,和到戏院子里去捧场,完全不同。这不过男女朋友,彼此往来,决不能认为是捧场。就是让人家知道,也不能说我什么闲话的。这样想着,把刚才要读英文的计划,就完全抛开。在孝服中穿绸衣是不可能的,穿布衣服,又从来没有养成这样的习惯。这只有一个法子,改穿西服,至多不过是袖子上圈上一道黑纱,于漂亮上是毫无妨碍的。他这样的一想,立刻挑了一套漂亮西服换上,然后坐了汽车,匆匆向白花莲家来。

　　白莲花听到门外汽车声响,却一直接到大门外来。手揽着燕西下车,笑道:"真对不住,还要你抽空跑来了。"手握着手,二人笑嘻嘻的走进门去。白莲花的母亲,也是苍蝇见血一般,老远的拍着手笑道:"真是给面子,一个电话就催得来了。"迎上前,说了一句好久没见,就放连环铳似的,胡乱着问了一阵好。燕西也来不及答应,只口里含糊答应着好,点头而已。白莲花已是有名坤伶,所以她家就住了一所独门独院的屋子。北房三间,是白莲花的住所。在这三间中,一间是白莲花的卧室,两间打通了,作了白莲花的会客室。燕西来了,白莲花毫不踌躇的一直引他到卧室里来。白莲花已大有南方人的风味了,卧室里面,正中也放了一张铜床,也摆两张大小的沙发,没有炕,也没有北方人用的那种粗笨的大四方凳子。燕西笑道:"你去了一趟上海,几趟天津,慢慢也讲究舒服了。"说着,坐在床上,用手连按了两下被褥。白莲花道:"也不是为了图我一个人的舒服。"燕西笑道:"不是图你一个人的舒服,这是为了图多少人的舒服?我倒要问个清楚明白。"说时,拉了白莲花,就向着她脸上望了,逼她回话。白莲花红了脸笑道:"你又猜到哪儿去了?我的意思,不过说是有客来了,可以引到这屋子里来坐坐。"燕西道:"这不结了,我问的话,没有错呀。"白莲花瞟了他一眼,笑道:"到我这屋子里来的客,姊妹们不算,男的可只有你一个呢。"燕西握着她的手道:"我不信,你有什么法子证明你这一句话不是假的?"白莲花道:"那很容易,叫我妈来问一声,你就明白了。"燕西道:"不用别人证明,只要你自己证明就行了。"白莲花道:"我自己要证明什么?我已经说了,就是你一个人到我屋子里来的时候,那就只有你一个人到我屋子里来。"燕西道:"不是口说,要事实来证明。"白莲花低声微笑,向外一努嘴道:"别胡闹。"白莲花母亲李大娘正沏了一壶好茶,要向屋子里送,隔了门帘子,听着这句话,就默然站在外边屋子里,不进去了。过了十几分钟,李大娘故意将外面屋子里东西弄得响,燕西和白莲花就出来了。白莲花母女,这个时候,是二十四分快活,比买彩票得了头奖还有把握些。李大娘走进走出,张罗着茶水,白莲花坐在身边,陪着谈话。还是燕西笑着先开口道:"你不是要亲自做菜给我吃的吗?"白莲花笑道:"就是这一层,可把我为难死。

我要是去做菜吧，这里就没有人陪你。我要陪你吧，又没有人做菜。所以我在陪你说话，心里可就估量着，这事要怎样的办？"燕西笑道："这可真叫你为难。但是我有个办法了，我和你一路下厨房去，于是你也陪了我，你也做菜我吃。"白莲花笑道："那怎样行？厨房里有煤灰，脏了你的衣服。"燕西道："不要紧，我也爱看人做菜。"白莲花抢着道："你别信口开河。你爱看人做菜，你在家里的时候，天天待在大厨房里吗？"燕西笑道："我说的人，是美人的人，不是厨房里那些笨猪似的厨子。你不信，我在家里的时候，还喜欢用火酒炉子，在自己屋子里自己做菜呢。"白莲花顿着眼皮想着，微微的一笑，摇着头道："你下厨房，那使不得，还是我陪你，让他们去做吧。其实我做的菜，也不如他们。"燕西学着那戏院子里小生的样子，将右手一个食指，横着在鼻子下一拖，接上提起大腿，在大腿上一拍，于是将食指向地下画着圈圈，身子一扭道："我是醉翁之意不在酒哟……"白莲花轻轻在他胳膊上捏了一把，低声道："你少说两句，好不好？他们听见，有什么意思？"燕西见她那种风情流动的样子，也就忍不住笑将起来。白莲花道："你若是有工夫出来玩，在我这里吃过晚饭之后，我们一路去看跳舞，你看好不好？我反正还没有唱戏，就是回来晚一点，也不要紧。"燕西笑道："好，我哪里有那样大的胆子，现在居然就去上跳舞场？"白莲花笑道："你今天怎么回事？老是这样死心眼儿哩。"燕西听说，于是又哈哈大笑起来。

　　他两人在这里谈话，李大娘自去做菜。等到把菜饭做好了，已经晚上了。吃过了晚饭，白莲花纠缠着他，非要他陪了去看跳舞不可。燕西觉得她意思太殷勤了，总不便过拂，果然就依了她，一路到巴黎饭店去看跳舞。这个跳舞场，常是一直跳到大天亮的。燕西和白莲花到了饭店里，索性叫汽车夫开了汽车回去，不用在此等候。到了次日，燕西又在白莲花家里吃午饭，白莲花才正式开口，叫他拿出一些钱来，好筹备登台的一切事情。燕西手里，正有着几万块钱，一点儿小应酬，当然是不在乎。便道："这个你用不着为难了，要多少钱，我给你筹多少钱就是了。"白莲花听说，偏了头，作出那沉思的样子，右手点着左手的指头，口里念着，这样一百，那样八十，竟数出不少账目来。燕西估量着，已经有四五百块了。便道："不用算，我下午送五百块钱来罢。这也许不够，不够的话，我给你再行补上。你看我办事干脆不干脆？"白莲花听说，什么也不曾答复，先就是一笑。他们是在屋子里说话，李大娘在隔壁屋子里听了，便接着笑道："那敢情好，将来我们怎么谢谢七爷呢？"白莲花由屋子里向外一跑，皱着眉道："这又碍着你什么事？要你在外边搭碴儿。"李大娘心里也明白，年轻人坐在一处讲情话，是讨厌年老的人在一边坐着碍眼或答话的，于是笑着一缩脖子道："算我多事！可是我也是实心眼儿的话呢。"她说着，已走出去了。白莲花回转身来，燕西握着她的手笑道："你对于妈，一点不客气，你妈也太惯了你了。"白莲花道："并不

683

是我和她不客气,她说话东一句,西一句,听了怪腻的。"燕西往常来,李大娘总是不即不离的在一边照应,燕西真也有些不愿意。可是白莲花却是丝毫没有什么感想,今天她只搭了一句腔,就让白莲花把她赶走了,当然是极痛快的事。因笑道:"今天回家,她没有问你什么话吗?"白莲花说:"没有问。"燕西道:"她放得下心吗?"白莲花瞟了他一眼笑道:"有什么不放心?难道怕你把我拐去卖了吗?我们还是谈正经事好不好?"燕西起身笑道:"不用谈,就是我刚才所说的话,五百块钱,晚半天送来。我今天下午,万抽不开身,家里有好些事。"白莲花只说得一句不是为钱,第二句也就说不出来了。燕西急于要走,不能停留,白莲花就握着他的手,送出大门口来。燕西上了汽车,白莲花还在门口站着呢。

　　他到了家,已见两乘大车,在门口停着,堆满了东西。燕西问门房道:"四小姐不是说还有两天搬吗,怎么今天就搬起来了?"门房道:"我也不知道,四姑爷今天上午,带了两个人来收拾东西,接上就搬。听说那边新房子,还没有裱糊好呢。"燕西觉得也是奇怪,便一直到刘守华这边屋子里来。只见屋子中间,放了一只大箱,箱子大开着。刘守华一样一样的向里面塞,西服脱下了,只穿了一件衬衫,然而他头上,还一阵一阵向外冒汗珠。道之手上提了一个小皮包,由里面套间里出来,小皮箱上还挂一把钥匙,似乎最后一只紧要箱子,也收拾完了。道之看见燕西,便道:"这样子,你是刚才得着消息,来看情形的,对不对?"燕西怎能说是不对,便道:"很奇怪,你们怎么突然的就搬了?"道之道:"不搬做什么?在这里当重大的嫌疑犯吗?我们总还可自立,不至于去靠父亲一点遗产。"她说这话时,脸色已是慢慢的板起来。刘守华皱着眉,唉了一声,又一跺脚。道之眉一扬道:"你姓刘,你不敢惹他们。我姓金,我怕什么?"刘守华道:"你就是为了充好汉,弄得没有人缘。现在只剩两个钟头了,你还要充好汉?老七还没有懂得原委,你糊里糊涂说上一大堆,人家还不知道为了什么事呢?"燕西道:"果然的,为了什么事呢?"道之冷笑道:"什么事?三嫂很不满意我,说要分,从外姓分起。你想,在这里住的外姓还有谁?我早就要搬了,而且还有一个姨奶奶在外面呢。偏是大家留着。"燕西听了这话,才知道她和玉芬又有口角的事了。便笑道:"她纵然有什么话,也不能代表我们大家的意思。树倒猢狲散,大家都是要走的了,你又何必先忙?"刘守华道:"你既知道树倒猢狲散,那还有什么说的?而且我们还扔了一个日本姨奶奶在外面。"道之冷笑道:"这一来,秃子作和尚,你倒将就着,若不是父亲过世去了,我就在家里住一辈子,也不搬出去,弄得你离而不离,合而不合,看你怎么样?"刘守华笑道:"当着你兄弟的面,这可是你自己说的。怪不得这几月说找房,总是一句话而已。"道之道:"你别高兴,搬出去之后,我也不难为她,和你好好的说说,让她回国去。嫁到中国来,还不免给人作姨太太,那何必呢?"这样一提,刘守华不敢再说什么了,一人自去检他的箱子。

燕西站着望了一会儿，也是不好说什么，自回自己屋子里去。只见清秋伏在案上，似乎在列一张什么表似的，画了一些横格子直格子，格子里面，写了许多细字。远远的看了一看，也不去理会。清秋见他向软椅上一躺，腿伸着直直的，似乎是疲倦了。笑道："你在哪里来？累了吗？"燕西心里有事，以为这话是讥刺他的，很不高兴，默然没有做声。清秋哪里知道这一层原故，依然画她的表。一直将表画完了，高高兴兴的拿到燕西身边来。笑道："请你看上一看，我这个表，列得怎么样？你还有比这完全些的计划没有？"燕西睡在那里，先是想到白莲花的那笔钱，继而想到刘守华之走，伏了大家分散的预兆，照此下去，不定哪一天要散到自己。散到自己头上，那就钱也为数不多了，现在似乎不能不谨慎一点，以为将来之计。由省钱便又想到了白莲花的那一笔款子，这是不是要拿出来哩？这不成问题，当然要拿出来的，难道还能在一个坤伶面前丢了这脸不成？好在也就是花这一次的，以后不要浪费就得了。我在歌舞场中，多少钱也花了，岂在乎这一点款子。这样的想着，把要消极的意思，又兴奋起来。正想到这里，清秋把那张表送来了。燕西也不曾伸手去接，就拿在手里一看，上面写的几个稍大的字是："小家庭第一年预算表"。燕西将手一挥，淡淡一笑道："不要让人家笑话了！我们家里这样大的家庭，也不知道什么叫预算表。到了我们手上，就要作起预算表来，真是会做作。"清秋一头高兴，碰了他这样一个钉子，真是不快活。然而就这样拿了转去，也有些不好意思，勉强笑道："并不是我做作，你想呀，以前我们家开销虽大，进款也大，只要用得不十分大，就不必预先筹付。将来到了我们自己手里，能有多少进款，现在也不知道。就是分这样一点家产，我们也要好好保留着，怎么不要在事先预算一下。"燕西突然站起来道："这样说，你是料定我没有本事弄钱的。我纵然弄不到钱，我的家也用不着你操心来支配！"清秋让他说了一顿，愣住半天不能作声，默然的将那张表放在桌上，然后才很和缓的道："不要我画表，我不画就是了，这也用不着生这样大的气。我也不懂什么道理，我现在作事，总是不如你的意。仿佛我和前几个月，另变了一个人。我也知道你的心事，大概是被那跳舞场紫色灯光，和那沉醉的音乐迷住了。不过我想，一个人必定要到舞场上发泄爱情，恐怕总不会走上正常的道路。依我看来，那不过是求一时愉快的人所做的事，决不是永久的办法。"燕西脸一变道："你这不明不暗的话，指着谁说？我什么时候上了舞场？你说这话，在平常还不要紧，当我有孝服在身的时候说我，你简直是加上我一行罪。但是我也不怕你说，纵然是事实，也不见得有什么法律来制裁我。"他说着，脚就在地板上用力一顿，冬的一下响。清秋再想说一句，见他气势汹汹的，决也不会接受。这样说下去，徒然使二人的感情破裂，那又何必。因之燕西站着，她倒反而默然无

声的拿了一块橡皮，似有心似无心的，去擦抹表上的格子，擦出了许多纸屑，低了头只管吹着。燕西见她不做声，自己的确是有虚心事，不能反去责备人家，因此也就不说什么了。

第八十六回

白玉锡佳名二花争艳
黄金供滥用一客无愁

　　这时，清秋一人在椅子上躺了一会儿，道之却来了，站在房门外道："清秋妹，我马上就搬走了，改天来看你罢。"清秋只知道她要走，不知道走的这样快。自己惟有和她最好，听了一个走字，心中立刻一跳。道之说了一句告别的话，抽身便要走。清秋连忙赶上前来，一把将她拉住道："既是要走，何不在我这里坐一会子？你知道的，你若是走了，我更显得枯寂了。"道之执了她的手道："好在你是很爱清闲的人，不见得为了短一个我，就会寂寞。你真要感到寂寞的话，可以到我家里去玩玩。我的东西，都捆扎好了，不能再耽误了。"清秋也不知道为了什么，心中无限的凄怆，道之在前面走，她在后面跟，竟有几点眼泪无端滴了下来。当然，在这种情形之下，不能不将道之送了出来。

　　燕西对姊妹之间，却无所谓。道之在外国多少年，也不觉得什么，现在道之不过搬出去住家，更是淡然。所以清秋虽然送道之走了，燕西倒落得打开箱子，取出了两叠钞票，揣在身上。这钞票是亲自开支票，在银行里取来的，乃是五十元一张，十张一叠，随随便便正是藏了一千元在身上。身上既揣了钱，便觉屋子里坐不住，于是缓步踱到书房里，和白莲花通了个电话，叫她自己来取钱。那边白莲花接的电话，却出于他意料以外，说是身体不好，自己不能来。燕西一想，费了许多工夫，才得我松了口，给她的钱，怎么我叫她来拿钱，倒反而不急呢？难道是用不着要钱了吗？无论如何，能这样子傻，恐怕真是病了，也未可定。当日白天因为出去的时间太久了，不能再出去，直到次日吃过午饭，才一直向白莲花家来。本来是很熟的，直向她卧室里走。他一掀门帘子，倒不由得不猛吃一惊。原来白莲花屋子里，这时却另有一个女子在那里，看那年纪，也不过十六七岁，身上穿了一件黑色雁翎绉的长袍，一直拖平了脚面。乌的颜色不算什么，最妙的是沿衣服四周，钉了一匝白丝辫盘的花边。衣服的下面，开了长长的岔口，露出那芽黄色的长管裤子，颜色极是调和。这种装束，也不是什么特别的，很容易看到。只是这个女子的皮肤，白得像雪搏的一般，有了这乌衣在身上一衬，就黑白分明了。她是鹅蛋脸儿，天生的白中带红的颜色，没有擦上一点脂粉，配上那微鬈下梢的黑发，如黑漆一般的眼珠，实在由那绝不艳丽的当中，表示艳丽出来。真不料白莲花家里，有这种人才。也猜不透是什么人。因之燕西进也是不好，退也是不好。白莲花正躺在那沙发上，看见燕西进去，连忙向前相迎。那个女子，将身子一侧，就想由燕西身旁挤了出去。白莲花笑道："傻孩子，别走，七爷又不是外人，我给你介绍介绍。"一面就对燕西道："这是我的妹妹。"于是她走前一步，客客气气，和燕西鞠了一个躬。但是鞠躬之后，也不等燕西说第二句话，一字不响，就走。燕西望着门帘出了一会神，笑问道："你又冤我，我从来没有听见你说过有这样一个妹妹。"白莲花道："她是三婶的闺女，比我小两岁，能叫妹妹不能叫妹妹呢？"燕西笑道："以前怎么总没有听见说？"白莲花道："以前她是人家一个姑娘，我和你们提起来做什么？现在她没有法子，为了经济压迫，也只好来唱戏。所以，我能给你介绍。"燕西连连鼓起了两下掌道："好极了，她也要上台吗？我一定捧场。"白莲花瞟了燕西一眼道："你这人生得是什么心眼？人家落难落得唱戏，你倒鼓起掌来说好。"燕西道："你误会我的意思了。我鼓掌说好，说是她这种人才去唱戏，一定是会成名的。你给我介绍介绍，好不好？"白莲花道："我不是已经介绍了吗？又介绍什么？"燕西道："你让她和我点个头就跑了，这算什么介绍？必得介绍她和我成个朋友，那才算是介绍呢。"白莲花笑道："你又存了什么心眼？打算怎么着？"燕西道："你这是什么话，咱们这一份朋友交情，总算不错，靠着你的妹妹这一点，让我们作个朋友，这很算在人情天理之中的事情，我要存什么心眼？"白莲花笑道："若是这样说，那倒没有什么。"便向外面叫道："老五，你来你来。"她在外面答道："我不去，有什么话，你出来告诉我罢。"白莲花道："你这样大的孩子，还是跑过上海的，我的朋友在这里，你害什么臊？"白莲花这样说，她索性连话也不回答了。白莲花笑道："这个丫头，非我去拉她不成。"说着便出去了。燕西听到门帘子外面，吃吃笑了一阵，脚步很乱的，在外面响着。门帘子一掀，白莲花将她拉了进来。她立刻将手一缩，正了脸色，后面跟着。燕西一见她进来，早是笑着迎了上前。那女子却没有一点笑容，紧跟在白莲花身后，一块儿坐下。燕西明知道她是一个戏子，然而她极端的庄重，也就没有法子可以和人开玩笑。只好掉过脸来问白莲花道："令妹怎样称呼？"白莲花笑道："干嘛这样客气？干脆你就问她叫什么名字得了。她因为我的关系，就叫白玉花。你看能用不能用？"燕西笑道："玉本是白的，这样叫着就好听。"说这话时，偷眼去看白玉花，见她侧转身子坐在沙发上，也不知什么时候，让她取得了一根丝条。她将丝条放在椅子上，只管盘来盘去，盘着海棠叶、梅花瓣等等的样子。燕西不但想不到看她的笑容,她的脸色是怎样的,都没有法子去看到了。于是对白莲花道:"她什么时候上台?和你一块儿出演吗?"白莲花道:"不!我想捧她一下子,让她去唱一回大轴子试试看。只要广告上字写得大,说是上海新到的,也许可以吓人家一下子。她的扮相很好,唱是学了多年了,我想总不至于不能对付。若有人捧上几回,也许就捧上去了。七爷能不能看我的面子,捧捧她?"白莲花说了这样一大套,白玉花还是在那里盘丝条子,也不转身,也不回头,也不答话。燕西料着她初次来交际的姑娘,一定是害臊,便道:"若是短人帮忙的话,我少不得凑一角。不过像令妹这样的人才,总不至于没有人捧,似乎用不着我们这种人来凑数吧?"白莲花听了燕西这话,见白玉花还是背了身子坐着。便问道:"你听见没有?"白玉花这才回转头来道:"我怎么没有听见?"白莲花道:"你既是听见了,怎样也不说一句话?"白玉花道:"我的话,都请你代我说了,我还用得着说什么?"说毕,依然端端正正坐在那里。燕西听了她的话,又看看她的颜色,心想,这个女孩子,真合了那一句古话,艳如桃李,冷若冰霜。凭我这种人,她都不大理。不相干的人,她更是不在乎了。我无论在什么女人面前也没有碰过这种橡皮钉子,我倒要试试她的毅力如何。便对白莲花笑道:"这话可又说回来了,我既答应捧你在先,当然还是捧你。"白莲花瞟了他一眼,又摇一摇头,笑道:"哟!你捧我还要有什么条约吗?我这份不算,你得另外捧捧我妹妹。"燕西道:"我一个人,哪有那大的力量,连捧两个大名角呢?而且我看令妹,也不至于非我捧不可。"说着这话,眼光可就射到了白玉花身上。白莲花用右胳膊将白玉花拐了一下,笑道:"你总不学一点交际手段,怎样混得出来?连七爷这样好说话的人,都不高兴了,别人还行吗?求佛求一尊,你这样子,还是请七爷多帮忙罢。说呀!别不做声啦。"白玉花没有经她姐姐说明,她还绷了脸坐着,经她姐姐一说之后,索性伏在沙发靠背上,抬不起头来。燕西虽不能知道她是不是在发笑,然而她还是没有受过人捧的,那是绝对无疑的了。这个女子,犹如一块璞玉一般,未经磨琢,正是可捧的。他在这里如此揣想,白莲花坐在一边,已经偷看得很明白,便笑道:"你别瞧我这妹子不做声,她肚子里有数的。设若你捧她,她心里十分感激的。"白玉花就望了她姐姐一下,又低了头。在望的时间,势子来的非常之猛,好像是说白莲花的话太冒昧了。燕西笑道:"人家自己都不着急,倒要你说了个不歇,你有什么话没有?我要走了,这点款子,你拿去做筹备费。"说着,将一叠钞票,塞在白莲花手上。她道了一声谢谢,接着钱,顺便就握住了他的手,笑道:"你坐一会儿,我真的有事和你商量。"

　　白玉花这就正式开口了,望了燕西道:"你坐一会儿,忙什么?"她这一句话,好比吸铁石吸铁一般,把燕西要走的意思就完全打消。笑道:"这里我是来熟了的,随便的来去,你有什么话和我说吗?要是有,我就坐一下。"白玉花这才向他微微一笑,瞟了他一眼道:"这不是刚才那句话，要请你多帮忙。"这一个微笑，在旁人不算什么，现在出之于白玉花，燕西认为是极可贵的事，至少证明她并非不睬，乃是性情如此。便笑道："只要你承认我有捧的资格，你打三天炮，我准捧三天。除了我自捧不算，另外还去拉几个陪客来，你看怎么样？"白莲花微笑道："那还问什么怎样呢，我们自然是欢迎极了。"燕西望着白玉花微笑道："这话是真的吗？"白玉花本又要笑出来，却把上牙咬了下嘴唇皮，把笑忍回去了。只借着燕西问话的机会，向上点了一点头，表示白莲花的话是对的。燕西见她真个有了表示，说到帮忙，便是心肯意肯。因笑道："我这人做事，说办就办，决不会口惠而实不至的。李老板，你对令妹说一声，要怎样的办？"说着，就望了白莲花，待她答复。白莲花先望着白玉花，然后抬头想了一想，笑道："我想，你在我姐儿俩面前，总不好意思待谁厚待谁薄，那就是这样办，跟我一样。"燕西连点着头道："行行行，另外我还要送二老板一点东西，以为纪念。"白莲花笑道："什么呢？大概不能送戒指吧？"燕西道："我也不能有那样冒昧，我打算送一只手表。"说时，目射着白玉花黑衣袖外的白手。白莲花见他这样子颠倒，心里又喜又气。喜的是和妹妹找到了一个主顾，登台这一件事不用发愁了。气的是自己和燕西的交情，恐怕要让妹妹夺去。燕西全副精神都注意的是她，难道我就没有她美？女子们这个妒字，有时比生命看得还重，二人虽是姊妹，却也不肯含糊。因之白莲花脸上渐渐泛起红晕来，所有的笑容，都是勉强发出来的，很不自然。燕西看她的情形，也有点觉察出来，便笑道："我捧令妹，自然是客串的性质……"于是又对白莲花望了一眼道："总听你的命令，你让我捧到什么时候，我就捧到什么时候。"白莲花伸着手高高举起，比了一比，然后在燕西手背上轻轻拍了一下道："照你这样子说，我姐儿俩还要吃个什么醋不成？"白玉花不说什么，却瞟了她姐姐一眼。白莲花笑道："要什么紧，七爷和我也是老朋友，高攀一点，简直和哥哥妹妹差不多。哥哥，你说是不是呢？"说着这话，将脸仰着望了燕西笑。燕西连说是。白玉花将嘴一撇，对着白莲花用一个指头，连在腮上耙了几下。白莲花拖了燕西一只手，就伏在他的胳膊上，吃吃笑了一阵。燕西见白玉花渐渐活泼起来，心下大喜，好在今天身上的现款带的不少，又掏出五百块钱来，交给白莲花道："我就照着你的话，平等办理，这也是五百块钱，作为令妹上台的筹备。其余的事，我们过一二天再说。"白莲花接着钞票，在空中一扬，向白玉花道："七爷待咱们真不错，你别傻头傻脑的，也得谢谢人家呀。"白玉花听说，果然向燕西微鞠着一个躬，口里说了一声谢谢。燕西笑道："先别忙着谢，我还有一半劳力没有尽呢。"白莲花道："说谢我也不敢，今天，我姐儿俩请七爷来吃晚饭，七爷肯不肯赏面子？"燕西听说是姐儿俩请，就是一百个肯来。不过今天家里搬走了一房人，母亲是不大高兴的，吃饭，心里恐怕会生气。今天不知有弟兄几个在家里，若是有两个不在家，说不定生出什么是非来，今天还是回家吃晚饭的好。便对白莲花道："老要你请我，那也不成话，今天不行了，我还有事，明天我再来请你二位罢。"白莲花也想到，或者是他家里有什么事，不然，他不会推辞的。便道："我们天天有空，听你的便就是了。"李大娘在外面屋子里，她听了一个够，早知道燕西又花了五百块钱了，这时也笑着跳了进来道："你们虽然应该谢谢七爷，可是也别耽误人家的正事，只要七爷赏脸，你们就来一个随传随到的罢。"说着，拍手一笑。燕西有个脾气，就是讨厌和上了年纪的妇人周旋。李大娘跑进屋来恭维，燕西就感到老大的不痛快。本来是要走的，现在却是片刻也不愿停留了，对白玉花说了一声再会，匆匆的就走出来。

　　回到家里时，电灯已是上了火了。清秋这几日知道燕西手里有了钱，不免要大大的挥霍一顿，虽然没有法子拦住他，然而却不断的注意他的行动。当清秋送道之走了以后，并不见燕西出房门一步，预料他要拿钱出去玩的，便不敢延误，赶回房来，以为自己在当面，燕西拿起钱来，多少有点顾忌。不料走回房来看时，燕西已经不见了。看看放钱的那个大皮箱，盖子却没有盖得十分完好。就近一看，更是吓了一跳，那箱子盖两个搭扣，竟有一个不曾搭住，用手一按绷簧，那搭好的搭扣，也卜的一声，绷了上来。原来开了箱子，却未曾锁。在地板上看看，并没有钥匙，打开箱盖看时，倒是衣服上面摆着。清秋心想，这个箱子放有好几千块现款，这样敞开，老妈子进来，随手拿去一笔，有什么法子来证明，自己又不知道这箱子里的详细数目，也不敢声张，便将箱子关好，等燕西回来。这时燕西回来了，清秋首先一句便问道："你今天出去，拿了多少钱走的？"燕西听到她盘问钱，便不大高兴，脸上的颜色，就有些红黄不定。清秋很从容的站起来，向着他笑道："你不要多心，我并不是追问你拿了多少钱，因为你走得太快，没有锁上箱子，你走了一会子，我才回房来的，钱的数目上若是有些不对，我可负不起这个责任，所以我要问上你一问。"燕西道："什么，我没有锁上箱子吗？"说着，伸手到衣袋摸了一摸，果然没有钥匙。便道："这可糟了，你数了我的钱没有？"清秋道："我不知道你箱子里存了多少，又不知道你拿走了多少，我数一数，又有什么用？"燕西连忙打开箱子，见钥匙放在箱子里面上，笑道："我这人真是荒唐，怎么会把钥匙放在里面不锁起来？让我来点了一点数目看。"于是他一人就将箱子里现款点了一点，笑道："侥幸得很，居然一个钱没有丢。"清秋道："你仔细数了，果然一个钱没有丢吗？"燕西道："不会错的。我放的是整数六千五，我拿了一千，这里还有五千五。"清秋道："你今天有什么要紧的事，竟会用上一千块钱？"燕西被她一问，这才知道自己失言了，便笑道："我现在哪里还有那样大的手笔，一用就是一千块钱，我是把这钱存了一笔定期存款。"清秋道："你有许多钱，为什么单独存这样一笔款子？"燕西说不出所以然来，微笑了一笑，顿了一顿，然后笑道："我不过是先试一试，其余的自然也是要存上的。"清秋笑道："那样就好，可不要是存无期的长年，连利息都免了，那是有些不合算的。"燕西突然听到，还没有悟会到她的意思，想了一想，才明白了。这钱本来是自己花费了，她既知道，也不敢说什么，自己也未便有什么表示，只是微笑了一笑。清秋见他并没有说什么，就知道燕西所提的这笔款子，已是完全用过去了，钱已用了，怪他也是枉然，便微笑道："只要箱子里的钱不少，这也就万幸了。虽然用了，那也不算什么。"燕西把箱子关好，便将钥匙向清秋怀里一扔，自己在对面沙发上躺下。清秋本想说两句俏皮话，转身一想，难得他如此大方，将钥匙拿过来，替他看守一天是一天，不要把他弄翻了。于是拾了钥匙揣在身上。

　　燕西心里也就念着，今天上午在外面跑了一天，下午又不声不响的花了一千块钱，这也应当在家里休息一会儿，不得再出去了。如此想着，躺在沙发上，就把双脚架得高高的，还是不住的摇曳着，表示那无所用心而又是很自在的样子。他心里定了这个念头，还不到十分钟，金荣就在院子里喊七爷接电话。燕西问是哪个打来的？金荣说是刘二爷打来的，有紧要的话说。燕西却也相信是刘宝善的电话，因为他这一程子，不得意的事，接连的来，最近又为一家银行倒了，倒了他好几万块钱。他觉得北京不大妙，赶快迁地为良，他有电话来找，也未可知，于是便走到书房去接电话。燕西一出来接电话，才知道猜想错了，打电话来的乃是白秀珠，并不是刘宝善。便笑道："这个时候打电话给我做什么？是请我吃晚饭吗？"秀珠也笑道："除此之外，还有什么话呢？我在普鲁士饭店等你。"燕西道："我们吃中国馆子罢，何必到那种地方，花钱不少，吃三四个单调的菜？"秀珠道："那里的音乐好，我就去了，你快来罢。"说着，便挂上了电话。燕西心想，这也真是一件怪事，为了音乐好去吃饭，目的是在吃饭的呢？还是听音乐？但是刚才在电话里，她已经说着先去了，若是不去，让她一人在饭店里等着，也是会打电话来催的，倒是不如先去的干脆。书房里有帽子，戴着便走，也不再回房去了。清秋也是看到他有点倦游的意思，以为他今天不会再出门的，不料一去接电话，却永久不见他回来。便叫老妈子到前面去打听，老妈子回来报告，七爷早已出门了。清秋手上抚弄着钥匙，许久不能停止，望着藏着现款的箱子，深深的叹了一口气，神志颓废，就在沙发上躺下。一直躺到七点多钟，老妈子问："快开饭了，还是在屋子里吃饭呢？还是到老太屋子里去吃呢？"清秋道："我还是到太太屋子里去吃罢。一个失意的人，若是再让她孤孤单单的，更难过了。这种情形，只有我知道的。"说着，先站起来，到浴室里去洗了一把脸，对镜子里理了一理头发，还对镜子做了一点笑容，觉得脸容并不悲苦，才上金太太屋子里来。

　　这时，金太太屋子里，果然摆下了碗筷。因为这些儿女们，最近都是轮流到她屋子里来吃饭，以便安慰着她。所以这屋子里总预备下六七个人的座位，如道之夫妇，燕西夫妇，梅丽，这几个人到的时候为多。今天道之夫妇走了，燕西也走了，梅丽有点头晕发烧，二姨太太叫她不必出房门，喝一点稀饭。清秋呢，又是在沙发上想心事，把时间忘了。敏之、润之虽知刘守华走了，却不料其余的人都未曾来，敏之是在写给未婚夫的信，正催着他回国，信要写得切实点，就不能来陪母亲。润之偏也是心里烦闷，懒出房门。金太太一个人在屋子里，见摆了一桌子饭菜，竟只自己一个人吃，她何能听一个一个下人去分别解释，只觉儿女们都是靠不住的，这后半辈子，还有什么意思?一阵心酸，又掉下泪来。其实金铨在日，金太太一人吃饭的时候，也很多很多。但是那个时候，就不曾有什么感想，而且现在也忘了从前有这种时候。女仆站在一边，只知道金太太伤心，哪知道伤心何在?这里只有一个陈二姐，她是个过来人，便了解金太太的意思，连忙跑了出来，先就进到凤举屋子里来，轻口喊道:"大爷大少奶，赶快去罢，太太今晚一个人吃饭，在掉眼泪呢!"凤举最近是很孝顺的，虽然见饭已摆上了小桌，一面起身，一面对佩芳道:"去罢，我先走了。"佩芳也不愿一人在屋里吃饭，就跟他一路到金太太屋子里来。金太太正背脸坐着，听到脚步响，回头看见他夫妇来了，便问道:"你们吃过饭了吗?"佩芳在凤举后面，倒抢着说道:"没有，我们是打算连孩子带了来，一齐到这儿来吃呢。"一提到小孩子，金太太心里便自然高兴起来，因道:"可别胡来，天色黑了，抱着孩子穿过几个院子，别说受惊不受惊，吹了风也是不好。"佩芳道:"因为这样，所以没有抱了他来，妈吃饭罢。"金太太见他夫妻二人已经快要坐下，自然也就跟着来坐下。金太太先用勺子舀了一勺子汤喝，便道:"陈二姐呢?这汤冷得这个样子，也该用火酒炉子热上一热才好。"金太太说这话时，陈二姐正是引了清秋进来。因为她要叫清秋，清秋已经出了院子门了，二人连忙赶了来。这里已经上桌，陈二姐在房门口答道:"我预备好了。"说着，进房来，匆匆忙忙的搬了火酒炉子烧了起来。清秋见凤举夫妇在这里，倒想起今天若是没有他们来，这里便要十分冷淡，幸而自己是来了。于是在一边坐下，没有作声。金太太道:"你是陈二姐叫你来的吗?老七呢?"清秋只顾答应后面一个问题，说是他今天在外面跑一天的了。金太太见陈二姐将汤热好了，又把别样拿去热，便道:"又不是冷天，将就着罢。明天对厨房说，这里只预备一两个人吃的菜，也就行了。大事都完了，撑着这空架子做什么?我迟早是庙里修行去，用不着找人来热闹。"大家听了这话，都觉是言中有物，然而各人的感想不同。凤举、佩芳以为不来呢，也就不知道，来了倒要挨骂。清秋以为我本是要来的，何尝要陈二姐去找我，其实除了害病而外，我又哪一次没有到呢?但是大家也只好安然的受着，不过是在心里不快而已。自金铨去世以后，金太太屋里要算这一餐饭，吃的大家不痛快，也就要算这一餐饭，金太太心里最是难受。其实

世界上每天一个人吃饭的，又哪里可以用数目去计？然而没有多人共餐的盛况在前陪衬着，也就很平常了。所以一个冷淡的所在，最怕是有过去的繁华来对照呢。

第八十七回

私念故乡偏房兴去意
忽翻陈案记室背崇恩

这一晚上,吃完了饭,大家自然陪着金太太坐一会。因为敏之、润之来了,金太太对佩芳道:"我这里已经够热闹的了,乳妈子一人带着孩子在屋子里,你也瞧瞧去。"佩芳因为凤举和金太太商量好了,要停了前面那两位账房先生,明天就要发表,今天已经告诉账房,结一盘总账。心想,这两位账房,也不知挣了多少钱,现在叫他结总账,他虽然料不到明天就停职,然而也必为时不久,这个日子,岂有不作坏事的?因之也不通知别人,就向前边来。佩芳自遭丧事以后,并没有晚上到前面来过,就是白天,也很少来。这时走到前面来,大异往常,仅仅是留着长廊下一两盏电灯,金铨办公那个院子里,以至于两个客厅,全是漆黑。到了前面那楼厅下,也只檐下有一盏灯,让那碧绿的柳树条子一罩,更阴沉沉地。厅下那个芍药台,芍药花的叶子都已残败了一大半。想起去年提着补种花苗,预备开跳舞大会的情景,就在昨日一般。如今情形可就完全不同了。金铨故后在这里停灵多日,楼下有两扇窗子开着,风吹得微微摇动,咿哑作响。向里一望,黑洞洞,不觉毛骨悚然,连忙向后退了两步。正在这时,前面有个听差,拿着东西,送到后面来。佩芳这才放大了胆。然而再也不想去打听账房先生的什么秘密,便走回上房来。

走到翠姨的院子里,只听到她屋子里有哭泣之声。停脚听了一听,正是翠姨自己哭,就顺步走了进来。只见她侧面坐在沙发上,用手掩着脸,呜呜咽咽,像是很伤心。佩芳走进来,她才揩着眼泪,站起身来道:"大少奶奶,今晚上得闲到我这里来坐坐。"佩芳道:"并不是得闲,我听到姨妈在哭,特意来看看。好好的,又是怎样伤心了?"说着,她在沙发上坐下。翠姨道:"我并不是无故伤心,因为我今天不大好,没有吃晚饭,在床上躺着,迷迷糊糊的,梦见你父亲,还是像生前那种样子。"佩芳听到她说梦到了亡故的人,这本也不算什么。只是刚才走那大客厅楼下过,已是吓了回来的,现在又听说是梦见了金铨,暗中又不觉打了一个寒噤。因道："这是心里惦记着他老人家，所以就梦见了。刚才，我还走大客厅下面过来，想到去年开芍药花，开赏花大会的事，恐怕是也再无希望有这样的盛会了。"翠姨道："你们有什么要紧？丢了靠上人的日子，现在是自己的世界了。你看我这样年轻轻的，让你父亲把我摔下来，这是怎样办？除了靠我自己，我还靠谁？你母亲一朝权在手，便把令来行，还要趁这个机会来压迫我。叫我怎样不加倍的伤心呢？"说着，又呜咽起来。佩芳对于一朝权在手，便把令来行的话，倒很赞成，却不能说出口。对于翠姨，觉得她到了现在，果然是个可怜的女子。便道："这话不是那样说，父亲去世，这是大家的不幸，也不能望着哪一个人没有办法。他们还有这些弟兄，你总是个长辈，难道能不问吗？"翠姨道："我长了二十多岁的人，难道这一点我都不懂，还打算搭出庶母的架子来，和人讲个什么理吗？我仔细想了一想，只有两条路，一条我是当姑子去，一条我找职业学校，学一点职业，认识几个字。但是我说第一条路，像那些荤不荤素不素的庵堂，我是不能去的。若是进学校，北京也好，上海也好，都可以找到相当的。我的主意拿定了，谁也改不过来。再说，我多年没有到南方，我也趁此工夫，回家去看看。"佩芳听她如此说，心里倒吓了一跳。一想，她这是什么用意？简直是要脱离金家了。真是不巧，偏是我首先听到她说这话，不要让我又沾着什么是非。于是赶快将话扯开来道："人事真难说，谁也料不定什么时候走上风，什么时候走下风的。从前那样铺张过日子，要完全改了才好。但是看他哥儿们，觉得一样也减少不得，这样闹，总有一天不可收拾的。我有什么法子？这也只好过一天算一天罢了。"翠姨道："你怕什么？除了自己的积蓄不算，还有大靠山娘家在后面呢。我这娘家，等于无……"翠姨觉得这话，有点和先说的矛盾，便改口道："虽然等于无，不是因为他们穷，放心不下，不能不去看看。"佩芳听她的话，简直是非回南方去不可，这一出戏就有得闹了。不过她既要走，还不知道走在何时，索性紧她一句，把时间挤出来。因道："现在天气倒是不十分热，出门很便利的。"翠姨道："我就是要走，恐怕还有两三个礼拜，若是有什么意外，也许要延迟到一个月以外去。我是知道的，说了一声走，少不得是闲是非吹到我耳朵里来。但是我已经决定了走，无论是谁，也拦阻不下来的。"佩芳道："那也谈不到吧？"佩芳似是而非的说了这样一句话，就算答复过去。因站起来道："我要瞧孩子去，不能多坐，你别再伤心了。"说着，在翠姨肩上轻轻拍了两下，就很匆忙回房去了。

到了屋子里，凤举已先在那里，他问道："你到哪里去了？怎样这时候才来？"佩芳且不答复他这一句话，在衣橱下层抽屉里取出一双拖鞋，啪的一声，放在地板上，坐在矮椅上，一面脱了鞋子换拖鞋，一面就叹了一口气道："讨姨太太，有什么好下场头？"将一双鞋子向抽屉一放，啪的一声，把抽屉关上，向矮椅上一靠，又一个人微笑道："反对娶妾，决不能说是女人有什么酸素作用，实在有道理的。"凤举望着他夫人，停了许久，才道："到了现在，还有工夫去翻这个陈狗屎？"佩芳道："你以为我是说你，你做的那种事，我都不好意思提起，你倒先说了。"凤举道："要不然，你刚才为什么要发牢骚？"佩芳架着脚颠动着，很自在的把刚才翠姨说的话，学说了一遍。凤举听了这话，倒不能不有些惊异。便问道："这话是真吗？那她一走就算完了，谁也不能承认她姓金的！"佩芳冷笑一声道："你以为你这个金字，也像黄金一样值钱呢，你不承认她姓金又怎么样？她非要你这金字不可吗？"凤举道："不是那样说，她既出去了，知道她要干些什么事？若惹下什么乱子，说是姓金，我们当然要负一分责任。"佩芳道："不是我说句不知大体的话，她不但不会利用这个金字，也许她见人还要瞒住这个金字不说出来呢。"凤举道："这倒好，合了南方人说的话，破篮装泥鳅，走的走，溜的溜了。"佩芳道："也不过走了两个人，何至于落成那样子？"凤举道："五妹接着巴黎的电报，要到法国去了。刚才拿了这电报，和母亲去商量，说是已经回了一封信去，说是暂不能去。母亲倒批评她不是，说是你们到巴黎结婚去也好，省了一笔无所谓的耗费。那样子十之七八，是去成功了。"

　　佩芳道："自己家里人少个把两个，倒没有什么。从明日，大批的裁用人，家里就要冷淡起来了。两个账房的账，结出来了没有？"凤举道："结出来了。我刚才草草的看了一遍，竟看不出一点漏缝来。外面闲言语语很多，都说柴贾二人发了财，怎么回事呢？"佩芳道："越是会装假的人，表面是越装得干净。今晚上还早，我和你查查看罢。"凤举皱眉道："查是要查，我最怕拚数目字费脑筋，怎么办呢？"佩芳冷笑道："这倒好，有家产的人，都不必盘账，完全让人吞没掉了，那也无法知道了。你这种话，幸而是对我说了，若是对账房先生说了，他会拚死命的去开你花账。这话若让你母亲知道，家里的事，哪里又再能放心让你去问。"凤举道："我也知道这种话说了出来，是要受你批评的。但是我因为有你做我的后台，我才这样说。没有你，我也只好练习着算算了。"佩芳道："你这简直不像话！为了查账，才来学算盘，天下真有这种道理？"凤举觉得自己的话，根本上就站不住，越辩论是越糟，只得含笑坐在一边，在皮烟盒子里，取出一根雪茄烟，慢慢的来抽着。佩芳道："明天就要辞账房了，账不盘个彻底清楚，怎能让他走？你坐在那里抽上一阵子烟，这事就算了吗？"凤举衔着烟道："我正想法子，要怎样才没有毛病呢？我的意思，明天把朱逸士、刘宝善他们请来，先查个彻底。"佩芳站起来，向了凤举呸了一声道："你这种屎主意，赶快收起来罢。这班人把你金家的秘密，还没有知道够吗？到了现在，大事完了，还要整个儿让人知道呢？"凤举笑道："何必这样凶？你听我说，这些账，本来就是很普通的，没有什么不能公开。而况没有外人管账，把管账的一辞，他也无和你保留秘密之必要，这秘密自然也就让传漏出去了。这与朱逸士他们知道，有什么分别呢?"佩芳道:"据你这样说，倒是人越知道的多越好了?你不想，管账的当然也有其秘密的地方，如何敢乱说?事外之人，他有什么顾忌的?"凤举无可说了，便笑道:"既是如此，我这件事就烦重你，请你和我查一查罢。"说着，就把两个帐房先生送来的账簿，放到桌上，笑着和佩芳拱了拱手。佩芳见凤举不行，自己眉毛一扬，笑了一笑。心里越是要在账簿上寻出一点破绽来，以表示自己不错。无如这两个账房都是在金铨手下陶熔过来的，纵然有弊，在书面上，哪里能露出什么马脚?这一次呈帐簿上来，明知道是办结束，金家的亲戚朋友，势力尚在，若有舞弊的事情发生，当然脱不了干系，所以他们的账目，除了大项，由金太太核过一次，已经不错而外，就是大项下的小款，也分厘丝毫都开了出来。佩芳先查了一查，账房经手的外面往来款项，再看看家中收支总数，此外抽查了几项小账，不见有破绽。但是心里一定要立功，决不肯含糊，且将那新式簿记的来往账，放到一边，只把记杂用的流水旧账本，一页一页，由前向后翻。翻来翻去，竟翻了一个钟头，依然没有破绽可查。凤举站在桌子边看看，又坐到一边去，坐了一会，又过来看，只是嘴里不肯说出。佩芳心里也很急，不觉把簿子一阵快翻。不料在她一阵快翻之时，在书面以外，有点小发现。她立刻按住簿子仔细一看，拍着桌子突然站起来，笑道:"哼! 我手里哪偷得过去?"凤举见她如此惊讶，便问道:"你看出什么情形来了吗?"说着，伸着头过来。佩芳两手捧了账簿子向上一举道:"你看你看，这是什么?照字面上看，你就看得他们的毛病出来吗?"凤举笑道:"在字面上我也就无查账的能力了，你还要我到字面以外去查，那如何能够?"佩芳得意极了，身子摇了两摇，指着鼻子尖道:"有他们会作弊，也就有我会查弊。你看一看，这账簿子，他们撕了好几页。"凤举道:"不能够吧?我们账簿都是印刷局里定制的，每本一百页，由首至尾，印有字码，这就原为固定了，免得事后有倒填日月，插账进去的事。这页数他们敢短吗?"佩芳道:"他们不敢短，他们可敢换。你看这八十八至九十一四页账簿，比原来的纸料，要新一点，这已经很可疑。"凤举道:"这也许是印刷局里偶然用了两种纸印的，不能作为证据。"佩芳道:"印刷局里，印几千本书几万本书，也不至印出两样的纸来，何况印我们百十本账簿?就算印错了，应该有一部分，决不能仅仅是四页。你想，四页账簿，不过一两张纸，印刷局印许多账簿，何至于拿一两张别纸来凑数呢?这还不算，便是这四页格子的颜色，也不同。这还不算，这账簿原是用纸捻子暗钉了，再用线订的。现在纸捻子断了到八十七页为止。八十八页到九十一页，没有什么眼，可是九十二到一百，有两个穿纸捻子的窟窿。你想，这四页岂不是拆了账簿，换了进去的?"凤举道:"据你如此一说，果然有些破绽，但是只看出他们撕了账簿，没有看出他们假造账目，就算知道，也是枉然。"佩芳道:"既然知道这几页账簿是添进去的，自然是可以断定这里有假账，我们把这四页账簿，慢慢来研究，总可以研究出来。"凤举听她如此一说，也像得了什么把握似的。便道："果然有道理，让我来看看。"佩芳将账簿子一推，站起身来道："让你看罢，我不行了。"凤举笑着向后一退道："我说看看，这正是试试的意思，并没有什么把握，你若让开等我来，那就是取笑我了。"佩芳向凤举微笑道："这种话，也就亏你说出口，你就不会争上一口气，赛过我去吗？"凤举只是微笑，不说什么。佩芳又坐下来，将账簿子再仔细的看了一看，点头道："我看出来了，这四页账里，怎么会付出六笔大账去？这里有一笔是付西山公司煤款的，这家公司，已经在阴历年冬倒闭了，为什么在公司倒闭后，还追付一千余元的欠账？在公司未倒闭以前，他就不追着向咱们要吗？"凤举道："提到别一件事，我不知道，若提到这笔煤账，我是知道的。仿佛记得有一家煤号里，在去年夏天和我们借过一大笔钱，说是本钱年冬准还，将煤来还利息钱。不然我也不留神，那天我到账房里想去挪几个钱用，遇到那公司里的人，老在那里麻烦着不去，因之我不好开口，误了我的事。"佩芳道："不用说，就是这家煤号了。他们只利息不入账，煤就可以算买来的了。"凤举道："据你这种猜法，有了我这种事实来证明，完全是对，我去问问他，这账究竟是怎么回事？"说着，拿起账簿子挟在胁下，打算就要到前面账房里去。佩芳一把将他拖住，问道："你这是怎么了？存心去打草惊蛇吗？"凤举道："打草惊蛇也不要紧，我料他们跑不出我的手掌心。"佩芳道："既是如此，你何必今天晚上去问？明天难道就迟了吗？你这个人，简直没有出息，一点儿芝麻大的事，还搁不住，你还在外交界里混呢！"凤举放下了帐簿笑道："你又把事看得太重了。对付他们，还要用什么手段，什么时候查出了他们的弊，什么时候就许大爷盘问。"佩芳道："你这话在平常可以这样说，现在是盘结总账的日子，你就不能如此说。他作了多少弊，我们还没有完全查出来，岂能为了这一件事就动手？我看你还是安安稳稳的去休息，等我把这账盘一宿，你明天起来，我一桩一桩告诉你，你拿了这账簿去查个现成的账，你看好不好？你再要搅我，我就不能查了。"凤举虽然不能完全接受夫人的命令，但是想了一想，究竟是他夫人所说的有理。便笑道："我要看看你的本事究竟如何，就依了你的话，先行睡下。无论如何，在这四页假账之内，我想你总可以再找出几个证据来吧？"说毕，果然就睡了。至于佩芳是几时上床的，自己都不知道。

　　到了次日起来，佩芳又是先起。凤举首先一句，便问账查得怎样了。佩芳笑道："账虽是我查出来，大炮可要你去放。并不是我怕事，把这种责任交给你。你要知道，这是现手段的事，你现了这个手段，人家都佩服你有才具，也许将来能得着一些利益。"凤举道："你说得这样的好听，但是我还不知道这弊账病在哪里，我就这样去放一个空炮吗？"佩芳在身上掏出了钥匙，将抽屉开了，然后在抽屉里，拿出一张单子，交给凤举道："这就是我一夜工夫的成绩，你先仔细看上一看，等自己胸中有了把握，然后再到前面对账房们说去。我包你说一样，他们要惊异一下子呢。"风举拿着那单子一看，只见第一项，便是三千一百十五元的巨款。这笔帐并不是在那四页假账里面写着的，乃是假账上有一笔补付古董店的数目，三千一百十五元。由这欠数，去追原原数，是前二月付的款子。风举看了，先还不懂。佩芳道："我解释你听罢。父亲在日，常收些古董送人，这是事实。然而有时候他付支票，有时候付现款，却没有记过账。这笔总账上，写了有该店三千二百元收据一张，正是这收据露出了马脚。卖东西的人，交货得钱，这就完了，还另外写个什么收据？显系父亲先付古董钱若干成，免得古董为人所得。一时古董或有收拾之处，古董店不及交来，所以先写了一张收条。不知如何，这收条未曾收回，落在他们手里。恰好那个日子，账房付了八十五元，买了一件小古董。现在他们以为死无对证，就添上三千一百十五元，凑成那收据的数目。"风举道："这收条大概不至于伪造，这古董店也大意，有三千多元的收据，交了古董，怎么不收回去？"佩芳道："收条遗失，也是常事，只要我们这么写着字给他，说是那张收据业已遗失，古董业已收到，该收据作为无效，不也就算了吗？至于你自己家里，要借着这个开一笔谎账，他如何管得着？"风举道："极对！极对！我们再拿了这帐簿子到古董店里一对账，不怕对不出来。"说着，再看那几笔账，也有千数的，也有百数的。风举一面漱洗着，一面计划要如何盘这几笔帐？漱洗之后，便对佩芳道："这事非同小可，我要到母亲那里去请一请示。"

于是将单子账簿，一齐带到金太太屋子里来，因把详细情形，对她说了。金太太也很吃惊，便道："这还了得，他们胆敢换账簿造假账，平常吞没银钱可想而知。这是你们私下管不了的，说不得了，我要卖个老面子，你打个电话给杨总监，我亲自和他说话，请他派几个警察来，先把这两个东西看管，再问他愿官了私了？若愿私了，要他找出保来，彻底的把账盘一下，有一个钱靠不住，也得要他吐出。"风举也是气极了，也不再考虑，就打了个电话给警察总监。金铨去世未久，他们的官场地位，自然还在，杨总监果然亲自接话。风举一告诉他家母有事请教，杨总监更是愕然。金太太接过话机，亲自说了一个大概。杨总监恐怕牵涉到了金家的产业，事情非小，便亲自坐着汽车前来。金太太听到说警察总监要自己来，觉得有些小题大做。然而大家既是愿意来，也无拒绝之理，只得分付风举出来招待。不多一会儿，杨总监到了，风举先让至客室里陪着，说了几句客气话，然后把账的情形说了。总监道："府上的银钱出入，都是归这两个账房吗？"风举道："除了银行往来的大账目而外，都是归他们。大概每年总也有六七十万的额数。"总监含着微笑道："这里面当然有点弊的。就请你把这二位账房先生请出来罢。"风举答应着，叫了个听差，去请柴贾二人。

同时,这总监也就对跟着他的两名随从警察,丢了一个眼色。一个警察出去了,却引了七八名带手枪的警察进来。风举哪里看见过这个,倒吃了一惊。他们进来,都知道风举是大爷,还举手行了个礼,站在一排红木椅子背后。不多会工夫,两位账房进来,风举究竟是天天见面的人,还站起身来。这位警察总监,却把脸一板,横了眼珠向他二人望着。他二人进门,看到客厅里有许多警察,而且警察总监也来了,就知道事情不妙,彼此对看了一眼,做声不得,老远的就站住了。总监用手将胡子一抹,望着柴贾二人道:"你们二人代金总理管了这些年的帐,北京城里买了几所房子而外,大概还在家里买了不少的地。照说,你们也可以知足了,为什么总理去世,你们还要大大的来报一笔谎账?"柴贾二人脸上变了色,望望总监,又望望风举。风举虽知道杨总监要奚落这二人两句,但是不料他连柴贾二人在北京置有产业的事都说出来了。这件事,始终就没有听到提起,不知他如何知道了?再者,柴贾二人的脸色,竟是犯什么大罪一般,不见有一点血色。杨总监道:"你们做的事,照道德上说,简直是忘恩负义,没有什么可说的。若是照法律上说,你也是刑事犯。"说到这里,对旁边站的警察一望,喝了一声道:"将他带了。"贾先生一看这情形,谅是脱不了干系,就对风举拱拱手道:"大爷,这件事,我们实在冤枉,请你仔细派人查一查。我们伺候总理这些个年月,纵然有点不到之处,请你还念点旧情。"杨总监喝道:"知道念什么旧情,你也不能在总理死后,捏造许多谎账了。"柴先生也道:"就是宅里的账,我们还没有交代清楚,请总监让我们找个保,随传随到。"杨总监喝道:"我只晓得抓人,不管别的。你们要保,到法院里保去!"警察见总监决无半点松口之意,大家一向前,不容分说,就把柴贾二人拥起来了。风举不知道杨总监说办就办,自己倒觉得有些过分。站在一边,也做声不得。杨总监却回过头来,对他笑起来了,走上前,用手连拍了风举肩膀几下,笑道:"你看我办的这件事,痛快不痛快?"风举看看他那情形,刚才对柴贾二人那一番凛凛不可犯的威风,完全没有了。因笑道:"到今日,我才知道总监的威风有这样的大。这件事,舍下也不愿意怎样为难他二人,只要把实话说出来就行了。"杨总监笑道:"俗言道,旁观者清。我们的职业,就是诚心作社会一个旁观者,其实也没有什么特长。请大爷把查出来的帐,开个单子给我,也许不必到法庭,我就可以找出一个办法来了。"风举拱拱手道:"那就更好,他们都是先父手上的老人,只要账交出来,家母饶恕他们,我也不十分追问。"杨总监道:"那就很好,府上究是忠厚之家,我也不去拜太夫人了。"说毕他告辞而去。风举很感谢他,一直送到大门口才回来。

第八十八回

故主宣言群奴半日散
旁人屈指一子八月生

　　这一幕戏，凤举也觉是过于严重一点。这些仆役们，一见两个老账房，从前常和几位少爷一处玩笑的，都落了这样一个下场，其余的仆役们，哪个敢说没有一点弊病，若是援例一一查起来，大家少不得都有一场官司。看看金家的排场，已经收拾了十之五六，也决不会再用以前那么些个下人，大家要想个太平下场，也就无留恋之必要了。如此想着，除了几个有亲密关系和老成些的，都交头接耳，纷纷议论起来。商议了半天，大家都得了一个结果，就公推两个代表去见太太。说是总理去世以后，家中事情少得多，都是受了总理太太恩典的，不能在这里拿钱不做事，大家都要辞职。将来太太少爷有用我们的时候，我们立刻回来伺候。这样说，很光彩，太太也不至于不放手的。但是这样商议了，哪个去当代表呢？一推起来，谁也觉得这事有些冒险，设若太太一变脸，又叫了警察来，那真是招祸上身了。大家白商议了一阵子，结果是谁也不敢去作代表。

　　这听差之中，要算李升跟金铨年月多，他就不当听差，也可以有饭吃了，对于得失的一层，倒不怎么放在心上。而且伺候金铨的时候，也共过不少的机密，料得太太是不会为难的，因之听差们闹恐慌，他却不动声色。后来看大家闹得凶了，便私下找凤举，将事情告诉了他。凤举一顿脚道："这些东西，太可恶，总理在日，他们敢这样吗？分明是瞧不起我哥儿们，我得把杨……"李升连连摇头道："大爷，你别嚷！你别嚷！就怕他们不那样办，他们真要那样办，他们——不干，落得打发他们走。反正咱们宅里又没有以前那些事，用不着许多人了，他们要走，趁此收拾也好。"凤举道："话虽如此，但是依我的主张，宁可我辞他们，不要他们推代表来辞我。我家不用人，别家还用人呢，此风断不可长。"李升道："大爷，你怎么能和这些人一般见识？打发他们走开，了结这一档子事，不也就完了吗？"凤举道："等我去问一问老太太，看她的意思怎样？"说着，便到金太太屋子里来，把这事详细的告诉她了。金太太冷笑道:"这是应有的事,没有什么可怪的。既是他们怕吃官司,当然放过他们去,我家虽不如从前,不至于马上就用不起这几个下人。现在可以留一个门房,两个听差,厨房里也留下两个,其余打发走,每人另赏两个月工钱。让他们看看金家是穷是没有穷?"凤举道:"这个办法,我倒极是赞成,马上就去对他们说去。"说毕,抽身就要走。金太太道:"这也不是说办就办的事,难道你还真把他们叫到当面,和他演一段不成?你盘算一下,要留哪几人?先把他一个一个叫来,告诉了他们,然后写一张字条贴在门房里,让他们一个个到上房来拿钱走,就省事极了。我想着,李升是要留的。"金太太说时,陈二姐正在一边倒茶,连忙放下了茶杯,走过来给金太太请了一个安道:"太太我给我兄弟求个情,把他留下罢。我想他决不是那样不懂好歹的人,这回捣乱,准没有他。"金太太道:"你给金荣讲情吗?其实也不必吧,以后我们这里,是一天比一天冷淡的。他人很聪明,在我们这里,恐怕也不上算。"陈二姐道:"哟!太太,你说这话,我姐儿俩还当得起吗?金荣十四五岁就到宅里来伺候几位少爷,长到快三十岁了,都是靠着宅里一碗饭养大的。慢说大爷二爷三爷七爷,将来都是了不得,就算不吧,哪怕不挣钱呢,也得在这儿伺候着,报你一点恩。"金太太向凤举笑道:"别管怎样,她的话,说得很受听,那就把金荣也留下罢。可是只能留这两个,不能再留人了。"凤举道:"还有车夫呢?"金太太道:"只留一个。你们谁要坐车子,车子是公的,车夫和汽油,可得自己出钱。还像以前吗?你们自己胡跑不算,还要满街满市去请客,闹得乌烟瘴气。"这样说着,凤举就不敢向下提了。

　　李升知道凤举这一去请示,就不定会出什么花样,因之就慢慢的溜进到院子里来,悄悄的听里面说些什么。听到自己已经留用了,这还无所谓,本在预料之中,及至听到陈二姐求情,金荣也被留用了,这倒是个好消息。赶忙就跑到前面去找金荣,拉到僻静的地方,把话一齐说了。金荣道:"我姐姐说的是,我在金府长了大半个人,就是以后不给我薪水了,我也应当在宅里作事。"李升笑道:"你总算是很机灵的,设若不听到我的报告,你就不会这样说了。"金荣道:"我不是那种人,你打听打听,今天他们闹风潮,有我在内吗?"李升笑道:"今天他们闹着,根本我就没有理这个碴,我哪知道哪个在内,哪个不在内。"金荣笑着,也就不说什么了。就在这时,只听到凤举叫着李升呢,李升向金荣点点头道:"是那事情动了头了,我先去,你也别走开,也许大爷就要叫你呢。"他说着,走向上房去了。金荣当真不敢走开,就在进内院的院门下等着。不多大一会儿工夫,李升手上拿着一个纸条,走了进来,只是把眉毛皱得深深的。走过来,两手一扬道:"这个是一件难差事,怎么会让我去贴这张字条呢?"金荣道:"一张什么字条,会让你这样的为难?"李升便不答话,就把字条递给他看。金荣接过手来,只见上面首一行写的是:"男佣工等鉴……"金荣笑道:"这样

客气，还来个鉴字儿。大概这都是太太的意思，是要落个好来好去呢。"李升道："你先别废话，你看看这张字条，我能不能出去贴起来？"金荣从头一看，上面写的是：

　　　　男佣工等鉴：本宅现因总理去世，一切用费，都竭力节省。所有以前之男女佣
　　工，均当大为裁减。自本日起，所有男佣工，除已经通知留用者外，其未通知之人，即
　　日歇工。其解职之佣工，虽可以另谋生路，但念其相随有日，不无劳苦。除本月工资
　　照给，并不扣除外，另按人加赏薪水两月，以示体恤。仰各人向大爷手分别支领，切
　　切莫误。

　　金荣笑道："这个像一张告示。大爷是办公事办惯了的，一提笔就是一套公文程式上的文章。"李升道："你认得几个字，又要卖弄，这话让大爷听见了，你该受什么罚？"金荣笑道："不要紧，大爷和我们从小就闹惯了的。"李升道："那很好，你和大爷的关系很深，你应该替大爷办一点事，这张字条，你就拿去贴罢。"金荣道："我就拿去贴，要什么紧？我们套两句戏词，是奉命差遣，概不由己，料同事的，不能说是我出的主意。就算我出的主意，每人都捞上三个月工钱，这不算坏吧？"金荣说着，果然并不考量，就拿了一张字条，送到门房里去贴起。这字条一贴，仆役们一喧嚷，就都挤了一屋子人，认得字的看字，不认得字的，用耳朵听人家嘴里念。大家虽丢了事情，觉得还是主人不错，有些人竟是悔着今天不该捣乱的。这些听差们，前些日子，得着两位账房先生消息，都猜着金家是所剩无几了。现在看金家的情形，分明还是与以前一样，花钱毫不在乎。那末，大家想着在这里守着，没有多大好处的念头，未免错了。字条上写的明明白白，没有通知留用的，都去拿钱，大家互相一看，竟都不像受了通知的情形，那末大家干脆是领钱走路，于是大家半忧半喜的收拾铺盖。

　　到了下午，金家所用的男役，差不多完全走光了。前面两大进屋子，立刻冷淡起来。尤其是大门口，平常东西横着两条板凳，总不断的有人坐在那里说笑，现在可没有了。因为大门口只有一个门房。李升和金荣，不断要到上屋来做事，所以一到天色黑了，门房关起大门来，以便容易照应。这都罢了，最感到不便的，就是风举兄弟。汽车夫不能用公家的，谁也不敢私下用人，一来怕金太太说话，二来也怕将来难乎为继。只保留了一个车夫，只能开一辆车，大家简直分润不过来。好在兄弟几个，都会开汽车，汽油家里还存着不少，有了急事，只好开了车子出去。

　　这两天，燕西正迷恋着白莲花姊妹，怎能不出去？依然是玩到晚上十二点钟才回来。

清秋天天在灯下候着，等到他回来了，便皱着眉向他道："快发动了，怎么办？你先给我漏一点风声出去罢。"燕西口里总是答应着，但是一到白天起了床，他就有他的事去忙。清秋含有一种什么痛苦，他哪里会知道？这天家里散账房、散听差。清秋知道了消息，心想，男仆既大为裁减，女仆自然也是要裁减的。自己屋子里，用两个女仆，实在多了一个，若是要裁人的话，当然要裁去。只是自己临产在即，若是那个时候，比平常倒少一个老妈子，也许感到不便。这话应该先和燕西商量一声才好。不料家里虽有这样大的事，燕西事先没有理会到，也就不在意，依然出门玩去。由上午到吃晚饭，还不见他回家来。在吃晚饭前两个钟头，清秋便觉得肚子有点痛，心里也念着，据自己算，总还有两个礼拜，大概不的。自己事先都筹划好了，到了那个日子，一辆汽车悄悄地坐到医院去，待生产出来，然后再说。千万要不是今天才好，现在一点没有准备，孩子下来了，自己是有生以来所未经的事，那怎么办呢？转念一想，恐怕是自己心理作用，把这事扔在一边去，不想也许就好了。于是走出屋子来，在太湖石下，徘徊了一阵，看看竹子，又看看松树。但是无论你怎样放怀自得，这肚子痛，便是一阵紧似一阵。这种痛法，与平常那种小病不相同，又是胀人，又是坠人，痛得人站立不定。没有法子，只好走回房去，在沙发椅子上躺着。刚一躺下，似乎痛止了一点，身上舒服一阵。然而不到两分钟，又痛得和以前一样，躺不得了，便坐起来。坐了几分钟，还是心神不宁，又站了起来。但是无论如何，不肯说出来，只望燕西马上回来，好替她作主。

　　李妈进进出出和清秋作事，见她坐立不安，面色不对，便轻轻问道："七少奶，你不要是发动了吧？这可不是闹着玩的事，我看要向太太去告诉一声。"清秋背靠了椅子，两手反撑着，皱皱眉道："我知道是不是呢？若要不是的，那可闹出笑话来了。"李妈道："就算不是的，也到了日子，应该让姥姥来瞧瞧。你这儿是用日本姥姥的。日本姥姥，早两三个月就瞧着，这时候通知，也不算早啊！"清秋道："虽然如此，也别让今天抢着去通知。"金家的下人，都是有一种训练的，不曾得着主人的许可，谁敢作主去办一件事？因之李妈也不敢去通报，只是在一边干望着，和清秋着急。到了吃晚饭的时候，陈二姐通知清秋去吃晚饭，见清秋坐在沙发上，不住的哼着，便问道："少奶奶又不舒服了吗？"清秋哼着道："可不是，我不吃晚饭了，你去罢。"陈二姐看那样子，也就明白过了八成，加之李妈站在一边，和她丢了一个眼色，她心里更有数了。到了院子里，她忽然叫道："李姐，请你出来给我找个东西。"李妈出来了，她先老远的张着嘴，走到陈二姐身边，低低的道："我看是发动了，她不让说。这不是闹着玩的，你去和太太说一声儿罢。"陈二姐道："我也是看着很像，我去了。"陈二姐跑回了金太太屋子里，先笑了一笑。金太太道："又是谁在外面骇吓你了吧？"陈二姐见屋子里还有好些人，不知这话能不能冒昧的说出来。因之又笑了一笑。金太太看她那神情，似乎要抢着说，又不敢说的样子，便道："你说，什么公事吧？"陈二姐望了望屋子里坐的人，然后走到金太太身边，低着声音道："我刚才到七少奶奶屋子里去，看那情形，好像……"说着，又笑了一笑道："好像快要给你道喜了。"金太太一听这话，心里就明白了。顿了一顿，才问道："七爷没回来吗？"陈二姐道："就是他没回来，所以七少奶奶不让旁人来说，就没有人知道了。"金太太微微皱了眉，对屋子里的人道："你们先吃饭，不用等我，我到清秋那里去看看。"说着，站起身就向清秋屋子里来，陈二姐也在后面紧紧跟着。到了院子门边，就听到清秋屋子里，微微有一种哼声，及至走进她屋子里，只见她两手伏在椅子上，枕了头。一听脚步声，她猛然抬起头来，还微笑着道："妈不是吃饭吗？"金太太走上前，握了她一只手，三个指头便暗中压住了她的手脉，问道："你这孩子，太缄默了，这样重大的事情，事先你怎样一句不说？我虽知道一点，不料是这样的快。"清秋不由得脸上一红，低了头道："我也是没有料得这样快的。"金太太见她已不否认了，这事已完全证实。便道："这还了得！赶快把那个日本产婆找来。"一回头对陈二姐道："就叫你兄弟开一辆汽车去接罢，越快越好。"清秋道："我想到医院里去。"她说的这七个字声音非常低微，几乎让人听不出来。金太太很奇怪的，便问："那为什么？"在金太太这样分付时，这一件事，也早惊动了全家，是女眷们差不多都拥向清秋这院子里来。

　　只有玉芬，她和清秋的意见越闹越深，听到清秋要生产了，她一个人在屋子里冷笑起来道："这二十世纪，人类进化，生理也变更状况了，八个月不到，这就该有小孩子出世。"鹏振也在屋子里，听了这话，却怕玉芬会到清秋屋子里来讥笑她，便笑道："你别引为奇怪，生理变态的事，这也常有的。"玉芬道："你又懂得生理学，在我面前瞎吹。"鹏振道："我虽不懂得，但是我有做大夫的朋友，耳朵里可听见人说过。"玉芬一想，这事若是科学上有什么根据，别是没有打着蛇，倒让蛇咬了一口，便道："有也好，没有也好，只要她丈夫认为是对的，那就对了。旁人要说，那不是瞎说吗？"鹏振笑道："大家都捧场去，你不去捧一个场吗？"玉芬大声道："呸！谁捧那种臭场？"鹏振见她说不去，亦可少一场是非，就不做声了。但是玉芬虽不到清秋那边院子里去，让她一概置诸不问，她也是有点办不到。这边院子，和那边是一道小粉墙隔着，灯光人语，走出屋子来，一律可以听见看见。她在屋子里坐了一会，觉着闷不过，就站在廊子下，靠了柱子静静的听着。只听到那边人语喁喁，始终不断。一会子听到日本产婆的声音进去，一会子听到有些人散了出来，又听到佩芳说："大概还早，别在这里搅乱，我待一会儿来罢。"玉芬知道她是回自己屋子去了，再也忍不住，就向佩芳来打听消息。玉芬这里要向佩芳那边去，恰好是她也要向这边来，两人就在院子外边遇着了。玉芬低声笑道："现在事情出头了，她取什么态度？不难为情吗？"佩芳笑道："这个时候，她痛得要命了，还顾得了什么害臊不害臊？你不瞧瞧去？"玉芬道："老实说，这还算是私生子呢，我可不愿意瞧。我到你屋子里去坐坐，你把消息告诉我，我也强如去了一般。"佩芳觉得她的话，未免言重一点，但是事不干己，也犯不着上去替人家辩论，笑道："你到我那里去谈谈，倒是欢迎。但是消息我可没有，等着十一个钟头以内，总有消息吧？"于是二人一路向佩芳这边走。恰好是凤举不在屋子里，二人可以开怀畅谈。玉芬一坐下来，首先一句便道："怪不得去年秋天，老七那样八百里加紧跑文书，抢着要结婚，敢情为了今天这事下的伏笔。幸而这还赖上八个多月，勉强算八个月。若是再迟一个月，赖也就不好赖了。"佩芳笑道："你真是前朝军师诸葛亮，后朝军师刘伯温，天文地理，无所不知。"这一句话，说得玉芬倒有点不好意思，微笑道："你以为我爱闲事吗？我才管不着呢。"佩芳也怕这一句话，又说得得罪了她，便笑道："不但是你，就是我，也觉得去秋他急着结婚，大有原因。可笑四妹为了这事，倒和我们抬了不少的杠。如今水落石出，看是谁错谁不错呢？"玉芬道："水落石出，她更不错了，她替他们圆了场，免得生出意外来，而且给金家保留一条后。"正说到这里，只听一阵喧哗声，从走廊下过去。其中有个人说话，就是燕西，他道："开什么玩笑，这也不算什么喜事。"玉芬和佩芳都默然不做声，等着他走了过去。佩芳笑道："这位先生，这几天很忙，听说又和两个女朋友走得很热闹，几乎每天都在一处。"玉芬道："不见得是女朋友吧？不是跳舞场上的交际家，就是女戏子。老七倒有一样好处，不向八大胡同里去钻。"佩芳一瞧自己这话，又失神了。现在要说燕西的女友，好像就是白秀珠的专利，说他和女友在一处，那就不啻说他和秀珠在一处了。于是昂着头，故意装成想什么事情似的，把这事抛到一边去。玉芬笑道："出了神的样子，又在想什么？"佩芳道："我想老七添了孩子，应该叫什么名字呢？"玉芬笑道："这个不用想，现成的在那里。若是一个男孩子，就叫秋声，若是一个女孩子，就叫天香。"佩芳道："这都不像小孩子的名字，而且现在是夏天，何以不按现在节令，却按照秋天方面起意思？因为他母亲叫清秋的原因吗？"玉芬笑道："表面上是这样，骨子里不是这样。你想，秋声不是秋天的消息吗？天香不是说桂花吗？我还记得有这样一句诗：天香云外飘，这孩子是云外飘来的。"佩芳笑道："你也太刻薄一点了，你也仔细人家报仇。"玉芬冷笑道："也未见得吧？她开别人的玩笑，开得够了，现在也该人家开她的玩笑了。你想，我表妹……"佩芳听玉芬这话，觉得她已明张旗鼓的和秀珠帮忙，便笑道："你的话很有道理。从前老七在结婚以前，我很赞成他和秀珠妹的婚姻，不说别的，就是你表哥现在是个红人儿了，亲戚方面，彼此也可以帮个忙。现在呢，老七自己手里有了钱，我怕冷家还得要他帮贴一点。"玉芬道："这是不成问题的事，不然，

那位冷家太太也不是那样开通的人，以前她就肯让老七在她家里胡闹。"说着话，听见金太太咳嗽着由屋檐下过去，接着燕西和一个人说话，也由自己院子出来，向金太太屋子去了。玉芬道："管他呢，我也到那屋子里去点个卯，至于七少奶欢不欢迎我，我管不得许多了。"说着，她就走出来。但是她走出了佩芳的院子，并不到清秋院子里去，却向金太太这边来。

走到屋子外头，只听到有燕西咳嗽声，金太太虽在说话，声音却很低。于是轻轻的走到窗户边，用耳朵贴住了窗子，听他说些什么？听到燕西带着笑声道："自然是我的过失，但也不能完全怪我一个人，反正是我们金家的孩子就得了。"金太太道："你为什么不早点和我说？我早知道了，把她送到南方去过几个月，等着孩子有几个月再回来，就也省得亲戚朋友生议论了。"燕西道："我本来要说的，偏是家里赶上了丧事，我那就没有法子提了。就是提了，也不能离开呀。反正我金燕西承认是我自己的孩子，也就没有什么可议论的。"这句话说完，屋子里寂然了许久。玉芬听了这话，心想，别瞧老人家面上高兴，敢情在背后她还很仔细的。老七这样好胜过分的人，若不是他的孩子，他哪有承认之理？不过这个疑点，不但是母亲，里里外外谁也在所不免。拿着这个疑点，无论如何，将来也可将燕西取笑一番吧？这时，屋子里头，母子们似乎又在唧咕一阵，好像金太太对此事不大谓然，还在责备燕西。玉芬正把心事按捺住，要听上两句，不料就在这时，后面一阵脚步声。回头看时，是清秋屋子里的老妈子，急急忙忙跑了来。玉芬闪开走到路中间，问道："我正要瞧瞧去呢，现在怎么样了？"李妈道："三少奶，你去罢，那东洋婆子说，快了。"她口里说着，并没有停住，一直就向金太太屋子里跑。玉芬知道他们也是要出来的，赶紧就走回院子去。到屋子里以后，刚刚要坐下，便听到隔壁院子里，一阵人声喧哗。她禁不住，复又走到廊檐下来。鹏振在沙发上看着，抬着肩膀笑道："人家添孩子的人，也不过如此，我看你，倒忙得不亦乐乎了。"玉芬听说，走到屋门口，伸着头，进来问道："你说我什么？"鹏振笑道："我先说的话，我自己取消。你要去看热闹，你就赶快一点罢。"玉芬道："你管得着吗？你管得着吗？"她说着话，索性走到屋子里来，对着鹏振脸上来问。鹏振只是笑，将脸偏到一边去。玉芬见他不管了，然后又走出屋子来。

这时，那边院子里的电灯光，映着高墙都是亮的。那来往的大小脚步声也是响着不断。玉芬虽不愿意过去看，然而听到那边那样的热闹，又禁不住不问。在院子里徘徊了许久，又到佩芳屋子来闲谈。一进屋门，只见二姨太也在这里。她拿住佩芳一只手，低了声音说话，看到玉芬进来，便微笑了一笑。玉芬道："二姨妈，恭喜你又要抱孙子。"二姨妈叹了一口气道："这可不像小同、小双出世了，没有了爷爷，作奶奶也没意思呀。"玉芬道："若

是爷爷在世的话,我想这个孩子出世,他老人家也不十分欢喜的。他老人家,就讲的是个面子,面子上说不过去哪成呀?"二姨太将手摆了一摆,低声道:"别说了。我刚才看你母亲那副神气,笑又不是,气又不是,就愁着这话传扬出去,有点不好说。其实也不算什么,八个月添孩子的,多着啦。再说,这改良的年头,添了孩子结婚,也有的是。做上人的,只要模糊得过去,那也就算了。"玉芬笑道:"都要遇到你这样的上人,这事就好办了。"二姨太道:"我没有做上人的资格,我有这资格,也管不了谁,一定是多哭几场。"佩芳、玉芬听了这样无能的话,也都笑起来了。

第八十九回

临榻看新孙难言此隐
怀金窥上客愿为谁容

　　笑声未歇，蒋妈笑嘻嘻的走了出来，向佩芳道："挺大的一个胖小子哟! 初生子有这样的快，我是第一次瞧见呀。"二姨太问道："孩子下来了吗?"她虽问着，也不待蒋妈的答复，已经走出房来。玉芬听说，便问蒋妈道："你看见孩子了吗? 那模样儿像谁?"蒋妈不曾考虑，立刻答道："很像七爷的。"玉芬道："真像七爷吗? 那末，你七爷用不着再找别的什么证据了。"说着，又向佩芳一笑。佩芳觉得她这话很是严重，若是传到清秋耳朵里去了，很容易出是非，因之连笑也不敢笑，默然含混过去。玉芬见佩芳不搭腔，觉得她也太怕事了，又是一笑。因外面大家都是一阵乱，玉芬见佩芳有要走的样子，也就先走出来了。走到清秋院子外面，果然听到小孩子的哭声。那哭声很高朗，要照中国人孩子哭声的办法推论起来，这孩子的前途，也是未可限量的。玉芬在院子门外站了一会，却见金太太出来，要闪开也来不及，便向金太太道了一声恭喜。金太太也是忙糊涂了，玉芬是否已经过去看孩子，她并不知道，便微笑道："虽然没足月份，孩子倒长得挺好的，你看像他老子不像?"玉芬不便说没有进去看，随便的答应了一句，却问道："祖母应该给小孩取个名字才好。"金太太道："什么没有预备，我忙着啦，哪有工夫想到这上面去。"玉芬笑道："我倒想到了一个名字，叫小秋儿怎么样?"金太太笑道："夏天出世的孩子，怎么叫秋儿?"玉芬道："他母亲不是叫清秋吗? 学着他母亲罢。"金太太正要到自己屋子里去找东西，对于这句话，也没有深考，就走了。恰好燕西跟着走过来，把这些话都听见了，他笑道："为什么不学父亲要学母亲呢?"玉芬倒不料他会突如其来的，这时候出现，便笑道："凑巧这话是你听去了。但是我说的，不过是一种笑话，并不见得就能算数。"燕西道："虽然不能算数，这个理由可不充足。"玉芬笑道："说笑话还有什么理由?有理由就不是笑话了。"玉芬说到笑话二字，嗓子格外提得高，似乎很注意这两个字似的。燕西本就知道自己和清秋结婚以后，玉芬就常是

710

表示怨色的。而且她说话,向来是比哪个也深刻。在今天这种情形之下,正是她有隙可乘的时候,这几个笑话字样,不见得是无意思的。当时便笑道:"得了!算我是笑话就得了。"他说了这句,也不再和她辩论,就到金太太屋子里来。

金太太到她后边屋子一个收藏室里去找了许久,找出一个玻璃盒子来。这盒子里面,收着两枝很大的人参,放在桌上,隔着玻璃看到,整枝儿的摆着,都不曾动。金太太揭开盖来,取了一枝,交给燕西道:"这一枝就给你罢。"燕西道:"这也不过要一个一钱二钱的,泡点水给她喝就是了,要许多做什么?"金太太道:"你心里就那样化解不开,多了不会留着吗?从前你父亲在日,和关外政界上朋友有什么往来,就免不了常收到这个,收惯了我也看得稀松,谁要我就给谁。现在我清理着,也不过五六枝了,再可得不着了,要拿钱去买的话,可得花整把的洋钱呀。无论什么东西,有的时候,总别太不当东西。将来没有的日子,想起才是棘手呢。"燕西领了母亲一顿教训,也不敢再说什么,很快的回房去,到了屋子里,只见清秋睡在床上,将被盖了下半截,枕头叠得那样高,人几乎像坐在床上一般,倒也看不出她有什么痛苦。她见燕西进来,含着一点儿微笑,将胸前的被头按了一按,两手将孩子捧出来,和燕西照了一照。在屋子里收药包的日本产婆,却插嘴笑道:"真像他父亲啦。"燕西也是一笑。这时屋子里不少的人,都给燕西道喜。但是说也奇怪,燕西对于这件事,总觉难以为情似的,因为人家道喜虽无法避免,却也不愿老是道喜下去。把人参切了一点,分付李妈熬水。自己就收拾了一副被褥,让老妈子送到书房里去。笑对清秋道:"我到外面,至少要睡一个月了。你这屋子里,总得要一个人。还是添一个人呢?还是就让这里两个人来回替着呢?"清秋道:"我本来就没有多少事,不必添人了。"燕西道:"我看还是和你母亲通个信……"清秋连忙皱了眉道:"今天夜深了,明天再说罢。"燕西也就不说什么,到了外面书房去了。这样一来,燕西心里倒很是欢喜。这一个月以内,无论怎样的大玩特玩,也不必想什么话去遮掩清秋了。

这天晚上,金太太到清秋屋子里,来了不少的次数。见清秋总没提向娘家去报喜信的话,知道她是有点难为情。等人散完了,才假意埋怨着说,大家忙糊涂了,都没给孩子姥姥去送个信。清秋道:"夜深了,知道了,我妈也是不能出来的。"金太太道:"这件事,说起来还要怪你,你为什么事先不通知你母亲一声呢?"清秋对于这句话,却不好怎样答复,只得答道:"我也料不到这样快的。"她说这话,声音非常之低,低得几乎听不出来。金太太听了这话,觉得她是无意出之,或者真是不足月生的,这也只好认为一个疑团罢了。到了次日,金太太见燕西夫妇,依然未有向冷家通知消息的意思,觉得再不能听之了,便让陈二姐坐了车子到冷家去报信。陈二姐是个会说话的,看见冷太太,先问了好,然后才说:"我家七少奶，本来还有两个月，就替你抱外孙子啦。也不知道是闪了腰是怎么着，昨天晚上就发动了。这一下子，不但旁人没预备，就是她自己也没预备，你瞧我们昨天这一阵忙。"冷太太啊哟了一声道："这可怎么好呢？你们怎样……"陈二姐笑着向冷太太蹲了一蹲，请了个双腿儿安。然后笑道："给你道喜，大小都平安，昨天晚上十二点，你添了个外孙子了。我看了看，是个雪白的胖小子。本来昨天晚上就该送信来的，夜深了，怕你着急，所以今天我们太太少奶奶打发我来。"冷太太道："小孩子好吗？不像没足月的吗？"陈二姐道："不像，长得好极了。"冷太太口里说着话，心里可就记着日子。连结婚到现在，勉强算是八个月，小孩子倒是怎样，这事可就不便深究了。因道："我家小姐对你还说了什么？"陈二姐本没见清秋，这话怎说呢？倒不觉为难起来。冷太太见陈二姐这种为难的样子，也就知道其中尚有别情，因说道："你先回去，待一会儿也就来看你太太。"陈二姐听如此一说，也就把话忍回去，先告辞走了。

　　冷太太却把韩妈叫来，向她商量道："你瞧瞧，我们这孩子做出这样糊涂的事，以前也不告诉我一声。现在到金家去，那些少奶奶小姐们谁都会咬字眼挑是非的，叫我什么脸见人说话？你去一趟罢，我不去了。"韩妈道："那不行啦！你去了，模模糊糊，一口咬定是没有足月生的，也没有什么。你若是不去，倒好像我们自己心虚似的，那更糟了。你为着咱们姑娘，你得去一趟。你若不去，他们那儿人多，说是孩子姥姥都不肯来，连底下人都要说闲话了。"冷太太见韩妈这样说着，虽是把理由没有说得十分充足，但是仔细一推敲起来，果然是不去更为不妙。便道："我去一趟罢。去了我就回来，少见他们家的人也就是了。小孩子的东西，我一点也没有预备，这只好买一点现成的了。"韩妈总是心疼清秋的，见冷太太不高兴，百般的解说，催着冷太太换衣服，陪着她一路上街去买东西。东西买好了，又替她雇好车到乌衣巷，这才不包围了。

　　冷太太也是没法，只好板着面孔前来。到了金家，见东西双栅栏门，已经关了一边。栅栏里面，从前那一大片敞地，总是停了不少的车辆，还有作车夫生意的，卖零食的，而今都没有了。一排槐树，今年倒长得绿莹莹的，依然映着那朱漆大门楼。大门楼下，摆着两排板凳，以前总是坐满了听差，今天却也未见一个人。门洞子里空洞洞的，不像往日早有许多人欢迎出来。冷太太让车夫拉到门洞边，下了车子，所有自己带来的东西，既不见有人出来迎接，只得一包一包的由车子上拿下来，放在长凳上。然后给了车钱，自己一齐捧着，走了进去。看着左边门房关得铁紧，右边门房开着半掩的门，看见有个长了胡子的老听差，在那里打盹。冷太太知道金家排场很大的，自己就是这样冲了进去，又怕不妥，只得先咳嗽了两声。无如那个老听差，睡得正甜，这两声斯斯文文的咳嗽可惊不醒他。冷太太没有法子，只得走到门房外，用手将门拍了几下。那老听差，一连问着谁谁谁? 然后才睁开眼来。见是一位穿了裙的老年妇人，将眼夹了几夹，当着是他注视的挣扎，然后才站起来向冷太太望着。这一下他看清楚了，是七爷的岳母，连忙上前，将冷太太手上的东西接了过来。笑道:"门房里现在就是我一个人了，我给你送到里头去吧。"冷太太也不知是何原故，门房里只剩了一个人，也不便问得，就跟了他去。进到上房，人多点了，有个老妈子看见，上前来接着东西，便嚷着冷太太来了。她并不考量，就引到金太太屋子里来。金太太因为冷家贫寒，越是不敢在冷太太面前摆什么排子，早就自己掀了门帘子走出，一直到院子里来。照说，这个时候，冷太太可以和金太太道一声喜，金太太也应当如此。但是现在两人见面之后，谁也觉得这话说出有些冒昧。因之二人把正当要说的话不谈，彼此只谈着平常的应酬语，你好你好。金太太将冷太太请到了屋子里坐下以后，这才含糊的说道:"本来昨天就应当送个信去，无奈夜已深了，捶门打壁的去报信，恐怕反会让你受惊。"冷太太笑道:"倒也没什么，我家那个寒家，纵然半夜三更有人打门，我也不怕，哪里还有人光顾到舍下去了不成吗? 今天你派陈二姐到我那里去了，我听说了，比你还要加倍的欢喜，因为我总算又看见一层人了。"金太太笑道:"我现在还是三个小孙子，也不见得就嫌着多啦。"于是哈哈一阵笑。冷太太站起来笑道:"我要去看看你这不嫌多的孙子，回头咱们再长谈。"金太太便分付陈二姐陪了她去，好让母女谈话。

713

　　陈二姐引着冷太太到清秋这院子里来，一进院子门，就听到呱呱一阵小孩子哭声。她忽然有个奇怪的感触，心想，自己当年生清秋的日子，仿佛还在目前，转眼之间，清秋又添孩子了，人生是这样的容易过去，不由人不悲感。好在这个观念，就只片刻的工夫。一脚踏进了清秋的卧室门，见清秋躺在床上，她先是很难为情的样子，叫了一声妈。那个妈字，也只好站在面前的人听见罢了。冷太太走到床前，握了清秋一只手，低声问道:"我今天才知道，你事先怎不和我说一声哩?"清秋到了此时，还有什么可说? 沉默了许久，才说一句道:"我也不知道有这样快的。"说着这话可就低了头。冷太太看这情形，这些话大可不必追求下去了，便笑道:"孩子呢? 我看看。"清秋这才转了笑容，在被里头将小孩子抱了出来。冷太太一抱过来，这小孩正好睁开着一双小眼，满屋子张望。看那小脸蛋儿，虽然像燕西，这一双小眼睛，可很像清秋。究竟是一个血统传下来的人，冷太太想着，也是自己一点骨肉;这一个爱字，也不知是什么缘故，自然会发生出来。看了孩子头上，那一头的蓬松的胎发，红红的脸蛋儿，便想到了从前在他母亲的时候，他母亲也是这个样子。于是在小孩子脸上，就接了两个吻。清秋心里正捏了一把汗，不知道自己母亲，对于这个孩子存一种什么观念，就怕母亲要把他当一个不屑之物来看待。现在见母亲对孩子连亲了几个吻，这正是

表示她很爱这外孙子了。母亲既爱外孙，对于自己女儿，更不能有什么问题的。因之冷太太这几个吻，比吻在她自己脸上，还要心里舒服许多了，也就笑嘻嘻的望着她岳亲。冷太太又将孩子看了一看道："这倒很像他爸爸，什么都可跟着爸爸，只有他爸爸那样的会用钱，可不能跟着望下学。"清秋笑道："不能跟他爸爸学的事情太多了，他若是也像他爸爸那样会用钱，用着一直到自己添孩子，那倒也是不坏的事情呢。"

正说到这里，有玉芬的女仆，在外屋子喊着七少奶。清秋道："田妈，大概是你三少奶要那个酒精炉子吧？你拿去罢，我们的这一个已经拾掇好了。"那个田妈走进房来，望了冷太太一望，在旁边茶几上，拿着酒精炉子就走了。金家的规矩，亲戚来了，男女仆役们都要取十分恭敬态度的。清秋见田妈对自己母亲简直不理会，很有点不高兴，便道："这个老妈子，也太不懂礼节了，不请安罢了，问句好，也不要什么紧？"冷太太笑道："你到这儿来做少奶奶有多久？就讲这些了。她不理会也好，我们这样的穷亲戚，不大来，来了，又不能十块八块的赏给下人，要人家恭维一阵，自己伸不出手来，也就怪难为情的。不如两免了，倒也是好。"她母女俩如此说着，那个田妈恰是没有去远，句句听得清楚。她虽不敢显然的向他们提出什么抗议，然而她可回转头来，恶狠狠的对着窗子，瞪了一眼。接上她把那雷公脸式的下巴，向着窗子里一翘。在她这表示之间，以为要我恭维你这样的穷鬼，你也配！她不做声，可就极忿恨地走了。冷太太和清秋，都是随话答话，哪里会注意到这一点上去？当时谈了一些家常，冷太太又告诉清秋一些产后保重之道，并约了过一两天，再来看她。因许久不曾看到燕西，便问道："我们这位姑爷，总是这样大忙特忙，怎么也不去看看我呢？"清秋有一肚子的话，都想说出来，继而一想，说出来也是多让一个人烦恼，便随口答道："他也是忙一点。"冷太太道："哦！他忙一点，我们姑爷现在有了差事了吗？"清秋道："现时在服中，他怎么能就事？"冷太太道："那大概是上学了，他不是常说要出洋吗？"清秋道："他在家里温习功课呢。"冷太太一想，这就是姑爷不对，在家里温习功课，丈母娘来了，为什么也不来打个照面？但是这话对清秋说是无益，叮咛了两句，复到金太太屋子里来。金太太便留着她多坐一会，吃了晚饭再走。冷太太说是家中离不开人，早点回去好。金太太知道她母女的性格差不多，是不爱在礼节上周旋的，她要走也不勉强，便说："以后希望常来，清秋一个月内不能回去，可以多来看她两次。"冷太太笑道："亲母是多儿多女的人，我就不来看她，也是放心的了。"于是笑着走了。

当她走出了外院门，恰是顶头碰见燕西，不但是他一个人，后面还跟着个白莲花。冷太太并不认得白莲花，但是看她那样束束时，极长的红色的旗袍，极细的腰身和袖子，又是高跟鞋，走起路来屁股两边扭。这决不是金家亲戚朋友。人家丧事未久，到人家里来，

不应穿得这样艳丽。同时燕西看到了冷太太,也不知何故,突然向后一缩,退了两步,而且脸上红一阵白一阵的变了颜色,这里面更有文章了。冷太太早知道他胡闹惯了的,说明了,也不见得改过来,徒然让他怀恨,只当不知道。便先笑着叫了一声姑爷,道:"我回去了,明后天我还来呢。"燕西本来想说一句伯母来了吗,怎么就回去?于是当面的应酬话就过去了。现在冷太太自己先说要回去,只得改口道:"我也想和你老人家谈谈,坐一会不好吗?"冷太太道:"你有什么话谈,明天到我家里去罢,我也许后天来。"燕西道:"好好!我明天就来。"他竟自向他书房里走了。白莲花跟着到了他书房里,一顿脚笑道:"糟糕,一进来,就遇到你们家亲戚,背后准得骂我穿这一身红。你叫她伯母,她是你什么人?"燕西笑道:"你真问得奇怪,明知我叫她伯母,怎么又问是我什么人呢?"白莲花道:"不是那样说,伯母这种称呼很普通的,只要是年长些的,都可以叫伯母。还有些人叫丈母娘做伯母的呢。"燕西笑道:"不能够吧?譬如你母亲,我就没有叫过伯母。"白莲花瞟了他一眼道:"这样无味的便宜,讨来有什么好?"燕西笑道:"这是无味的便宜吗?你想,我们这点关系……"白莲花皱眉道:"别提了,你这儿人多,让人家听去了,我有什么意思?你想,我母亲那一块料,凭哪一点可以作你的丈母娘?你不是说拿一点东西就走吗?快去拿罢,别让我老等了。"燕西道:"我就去拿,你就在我屋子里等一会,门的暗锁眼里,插着有钥匙,你若是再怕人撞着,可以把门先锁上,等我来叫你再开。"说着,一人向自己院子里来。

　　一进房,见清秋睡着,面朝里,一点动静没有。心中倒是一喜,拿了钥匙在手,便去开箱子。清秋原是醒的,她听到脚步声,以为是老妈子进来拿什么,便没有去留意。及至听到箱子上的钥匙有发动声,不免吓了一跳,口里问着是谁?转过身来。燕西倒不能含糊,便笑道:"我没有零钱用了,进来拿点钱用。"清秋道:"我也知道的,你不是要钱用是不会进来的。"燕西一边开着箱子,一边笑道:"你这话说得有点不对吧?我进来就是拿钱吗?早上我进来一趟,上午我也进来一趟,这都不是拿钱吧?"清秋笑道:"了不得!你进来两次了。钱是你名分下应得的,你爱怎样花就怎样花,与我什么相干?反正也就是那些钱,今天也拿,明天也拿,拿完了你也就没事了。不过现在你这儿还有一个小的,你还顾他不顾呢?多少留点给他花罢。"燕西道:"你这人也太啰唆了,我进来拿一回钱,你就说上许多话。难道我这钱放到了箱子里去,就是不许动用的?你的意思,我就只靠这些钱来用,不能做一点别的事吗?"清秋道:"我不敢这样说你,但是像你这样子用,恐怕挣钱有些不够花吧?据我看,你现在花钱,比父亲在日,阔过去三倍四倍还不止哩。譬如一个月用一千,要找一个月挣一千的事,不容易吧?现在你一个月用的数目是多少?大概你自己知道,用不着我来说了。"燕西本拿了五百块钱钞票到手上的,听到清秋这一篇话,心想,挣五百块钱送到箱子里来，果然是不容易。如此一想，手就软了。清秋躺在床上，反正总是不做声，你拿也好，不拿也好，看破了这钱总是留不住的，随他花费去。燕西一看清秋侧身望着，却是不做声，好像听凭自己胡拿似的。这样一来。倒更觉得不便漠视人家，便将五百减去一半，只拿二百五在手。他又有点后悔了，答应了白莲花姊妹给她买许多东西，若只拿二百五十块钱去，东西买不全，那多么寒碜！这是不必考量的，还是多带一些在身上的好。宁可带而不用，却不可临时缺了款。如此想着，他依然又开了箱子，把放下那二百五十块钱的钞票，重新拿在手上。匆匆忙忙的就向袋里一塞，那意思自然是不肯让清秋知道。但是他这种要拿又止，止而复拿的样子，清秋怎能不猜个十分透彻？却向他微笑了一笑，同时，好像头也在枕上点了一点。这一点头一微笑，好像是说你的心事我已经知道了。燕西笑问道："你笑什么？我也是不得已，有几笔款子非用不可。今天拿了，以后我就不会拿什么钱了。"清秋笑道："我又没说什么，管你拿多少，又不是我的钱，你何必对我表白什么呢？快点出去罢，大概朋友还等着你呢，你不必为着敷衍我，把人家等急了。"燕西听她这话，不由得心里扑通跳上了一下，脸一红道："我这钱又不是马上就花。外面有什么人等着我？你为什么这样多心？"清秋向着他又点了一点头，加上一个微笑。燕西对于她这一笑，自己也不知道是甜是苦，也就对她微微一笑，拿着钱，很匆忙的就走出来了。

　　到了书房里，白莲花果然将屋门紧紧闭住，燕西告诉一声我来了，她并不忙着开门，先埋怨着道："你来了，别忙呀，和少奶奶慢慢的办完交涉再说罢。我们拘禁三点钟两点钟，那又算什么？"说着，将门锁剥落一声开了，钥匙向桌上一抛，人就板着脸坐在一边。燕西握了她的手笑道："对不住！我不是诚心。遇到我母亲，叫住我说几句话。你想，我能不听着吗？我自己也好像没有耽误多少时候，可不知道去了许久哩。得啦，我正式给你道歉。"说着和她笑一点头。白莲花将嘴向他一撇，笑着道："除了送你没出息三个字，也就没什么别的可说了。"燕西笑道："那就走罢，别让令妹在家里又等着发急。我一个人回家来一趟，倒惹得两个人着急，这可是我的不对了。"说着，携了白莲花的手，就向外面跑。燕西因为家里的汽车没有开，却偷偷的把旧汽车夫找回来一个，又自己买着汽油，一天到晚的坐着。所以出起门来，很是方便，比从前人家抢着要汽车，反觉现在舒服多了。他和白莲花坐了汽车，一路向李家而来。这里一条路，走得是更熟了。下车之后，一直向里面走，只见白玉花拿了一根长带子，站在屋子中间，带唱带舞的练习着。因笑道："还好，还好，这样子她倒是没有等得着急呢。"上前用手拍了拍白玉花的肩膀，笑着问她："着急不着急？"白玉花回转头来，对他瞟了一眼道："七爷，你干吗总是不能正正经经的，一进门就动手动脚？"燕西笑道："这年头儿男女平等，彼此摸了一下子，这也不算什么，干吗瞪眼？"李大娘听见这

话，由屋子里笑了出来说道："哟！七爷，谁有那么大胆，敢对着七爷瞪眼呢？玉花你怎么着，敢和七爷开玩笑？"她笑着迎到面前来，就伸了手道："七爷，我给你接住帽子，宽宽外衣，请到屋子里坐罢。"燕西只得拿下帽子交给了李大娘，一面笑着脱下了马褂，就跟她走进了白莲花屋子里去。白莲花握了燕西的手，一同在沙发椅子上坐下。白玉花原是不大高兴的，一见李大娘一张脸迎着燕西说话，心里已经有些转动了，及至燕西走进屋子来，看到他穿的长衣服，腰上有一个包微拱起来，分明是口袋里盛满了钞票。这一进房来，就要开发了，自己为什么在这饭要上桌的时候，去得罪厨子？便也笑着跟进来道："七爷，我和你闹着玩儿，你还生气吗？"说着话，也就挤到燕西一块来坐着，伸着手握了燕西的手，将头靠住了他的肩膀，身子是紧叠着身子。燕西本来就无所用心，倒是李大娘一阵胡巴结，才觉得有些不对劲。白玉花又是一阵亲热，倒反而疑惑起来，心想，今天他们为什么有些态度失常，难道对我有什么新举动吗？既是有新举动，我倒不能不提防一二。如此一想，态度便持重起来。他这一持重，李氏母女三人怕他不满，更是加倍的恭维了。燕西先虽觉得讨厌，后来李大娘走了，就剩李氏姊妹在一旁恭维，这就很乐意。过了一会，白莲花又不知道临时发生了什么事情，走开去，就剩白玉花一个人了。

　　燕西见屋子里没有第三个人，便笑道："玉花，我对于你，总也算鞠躬尽瘁了，何以你对于我总是淡淡的神气？要怎么样，你才可以回心转意呢？"白玉花笑道："这是笑话了。我和你无怨无仇，这回心转意四个字，从哪儿提起？"燕西道："咱们虽不是仇人，可也不是爱人，要望你做我的爱人，怎样不望你回心转意呢？"白玉花连连摇手道："言重言重，这怎么敢当？再说，还有我姐姐呢？"燕西笑道："你姐姐太调皮了，和我初认识她的时候，简直变成了两个人。"白玉花也不答复他的话，便笑着朝外连叫了几声姐姐。燕西摇摇手，笑道："干吗，你要对质吗？对质也不要紧，她已经答应退让一步了。"白玉花将嘴一撇，鼻子哼着一声道："我算把男人看透了，只要是乍见面的女子，模样儿生得端正些，其余都不管，就想着人家做他的爱人。或者在相识了以后，或者在做了爱人以后，不论迟早，总要把那女子嫌成一堆狗屎，再去重新找人。你想，男子们口里说出来的爱人这两个字，能值钱吗？"燕西笑道："男子不是我一个人，我也不去辩护，但是你年轻轻儿的，就看得这个样子透彻，也会减少许多乐趣的。我若是也照你这种法子去想，我会不赌钱，不跳舞，也不捧场了。"白玉花笑起来道："这样子，你是真生了气，连我都不愿意捧的了。"燕西笑道："我怎么不捧？不捧你，我今天还会来吗？"白玉花再也不敢说什么了，就挽了手，陪他在一块儿坐着。这一番谈话，时候可是很久，几乎有两三个钟头呢。

第九十回

露影太荒唐封金预告
怀诗忽解脱对月长嗟

燕西同着白玉花在屋子里谈心，白莲花不知有什么事，走开了去。去了许久，也就来了。三个人说笑了一阵，就一同坐汽车出去。他们首先所到的一个地方，就是乌斯洋行。因为李氏姊妹知道这洋行里值钱的外国货不少，而且燕西对这个洋行，又是十分熟悉的，因此拉着他同来，要参观参观。燕西到这种地方来，决计是不能小器的，所以不得不先跑回家去，拿了一笔现款，放在身上。到这种洋行里来，就是带了一万二万，也未必花不了。燕西不过是预备五百块钱，已经少而又少了。当时到了乌斯洋行里，白莲花看那玻璃格子，有几个锦绒盒子，托着光灿灿的钻石戒指，就伏在玻璃上向里面看着。这里的伙计，知道金家人买东西，是不大怕贵的，就对白莲花笑道："小姐，拿出来看看吧？东西真好，价钱也极是便宜。"他说着话，已经就把几只盒子拿出来，一齐放在旁边桌上，请他们坐下来细看。燕西一想，不必问价钱了，反正五百块钱，一齐拿了出来，也不会够买一只的。便笑道："不必看了，比我自己那两只小的多。"店伙笑道："要好的还有。"燕西连摇手道："你不必当大买卖作，我们不过是来参观参观，买一点小东西的。"白莲花听了这话，就不便再问什么价钱，可是手上拿着那戒指，有些舍不得放下去呢。燕西已经交代明白了，他就不能再去干涉。他既不看钻石，自己只管漫不经心的走了开去，到别的玻璃格子外，去看一些普通的玩意。白莲花知道大东西是不成，也只好拉着白玉花，一同走了过去，随着在燕西身后面看。燕西提了几样花围巾香水镜匣之类，放在外面，故意说着不错。让她们去买。她姊妹俩虽然买不到珍宝，反正这些好东西，也都用不着拿钱去买的，多要一样是一样，因之稍微合意的，都买下来了。共总算一算，竟有三百多块。白玉芬究竟还不曾深受社会陶熔的，一想，买零碎东西就买了这些钱，人家也就相待不错，良心上不能再要人家花钱了。要不然，第二回也许不肯再同着上街哩。因对着白莲花再望了一望，见燕西正走到店堂里去，就低低说着行了两个字。白莲花也是眼皮一撩，头微摆着笑了。那意思说，这便不值得注意。于是她一人又增加着买了几样东西。大一个纸包，小一个纸盒。店伙做了好几捧，送到汽车上去。于是燕西再同上汽车，带着姊妹俩，到馆子里吃了一餐晚饭。晚饭以后，复又把她们送回家去。一天之间，这一辆汽车，向白莲花家跑了四五趟。汽车夫也不知何以如此忙？这一次车子在她家门首，却停了好久，结果是十一点钟的时候，燕西、白莲花、白玉花一齐到大门口。白玉花对燕西低声笑道："有我姐姐陪着，也就行了，他们不让我去看跳舞，我也没法子。"燕西无精打采，低着声音道："那是你不赏光，我也没有法子。"白玉花道："你问我姐姐，我自己没有说要去吗？我妈说我比不得姐姐，夜里不让出门。"燕西笑道："好罢，过天见罢。"说着，他就和白莲花同坐上汽车去。汽车开到饭店门口，燕西说是不用等，让车夫开了空车回去了。

　　清秋对于燕西的行动，本来抱着放任主义，现在产后，自己在屋子里静养，更不管燕西的事。这天晚上，金太太到清秋屋子里来，要看小孩子。在灯下抱了一会子，而且决定了名字，叫小和，顺着小同的名字，一路下来。而且这和字，同着秋字的半边，也说是一半像母亲哩。金太太以为这名字还有点意思，清秋一定有什么议论的。一看清秋斜躺在床上，双眉紧锁。金太太握了她一只手道："你怎么回事？身上有病吗？"清秋道："并没有什么病，只是心里有点烦闷。"金太太道："这两天熬了一点参水喝吗？"清秋道："就只喝过一回，以后没有喝过了。"金太太道："我叫燕西别把东西糟蹋了，并不是说就摆在那里不动。"就分付李妈泡上一点。李妈说："那是七爷收的，不知道放在哪里？"金太太道："你到书房里去问他，叫他自己进来拿，我还有话要问他呢。"李妈去了一会，走进来说："七爷不在家。"金太太一看壁上挂的钟，已经十二点多钟了，便叹了一口气道："这个东西，也是至死不悟。事到如今，他们还要昏天黑地的闹下去，如何得了？"清秋本也不想揭破燕西的行为，现在既是金太太知道了，她就用不着代守秘密，默然的坐着。金太太问道："他这一程子，常在外面整夜的闹吗？"清秋道："在闹丧事的那几天，他是在家里的。除此以外，他整夜不归，那是常事。而且他这种行动，还是不许人过问。谁要问问他的事，他会生气的。"金太太将孩子交了清秋，坐在一边，默然了许久，突然又问道："据你这样子看来，他分的那些钱，大概用了不少吧？"清秋道："谁知道呢，钥匙在他身上，只见他开箱子拿钱，可不许人家问他拿钱做什么。拿了多少，更是不得而知的了。"金太太叹了一口气道："我拿钱在手里不分开来呢，我受不了那种冷气。分出来了呢，又眼睁睁的望着这几个人像流水似的花了去。这叫我也不知道要怎样好？"清秋道："其实他的行动，我也不敢问。不过现在既然有了孩子，这孩子读书的钱，总得预备一点。若是像他这样……"清秋越说越声音小，说到后来，无话可说了，也是叹了一口气。金太太到了这时，也是无词可措，坐了一会子，自回屋子里去。

一到屋子里，便叫陈二姐去看看七爷在家没有？若是不在家，就把门房叫了来。陈二姐去了一会子，却是把门房叫了来了。金太太叫着门房当面，就将凤举兄弟最近进出的时间，仔细盘问了一遍。这弟兄四个，是燕西跑得最厉害，鹤荪次之，鹏振又次之，凤举却是不大出去，出去也是有事。金太太听了这种报告，气愤已极。便追问燕西出去，向在一些什么地方？门房对于这个问题，却不肯怎样答复，因笑道："你想，七爷要到哪里去，还会在门房留下一句话吗？"金太太料着门房是不肯说的，就也不再追问。只分付门房，燕西回来了，不必告诉他就是了。到了次日早上，金太太首先一件事，便是派人问燕西回来了没有？到了十点钟了，还是没有回来。金太太实在忍耐不住，就坐在外面书房里等着。到了十一点多钟的时候，燕西才高高兴兴回来了。胁下正夹着一个纸包，向桌上一放。一回转头来，才看见自己母亲，斜靠在沙发上坐着。金太太且不说什么，首先站起来，就把那个纸包抢在手上。燕西笑道："那没有什么，不过是两张戏子的相片。"说着，便也要伸手来夺。金太太正着脸色道："我要检查检查你的东西，你还不许我看吗？"燕西看见母亲脸上白中透紫，一脸的怒色，就不敢多说什么。金太太解开那纸包一看，见是两张四寸女子半身相片，燕西坐在一张椅子上，一个女子携了他的手，站在一边，一个却伏在椅子背上，三人几乎挤在一堆了。燕西说这是戏子，金太太看着，想起来了，其中有一个叫白莲花，是在自己家里演过堂会的。由这张相片上，想到燕西不曾回来，可以明白许多了。于是拿着相片向桌上一抛，板了脸道："就是这两个闹得你丧魂失魄？"燕西真不料母亲今天突然会有这种举动，照形势上看起来，一定是清秋不满意自己拿钱，昨天对母亲说了。她难道也要学大嫂他们一样，来压迫丈夫不成？我不是那种男子，决不能够让妇人来管着的。他心里只管如此想了，表面上是不做声，似乎对于金太太是敬谨受教了。金太太道："你以为现在还是国务总理的大少爷，有无穷尽的财源，可以供你胡花？你不想你箱子里那些钱，大概再过两三个月，也就完了。完了以后，我看你还用什么法子弄钱来花？本来你花你分去的钱，我管不着你。但是你究竟是我的儿子，你若闹得不可收拾了，将来也是我的过错，人家也会说我的，所以我不能不说一声。"燕西道："就是照两张相，这也很有限的钱，何至于就闹到那样不可收拾？"金太太冷笑一声道："你以为我是个傻子呢。人家大姑娘陪着你玩，陪着你照相，她为的是什么？能够白陪你开心吗？我今天警告你，你少花天酒地的闹，若是再闹下去，我就凭着几位长亲，把你的钱封存起来，留着你出世的儿子将来读书。"燕西听了这话，更猜着是清秋的主意，于是也不敢做声，静坐在一边，一手撑了椅靠，一手托着头，一只脚乱点了地板作响,等着金太太一人去责骂。等金太太骂得气平了,才道:"我也觉得有些不对,从今天起,我不出门了,你若是不信,可以派一个人到书房里来监督着我。"金太太脸一偏道:"我不用监督,我就照我的法子办,不信,你试试瞧。"说毕,叹了一口气,出门去了。

燕西也向睡椅上一躺,两脚架了起来,摇曳了一阵,心里就玩味刚才母亲所说的话。觉得这事决非突然而来,必定是清秋出的主意。于是跳了起来,就向内院里走。到了自己屋子里,见清秋面朝外,在枕上已经睡着了。便嚷道:"呔!醒醒罢。"说着,两手将她乱推。清秋猛然惊醒过来,口里还本喊了两声哎哟!睁眼看是燕西,便问道:"有什么事吗?"燕西向椅子上一坐,两腿一伸,两手插到裤袋里去,昂了头不做声。清秋看他这样子,又像是要生气了,便坐起来道:"你要什么?"燕西道:"我要钱,把钱花光了,大家要饭去,有什么要紧,我就是这样办,你干涉我也是不成。"说着又跳了起来。清秋道:"这真怪了。跑进屋子来,把人叫醒,好好的骂上一顿。你花你的钱,我干涉你做什么?昨天你拿钱,我虽然说了几句不相干的话,听不听,本来在你。而且钱由你拿去了,又没碍着我的事。你把钱花光了,倒回家来找人生气?"燕西道:"你还要装傻吗?你把这些事全告诉了母亲,让母亲去和我为难,你好坐现成的天下,对是不对?你只管运动母亲封存起来,我就是没钱,也不至于在家里守着你,我有地方找乐儿去。我现在并没带钱,你看看。"说时,将手在腰里拍了几下,又道:"我一样的出去玩几天给你看!我走了,你又有我什么法子呢?"说毕,到房后身,拿了一套西服和一件夹大衣,挺着脖子走了。清秋殊不料燕西是如此的不问情由,胡乱怪人。他发完了脾气,连别人解释的机会也不给,就掉头走了。听他的口音,竟是只图眼前的快活,将来他自己怎样,已经不放在心上,更哪里会去管别人的死活哩?想起去年这时,二人正度着甜蜜的爱情生活。自己一片痴心,以为有了这样一个丈夫,便是终身有所寄托,什么都在所不计。到了现在,不但是说不上什么寄托,简直自己害了自己了。在家里度着穷苦的生活,虽然有时为了钱发愁,但是精神上很自然的,不用得提防哪一个,也不用得敷衍哪一个,更不会有人在背后说一句闲话。现在连说一句话走一步路,都得自己考量考量,有得罪人的地方没有?这样的富贵日子,也如同穿着浑身的锦绣,带着一面重枷,实在是得不偿失。心里如此的想着,只管懊悔起来,不知不觉的,垂下几点泪。因听得玉芬在院子门外说话,又怕她撞了进来,在枕头底下,找出一块手绢,将眼睛擦了一擦。自己叹了一口气道:"这样的人生,过着有多大意味?管什么产后不产后,我还老躺在床上做什么?"将被一掀,就下床来在沙发上坐着。呆坐一会儿,也是闷不过,就缓缓的走出屋子,到廊檐下来,看看院子里的松竹。她只一出正屋的门,李妈看见,老远的呀了一声道:"我的少奶奶,你怎样就跑出来了哩？受了风，可不是闹着玩的呀。"说着，她已是迎上前来，挡住了去路。清秋笑道："我的命很贱，死不了的，受一点寒风，并不要紧的。"李妈只管将她向屋子里面推，笑道："千万请你进去，若是让太太知道了，说我们不小心伺候，我们是吃不了兜着走呢。"清秋笑道："这是笑话了，我又不是三岁两岁的小孩子，难道还要你做保姆不成？"清秋口里虽然如此说，到底还是向后退着，退到屋子里去了。只是她心里已增加了无限的烦恼，无论如何，在床上已经不能安静的躺着。一人坐到了下午，在沙发上打瞌睡。

金太太悄悄的进来，要看燕西在做什么。在廊子外听听屋子里寂然无声，由窗子眼向里面一望，倒吃了一惊，便在窗外叫道："清秋！清秋！你这是怎么？"清秋也是睡得正熟，猛然被金太太一声叫醒，身子一哆嗦。金太太说着话，已是走进屋来，站着望了清秋的脸色道："你这是怎么一回事？是和燕西生气，故意这样作践身体呢，还是在床上坐不住了，要下地来走走？"清秋笑道："我好好的，并没有和他生什么气，我是睡得不耐烦了。"金太太道："那不行，你得赶快去躺下。你初生就这样胡闹，你不知道是危险万分的事吗？那不行，那不行，上床去，上床去。"说着牵了清秋一只手，就让她到床上去。清秋也是看到老人家用意殷勤，不便执拗，只得笑着上床去了。金太太道："我看你这样子，对于带孩子一件事，简直是不行。你不要再拒绝我的主张，还是雇个乳妈罢。"清秋道："并不是我敢拒绝母亲，不过没和燕西说好，我就这样办了，他将来又是不快活。而且我想小孩子，能够喝自己的乳更好，省得经过那些无知识的乳妈来盘弄。"金太太道："好虽好，我看你什么不知道，可让我操心呢。你或者是为了省那几个钱，可是不用存那心思，就让燕西没出息，难道咱们家雇乳母的钱，还会发生什么问题吗？"清秋心里想着，那未必不发生问题，只是口里不敢说出罢了。当金太太在这里，就忍耐着躺在床上。接着又是道之回家来看她，二姨太也来谈说了一阵，倒不寂寞。

到了晚上，依然不见燕西的影子，料是又出去了。照他这两个月行动看起来，只管和白秀珠一天亲密一天，当然是和她在一处周旋。然而白秀珠的哥哥，新近已放了镇守使，手下带有一万多兵，驻在的地方，民脂民膏都是他的，秀珠家里很有钱用。她和燕西住一处，就让吃喝逛三个字，完全是燕西花钱，也不能一天花好几百块。这于白秀珠之外，必另有个花钱的地方。一个人当父丧未久的时候，还能这样花天酒地的闹，那世界上还有什么事，再可以让他伤心的？我就再悲苦些，他能正眼看一看吗？越想越难过，自己就慢慢的由最近追溯到以前，觉得去年这个时候，燕西图着接近自己，在落花胡同租下房子，那一番铺张扬厉，真个用钱如泥沙一般。那个日子便不觉得他太浪费，只觉得待人殷勤，终于是让他买了这颗心了。清秋由这里一想，自己是个文学有根底，常识又很丰富的女子，受着物质与虚荣的引诱，就把持不定的嫁了燕西。再论到现在交际场上的女子，交朋友是不择手段的，只要燕西肯花钱，不受他引诱的，恐怕很少吧？女子们总要屈服在金钱势力范围之下，实在是可耻。凭我这点能耐，我很可以自立，为什么受人家这种藐视？人家不高兴，看你是个讨厌虫，高兴呢，也不过是一个玩物罢了。无论感情好不好，一个女子作了纨绔子弟的妻妾，便是人格丧尽。她一层想着逼进一层，不觉热血沸腾起来。心里好像在大声疾呼的告诉她：离婚，离婚！

原是躺在床上沉思了，想久了，不觉坐起来。坐起来之后，更又不觉踏了鞋子下床。坐在椅子上，听听屋外，寂无人声，便掀开玻璃里面一角窗纱，向外看了一看。因为身子背了屋子里的灯光，只见假山边一丛野竹，摇摇不定的有些清影晃动。对面粉墙上，也似乎格外白些了。抬头看着天上，一轮团圆的月亮，正在白云缝里钻将出来。于是找了一件夹旗袍加在身上，就走到廊子下来看月。这时，那一轮月亮，不偏不倚，正在当头。抬头看看，两棵松树，在月下留着两个亭亭的倩影，在雪白的月色地上，微微移动。清秋走到树下，看了树干，抬了头，由树缝子里看了出去。这树里的月亮，似乎更亮，也觉别有风致。只管呆呆的看着月亮，就不觉想到月亮里面去。在科学上说，月亮是个地球的卫星，而且是没有生物的了。若是照着神话一方面看去，倒是很有趣味，说是嫦娥吃了后羿的灵药，奔进了广寒宫，作了月宫之主。这种说法，不管是靠得住靠不住，然而可想到上古时代，更是体面人以至于王与后，也并不讳言什么离婚的。古人诗上说的什么"嫦娥应悔偷灵药，碧海青天夜夜心"，还去替嫦娥发那闲愁。其实像后羿那种武夫，嫦娥那种美丽的女子，绝对不会成一对儿，散了倒也干净。为什么嫦娥应悔偷灵药呢？不过碧海青天夜夜心这句话，不能指为她是挂念丈夫，也可以说是她看到人家儿女团圆，她不免动心罢了。从来中国人的思想，除了圣经贤传以外，不能弄官做，不能装面子，就大不赞成。其实真正的男女爱情思想，还是道学先生认为风花雪月的词章上很有表示。诗经是不必说，像屈原、宋玉的赋，以至于唐人的诗，宋人的词，元人的曲，哪里不代表女子一种哀呼？"早知潮有信，嫁与弄潮儿"，在唐朝就很胆大的有人说出来了，现在女子们还甘受丈夫的压迫而不辞吗？清秋本是个受旧书束缚的人，今天忽然省悟，恰是在旧书本子里找着了出路。越想越觉环境不对，望着天上一轮圆月，在青天上发着清辉，今天晚上，是何等的好看！可是推想着到了明晚再明晚，就不能够了。月亮或圆或缺，还是那月亮。可是看月的人，就不相同了。古人说得好："人生几见月当头？"月夕花晨，人人不能好好的欣赏，在愁里恨里过去，倒不如不看见的干净。自己传袭亡父的遗志，空有一肚子诗书，而今不过是增加些自己的懊恼而已。想到这里，不觉望着月亮堕下几点泪来。

但是这时天气还很凉，清秋在月下站立许久，觉脊梁上有一阵寒气，只向外冒。站立不住了，就走回屋子去，又找一件小坎肩，加披在身上了。不料这寒气袭在身上，却不能再驱逐出去。自己抚摸着自己的手背，已是冰凉的。这才上床钻进被去，紧紧的裹着身子睡。一觉醒来，凉是不凉了，身上却有些发着烧热。自己原不知烧热到了什么程度，但是口渴得很。半夜里是不愿惊动人，只好自己爬起来找茶喝。等到自己下床之时，忽然头脑昏晕，在灯光下望着屋子里的物件，都一律转动起来，这才知道自己的病深了。就伏着身子，用手枕了头缩着身子睡了许久，睡得头已不是先前那样沉重了，慢慢的掀开一角被，伸直身子睡着。然而自这时候起，便睡不着了。隔壁屋子大挂钟，一点二点三点四点，都听得清清楚楚。到了六点钟以后，偶然睡熟了一会儿，但是不多久的工夫，依然惊醒了。李妈进了房来，因小孩儿哭得很厉害，却见清秋闭着眼睛，随后拉了一个枕头在怀里搂着，并没有抱小孩。笑着向前将小孩抱着送到她怀里去，觉有一阵热气，拂面熏来。李妈看到这情形，知道她是病了，而且这病来得突然，可不敢含糊不语，担这个责任，当时就到金太太屋子里去报告。金太太还不曾起床，陈二姐正在外面屋子里洗茶壶茶碗。见她匆匆忙忙跑进，便问有什么事？李妈便说："七少奶奶病了，连孩子都不会乳，看那样子，有点迷糊呢。"陈二姐道："太太没醒，别惊动。这位老人家现在也是提心吊胆过日子，受了不了吓的。"说话，放了茶碗，就跟着到清秋这院子来。她一进门，清秋便醒了，睁开眼，先哼了一声，然后在枕头上点头微笑道："你来得很好，我有点不舒服，我想托你去问一问母亲，水果能不能吃？我心里烧得很，想吃一点凉的。"李妈道："我的少奶奶，那怎么使得？过讲究的，一个月还不许手下凉水呢。能吃生冷吗？"陈二姐是个少年寡妇，这事也是外行，便说："去问太太再说。"伸着手摸了一摸清秋的额角，却是烧热得很。因道："烧得这样厉害，用凉的一盖，也许盖出事来。"清秋用手摸了一摸胸口，皱着眉道："难过得很，给我一口冷茶喝，也是好的。茶是煮开了的水，喝一点凉的，也不要紧。"陈二姐道："你忍耐点，喝口温热的罢。"清秋见要求不到凉的，便不做声，侧了脸睡着。李妈倒了一杯温热的茶来，清秋摇头，闭上眼睛不肯喝。陈二姐端着，送到她头边，说了许多的好话，清秋才昂着头，用嘴亲着杯子，很随便在杯子沿上呷了一口。陈二姐见清秋那种神气，衰弱到不知所以然。同时她脸上两道红晕，和平常人脸红不同，满腮都是红的，在颧骨上，更红得变成了紫色。由这一点，更可以知道她烧热得厉害。因执着清秋一只手，低声问她心里难过不难过？清秋摇了一摇头，意思好像是说不怎么样。陈二姐道："月子里，那是很麻烦的，赶快去找个大夫来瞧瞧罢。"清秋睁眼望了望她，没说什么，又摇着头。陈二姐这已明白不是懒说话，简直不要诊病。这事颇为紧要，不能含糊，因对着清秋道："少奶奶，我这就去对太太说了。"清秋连

忙一伸手，拉了住她一只袖子，连连摆了两摆头。陈二姐道："这不是闹着玩的事，怎么可以不对太太说呢？我不来瞧，我知道了还要去说呢？而今我已都来看见了，能不说吗？七少奶奶我知道你，你可得想开些。"清秋听了这话，竟会流下泪来，赶快掉转脸去，在枕头下找了一块手绢，将眼泪擦了两擦。陈二姐站起身来，清秋又用一只手拉着她袖子，低声道："请你别忙说罢，我是昨天才起来一下子，也许就是那样吹了一口风，受了一点寒了，过一会子就会好的。你若去说了，倒觉得是大惊小怪。"说毕，哼了一声。陈二姐将她的手扯开，又远远站着安慰了几句，然后就向金太太屋子里来报告。金太太未到醒的时间，却睡得正熟。陈二姐怕叫醒了她会吃一惊，只得等着。然而等着金太太醒来再说时，已是出了祸事了。

第九十一回

泉水出山残文留旧迹
衣衫刺目烈火灭余痕

　　当时陈二姐要报告清秋的病状,偏是金太太不醒,自己正在这里着急。不料跟翠姨的胡妈,慌里慌张,一脚踏进屋子里。见陈二姐一人坐在这里,就缩了转去。缩了转去之后,停了一停,她又回转身来。陈二姐看她那种踌躇不定的样子,料着有事,便迎上前拉着她的手,站到一边问道:"你有什么事吗?"胡妈低着声音道:"怎么办?我们三姨太走了。"陈二姐听了这话,心里倒卜通跳了一下,顿了一顿,问道:"什么时候走的?"胡妈道:"今天一早,她就起来了,说是到医院看病去。又恐怕自己身体支持不住,要玉儿一路去。我心里就奇怪得很,她就是昨晚上说了两声身上不舒服,也并没有别的什么病样,为什么情形那样重大呢?刚才我接到玉儿的电话,说是由车站偷着打来的。姨太太已经买了火车票,带着她要上天津了。她说不愿跟姨太太到上海去,特意打电话告诉我一声,让我告诉太太,把她们拦回来。可是我来说了,我又怕太太说是我勾通一气的,那我更受不了。"陈二姐倒好像关心她的什么事似的,脸上红一阵白一阵。便道:"这事非同小可,怎能不告诉太太?我去把太太叫醒来罢。"于是走到床面前,从容叫了两声。两声没有叫醒,只得放大着声音,喊将起来了。金太太一个翻身坐将起来,问道:"什么事?什么事?"陈二姐顿了一顿,才道:"三姨太一早就带着玉儿出门去了。"金太太冷笑道:"一早就走了,由她去罢。现在她无法无天的时代,谁还干涉得了她出门吗?"陈二姐知道金太太依然误会了意思,便道:"三姨太不是出去买东西,也不是作客,是搭了火车,到天津去了。"金太太一面下床踏着鞋,一面问道:"你是怎么知道的?"陈二姐道:"胡妈进来说的。"胡妈在房门外,已经听到金太太下床说话,便进来把事情又告诉了一遍。金太太冷笑了两声,又坐到沙发椅子上去,半晌做声不得。忽然站立起来,就向翠姨屋子里走。陈二姐和胡妈也不知道她有什么事,也在后面紧紧的跟着。及至赶到翠姨屋子里,金太太首先就将不曾锁的橱子屉桌先翻了一翻,里面虽还有东西，都是陈旧破烂的。一回头对陈二姐道："有我作主，你把锁的箱子，打开一只来我看看。"陈二姐向前，两手只将箱子一托，把箱子托得老高，因道："用不着开了，箱子轻得很，大概是空的。"金太太于是将所有的箱子，都提了一提，都是随手而起，毫不吃力。掉转脸就对胡妈道："你是故意装傻呢？还是今早上才知道？"胡妈道："我难道还瞒着太太，和姨太太勾通一气吗？"金太太道："你难道是个死人？天天跟着她在一块，她把这些箱子里的东西，搬个干干净净，你怎么会丝毫不知道？"胡妈道："太太，你想呀，她自己搬她自己的东西，明的也好，暗的也好，旁人怎样会去疑心她有什么作用呢？哪个能猜到她会逃走呢？"金太太沉吟了一会子，便道："你是阿囡找来的人，阿囡又是五小姐由苏州带来的人，照说，我是不应该疑惑你。但是你要知道，你跟着她有这样久，对着大家说话，我不能保你这个险，你应当这两天好好待着，让大家去查个水落石出。果然查得你没事了，你才可以出这个大门。"胡妈听了这话，脸上一阵红似一阵，鼻子一耸，竟掉下泪来。这眼泪一流，就保持不了原来的状况，哽咽着道："我在宅里这样久，不料落这样一个坏的名声。"陈二姐道："胡姐，你怎么着？太太说得清清楚楚的话，你会听不清楚？太太正为的是相信你，才要你等水落石出。若是疑惑你，现在就不能这样对你了。"金太太满肚皮都是心事，这时可就管不着胡妈受屈不受屈，即刻叫陈二姐把凤举兄弟找来。只有燕西不在家，三个大兄弟，一会儿工夫就来了。金太太将翠姨的事一说，大家都默然无声。这因为金太太对于这个家庭，早存着一个不可救药的念头，可是又要维持这个面子，不愿人家说闲话。因此事实和心思老冲突着，已惹下她一身的毛病。现在再要和她说这些事，那是加增她的痛苦，恐怕真会病倒的。金太太坐在一张沙发上，将一手托了头，也闷着一句话不说。还是佩芳来了，金太太一拍腿道："你们从前说这个人不错，跟着一处混，现在看看她做了些什么事？死鬼作一辈子的大事，就是这件事办得二十四分糊涂。"说着，又一顿脚。佩芳倒不料为了这事，反来受金太太当大众一顿教训。到了这图穷匕见的时候，当然不能去和翠姨辩论，便笑道："谁又知道谁将来是好人，谁将来是坏人呢？这又合了那两句古话，叫做'周公恐惧流言日，王莽谦恭下士时'了。从前她总是一个……"佩芳说到这"一个"两字，知道这下面一个字，是不能说出来的，顿了一顿，然后才道："无论如何，同住一家的人，总有一个来往，并不是怎样待她特别好呀。"金太太道："这些话不用去分辩了。现在我们大家要商量一下子，对这件事，我们要执个什么态度？"凤举道："哪有什么法子？当然是取放任主义，随她去了。"金太太道："她这种忘恩负义的东西，就让她这样便便宜宜的远走高飞，去逍遥自在吗？"如此一说，凤举就不敢多嘴了。鹏振道："我们先把箱子打开来，检查一遍再说。也许在箱子里检出一点把柄，我们更有制服她的法子。她走了自然是

727

走了，谁还将她拉回来不成？不过让她尝尝厉害罢了。"说着，找了一把剪子和钉锤子，在箱子上乱打乱敲，先敲开了一只白皮箱。一看里面，哪有什么？只有两卷破旧的棉絮和几张报纸。接连打了几只箱子，里面都只有一两件破衣服，并无什么把柄可找。他们开箱子时，金太太很自在的，向着箱子里闲望着，一直开到第五个箱子的时候，金太太一摇手道："算了罢，闹个什么劲儿？她既然是早早预备走的，还会在箱子里留着把柄吗？"凤举道："这话倒也是真。若是有计划逃走的人，事前事后，都会关照的，何至于还有大批的证据，落到旁人手上去呢？"金太太坐着呆了一呆，突然站起来道："我总不服，她就收拾得干干净净，我还要查查。"于是将屋子里的橱子柜子，格扇抽屉，全都翻着看了一看。凡是信札账单以及零碎的纸张，都拿起来检查一番。但是无论怎么样检查，决无什么形迹可寻。其间有两封是上海寄来的挂号信，但是只有一个信封，信囊里的信纸，都没有了。金太太点点头道："哼，真有本领。但是我真找不着你一点毛病吗？"说着话，依然将一堆字纸继续清理着。在这样清理的中间，居然检出还有一封带着信纸的信。金太太连忙抽出来一看，字体写得非常恶劣，显然不是一个通人写的字。那信上写道：

> 翠姐大人台鉴：寄来快信收到。知姊逃出龙潭虎穴在急，妹不甚喜欢之至。阿要先租好房子，请你先写信来关照好了。钻戒勿要北方卖脱，留着在身边好了。万一嫌搁多了不能生利，等到至申再卖亦好。此地珠宝在好脱手，你自己唔不真心人，说把婢女带来，再好不过。从前寄来的……

只有这一张，以后的残缺了。但是翠姨和上海方面通信，预约逃走，并且要带钱和人去，都有很实在的证据了。冷笑一声道："好贱货！这一下子偷拐我家的不少。"凤举看到母亲那种情形，也不知道这信上说的是些什么，望了母亲，却不敢说要看。金太太道："你们拿去看罢！你父亲在日，我就常对他说，他是到过欧美的人，应该用一夫一妻的制度，不能讨姨太太，讨一个也就够了，何必再讨第二个？他倒说得好，欧美的人，何尝不讨姨太太？不过是外室罢了。有钱的人，讨三个四个外室的也很多呀。与其讨外室，就不如名正言顺的娶姨太太。你看，他倒有这一篇大道理。他就不明白金钱买来的爱情，势力夺来的爱情，总是靠不住的。如今怎么样呢？"金太太说着说着，马上就掉下两行眼泪来了。凤举道："她走了就走了罢，也犯不上去和她赔眼泪。"金太太道："我难道还舍不得她吗？我只恨你们在太平无事的时候，全不听我的话。如今有了毛病，百孔千疮，所有以前留下的病菌，趁着病人一倒，一齐冒出来作祸了，这样的病症，恐怕是挽救不好的了。我想，你们还是趁着手上有几个钱，各自早奔前程罢，不要再在这枯树下面乘凉了。大风暴雨来了，抗是抗不住，找躲的地方又来不及，闹的不好，那是会同归于尽的。"金太太越说越伤心，将手里的信一扔，坐到沙发椅子上，背转身去，眼泪如泉的流将下来。这时，大家都受了教训，都不便上前去劝解，只是怔怔的望着。凤举一弯腰，搭讪着将信捡起来看了一看。这个时候，翠姨逃走的消息，已经传遍了，全家的人，都跑来看这边情形。大家不明白这后半截的事，见金太太倒在沙发上垂泪，没一个不惊异的。翠姨跑了，金太太会哭她，这简直是颠倒的事情呀。金太太擦着眼泪，也想起来了，我这样重看，他们不会发生误会？便道："到了今日，把我以前所说非分家不可的话，可以证明了吧？事事让人家称心如意，人家还要逃跑，若是我一点不放松，恐怕到了今日，连我这条老命都保不住了。"说到这里，嗓子提了一提道："凤举，你给我把她屋里这些东西，仔细给我检查检查，再有什么把柄，一齐给我看。我不能放过她！我要打电报到上海去，托人把她在上海处治一下子。"说着，板了脸，一拍衣服走了。

金太太一走，满屋子里的人，大家就纷纷议论起来。大家异口同声说，知道翠姨免不了一走的。凤举检查东西，正检查得不耐烦，一跺脚道："你们都是刘伯温的后天八卦，既然知道她势在必走的，为什么早不报告一声？现在人走出八百里外去了，都来放这马后炮。"佩芳道："你又发什么大爷脾气？事先没有人说过吗？我就说过。我说翠姨不像二姨太，你们应当给她安顿安顿。可是你说不会有这种事呢。我知道，你有心病，你是自己跑过了一位姨奶奶的了，所以不愿谈这种事。"凤举鼻子一哼道："你骂我虽骂得痛快，也有点拟不于伦吧？"佩芳哪服这口气，正想驳复一句，慧厂在旁边笑道："唉！既往不咎，过去的事，你还说它什么？"佩芳道："他若不发这一顿大爷脾气，我也犯不着说，可是他忘了前事，我要不提一提，他倒以为别人都不如他呢？"凤举这时把威风完全减下了，只是去清理着文件，却不敢再说什么。这一开始清理，少不得破账本字条儿，都拿出来清理了一阵。翠姨虽然把可作把柄的文件，完全收去了，但她只限于正式的字据，至于别的文字内，偶然有一二点存下了病根，她自己也不会去注意。可是这事经有心的人，细细一检查，毛病就完全出来了。凤举看到一样，就捡起来一样，然后作一大卷包起来了。在这屋子里来看热闹的人，这时都走了，只有佩芳一人在这里。凤举笑道："刚才许多人在这里，你就那样给我大钉子碰，让我多难为情！你要知道，我就是发大爷脾气，我也不是对你说的，你为什么充那个英雄，出来打倒我呢？"佩芳道："都是家里的人，我就给你碰一个钉子，也没有多大关系，况且我说的，也是实话。"凤举道："我以为不应该这样，最好是我的事，你可以和我遮掩。你的事，我也可以和你遮掩。"佩芳道："我没有什么事，要你和我遮掩。除非……其实我没有什么事，要你和我遮掩。"凤举笑道："只要你说这句话，那就得了。"说着，将那一大包文件拿起，向胁下一夹，向外便走。佩芳道："别忙，我问你，这包里究竟是些什么？而且，我还得要问问你，难道我还有什么事，要你遮掩的不成？"凤举微笑道："也许有，可不知道是什么时候发现。"佩芳原是跟着在他身后，一路说着话的，这时可就一把将凤举的衣襟扯住道："你说你说！我有什么事要你给你遮掩？难道翠姨逃走，是我出的主意吗？"凤举站着，转过身来，就对她笑道："你这人说话，真是咄咄逼人。我说也许有，并不是指着一定就有，你着什么急？譬如说，你问我害病不害病？我只能说也许有那一天，可不敢说绝对的没有。因为我说了也许害病，你就要问我害的什么病？哪一天害病？请问，我怎样答复得出来呢？"佩芳站着望了他微笑道："你所说的意思，原来就是这样的吗？"凤举道："当然原来的意思就是这样。"佩芳站着沉吟了一会子道："我怕你有什么新发现呢？然而你真有什么新发现，我也自有正当的理由来驳倒你。"凤举笑道："这就很好了。你既自恃有正当理由来驳倒我，管我有什么新发现没有？好在……"他本说着话又向前走，佩芳却扯住他的衣襟道："你忙什么？把话说清楚了走也不迟。你说有新发现，究竟发现了什么？"凤举又站住了，回转身来向她笑道："我这样一句开玩笑的话，你为什么这样充分的注意？"说着，眼睛望了她，一双手却把食指按着拇指，弹得拍拍作响，放出一种很调皮的样子来。佩芳正待用话来问他时，慧厂却迎面的走来了。佩芳看到慧厂来了，不得不将凤举松手，就退了一步。慧厂笑道："还是先前那段公案没了吗？我看你们还在交涉似的呢。"佩芳笑道："不相干，我们的麻烦，反正捣一辈子也是捣不了。"

　　凤举趁着她在和慧厂说话，一个不留神，就先走了。走到金太太屋子里，金太太一见有许多文件，便道："你不要胡闹，哪里就有这么些个把柄？"凤举道："自然没有这些，不过里头，总有些彼此有着关连的文字在内。让我就在这屋子里清理清理。可是要你老人家下一道命令，无论是谁，不能参与我清理文件的这一件事。"金太太道："那是自然，若要让好几个人弄，七手八脚，会弄得茫无头绪的。"凤举有了母亲这句话，很高兴的就将文件摊放在桌上，一件一件从头翻阅着。也不过翻阅了有四件稿子，佩芳就来了。一见凤举坐在方桌子一面，左手边叠着一大堆东西，却把一件放在怀里，把几件放在右手下。佩芳在桌子边一张方凳子上坐下来，半扭着身体道："这又够累的了，我帮着你一点罢。"说时，伸手便把那些稿件捧到自己这一边来。金太太道："你随他一个人弄去罢，也不急在顷刻工夫。若是两个人，他没有头绪，依然还是要清理第二道的。"佩芳若在自己屋里，简直不让凤举清理，也没有什么关系。但是在金太太当面，金太太说是推凤举一个人去清理，这可不能不遵从的。凤举得了胜利，心中自是欢喜。但是他脸上，却丝毫也不表示出来。只当是金太太的命令，是要责重他一个人办，所以他更是平心静气的将稿件清理起来，连头也不抬。佩芳虽然想对他作个什么颜色，也没有法子让他去看到。凤举好像是不知道佩芳有什么不高兴似的，看完了面前的，随手就把佩芳面前的稿子拿过去。佩芳虽不知道是有心如此，或者是无心如此，然而却恨着他不和自己有个商量，突然起身，就走开了。金太太道："佩芳有什么话要和你说吗？我看她坐在这里，很有些焦躁的样子，不耐烦的样子走了。"凤举笑道："没事，刚才在翠姨屋子里，又拌了两句嘴，没有得着结论，我就跑开了。她是嫌辩论还没有辩论得痛快呢。"金太太道："你们快要自撑门户了，怎么还是这样争吵不歇？夫妻是家庭的原素，若是夫妻二人不能合作，家庭幸福根本上就发生问题了。"凤举笑道："她不愿和我合作，我也没有法子。就我个人论，我是很迁就她的了。"凤举口里说着话，眼睛依然还看着文件。这里一本小账簿上，清清楚楚的列着一行，大明银号翠记项下定期存款，过户佩芳大少奶，计洋二千元正。上面的日子，不过是相距两个礼拜。凤举看着，随手一捏，捏了一个纸团，随手向痰盂子作个一扔之势，纸团依然捏在手心。因到衣袋里取烟卷匣子，这纸团落在衣袋里，就不再向外面拿了。金太太哪会想到这字纸团一扔，含有一大关键在内？所以只在一边发她的闷气，却不曾说什么。凤举接连扔几次纸团，金太太道："不相干的，一齐归到一边就是了，这样的扔法，把我的痰盂，扔得乱七八糟。"凤举站起来，两手一举，伸了一个懒腰，微笑道："这一篇总账，你不必去管了，你若详详细细的知道，你会生气的。"金太太道："你这是笑话了。我不要知道，我何必要你费这大事，把这些东西清理出来？"这时，伸了手，向凤举点了点头。凤举因母亲伸着手，不能不拿过去，只好把清理出来了的稿件，送到金太太手里。金太太看到第一张稿纸，就是绸缎庄索款的一纸帐单，共有一千二百多块钱。掀开这一张，下面的一张，又是洋货店里的账单，共有五百多块钱。金太太道："所有外面的帐，上年年底下不都是结清楚了的吗？怎么又会钻出许多账目来？"凤举道："这自然是今年的新账。"金太太道："这个贱人，简直把钱当水用了。在你父亲未死以前，不过两个月，怎么会在衣饰上面，用了许多钱？这个账付了没有付呢？"凤举道"当然是付了。做买卖的人，他一看形势不对就会要钱的，若不然，又何必开这种清单？"金太太道："这样子看来，这贱人的钱，真是不少。这样子狂用，我都看不出她一点为难的痕迹。这账上能不能查出她有多少钱？"凤举道："这可没法子查，若是照情形推测起来，大概有十万上下吧？"金太太道："胡说，你怎么知道她手下有这么些个钱？"凤举道："我自然有根据推演下来的，怎么能够胡说？存款账目是没有了，我在几笔利息的存款上面，已经查出了有几笔很大的收入，就是用长年七厘计算，我看那数目，都超过八万。此外利息所没有表出来的，自然很多，说她有十万上下，自然不能说是过分了。"说着，他就在帐簿子里寻出几款账目，指给金太太看。果然上面有写着收利息半年二千元，有写着利息半年八百元的，其余，还有几笔零星小数目，都不在百元以下。金太太将这些稿件，向桌上一拍道："不是你父亲死了，我还要骂他一句糊涂。对种女人，拿许多钱给她用作什么？钱越多，她越是心猿意马。同是姨太太，为什么二姨太常常闹着恐慌，有时还要在我这里借钱？"凤举道："她没有机会和父亲要钱，八妹又是常常和她要钱花，所以她就恐慌了。"

金太太并不理会凤举的话，侧身坐在沙发上，只管呆想。她忽然站起身来，向外就走。凤举见母亲负气走了出去，好像是有什么事要解决的样子，不敢呆坐，也就放下稿件，跟着后面走出来。只见金太太并不回顾，一直就向翠姨屋里走。到了翠姨屋子里，胡妈正在收拾刚才翻乱的东西。金太太向大椅子上一坐，对她道："你把这箱子里的东西，不管是衣服是鞋袜，一齐给我清理出来，归到一个箱子里。"胡妈道："没有什么好东西了，检它做什么呢？"金太太道："你就不必管了。我叫你怎么样子办，你就怎么样子办。"胡妈对于此案，已经是个嫌疑犯了，还敢多说什么话？因之也不再说什么，把各箱子里零零碎碎的东西，向一个箱子里搬去。这时，凤举跟着来了，站在一边，只看着纳闷，却不做声。陈二姐也是见金太太生气，不知有什么缘故，随后跟着，站在房门口。金太太回头看到，就对她道："你去和我找几壶煤油来。"陈二姐道："要煤油做什么？"金太太皱眉道："你也喜欢管这闲事？你去和我找来就是了。"陈二姐答应着是，转身去了。不一会儿，陈二姐找了两壶煤油来。这里胡妈也就把东西完全归到了一个箱子里。金太太道："把这些东西搬到院子里去。"胡妈望了望金太太，便请陈二姐帮忙，把一只皮箱抬到院子里。金太太见桌上有盒取灯，随后拿了揣在身上，走到院子里，将皮箱看了一看。见凤举站在身边，望着他道："你和我倒出来，箱子提走。"凤举见母亲脸上，依然是气忿的样子，也不敢多说，就把箱子一翻，东西完全倒了出来。金太太再不分付了，两手分提了两壶煤油，向着一堆衣袜，周围四转一淋，将煤油斟得干干净净的，把壶向旁边一扔。擦了取灯，将衣服四处点着。一刻儿工夫，烈焰飞腾，在日光下烧将起来。凤举在一旁微笑道："你老人家忙了半天，就为的是这事，这有什么意思呢？倒成了……"金太太道："倒成了什么？你以为是儿戏吗？我就儿戏一下子。"凤举见母亲依然是生气，这话可就不敢向下再说，站在一边，只是微微的笑。这火势起来得更是凶猛，院子吹来一阵风，将衣服烧成焦片，打着回旋，卷入空中。金太太坐在走廊上一张椅子上看着，只是目不转睛。仿佛她一肚子愤激，无可发泄，都跟着这火焰向空中直冒。一直等这衣服完全烧着了，凤举道："你老人家可以回房去了。东西都烧毁了，就算抢出来了，也不能拿去用，不必再守着了。"金太太道："哼！我就是这个意思，我不让她这些东西，再在我面前出现。我若看见了，我会眼睛里出火！好罢，我到房里去。"说着，

她很快的走回房去了。金太太这样一来，不但把全家惊动了，连亲戚朋友们也惊动了。大家对于这件事，都不分黑白，胡乱揣测起来。以为金太太要烧掉姨太太这些东西，决不能是为了要出一口气那样的简单，其中必有原故。于是这一件事，就闹得满城风雨了。

733

第九十二回

伏枕染重疴母怀戚戚
传笺盼一顾郎趾匆匆

这一把无情之火，烧过以后，当时金太太才觉痛快，吐出了一口闷气。至于外面因此传说，如何能料到？当她进房的时候，陈二姐觉得漫天的风潮过去了，这才想起来一件事，七少奶不是病着，还得找大夫瞧吗？她就向着金太太吞吞吐吐的道："七少奶奶病重些了，你知道吗？"金太太道："我就不知道她有什么病，怎么会病重了？"陈二姐道："太太你自己去看看罢，究竟是怎么个病症，我可也说不上。一早我去瞧她，就像很重似的呢。"金太太忙了半天，实在也想去休息一下子。但是听到儿媳有了重病，就不能不去看看。叹了一口气，慢慢的就走向清秋院子里来，在外面就只听到微风摆着松针的声浪，屋子里，可是静悄悄的。金太太在窗子外，就轻轻喊了一声清秋，也没有听到人答应。走进屋子去看时，那个小毛孩子远远的睡在床里边，清秋却是将身子侧着向外，一直睡到床外沿上。那两腮上通红通红的，已是烧得很厉害的样子。只看她睫毛簇成两排黑线，知道她是睡得很熟了。走上前一摸她的额头，如烙铁一般烫手。因低着头连叫了两声，清秋由嗓子眼里，轻轻的哼出来一声，眼睛依然未曾睁开。金太太将手擦着她的身体，她只半转着身，由侧着身子躺正了。金太太见她迷糊得紧，握着她一只手，捏了一捏。又在她胸口上摸了一遍，只觉她浑身都是滚热的，的确是病重。产后的人温度增高，这是最危险的一件事，而况她又是如此的迷糊。因之呆呆的站在床面前，有三四分钟之久，做声不得。见李妈在屋里，便问七爷呢？李妈答道："七爷还是昨天下午到屋子里来了一趟，往后就没有看到。"金太太道："怎么着？又是一天一晚没有回来吗？他也变得这样子的快，倒是我猜想不出来的。嘻！若是这样子闹，我倒是死了干净，我哪里忍心看到这种凄惨的下场呢？"陈二姐在一边看到，便道："太太，这个时候，也不是你生气的时候，应当找哪个大夫，就赶快打电话找大夫罢。"金太太道："其实这种事，都不应该我分心的了，偏是我不能不问。"因道："你去叫金荣打电话,还是找梁大夫,把他的太太也请来,他太太是看产科的。他打完了电话,让他到冷家去,把冷太太请来。"陈二姐答应着去了。金太太便坐在一边沙发上,呆望着床上的病人。陈二姐一去分付,佩芳、慧厂都知道了,心想,不要出了什么意外,那才是祸不单行哩。二人走到清秋屋子里来时,见金太太坐在这里发闷。一看床上的清秋,竟是像晕过去了一般,只是鼻子里还有呼吸,人简直一点不动了。慧厂伸手摸了清秋的额角一下,因问金太太道:"烧得这样厉害,不要紧吗?"金太太两手一扬道:"要紧,我又有什么法子?只好听之天命了。老七固然是不好,这孩子那遇事冷淡消极的毛病,也是让老七向外转的一个大原因。刚才据李妈说,她爬起来坐着看书写字不算,还跑到院子里去看月亮,看到很深夜才进房。产后的人,这不是胡闹吗?若是冷家亲母来了,我把这话对她一说,她也只有怪她姑娘不好,决不能说是我们不理会。"慧厂问道:"老七这一程子,真是大忙特忙,总不曾见着他的面。清秋病得这个样子了,不能不让他看看。产后有了这种病症,应该要慎重一点,不然老七对起病是不知,对病重了也是不知。在事实上,他是要负责任的。"金太太道:"这个东西,实在糊涂一万分!岂但他媳妇的病,他应当负责任,他要负责任的事,也太多了。咳!"说着话时,陈二姐跑进来说:"梁大夫到了。"

接着一阵皮鞋响声,梁大夫和他太太,都穿着白色的罩衣,后面李升一只手提了一个大皮包,跟着进来。郑而重之的样子,似乎在电话里所听到的话,是很危险的了。他夫妇俩和金太太寒暄了两句,马上就测温度,听脉,先忙了一阵。梁大夫为特别尊重少奶奶起见,自己避到外边屋子去,让他太太再在清秋身上,仔细检查了一遍。检查完了,梁大夫将梁大太叫进来,说说中国话,又说说德国话,讨论了许久。梁大夫似乎还不敢决断,又将脉听了听,因对金太太道:"据我仔细检查,不像是产科里的病,是受了感冒。但不知道这位少奶奶,到过屋子外面没有?"金太太道:"到过的,昨天晚上,还在院子里看月亮呢。"梁大夫一面在皮包里把酒精灯、药瓶子向外搬,一面向他太太点着头,似乎有把握似的,对金太太道:"这就不错了,是感冒。因为产妇抵抗力小,所以病势来得凶。这二位少奶奶添孙少爷的时候,府上都看护得很好。"大夫说了这话,眼望着佩芳和慧厂。金太太想,难道我们对这位少奶奶就看护得不好不成?只是这话放在心里,却不好说出来罢了。大夫忙碌着给清秋扎了一针,将皮包内的小瓶子药水,由她口里灌进去一瓶,站在旁边望着。清秋哼哼两声,已渐渐有些清醒。

这时,屋外一阵脚步乱响,男女仆人抢着进来报告,说是冷太太到了。金太太迎出房门一看,冷太太已是跟跄走进房来,向着金太太伸了两手互相握着,望了她道:"又得要你操心了。"一面说着话,一面向里走,对屋子里的人点头,各称呼了一声。就走到床面前,伸手摸着清秋的头脚和手心，见她昏迷不醒，连叫了两声孩子，那眼泪就像抛珠一样，不断的流将下来。金太太一想，人家就只有这一个姑娘，也难怪人家看着心里难受。因拉着冷太太坐下道："大夫说，不过是受了感冒，不要紧的。你知道，我自遭了丧事以后，心绪恶劣到一万分，偏是……"说到这里，看了一看大夫，便道："今天因又有别的事发生，我不能十分照顾到她。"冷太太道："这孩子实在也太不小心了，有了许多下人伺候着，还会受感冒？"说着，不住的叹气。接着凤举和鹤荪也来了，在外面屋子里，请了大夫去问病。冷太太一看，就是不见自己姑爷，本想问一句，料着金太太也答不出所以然来。若是有原因不见面，她不待问，已经自己先说出来的了。金太太和冷太太说着话，却见她很注意到外面屋子里谈话。过一会儿大夫走了，凤举、鹤荪也进屋子来看了一看，然后走去。冷太太道："他们哥儿几个，倒是很和气，彼此的事，也都能帮着做。姑爷不在家，就得烦大哥二哥招待大夫了。"金太太听她话提到这里，本也就可以撒个谎，说是燕西有什么事出去了。然而燕西这样胡闹，一时纵然可以瞒过去，将来清秋还是会说出来的，冷太太倒不免说自己姑息儿子。而且看冷太太的样子，也并非完全不知道，不过不好说出来就是了。于是将这话头拨开，先叹了一口气，很诚恳的样子，望了冷太太道："大家庭真是不容易当，哪一件事我能不问，我能不受气呢？我现时在这里瞧病人，你不知道我早一小时，几乎气死过去呢。"于是把翠姨的事从头至尾，说了一个详详细细。有这一套很长的谈话，才把冷太太注意燕西的事，暂时牵扯过去。这时，清秋哼了几声，慢慢睁开眼睛，醒了过来。冷太太连忙上前问道："孩子，我来了，你知道吗？"清秋很细微的声音答道："我哪里病得那样重，连人都认不出来吗？"她说着话，胸口肌肉颤动着，喘了几口气。冷太太道："你怎么不自己保重一点呢，你瞧弄成……"冷太太哽咽着，将一只衣襟角擦着眼睛，忍住了泪。回头对金太太道："其实她太年轻，哪里能出阁？但是现在年轻人，都说爱情比什么事重大，要结婚就结婚，做上人的哪里好说呢？"金太太听了这话，也替冷太太难受。可是无法接住她的话说，便向冷太太道："许多家事，都要我亲身料理，亲母大概是知道的，我就没有法子来照应她。亲母若是能将家事丢开两三天，就请在舍下宽住些时，清秋也会感觉舒服一点。"冷太太虽觉得愿意在这里陪着清秋，但是金家这些人，没有一个可以和自己谈得拢的。自己在这里住，恐怕会惹起人家的不快。因之对于金太太这句话，只管踌躇，却不能马上答应出来。清秋这时人清楚了，听到婆婆留母亲住下，正合她的意思。见母亲并没有答应的意思，眼睛只管望了母亲，一只手直伸到冷太太怀里来，向她点点头，哼哼道："你就在这里住两天罢。"冷太太看到她有很盼切的样子，这倒不可拂逆了。便握住她手道："我可以在这里陪你两天。"清秋点着头闭上眼睛，又昏昏睡过去了。

金太太见冷太太答应不走，就和她告辞，回房料理家事了。佩芳、慧厂也各自走开，请了二姨太来陪客。

二姨太和冷太太倒对劲儿，谈得很有味，慢慢的谈到燕西身上。二姨太就说："他也不是这两天不在家，这一程子他就忙。"她的意思，原是要和燕西洗刷，他并不是故意和清秋捣乱。然而冷太太听了就知道他是常不归家的，怪不得每次来，都不容易见着他了。冷太太叹了一口气道："女儿总是人家的，看破了，我也不那样操心了。好在府上什么都是方便的，姑爷没有工夫照应她，也没有什么关系。"二姨太道："唉！养儿女总是一件费心的事，纵然是男婚女嫁，各自成家了，作父母的，还是少不了要操心的。"冷太太道："看破了，我也不大过问了。女孩在家里，自己还留心点，不知道她将来落个什么结果。若是已经出阁了，就算是有了结局，人家的人了，让人家去操心罢。"二姨太笑道："你既是不操心，今天为什么又来了呢？"冷太太道："我并不是要操心，我听到说她病了，也不知道什么缘故，我就有一桩事放不下似的。"二姨太笑道："还是呀！自己肚子里出来的，哪里能说不操心呢？"冷太太让人家驳得没有话说了，也笑起来了。因问道："你的那位小姐，婚姻事情，谈到了没有？"二姨太道："这年头儿，这件事，要去问父母，哪里答得出来呀？好在她哥哥不少，她自己找着了是很好，找不着让她哥哥拿主意。前几个月，倒有人提，就是我们老七作喜事的那个伴郎。男家是谁？也没仔细问。听到家境不大好，是个穷苦学生。后来孩子父亲去世，也就没提到了。"冷太太道："是不是另外一个伴郎呢？那两个伴郎，我都看到，是很清秀的。无论是哪一个，和你八小姐，都是一对儿。不过贫寒就没法子了。"二姨太道："也许是。至于贫寒，那倒没有什么？谁能阔一辈子？谁又能穷一辈子呢？"二姨太说着，向冷太太露着微笑。那意思，她也就是一半向着冷太太解释。冷太太心里，自也是了然。

只在这时，老妈子在外面一声嚷道："八小姐。"接着就听到梅丽问话的声音道："你们少奶奶的病，好些了吗？"二姨太道："你瞧，说曹操，曹操就到了。"因喊着道："梅丽，快来，伯母在这儿。"梅丽随着声音就进来了。冷太太看她穿了一件灰色芝麻点子的薄绸衣，细细的，长长的，一根绊带束着腰。下面露着一尺长的白地蓝格裙子。裙子下面，便是套着绿袜子。她袖子上，围着一块黑纱。她的头发，围着前后脑，一个黑圈儿，两鬓长长的贴着腮。在左边鬓发上，系着一朵绒绳编的白菊花。那种活泼天真的样子，看了真是令人喜欢。她进来笑着叫了一声伯母。冷太太且不理会她，就向二姨太道："你这位小姐真好哇！这个洋装，穿是多紧俏。"二姨太说："她进的那个学堂，是法国人办的，学生一大半是洋装。她自小儿就是这样闹惯了，我倒嫌着不老实。咱们是中国人，为什么穿洋装？洋人穿过咱们中国衣服吗?"梅丽皱眉道:"这屋子里有病人,你也是这样哩唉唉的。我在院子外,早就听了半天了。"梅丽刚说完了这句话,发觉自己的话,有些不大妥当,便走到清秋床面前,连喊了两声清秋姐。清秋一睁开眼睛看到她,微哼哼道:"妹妹,多谢你来瞧,我不成……"她一面说着话,一面向床外看,又见着自己母亲和二姨太太,连忙就改着口道:"我可不能坐起来。"梅丽伸手一摸她身上的皮肤,烧得如热铁一般。呀了一声道:"病有这样重呀!"冷太太见她人已十分清楚了,便道:"看你这样子,病是好多了,现在怎么样?"清秋将眼睛闭了一闭,立刻又睁开来,哼了一声道:"我不能闭眼睛,我一闭眼睛,糊里糊涂的,就什么都看见了。"说着话,抬起一只手来,摸着头上的汗。冷太太看到,心里很难过,复又走向前,握住她的手道:"孩子,你就别闭上眼睛,我陪你多谈一会子吧。"清秋因她母亲如此说着,果然就不闭眼,睁着眼和她母亲说话。梅丽又坐到椅子上来了,她却对梅丽招了一招手,头在枕上挪了两挪。梅丽会意,便将身子放在枕上,问道:"你有什么事么?"清秋见她衣襟上插了自来水笔,就顺手扯了一下。可是力气小,扯不下来。梅丽会意,连忙在桌子抽屉里,找了一张硬纸来。将自来水笔解下,转开了笔套,和纸片一齐递给她。她将纸片在枕上极力按住,用笔写道:"他两天不回来,我没关系。家母在此,请你找他来敷衍敷衍。"写毕,望着梅丽,将笔和纸都放在枕上。梅丽点点头,表示知道了。清秋重重的哼了一声。冷太太道:"你这样子没有力气,有话说就是了,何必写字?八小姐,她写的什么?"梅丽微笑道:"没有什么,她不过开单子,买两样吃的。我把这单子,叫人买去。"因握着清秋的手道:"你别着急,好歹我给你办到。"清秋望着她哼了一声,又道了一声劳驾。梅丽将字条揣在衣袋里,转身就向外走。二姨太道:"买什么呢?得问一声大夫,能吃不能吃?这可不是能乱来的呀!"

梅丽拿着那字条,一直就向外面书房里来。走到书房门口,自己忽然止住了脚步,记得有一次在门外说笑话,里面不是七哥,是那位姓卫的在里面,我真臊得可以。而今想起来,那件事真做得有点冒昧,幸是不曾有人知道。今天糊里糊涂跑了来,不要又是他在这里吧?心里如此想着,脚步就格外走得慢。心想,若是今天遇着了他,我一定更要大方些,纵然有人说闲话,我也不怕。她如此想着,一步一步的向前,及至走到了书房门口,才发觉了自己这个幻想真是完完全全的幻象。那书房门今天是大大的开着,金荣正拿了一根鸡毛帚,在扫灰尘呢。因问道:"七爷不在家吗?"金荣看看梅丽身后没有别人,料着她又是不管燕西事情的,便皱了眉道:"咳!我们这位七爷乐大发了,在家里简直待不住。"梅丽道:"七少奶病着呢,他得管管,上哪儿去了,你知道吗?"金荣想了一想,微笑道:"八小姐,你猜猜,还不是他那些熟地方吗?"梅丽道:"你打电话找找他看,找着了他,让我和他说话。"

金荣道:"八小姐,你进上房去罢。电话归我打得了,你打电话,也许不大方便。"梅丽一听他这话音,就明白了。便道:"你就快些打电话罢。你就说我找他,家里有要紧的事。"金荣道:"这个我全知道,我准能把他找回来。不过找回来之后,八小姐可要说是你的意思。再说,你也别和太太说,要不,七爷会怪我走漏消息的。"金荣猜着燕西勾留的地方,不过两处,一处是白秀珠家里,一处是白莲花家里。这两处都是有电话的,很容易找,所以对于梅丽的叮嘱一口就答应了。梅丽去了,金荣首先向白莲花家打电话,而且怕那方面会隐瞒,自己先通了姓名。果然他一猜就着,燕西正在那里,便在电话里问有什么事?金荣道:"七爷,你回来罢。七少奶病得人事不知,太太可找你好几回了。我只说也不知道你上哪儿去了,可别让太太知道了。要不然,回家来可有得麻烦。"燕西道:"你别撒谎,七少奶有什么病?昨天我出来,还是好好的。"金荣道:"你不信,打个电话去问梁大夫,病是他瞧的,有多么重,他准不能撒谎。"燕西听他说得如此切实,在电话里就答应回来。挂上电话,金荣就来告诉梅丽,说是已经把电话打通了。梅丽原在二姨太屋里,听了这话,自己便先迎到外面书房里来,在书房里等了一会儿,还不见到,又迎到大门口来。当她到大门口时,燕西的这一辆汽车,也就开到了。梅丽远远见一辆汽车驰来,还以为来了一位客,及至汽车开近了,认得是自己家里的车子,就在门洞上等着。车子门一开,见燕西从从容容的下来。自己先奇怪了,家里只开一辆汽车的,汽油不多买了,车夫也不多用了,他这车子,又是谁开销?燕西一进门,笑问道:"出门吗?你打算上哪儿?我把车子送你。"梅丽道:"家里闹成这个样子,我还有心逛吗?我这人也太没有心肝了。"梅丽对于燕西,向来不曾这样正颜厉色说过话。燕西忽然看到她这样子,倒不由得愣住了,因道:"家里有什么事情发生吗?"梅丽道:"我也不说,你到里面去问别人罢。"说着,转了身就向里走。燕西紧紧的跟在后面,用柔和的声音道:"你告诉我罢,究竟为了什么呢?"梅丽道:"家里跑了一个人。"也只就说了这一句,依然向里走。燕西本来就心里发生了疑团,梅丽又说跑了一个人,这倒是更让他吃一惊,问道:"清秋呢?"梅丽道:"她病得要死了,还跑得了吗?翠姨跑了。"燕西不料大半天的工夫不在家,家里就会出种大事,因扯着梅丽的衣服道:"你别走,我问你翠姨怎么会跑了的呢?"梅丽道:"病着的人不问,你倒先忙着问跑了的人?你快到自己屋子里去看看罢。"燕西见梅丽满脸都有不平之色,所说的话,又是有头无尾,分不清楚。也就急于要回屋子去看看,于是且不追问梅丽,一直就向自己院子走来。

　　一走进院门,便有一种不同平常的感觉。第一,是这院子里一点声息没有。第二,是在这和暖的阳光下,那竹子和松树,另有一种清幽的绿色,配着那走廊外的墙阴,越觉得这样静悄悄的。恰是绿纱窗子里，透出一丝安息香的气味来，仿佛已有个病人，在屋里等着似的。他走到走廊下，先咳嗽了一声。两个老妈子听到这一声咳嗽，早跑了出来，迎着笑道："七爷回来了，七爷回来了。"燕西见她们有那种喜不自胜的样子，料着等自己回来，也等急了。因道："少奶奶的病怎么样了？现在回了一些头吗？"老妈子道："好了，你进去瞧瞧罢。"燕西道："我说不要紧，大家都这样大惊小怪催我。"一面说着，一面就向里走。一脚踏进房，只见冷太太和二姨太两个相对坐在床面前，这倒是出于意料以外的事，不觉向后退了两步。冷太太倒是客气，先站起来勉强笑道："姑爷，你回来了。"燕西也笑道："我刚才打电话回来，听说清秋病了，所以我赶回来。这几天实在忙一点，忙得没有工夫在家里待着，不料清秋就是这个日子病了。"说着，回过头来一看，只见清秋一只手，撑住了床褥子，抬起头来望着，似乎有什么话要说似的。燕西不能再装模糊，就向前一步，在床面前俯着身子问道："我听说你病得很重，现在怎么样？不觉有什么痛苦吗？"清秋觉得生孩子以来，他也不曾如此殷勤问过，现在这种样子，当然是有所为而发的，便慢慢的平躺下去，用手握着燕西的手，轻声道："我好一点儿了，大夫说是小感冒，没事。"燕西道："我就在刘家，你先该打个电话给我。"清秋微微一笑，将她的一口白牙露出来，缓声道："你既然有事，你还是去进行罢。不要为了我，耽误了正事。现在我妈又来了，你更可以放心出去，不必有后顾之忧了。"燕西正因为对着岳母在这里，不知道如何敷衍才好？现在清秋叫他出去，他倒正合心怀，便道："我实在还有两件事没有料理完毕，本来是抽空跑回来的。你既然有伯母在这里照应，我倒是可以放心。我可以到外面去混两个钟头，下午再回来罢。"清秋点点头，暗中却叹了一口气，又竭力的忍回去了。燕西回过头来。冷太太问道："姑爷大概有什么事办成功了？"燕西道："现在有两个位置，每月有点薪水，我正想弄到手。"冷太太点点头道："这就好，我早就这样想着，读书读得作了博士，也无非是出来就事。既然可以就到事，那就很好，不必一定再读书了。姑爷，你有事，你放心去罢。清秋的病也不重，有我在这里，尽可以放心的。"燕西一面听话，一面看二姨太的颜色，见二姨太的脸色，似乎有些不以为然的样子，正望着冷太太，有一句话要说出来。燕西便道："二姨妈，我找事这一件事，怕不能成就，还没有在家里发表呢，你也就别和我公布罢。"二姨太笑道："那敢情好，我听了也很欢喜，凤举不也就是你这大年岁就出来找事的吗？"燕西道："所以我这几天非常之忙，过了明后天，我想总可以告一个段落了。那末，我就放心出去了。"说着，回转身来，复又伏在床沿上问道："你要什么吃的不要？我可以给你带一点回来。"清秋的手让他握着，不能摆动，却摆了两摆头，说了不要两个字。燕西见屋子里三个人，都没有留他，他大可以走了。于是对清秋点点头道："若是我能早一点回来，一定可以赶回来吃晚饭，要不

然,我也会打一个电话回来的。"清秋在床上望着他,哼着点了一点头道:"你去罢,家里的事,就不用管了。"燕西又对冷太太道:"伯母多住一两天,我闲了再陪你谈。"说毕,就走出去了。

第九十三回

半夜驰车娓婉谈浮海
清晨破镜凄凉卜下场

　　燕西这样来去匆匆,二姨太看了都有些不过意。便问清秋道:"老七真忙,可以就什么事呢? 你总知道吧?"清秋道:"他还没有提到呢,本来我就不大爱管他的事。添了孩子以后,也不得空谈,所以我不知道。"二姨太听此话音,知道她是卫护燕西,也就不提了。但是燕西一去之后,并没有回来吃晚饭,也就没有打电话回来探问消息。冷太太只是陪着清秋在屋子里,有人来就闲谈一会,没有人闲谈,她就静静的坐在屋子里。这一晚上,岳婿自然是没有见面。到了次日,由上午一直到下午,依然不见燕西进房来。冷太太对清秋道:"姑爷应酬果然是忙,忙得昼夜不能回家,这事情大概有个八成希望了。"清秋道:"这可说不定,也许待一会儿,他就回来了。"说着这话,不再去讨论。复等了一会,又等到了晚上电灯亮了,依然不见燕西回来。冷太太又道:"姑爷又忙着不能回家了,这事有个大八成儿了吧?"清秋便皱了眉道:"咳! 你老谈这个做什么?"冷太太的意思,本也是想了这几句话,用来安慰清秋的,现在清秋既是不愿她说,更可以不必提起,只当没有燕西这个人,回来不回来,都没有关系。

　　燕西是白天在白莲花家里打小牌,晚上又因为白莲花、白玉花在共乐园出台,捧场捧到十二点钟方才回家。刚一进门,金荣抢着迎上前道:"七爷,你怎么这时候才回来?"燕西道:"我知道,没有什么了不得的病,我又不是大夫,在家里尽瞧着也没用。"金荣道:"不是说这事,白小姐打了好几次电话来了,说你回来了,务必回她一个电话。"燕西道:"十二点多钟了,还打个什么电话? 明天再说罢。"金荣只听到这里,便走到燕西书房外面。书房里面的电话铃,已是叮铃铃响起来。金荣将电话一接,便连道:"七爷刚回来呢。"燕西本想一直就到后面院子里去的,听到金荣如此说,不觉也走进房来,问道:"是白小姐的电话吗?"金荣便让过一边,将话机子拿着,向燕西手上交过来。燕西一问话,秀珠第一句便道:"你什么事这样忙呢，找你一天也找不着？"燕西笑道："没法子呀！我自己要找一找出路了。"
秀珠道："年轻轻儿的人，别那样犯了官迷了，让人家听到了，倒怪寒碜。我倒有一件事正
要找你，你能不能到我家里来一趟？"燕西道："多么晚了，戏园子里都散戏了，我还要向外
头跑？"秀珠道："你放心来，我并不是要你去跳舞，有一件极好的事情，要和你谈一谈，
你千万不能把这机会丢了。"燕西听到秀珠这样说，似乎是真有什么要紧的事情，因道：
"既不是要我陪你，这样夜深了，何必要我出来？你不能在电话里告诉我吗？"秀珠道："你
这人真是不通，若是电话里能说，我早就三言两语告诉你了，何必要你来呢？我在家里等
着你了，快来罢。"说着，那边电话，已经挂上了。燕西挂上了电话，站着发了一会愣，心想，
岳母在这里，应该到屋子里去，看看夫人的病才对。不然，这一天一晚，闹些什么？可是真
要去看病，少不得有一番纠缠，而且也许受着什么监督，晚上就不能再出门。秀珠正在那
里等着，她可急了。不进去罢，反正只说我没有回来，这也就是一行罪而止。想完了，转身
回来，就向外走。外面的汽车，刚刚开进汽车房，汽车夫也打算休息了。燕西站在车夫房门
口，连叫着开车开车。汽车夫原不敢说什么，慢慢吞吞答应了一句，觉得一点气力也没
有。燕西一顿脚道："怎么回事？不愿开车还是怎么着？我总拚得你们过，我还要出门呢，你
们就想图舒服吗？"汽车夫连忙跑进车房，咚咚一阵响，将车子开出去。

　　燕西一车子坐到白家门首，果然人家这儿是很兴旺的样子，大门外那盏球罩电灯，大
放光明，照见门外一字排开上几辆汽车，还有一个警察在门口逡巡，似乎是新添的岗位。
燕西一下车，这里的门房，就伸着头向外看，一见是燕西，先笑着叫了一声七爷，低声道：
"姑小姐等着呢。"燕西笑问道："你们家，今天怎么这样的热闹？有什么举动吗？"听差道：
"这一程子我们这里天天闹到半夜，大概我们师长的事，快要发表了。"燕西听了他的话，
很觉他有些夸耀的意思，真是不开眼。半夜里亮着大门口的电灯，这里我们家常干的事，
这又有什么可说的呢？这种人也就不屑于去和他多说话，弯过了前面的客厅，一直就到上
房里来。他一到院子里，秀珠早就知道了，已是从上房里迎将出来。在屋檐电灯光下，看得
很清楚，见燕西西服上的口袋里塞了一条绸花手绢，便笑道："你这样子，是由外面刚刚到
家，就到我这里来了吧？"燕西道："金荣在电话里已首先告诉你了，你还问什么呢？"秀珠
站定了脚，将一个食指含在嘴里，由燕西上身看到脚下为止，点了两点头，微笑道："我看
你，不是在朋友那里，商量什么要紧的事，一定是一个很好玩的地方，取乐回去的吧？"燕
西笑道："我现在还在服里，能到什么地方去取乐呢？"一面说着，一面跟着秀珠向里走。秀
珠一直引着他到卧室外的一个小客室里坐着，却在茶几上拿了一把大茶壶，斟了一杯热
气腾腾的咖啡，送到燕西面前。接着在茶柜里取出一盒未开封的古力糖，打开了盖，用雪

白的手指钳了三粒，放在咖啡杯子里，笑道："够了吗？"燕西道："咖啡要喝个热热的，甜甜的，你还是再给我来上三块。"秀珠抿着嘴微笑，又钳了三粒古力糖放下去。秀珠在他对面一张椅子上坐下，瞟了他一眼道："你嘴里，自然是很甜。不过你这种甜话，我已经听得太多了。你再在我面前说，不但你说得乏味，我也听得乏味了。"燕西笑道："果然如此，为什么叫我来呢？我来了，让我说着你心里欢喜，倒让我说着你心里烦恼吗？"秀珠道："虽然不让你引起我的烦恼，但是要你说实话，不是要你把我当三岁两岁的小孩子，用些甜蜜蜜的话来骗我。我那样要听你的谎话，半夜三更把你叫了来说吗？我告诉你，现在有个好机会，我哥哥要派两个人到德国去，和政府办一笔军用品。我他和商量着让我也随了这两个专员去，他已经答应了。设若你也高兴，我可以叫他和你添上一个专员的名字，不但不花钱，可以白到欧洲去玩一趟。而且买卖成功了，还可大大的拿一笔康密辛。"燕西笑道："这哪使得，我一不懂洋文，二不懂军事，凭什么资格去呢？"秀珠道："反正有两个懂的人在那里了，你不过作个幌子，有什么使不得？而且论起资格来，你也是大外交家的儿子，你就冒着懂外交的身份去，也不算勉强。这事只要成功了，我们就可发个小财。在欧洲什么事不好做？你现在整天整晚说谋事，能谋个什么事呢？恐怕未必一下子就能挣上几千几万吧？"燕西用小勺子舀着咖啡，慢慢的喝着，沉吟着道："这倒是个办法，但不知道什么时候走呢？"秀珠道："你想，若是不急的话，我何必一天打四五遍电话找你？"燕西听了这话，立刻儿却答复不出来，但是笑了一笑。秀珠道："我可是真话，你为什么发笑？以为我是闹着玩吗？或者以为我的话说错了呢？"燕西道："笑话了，你一番好意，我为什么倒说你错了呢？不过我的家庭，不像以前了，虽然还大家合在一块儿，已经是各人打算各人的。我母亲也看出来了，心里十分难过。我突然要出洋去，在我母亲看来，一定是十分奇异的。而且因为初次出门，就到了这么远去出洋，母亲当然也有些舍不得。所以我要走，却是忙不得，总得先和母亲商量好。"秀珠听了这话，突然站起身来，将脸一板道："你不必说了，我知道你有许多困难。你不去，你就不去，何必要扯上许多不相干的理由？我这人总算太不识时务，为什么和你谈上这样不相干的事？夜深了，请你回府休息罢，不必谈了。"燕西见她那一种言不二价的神气也很是不快活，不过却不愿和她生气，静默了两三分钟，然后才道："你不体谅我的苦衷，我可没有法子。请你想一想，在我这种环境之下，不要和我母亲商量商量，这事办得通吗？"秀珠站在面前，两手互抱着在胸前，昂了头听他说话。等他把这一遍理由说完了，将脚尖在地板上敲着响了一阵，鼓着嘴道："既是你环境上有困难，就不去也罢，难道你在北京，还会找不出一条路来吗？"燕西见秀珠的神情，已不是像先前那样生气，便道："你仔细想想我的话，一定能相信，我不是胡说。总而言之一句话，关于出洋的这个总答案，我是同意的。现在我不能不考虑的一点，就是对我母亲说着，要怎样让她不留难。"秀珠抿了嘴唇，在他对面椅子上坐下，眼睛皮下垂，眼珠可是望着他，好像在审查一件什么事情似的。燕西道："你想想看，我这话对不对呢？"秀珠摆了一摆头道："你这话不对，你除了伯母以外，就没有第二个人留难你的吗？我不信。"燕西道："这话很是。不过我只要我母亲答应了，其余是绝对不成问题的。"秀珠眼珠盯住了燕西的脸，问道："真个绝对不成问题？"燕西点了点头道："我敢说这句话，你肯信不肯信呢？"秀珠道："能那样就好。我给你整三天的期限，你在家里把各事弄好。若是过了这三天的期限，我哥哥恐怕不能等了。我想无论什么难说的话，有三天三宿去谈判，总可以解决。若是还解决不了，当然这事也就无进行之必要了。"燕西一听只三天的期限，不免就把眉峰一皱，及至更听到秀珠后面一段解释，点头笑道："好罢，我总尽着这三天的力量，切实解决一下。好歹在两天以内，我可以先告诉你一点情形，多少也就看出六七分了，你不用性急。"秀珠将嘴角一动，鼻子哼着，微笑一声道："我性急什么呢？我道遥自在的，跟着哥哥在北京有这些年了，难道我急于要脱离他吗？"话谈到了这里，彼此都觉得不好再怎样的切实说了，燕西只好勉强微笑了一笑。那一杯咖啡，因为他不住的用茶匙去搅扰，已经凉了。他端了杯子起来，一口便喝了。秀珠笑道："现在还是甜甜的热热的吗？"燕西道："虽然不是热热的，可是依旧是甜甜的。不热不要紧，我喝进肚里去，在肚子里，自然就热起来了。"秀珠笑着哼了一声。燕西笑道："你还有话分付我吗？若是没有话分付，我就要走了。回去晚了，我怕家母会见责的。现在舍下不像从前了，过了十二钟点，全家都睡了。就是马上回去，家母要问起来，我还得说是由这里回去的呢！"秀珠听他先说的两句话，本来想驳他两句，听到了最后一句话，便昂了头笑道："你这不是存心捣乱，这个消息，怎好预先说出去呢？那末，你请回府罢，实在也不宜太晚了。"燕西笑着道了一声是，还带着弯了一弯腰，秀珠道："你怎么前倨而后恭？"燕西道："我一来就是这样，今天并没说什么不客气的话呀。"秀珠道："别谈今天，你往前说。"燕西道："就是最近几天，我也想不起来有什么事得罪了你。"秀珠道："别谈最近几天，还得往前说，在半年以前，你的态度是怎么着？由今日看来，不是前倨而后恭吗？"燕西又无话可说了，只好笑了一笑。秀珠道："你别多心，我这人是死心眼儿，不会到现在还来怪你的。我要是怪你，今天也不一天打四遍电话给你了。你想我这话，对是不对呢？"燕西道："对的。可是我不信你，也不会深夜向这里跑了。你看对不对呢？"秀珠道："这些话，我们都不必说了，你要回去，你就回去罢。我不过和你说句笑话罢了，你可别多心。"说毕，向燕西笑了一笑。燕西看她那情形，似乎是没有什么气了，便捞住她一只手，摇撼了两下，笑道："你这样的替我帮忙，我很感谢你。"秀珠笑着一缩脖子道："只要你心里记着我一点就得了，我倒不在乎你口头怎样的感谢不感谢。"燕西也不松手，隔了小茶几，将她牵着走过来，然后二人一路出屋子里，走至外面。秀珠将手一缩道："家里这些个人，让人家瞧见，什么意思呢?"燕西只得松了手，跟着她走到了大门口，秀珠又低声和他说了两句，他才坐上自己的汽车回家去了。燕西这一场谈话，足占了一个半小时，到家时，已经快两点钟了。

　　敲着门走了进去，家里更是漆漆黑黑的，什么声音也不听到，这个样子，也不必走回自己院子里去看病人了。走了进去，更是要惊动岳母，还不知道自己作了什么事，到这样夜深回家呢?于是就在前面书房里睡了。其实这个时候，清秋并没有睡觉，正等着燕西回来，有几句话要背着母亲对他说一说呢。因为冷太太总也怕燕西晚上会回来的，所以老早的避到楼上睡觉去了。清秋亮了床头边一盏电灯，正捧了一本书在看。仿佛之间，听到前院有些声响，似乎是燕西回来了。今天有母亲在这里，料着他会进来敷衍一下子。不料等了许久，却又是声息渺然了。清秋伸着手到枕头底下去掏出一只表来看了一看，已经是两点半钟了。将表依然塞在枕头下，用一只手撑着被，坐了起来。向屋子四周一看，只觉灯虽亮，还带着一种阴寒之色。外面院子里，风声也停止了。在空气的沉静里面，听到两个老妈子一种呼噜呼噜的鼾睡声，远远送到耳鼓里来。回头看看这床上躺着的孩子，也闭了一双小眼睛，缩着两手，睡得很香。对着儿子点了点头道："孩子，你这时候，糊里糊涂，睡得这样安稳，你哪里知道你命宫的魔星，也就逼着你一步一步的上前了?你知道你将来是多么危险啦?咳!不知是你害了我，也不知是我害了你?我们谁也不要怨谁，只怨命罢。"清秋闷极了，自言自语一番，夜阑人静，未免觉得无聊，于是叹了一口长气，就睡下去了。但是终日终夜躲在床上的人，睡眠是不会够的，所以清秋虽然耐着性子睡了去，然而她并不会睡着，只是清醒白醒的在床上。一直到了窗户上发亮，才迷迷糊糊的睡了一会子。

　　醒来以后，冷太太已是坐在床面前椅子上了。冷太太见她睁开眼来，首先便问道："你睡得好了一些吗?我摸着你的额头，我觉得还有些烫手呢。"清秋勉强挣扎着笑道："我没有事了，你别替我担心，今天可以回去了。在这里，你也究竟过不惯。"冷太太走上前一步，向着她低了声音问道："怎么着?有谁不大愿意吗?"清秋道："那倒不是，我想你惦记家里事没人管，放不下心呢。"冷太太道："家里的事固然我是放心不下，但是你的病，我也放心不下。我在这里，家里也不过怕出什么毛病，我若回去了，想起你的病，我就很着急了。"清秋笑道："着急也不至于怕我死，现在我这样子，是会死的人吗?"冷太太道："你又胡说了，我也不过怕你很闷，陪着你罢了。"清秋见她母亲的样子，倒也不十分担忧，更趁机逼着母亲回家。冷太太究竟看她又说又笑，也就答应回家了。吃过了午饭，冷太太说是回家去看看，过一半天再来，就向金太太告辞回去。到了下午，清秋又回复到一个人独守空房的态度了。这初出世的婴儿，除了喝乳，便是睡觉，倒不怎样占她偎抱去的工夫。她无可奈何的中间，惟一的法子，还是看书。她自己下床找了一本书，躺在床上看。只是心中有事，书中的字句，看到眼里，却印不到心里去。看了许多页数，并不知道书中说的什么。结果只好把书一抛，睁了两眼，在床上躺着。躺了一会，依然感到无聊，又把书拿起来看。这一回极力的忍耐用心看下去，算是知道书上说什么了。

　　但是也不过看到两页书，燕西进来了。清秋手举着将书挡了脸的，见他进来，只将书放下一点，眼睛在书上头望了一望，依然是高举起来挡了脸。燕西道："又看书了，病完全好了吗？"清秋默然着许久，才用鼻子微微哼了一声。燕西在床边一张软椅上坐下，斜靠着，很自然的道："你不大爱理人，生我的气吗？"清秋道："我没做声，敢生你什么气？"燕西道："你这话就不对了。这话和他人说，或者还费点事。你是有一肚子中国书的，和你说说，你不至于不承认。我记得古书上有这么一句话，乃是'不敢言而敢怒'。气是生在心里的，有什么不敢？"清秋微笑道："你可别和我谈书，要说我看过书，我真的糟蹋得文章扫地。一个人念书念成我这种样子，那有什么意思呢？"燕西道："我恭维你两句，你倒越要和我抬杠，未免太难点。"清秋将书按下，一抬头道："我又没说你什么，我不过埋怨我自己罢了。你怎么说我和你抬杠呢？"燕西道："听你的话音，看你的颜色，就知道你是说我。你以为你有一肚子书，嫁了我这样一个人，就算是文章扫地了。哼！那也不要紧，现在还不迟，你还可以高抬身价呢。"清秋坐了起来，向燕西缓缓的摆了两摆头道："七爷，别这样呀！对于无抵抗力的人，只管进攻，那不算什么本领！我就为了这个孩子，还为了我一个老母，所以我这样的委曲求全，要不然，我……早……"说到这里，她哽咽着再也说不出来，一翻身便伏在桌上哭将起来。燕西道："你以为你母亲在这里，你做出这种样子我就怕你吗？无论去凭什么人说，你好好儿的和我哭着闹着，这是什么意思呢？"说毕，坐着架起脚来抖着文，慢慢的道："也无非是说我没有来伺候你的病。光是这一件事，我想不犯什么大罪。"清秋哭了一阵子，才抬起头道："我为要瞒着母亲，才受你这样的罪呢！她早走了。"燕西道："好！你倒说出这种话来了，爱怎么样？听凭你。不过今天这事不管你是不是有意无意的，你起先和我闹，总是事实。我好好的问你的病，你倒对我冷嘲热讽起来。"清秋道："多谢你来看我的病了。有病的人，都要这样的等你来看，我想死也死过去好几个了。你是来看我的病吗？恐怕是玩倦了，回家来休息休息，或者回家来拿钱的吧？你爱怎么着，你就怎么着，我也犯不上去问你。"燕西冷笑道："果然我就受你的挟制不成？"清秋垂着泪道："你不屈心吗？你欺侮我到这种样子，还说我挟制你呢？"燕西坐着椅子上，半晌没说话，突然站起来道："好！你反正说我是没有诚意的，我就没有诚意，把开箱子的钥匙交给我，我要拿钱。"清秋脸一偏道:"怎么样?我的话不是说对了吗?钥匙在这里,你拿去。"说着,在枕头底下摸索了一阵,将钥匙摸出,然后伸手向桌上抛去。偏是她这一下用劲过了分,拍咤一声打在那架衣橱的玻璃砖镜子上,镜子中间,打了一个小窟窿,四周如蛛丝网一般分开了许多裂痕。燕西看到,心中倒怔了一怔,不知道清秋如何发这大的气?清秋也是心里吓了一跳,顺手这样一下,怎么把这面镜子打破了?照着平常的迷信来说,这可是一件大不吉祥的事情,纵然不必迷信,把一面天天应用的镜子打破了,也是怪可惜的,值钱不值钱倒在其次。她如此一想,也是默默着说不出话来。屋子里沉寂了许久,究竟是燕西忍不住,先开口了。冷笑一声道:"这就是你的示威运动吧?这屋子里的东西不值多少,就让你全毁坏了,也不要什么紧。"清秋道:"我并不是拿东西出气,不过失手打了。不过你在这一点上怪我,我也承认。"燕西道:"我哪敢怪你?是我得罪了你,你应该砸东西的。"说着话,自开了箱子,取了一卷钞票在手上,钥匙也不交给清秋了,就这样拿在手上带着出门去了。

清秋坐在床上,眼望丈夫走出去,一句话也说不出。本来也是自己弄错了,怎么会把这面大镜子打碎了呢?自己在追悔不及的当儿,想到古人乐昌破镜的那句话,于是后人总把破镜当为夫妻分离的一个象征。本来和燕西的感情,一天淡似一天,大有分离可能。偏偏在这个当儿,打破了这面镜子,让人心上拴了一个疙瘩。这样看来,也许真有那样一天了。如此慢慢的想着,偶然一回头,却见自己刚才看的一本书,落在地板上,忽又想到说的文章扫地那句话。心想,我到现在,不就是像这本书,落在地板上一样吗?我不为自己争气,也当为一般女子争气。我就离开金家,难道我就会饿死吗?想到这里,便披衣下床,端了一杯茶,坐在沙发上慢慢的喝着。

忽听到阿囡在窗子外叫了一声七少奶。清秋答应了一声,说是请进来罢。阿囡走了进来,先笑道:"七少奶总是这样客气,对我们还是下这个请字呢。"清秋笑道:"这也不算是客气,我向来是这样的。人生在世,不到进棺材的那一天,总也不能决定他的终身怎样?我岂能早早的端什么排子?将来我也有你这样一天,人家要到我面前来发威风,我就更是难受了。"阿囡笑道:"七少奶说这话,我怎敢当呢?你拔出一根毫毛,比我们腰杆子还粗呢。你这一出洋将来回国,更要好了。"清秋笑道:"我出洋?望哪一生了!"阿囡笑道:"你这就不是老实了。刚才我在太太屋子里,就听到七爷和太太商量,要到德国去。七爷去,你还有个不去的?"清秋听了这话,心里倒跳了两三下。便笑道:"这是他说的闹着玩的,那怎么靠得住?"阿囡道:"不能,七爷和太太说的时候,是正正经经的样子,不像是闹着玩。太太还对他说,这事办不到呢。"清秋笑道:"也许出洋罢,你到这里来有什么事吗?"阿囡笑道:"我就是来打听这事的。你若是出洋,一定会到上海去上船的,我愿意跟着你一同回上

海。"清秋道："到德国去，是不一定坐船，由铁路也可以走。你去听七爷还说些什么?若是真到上海去搭船，我可以带你去。"阿囡闻说，果然高高兴兴的去了。去了许久，阿囡走回来，向清秋笑道："七少奶，我刚才说的话，是我听错了，别提了，将来七爷问起来，千万别提到我告诉你了。"清秋道："这是什么意思?难道他要出洋，还是什么秘密的事情吗?"阿囡迟疑了一会子，笑道："反正将来你会明白的。"清秋看到阿囡这样为难的样子，微笑道："既喜欢多事又怕惹事。这么大姑娘了，还这样的淘气! 你放心罢，我不说你说的就是了。其实你七爷，先和我说了，事后再去告诉太太的。"阿囡将信将疑的，笑着去了。

第九十四回

病榻起疑团乍惊惨色
情场增裂缝各动离怀

这一个消息,可把清秋惊动了,等阿囡去后,可有点不耐烦起来。洗了一个脸,将头发梳理了一会儿,牵整齐了衣服,分付李妈看好毛孩子,自己便要向金太太这里来。两个老妈子见她要走,都拦住了房门,说是前两天在院子里站了一站,惹下一场大病。现在病没好,人都坐不住,怎么又要走呢?清秋被她们一拦,走不上前,复在椅子上坐下了。果然头上昏沉沉的,如戴了铁帽子一般,简直抬不起头来。头一持重,身子也支持不住,靠在沙发上,就坐着呆住了。两个老妈子牛头不对马嘴的瞎劝解了一阵,清秋也没有去听她们的,只是坐着想心事。慢慢的抬起头来,用一只手靠了椅子撑着,恰好对面是刚才打破的那面镜子。镜子下半截,却还完好,照着自己的像,除了又黄又瘦之外,而且双眉紧皱,眼色无光,简直没有一点精神。那托着头的手,手腕上的螺蛳骨,很显然的高撑起来。这倒不由得自吃一惊,万不料自己会憔悴到如此的地步,若要再病下去,那会成了蜡人了。自己害病,那没有什么关系,只是这个初出世的孩子,乳汁要发生问题。小孩子何辜,受这样的厄运呢?这样想着,便尽管望了镜子出神。清秋对着镜子,一阵想到伤心之处,便回想到了前此一年。觉得那个时候的思想,完全是错误的。那时以为穿好衣服,吃好饮食,住好房屋,以至于坐汽车,多用仆人,这就是幸福。而今样样都尝遍了,又有多大意思?那天真活泼的女同学,起居随便的小家庭,出外也好,在家也好,心里不带一点痕迹,而今看来,那是无拘束的神仙世界了。我当时还只知齐大非偶,怕人家瞧不起。其实自己实为金钱虚荣引诱了,让一个纨绔子弟去施展他的手腕,已经是自己瞧不起自己了。念了上十年的书,新旧的知识都也有些,结果是卖了自己的身子,来受人家的奚落,我这些书读得有什么用处?我该死极了。想到这里,泪如雨下。望望镜子里,那个憔悴不堪的女子,挂了满脸的泪痕,已不成人模样了。看着,更是伤心要哭。

　　李妈因她不走了,本来出去了。现时在院子里,听到屋子里有呜咽的哭声,很是奇怪,走进来见清秋已经两手伏在椅靠上,枕着头哭,却不知这事由何而起?劝也不好劝得。于是一个人把热手巾拧过来,请她擦脸。一个人倒了一杯热茶送到她手上。李妈道:"这一程子,你动不动就伤心,何必呢?你年纪轻,好日子在后头呢,别恼坏了身子。"清秋叹了一口气道:"你们不懂我的心事。"说着,摇了一摇头,将茶杯放下,把床上的那本书拿过来,又侧着身子靠了椅子看。她一看书,就不理人的,两个老妈子又走了。清秋拿着书,只看了两页,便烦腻起来,不知不觉的把书放下,只是手捏了书枯坐。

　　忽然有人叫道:"清秋姐,你怎么了?孩子哭得这样厉害,你也不理会。"一句话提醒了清秋。回头一看床上,那毛孩子把脸都哭红了,张着小嘴,哭得浑身只管颤动。连忙走上前,把小孩子抱了起来,再一看说话的是谁,才知道是梅丽进来了。梅丽笑道:"你刚才睡着了吗?怎么小孩子哭,你都不知道?"清秋叹了一口气道:"妹妹呀!我的魂灵都不在身上了,慢说小孩子哭,恐怕我自己哭,我都不会知道了。"梅丽道:"唉!我也给你打抱不平,你们是爱情结合的婚姻,为什么现在感情薄弱到这种样子呢?"清秋道:"我倒不怪他。爱情决不是强求得来的,而且越强求越觉得自己没身份,以至于惹起人家的讨厌。我只恨我自己太没有主张了。怎么会让人家讨厌,自己一点不争气?"梅丽道:"你千万不要说这话了,我七哥就是这个脾气,风一阵,雨一阵。"清秋道:"唉!我也不希望他回心转意。嘿!我是玉环领略夫妻味了。"她说着话,搂了小孩子斜靠沙发上,脸上竟带着一点淡淡的笑容。梅丽虽不懂得她说的这个故典,但是察言观色,也可以知道她是看透了世情之意,便道:"这话就不对,难道就这样僵了下去不成?"清秋默然不作声,许久许久,才冷笑了一声。梅丽看了她这种情形,未免发生一点误会,心想,人的心思,朝夕有变迁,清秋对于七哥,这样冷冷的,一定是灰了心。灰了心原也可原谅,她实在是有些不堪了。不过她说着话,好像很有决断,别是她要寻什么短见罢?心里如此想着,就偷眼看看清秋的脸色,见她脸上冷冷的,似乎就带了一种凄惨的神气,面无人色。她越看越像,越像也就越怕,不敢在这里多说话了,悄悄的离开,一直就到金太太屋子里来。

　　只见金太太板着脸和敏之、润之谈话。她道:"这糊涂东西,若是这样胡闹下去,岂不是给我添上了一层累?他的婚姻,本来就没有和我商量过一句,等事情成了功,才来告诉我。这本来就嫌着根基不稳固,现在他果然要散伙了,他自己也当想法子去解决去,不能不了了之的来害我。"润之道:"老七这件事要不得,就是没有婚姻问题在内,如今父亲一去世,就靠着秀珠出洋混出身,也没有什么面子。清秋新产之后,又没有一丝事情得罪他,再说模样儿,性格儿,学问,哪样又配不上老七呢?"金太太道:"倒别提学问了,这孩子就为着有了一点学问，未免过于高傲。至于她那性情，以前我也觉得很温柔，不过最近我有几件事观察出来，觉得她也是城府过深，这种人最是难于对付的。我想她和老七闹不来，恐怕也是为了这一点。你想，老七有一点事故就嚷嚷的人，哪里搁的住她暗地里抵抗呢？"梅丽慢慢的走到屋子里，听到金太太如此说，心想，连母亲对于清秋的批评，都是如此，那末，别人说她的坏话，更不足为奇了。刚才听了清秋的话，本来想告诉金太太的，现在看这情形，要怎样的说出来，倒不能不考量一番。因之走到敏之一处，随身坐下，故意微微叹了一口气。敏之道："你又有什么心事呢？两道眉毛皱得联到一处来了。"梅丽道："我自己有什么心事？我是替人家着急。"金太太也是注视着她的脸，很久很久的道："你替人家着急，谁呢？"梅丽道："你们刚才说的是谁呢？"敏之笑道："嗳哟！你的心眼太好了，燕西已不出洋了，你别替别人担忧了。"梅丽道："咳！我不是说这个，我在清秋姐那里来，我看她都有些迷糊了，孩子在床上哭得要死，她坐在屋子里会不听见。和她说，原来什么也不在乎，好像就要死似的，我怕她是吃了什么了。"金太太倒吓了一跳，身子颤了一颤，问道："你怎么知道呢？你怎么晓得呢？"敏之道："这话也有些可能。她一听到老七要抛家到德国去，而且是跟着秀珠一块儿走，她那个肚子里用事的人，没有法子，只好走上这一条路。"金太太站起来道："这不是闹着玩的，这孩子怎这样胡闹起来？真是家门不幸，一波未平，一波又起。"说着，就向外走。敏之、润之猜了她是到清秋那里去，也就在后面跟着。

三人很快的走进清秋的房，只见她抱了小孩子在那里垂泪。清秋自梅丽去后，正也有些感触。加之一个小院子里静悄悄的，一点声音没有，自然的愁从中来，慢慢的垂下泪来。这时金太太和敏之、润之走进来，出于意料，倒吓了一跳，连忙站起身来迎着。金太太看了她那种样子，更是疑心的了。向她脸上注视着，问道："孩子，你怎么了？有什么话，总可以好好的商量，何必做什么傻事？你怎么了？快说快说！"这几句话问得突然，清秋倒不知如何答复是好，望了别人，也是发楞。敏之道："你是个聪明人，怎么想出这个笨主意？你吃了什么了？"润之道："你说罢，不说，我们就把你送到医院去。"这一句话，问得她更是莫名其妙了。便道："我没有吃什么呀！"金太太道："不能没有吃什么，刚才梅丽跑去告诉我，脸上都变了色了。她心里是搁不住事的，可是也不会撒这大的谎，现在时髦人，都讲究自杀。我真不懂，每一个人只有一条命，没有两条命，把命取消了……"清秋这才算完全明白，他们误会了她自杀，而且疑心她已经吃了毒药。便笑道："这是从哪里说起！我并没有起这个念头，你是怎么知道的？"金太太道："不是梅丽在你当面看见的吗？"清秋道："不能够吧？我要寻短见，也不能当着人的面干哪。一个人要自杀，决不会让人知道的，若是让人知道，那就是假自杀。我何必在八妹当面做出那个样子来呢？"梅丽本也跟着金太太后面来的，只是站在窗子外面，没有进房。这时听到屋子里所说，完全是由于自己一种误会而生，倒有些不好意思。便往屋子里一跳道："算我说错了，大家别往下追究了，没有这种事，我们不是更情愿的吗？"清秋见梅丽红着脸，不能不和她解释两句，便道："八妹原没有错，倒是她一番好心。因为我说到燕西要出洋了，心里很难过，所以她就急了。"敏之道："出洋也不要紧，我们不都是出过洋的吗？也都已安然回来了。"金太太听清秋的口音，料着她对于这件事，也就明白了，用不着隐瞒，便道："你放心罢，我决不能让他这样胡闹的，从前他说一个人出洋，我还可以答应。现在他就是一个人要走，我也不能让他走，除非是他带了你一路走。"说着话时，金太太就在她对面一张椅子上坐下，对了清秋望着。见她将两手环搂着孩子，低了头望着孩子的脸，不知不觉之间，竟有几点眼泪落在孩子的脸上。她便伸出一只手，轻轻的在孩子脸上抚摸着，把滴在孩子脸上的眼泪珠儿揩抹去。金太太看了她那样子，心里也是老大不忍，便道："我的话，你当然可以相信，我决不能用话来骗你。"清秋低着声音道："你老人家自然不能骗我，但是燕西要出洋去，听凭他的自由，我也不拦阻他。夫妇是由爱情结合，没有爱情，结合在一处，他也不痛快，我也不痛快，一点意思也没有，倒不如解放了他，让他得着快乐。"金太太道："不必说这些话了，我不能让他胡来的。"润之道："这是的确的话，就是我们，也没有一个赞成他的。他今天和母亲提起来，经大家一说，也就把他那股子豪兴打回去了。他并没有说什么，就出去了，自然是回复别人的信，他再不出洋了。"清秋将孩子脸上的眼泪擦干了，又在衣袋里掏出一条小手绢，捏成一小团，在眼睛角，极力按捺了几下，鼻子里也是息率有声。在这时间，她两只肩膀，不住的向上扛抬着，旋又落下。她虽是没哭出，金太太看她那样子，知道她是很伤心的了。因道："你的身体刚好一点，你又这样子不知道保重，就算这个初出世的孩子，你不要去理会他，但是你还有个母亲呢，你不和她想想吗？"金太太不说这句话，倒也罢了，一说这句话，清秋呜呜咽咽，索性哭出声音来，那眼泪一阵比一阵拥挤，再也忍耐不住。梅丽站在椅子特角边，哭丧着脸，也掉下几点泪来。金太太一回头看见，便道："你又懂得人家心里有什么事伤心，要你也陪着掉泪？这就是你不好，无事生非，造起谣言来。"梅丽一难为情，将手绢揉着眼睛，就很快的走开了。金太太向清秋道："你也无须乎再伤心了，你且上床去安息安息。夫妻们总是这样的孙庞斗智，决不是长局，我自然会和你想个法子把这事解决了，你不必胡思乱想。"清秋擦着眼道："我本来就不一定抓着他不放，你老人家是很明白的，有了这话，我更放心了。"金太太道："你可不要误会了我的意思，难道我还能主张你们离婚吗？我所说解决的这一句话，也无非让你们以后和和气气，向前找出一条光明的路来。并不是……"清秋不等金太太说完，连忙答道："你老人家的意思，我完全明白。但是我可以斩钉截铁答应他一句话，他爱什么人要和什么人结婚，都听凭他的便，我自有我的办法。"金太太当然不好追问她有什么办法。若要问她的办法，那就是说燕西一定要离婚了。皱了眉道："年轻的人，何必这样消极？"清秋道："一个人，总没有生成就是消极的，当然有些道理。我……"只说了一个我就她就忍住了。金太太老坐在这里劝儿媳妇，她很无聊，叫敏之、润之在这里陪她坐一会儿，就先走了。

平辈说话，比较的自由，她们就盘问清秋，燕西对她可有什么表示？清秋冷笑一声道："有表示倒好了，就是他并无什么表示，对我取一种行同陌路的样子。我为尊重我自己的人格起见，我也不能再去向他求妥协，成一个寄生虫。我自信凭我的能耐，还可以找碗饭吃，纵然找不到饭吃，饿死我也愿意。"润之笑道："你倒是个有志气的，不过听你这话音，很是恨他，间接的我们兄弟姊妹，也在可恨之列了。"清秋道："那是什么话？就是对燕西，我也不恨。他娶我，是我愿意的，上当也是我自己找上门的，怎能怪他？我心里难过，就为了我白读书，意志太薄弱了。"敏之笑道："人家都说你是个贤人，这样看来，你真是个贤人了，宁可自己吃亏，并不埋怨别人，这是多么难得！"清秋道："你别以为我作不到，我……我……我早就决定了是这样办的了。"她如此说着，把头一低，又是几点眼泪水，滴在小孩子的脸上。她自己哽咽了喘着气，就不替孩子擦去眼泪水，那眼泪流到孩子嘴里，孩子以为是乳汁，唧咕着两片小嘴唇，只管吸起来。大家看了这样子，都不免有些难受，因之默然起来。敏之道："你上床去休息休息罢，随便你有什么主张，有什么办法，你总要上床去睡才是。不能够坐在这里，马上就拚出个什么道理来。"清秋道："并不是我不肯上床去睡，只是我一上床去睡，心里更觉闷得慌，所以还是熬着点，坐在这里的好。"润之走上前，两手将她胁下微挽着，笑道："别人罢了，我们大姐儿三，总算对你不错，你应该给我们一点面子。你就不愿意上床，勉强也得上床去休息一会儿。"清秋听她提到面子问题，只好抱着孩子上床去。敏之笑道："你是个学文学的，从来文人，都谈什么三上构思。你有什么计划，也不妨在枕上慢慢的去想着呀，躺下罢。"说着，她就伸手接过孩子，润之又来给她牵着被，然后还要伸手来给解衣襟上的钮扣。清秋忍不住笑了，便道："二位姐姐，这是把我当小孩子来哄了。我睡就是了，不必费事了，我真是不敢当。"说着，解了衣服，真个躺下。敏之将孩子交给了清秋，笑道："这是你二人的爱情结晶，就看这一点，也别生气了。"清秋叹了一口气道："话是由着人说的，我要不是有这个冤家，也许不会这样没有解决的办法了。"她说着，搂了孩子躺下去，不再说什么。究竟她是勉强起床的，身体一得着休息，充分的现出疲倦样子，敏之坐在一边，看她眼皮微微合拢，竟不知道招呼屋子里的人，就迷糊过去了。看看她的眼睛合成两条缝，睫毛深深的簇拥着，两个颧骨上，抹了胭脂似的，两个大红印子。润之望着敏之道:"这样子,又是要熬出病来的,作践身体何苦呢?"姊妹两人看到,也觉黯然,就默默相对的,在屋子里坐着。润之嘴向床上一努,轻轻的道:"听她的话音,她倒是很愿意离婚。"

这一句话刚说完,门帘子一掀,却是燕西回来了。敏之、润之都没有说什么话,同时却咦了一声。燕西道:"怎么你两人都在这里呢?"敏之一看床上的清秋,睡得正熟,便道:"她不好过,我们来看看她。"说毕,二人起身向外走。燕西道:"怎么没有人陪着,坐住了?有人回来了,你们倒是要走,那为什么?"润之道:"你没回来的时候,我们暂时看护着病人。你回来了,就用不着我们了。"敏之正色道:"不说笑话,这个人确有几分病。"燕西也没说什么,送着他两个姐姐出院门。润之两边望了望没人,便皱着眉用手指着燕西道:"老七你也太忍心一点了。"说毕,二人便走了。燕西默然靠着院门站定,竟像呆了似的。还是李妈在院子里看到,随便问了一句,"你不进屋子去吗?"燕西无精打采,慢慢走回屋子里去,对床上看了一看,随便在床对面椅子上坐下,不觉吁了一口气。清秋睡在床上,虽然迷糊着,然而对于屋子里屋子外人的行动,却是似乎听见又不大听见。直待燕西吁了一口气,她觉这声音有些不同,于是睁开着迷糊的眼睛,向床下看了一看。一看是燕西回来了,转着身子,依然把眼睛闭上了。燕西道:"你既是醒的,见我进来,为什么不作声?"清秋睁开眼来望着,便冷笑道:"你是回家来挑衅的,对不对?不必,你要到什么地方去,听你的便,我是不敢拦阻你的。君子绝交,不出恶声,要散便散,要离便离,也就完了,何必借题发挥吵着闹着才散呢?"燕西在身上掏出银烟盒,取了一根烟卷,躺在沙发上,吸了一阵,手指上夹着烟卷弹灰,一面喷出烟来,一面发着冷笑。清秋道:"你不要以为我是假话,我已决定了主意这样子办了。"燕西道:"这可是你说要离,你说要散。"清秋将孩子一放,手撑着枕头坐了起来,点点头道:"你就说是我出了主意得了,我既愿成全你的前途,我就成全到底。你就说是我的主意,也不要紧。你当然是千肯万肯,我既然愿意了,马上就可以宣布,你若是定了日子起程的话,我相信还不至于误你的行期。"燕西听得这一遍话,就不由得心中一动,因道:"不耽误我的行期,你知道我要到哪里去?"清秋道:"你不是要和白小姐出洋,一路到德国去吗?"燕西默然,拿起烟卷,又抽了两口。清秋道:"你要去,只管去,我也不敢拦着,何必瞒了不告诉我?"燕西道:"就算有这事,又是谁对你说的?"清秋道:"这种话,你想有哪个肯对我说?我是参照好几个人的话,猜想出来的。"燕西冷笑道:"这样说,你完全是捉风捕影的话了?"清秋道:"不管我是猜的对不对,只要你自己说一声,有没有这种计划?若是果然有了这种计划,我这样说了,你还有什么不满意的吗?"燕西哈哈打了一个冷笑道:"满意满意!但是我现时要走也走不成功了。你这个人情,可惜送迟了一点,现在我是不领情的了。"清秋道:"为什么迟?陪你的人在北京,并没有走开,就算走开了,到德国的火车轮船,还不许你去吗?"燕西又默然着抽香烟,许久许久,才很从容的道:"我若是果然到德国去,倒希望你作恶意观察。"清秋笑道:"我想你是有点想不通吧?你若是不把真情告诉我,我虽然一切都不明白,可是你和白女士,始终只能作个甜蜜的朋友而已。假使我知道得很清楚,我让开你们,你们正正堂堂的结合起来,那多么痛快!"燕西对于她的话,并不怎样答复,一人自言自语的道:"假使,假使,就不是什么诚意的话。"清秋也淡笑了一声道:"诚意,我也不知道这诚意两个字怎样解释呢?"燕西道:"你是说我没有诚意吗?"清秋不理,坐在那里,脸上一点愁苦的样子也没有,只是笑嘻嘻的。燕西坐在沙发上,偷眼看看她,却猜不出她究竟是好意的还是坏意的。便道:"你也不必阴一句阳一句的说,我知道你有母亲和许多人作后援,我是斗争你不过的,但是我们作一天和尚撞一天钟,未必……"不曾说完,一转身就跑出房门去了。清秋躺在床上,眼望着他走了,接二连三的叹了几口气。一人坐了许久,无聊得很,自己又不愿拿书看,翻了一个身,便躺下来睡了。

　　这一天晚上,燕西自然是不肯回来。到了十一点多钟的时候,金太太却带着梅丽来了。见清秋侧身向外,眼睁睁望着那盏悬着的电灯,动也不动。她见有人进门,才起身坐了起来。金太太将手遥遥的和她招了两招,带着笑容道:"你身体不大好,躺下罢。"清秋微笑道:"也没有那种情理吧?"金太太和梅丽在床边椅子上坐下,先问清秋身子好些了没有?再又看看孩子,然后才向屋子四周看了一遍,因道:"这样子,老七又出去了,他不是回来了一次吗?"清秋含糊答应着。金太太道:"他可和你说了什么没有?"清秋也不隐瞒,就把先前和他的话说了一遍。金太太向梅丽点点头道:"你七哥倒是真话。"清秋道:"燕西大概又和你提到,说是我不干涉他,他还是要出洋了。"金太太道:"你何必松口,说是由他呢?"清秋看看金太太的颜色,便道:"不是我松口,我实在是这种意思。"谈到此处,金太太无故叹了一口长气。清秋道:"你老人家放心,决不让你操什么心。"金太太道:"我真料不到你们这样由爱情结婚的人,只这短短的时候,就变了卦。而且我也不见你们有什么事大争吵过,何以就丝毫不能合呢?"清秋道:"总也是知其一不知其二,若是真的什么大事争吵,决裂也就决裂了。惟其是他尽管不愿意我,我又尽管让步,他没有法子可以和我说出离婚的理由,逼得没奈何,只有一走了之。在我呢,我一天不答应离婚,他一天不痛快,为了不痛快,他用什么法子对付我,没有什么问题,设若把他逼得出了什么毛病,我又有什么好处?我想开了,是听他的便为妙。"金太太默然了许久,点点头道:"你这是好心眼的话,不过他不是和你很好吗?何以现在会和你意见大不同呢?"清秋道:"这也很容易明白。根本上我们的思想不同,我不爱交际,我不爱各种新式的娱乐,而且我劝他求学找职业,都不是他

愿听的。此外，我家穷，他现在是不需要穷亲戚的了。"金太太听了她这话，脸上有点红晕泛起，接着脸色板下来道："那也不见得吧？就算他不成人，从前你也不交际，也不会新式娱乐，也不算富有，他何以会和你求婚的呢？你这样瞧他不起，也难怪他不痛快了。"清秋道："我怎能瞧他不起？我都说的是实话。至于他为什么喜好无常，这个我哪里说得上？"金太太突然道："如此说，你们都愿意离婚，孩子呢？"清秋道："孩子吗，在金府上不成问题吧？找一个乳妈就解决了。"金太太到这儿来，本来觉得儿子不对，要来安慰儿媳几句的。现在经清秋这一番话说过之后，她觉得清秋对燕西的批评，太刻毒了，而且没有一点留恋。照着她这话音去推测，那简直是看不起燕西，对燕西的感情如何可以想见。那末，燕西对她不满，自然也是情理中事了。她如此想着，口里虽不能说了出来，就默然了许多，未曾再提一个字。还是清秋先开口道："夫妻是完全靠爱情维持的，既没有了爱情，夫妻结合的要素就没有了，要这个名目上的夫妻何用？反是彼此加了一层束缚。请你转告诉他，自明天起，就不必和我见面了，他要什么东西，都可以拿去。至于哪天要我离开府上，听他的便。我除了身上穿的一身衣服而外，金府上的东西，我决不多动一根草。我就是对这个……孩子……"她说着话，把睡在被里的毛孩子，两手抱了起来搂在怀里，哽咽着垂下泪来。金太太道："你口口声声要离婚，你说，这是他逼你，还是你逼他呢？"清秋用手挽着一只袖头，在眼角揉了两揉，哽咽着道："你替我想想，若是像他不理会我，我也没法子理会他，这样过下去，还有什么味？就算勉强凑合在一起，有多少日子，便生多少日子的气，未免太苦。所以我想来想去，还是让他快活去。我也落个眼不见，心不烦。"金太太道："你既是舍不得这个孩子，那又何必……"清秋什么话也说不出来，只是泪如牵线一般，由脸上坠了下来。梅丽当他们说话之时，一点也不做声，也不知道怎样才好？及至清秋说到最后，在这种情形之下，她实在不能不说了。便道："清秋姐，你别说了，瞧我罢。"金太太听了她这一句话，倒不由得噗哧一笑，立刻又正色道："一张纸画个鼻子，你好大的脸子。这个大问题，瞧你什么？"清秋道："我可不敢说那话，八妹也是一番热心，都是手足，不过年轻点罢了。"梅丽笑道："既然如此说，你就听我的劝，别说什么离婚了。"清秋叹了一口气道："我哪里是愿意这样，也是没有法子呀。我不离开你哥哥，你哥哥也是要离开我的。光我一个人说不离，又有什么用呢？"说到这里，金太太依然是不能再说什么，只有闷坐着。于是全屋子都十分的岑寂起来了。

第九十五回

强夺珠针病狂怀璧遁
永离鸳帐封步闭楼居

　　当金太太和梅丽一路来劝清秋的时候，金太太屋子里还坐着一屋子的人，等着消息。过了许久，还不见金太太回去，大家就料着这里头多少还有些别的问题，因之在屋子里的敏之、润之有些不放心，首先跟了来。二姨太因为梅丽来了，怕小孩子不知道利害，会乱说了什么话，也就紧随在敏之之后，立刻清秋屋里热闹起来。大家说了大半夜的话，依然无结果。金太太看清秋对梅丽的感情，似乎还不坏，就让梅丽陪着清秋在这里睡，然后才大家散去。清秋倒也没什么异样的感觉，有了人陪着说话，什么问题谈到了，都讨论一阵，好在也不顾虑什么了，话倒可以说个痛快，竟忘了睡觉了。二人说话说到三点钟，还是梅丽先疲倦了，慢慢的睡去。清秋叫了她几声，不听到她答应，也就睡了。

　　次日清秋醒来，已有十点钟了。在枕上一睁眼时，便看到燕西在开箱子拿钱。猛然看到，还以为是自己眼睛花了，将眼睛闭了一下，再仔细看看，可不是他匆匆忙忙打开了箱子盖，在那里点着钞票吗？清秋也不做声，由他拿去。他将那箱子关好，又把箱子搬开；把最下层一口铁皮箱子，先打开了，然后弯着腰去开里面一个小保险盒子的锁。原来这个盒子，本是金太太一个不用的东西，清秋要了来，就装她一些珠宝首饰。最初燕西拿来的款子和存折，本也要搁在这里面，燕西怕清秋随时可检点数目，不曾答应。这时燕西打开了保险箱子，清秋还疑心他忽然谨慎起来，要把他所有的钱，全放到里面去，因之也睁眼望着，依然不动声色。及至他把保险箱打开了，并不是放东西进去，却是捧了首饰盒子出来，拿了一个小蓝绒的长盒子，向身上一揣。清秋一惊道："你这是做什么？"燕西一回头，见清秋是醒着，重声答道："你管我做什么？"清秋坐了起来道："我亲眼见你把一个小盒子揣到身上去了，那是一个珍珠别针，不是你用的东西，你为什么拿出来？"燕西道："我不能用就不能送人吗？"清秋一板脸道："那不行！"燕西放下首饰盒子，掉转身来对着清秋微笑道：

"不行?是你冷家带来的东西呢?还是你自己挣的钱买下来的东西呢?"清秋道:"不是我冷家带来的,也不是我挣钱买来的,但是这东西也决计不能说是你的,不能让你拿去。"燕西道:"是我金家的东西,我姓金的人就能拿。你能说是你的不让我拿去吗?"他一面说着,一面盖了这铁色皮盖子,大有了却这层公案之势。清秋只得一掀被条,坐在床沿上踏鞋子。燕西望着她道:"怎么样,你敢在我手上把东西抢了去吗?"清秋道:"我抢什么?这东西固然不是我的,也不是你的,是你母亲赏给我的。就算我不配得着,我也不能辜负老人家那一番好意,应当原物退回去。你要拿去卖掉也好,你要拿去送人也好,但是必定要把母亲请了来,将话说明。你就是把所有的首饰,完全搬了去,我也不哼一声。要不然,我是穷人家的姑娘,将来追问起东西来,还不知道我带到哪里去了,我岂不要蒙不白之冤?"他两人一阵争吵,把梅丽也吵醒了,睡意朦胧中,听到燕西有拿了东西要走的意思,便也坐起来。她一头的短发,睡得像乱草团一般,两手抬起,爬梳头发,眼睛视着燕西,看他在作什么?见他脸上凶狠狠的样子,箱子又搬得很乱,心里便明白了。因皱了眉道:"七哥,你怎么着?简直一点都想不开吗?无论什么事,总有个了结的时候,你就是这样老往下闹去,也没有大的意思!"说着,伸着手扶了清秋的双肩,向下带推着道:"清秋姐,你又何必起来?躺下罢。"清秋道:"他把母亲给我的东西要拿走,我能置之不理吗?"清秋趁着这个机会,就把燕西今天来拿东西的事,完全说了出来。梅丽道:"七哥,这就是你的不对了。那个珍珠别针,是女人用的东西,你何必拿去?"燕西道:"我怎么没有用?我不能拿去送人吗?"清秋道:"八妹,你听听,他分得的钱,我不能动一个。我分得的一点首饰,他反要拿去送人。我穷要穷个干净。叫李妈把母亲请了来,把我所有的首饰,完全收了回去。"燕西不拿东西了,将两手向西装裤袋里一插,向沙发椅子上坐下去,两脚架了起来,冷笑一声道:"你真能穷得干干净净,有点难吧?不说别的,你照一照镜子,由头上到脚下为止,哪些东西是姓金的,哪些东西是姓冷的,请你自己检点一下。"清秋突然站立起来,指着燕西道:"你就这样量定了我吗?我今天就恢复原来的面目,不用你金家一点东西。这是你的戒指,你拿去。"说着,左手在右手指头上,极力一捋,脱下那个订婚的戒指,向燕西怀里一抛。接着弯了腰将鞋子一拔,随手在床栏干上抓了一件长衣,向身上一披,向外便走。梅丽因为在清秋这里睡,没有穿睡衣,穿的是件短的对襟褂子。看见清秋向外走,也来不及穿长衣了,见椅子上有一件夹斗篷,连忙随手抓了过来,就向身上一披,口里喊着道:"清秋姐,你到哪里去?"口里说着,赶快就向外面追了出来。

清秋刚出院子门,梅丽跳上前,一把拉着道:"清秋姐,你到哪里去?真要闹出大问题来吗?"清秋正向前跑,突然被梅丽一拉,身子支持不住,脚站不稳,身子一虚,几乎栽了下

去。所幸身边走廊下，有一根柱子，连忙扶着站定了。一回头喘着气，定了定神道："你拉我作什么？我现在并不走出大门去，不过去见见妈，把话先说明来。"梅丽道："你就是有话和母亲说，你也可把她请来，何必还要带着病，自己跑去呢？"清秋道："请已经来不及了，还是我自己去见她老人家罢。"说着，摆脱了梅丽的手，依然向前跑。梅丽身上披的斗篷，来不及抓着，也落到地下来了。一手抓着，随便搭在身上，也只好在后面紧紧跟着。清秋头也不回，一直走到金太太屋子里去。金太太看到她姑嫂两个，蓬着头发，披着衣服，气呼呼的跑了来，倒吓了一跳，以为她两睡在一处打架了，连忙迎上前问道："怎么了？怎么了？"清秋站定了，还不曾答复出来，梅丽一脚跨进了房门，便道："妈，你劝劝清秋姐罢！她要和七哥分手了。"金太太无头无脑的听了她这样一句话，更不知道这是怎么一回事？便望了她道："怎么下了床又闹起来了？"清秋于是把燕西的言行，说了一遍，她只说了七八成，已经眼泪向下乱滚。把话说完了时，那眼泪更是一粒跟着一粒，滴了衣襟一片泪痕。因道："他这种话都说出来了，是彻底的不合作了，我为自己顾全自己的人格起见，我还只有回家去，穿我冷家的衣服，做我穷人家的女儿。"金太太看了清秋这情形，料得这事决裂到了二十四分，且不向清秋说话，却偏转头来向梅丽道："燕西现时在哪里？你把他给我叫了来。"梅丽心里，本来也有些不平，既是把他叫来问一下，那也好，看他还有什么话说？于是急急忙忙，就跑回清秋屋子里去。不料清秋白淘了一阵子气，燕西究竟把那个珍珠别针，带起走了。梅丽跑回来，更是快，一进屋子气呼呼的道："七哥已经走了。"金太太愣住一会儿，没有话说。清秋道："请你想想，他这个人变到什么样子了？这还能够望他回心转意吗？得了，我决计让他，我也不说离婚，请你先放我回家去住几天，把我自己的衣服清理出来，把金府的衣服再脱下。从此以后，他不能说我从头至脚，没有一样姓冷了。"金太太皱眉道："唉！你怎么还解不开呢？这种话也能信他吗？就算你二人不合作，你的东西，也不完全是他和你作的……"清秋不等金太太说完，垂着泪说道："现在和他不是讲情理的时候，我只希望再不受他的侮辱，无论什么牺牲，我都是肯的。那个孩子是金家的，我不敢负这个责任带了去。我在你面前求个情，让我回去躲一躲。我现在想起住小家，穿布衣，吃着粗茶淡饭，真是过天堂里的日子了。"说到这里，哽咽着不能再说，索性坐下，伏在桌子上放声哭起来。金太太摇了一摇头，又叹了一口气道："这样闹，一天不如一天，这个家简直是很快要败完了。"梅丽跑来跑去，却把佩芳惊动了，也跟着过来看是什么事？这时正站在门外，见清秋坚决的要回家去，金太太的身份，只能硬阻止，却不能用好言去劝解她，对于她哭没有办法，这事很僵。她看到不能不理会，就走进来对清秋道："嗳呀！你这个生产没有满月的人，慢慢的商量，何必这样性急？你若是这个日子真跑回家去，不但伯母不知道什么重大的事发生了,就是亲戚朋友们,也要大大的惊异起来,岂不是大家不好?"清秋道:"事到如今,还打算向好的路上作吗?那恐怕是不能够了。"因把燕西的态度,又简略的说了一遍,问道:"大嫂,大哥他会对你说出这种话来吗?说出来了,哪个又能忍受呢?我若是无人格,我就在这里吃金家的穿金家的,终身让他笑去。我若表示我的人格还不错,我决不能在这里一刻待着。"她说到这里索性不哭了,说着话,赶紧一阵把眼泪揩干,绷了面孔坐着。佩芳道:"你就是要和燕西决裂,也不是一走了之的事情,总得先商议出个办法来吧?"清秋摇着头道:"没有商量,没有办法,我就是要妈答应,让我回去住几天。"金太太道:"回去住几天,没有什么不可以,也不忙在今天哭丧着脸回去。"清秋不说话了,一只手搭着茶几上撑了头,静等人家去劝。梅丽一想,这事只有道之可以转圜,也不通知别人,就走出房去,打了一个电话给道之。

　　道之得了这个消息,也是一惊。觉得母亲真是不幸,接一连二的,只管出这种分离的事。就是随身的衣服,坐了汽车赶回家。来到了金太太房门外时,已看到屋子里许多人,围着清秋在那里垂泪。佩芳一见,便笑着迎出来道:"四妹来了,好极了。清秋妹最相信你的,你来劝劝罢。"道之道:"我接着梅丽的电话,只知道又发生了波折,究竟是什么一回事呢?"金太太道:"梅丽她在场,你让她说罢。"道之于是靠了清秋身边坐下,伸手就握了她一只手,然后才昂着头望了梅丽道:"究竟是怎么一回事呢?"梅丽也来不及坐着,站在屋子中间,就把这事的经过,背述了一番。道之站起来,用手拍了清秋的肩膀道:"这事是老七不对,你暂消气,我准能和你办个圆满解决。你最大的目的,是要表明你不穿金家的衣服,不用金家的钱,不吃金家的饭,依然可以过活。要表明这件事的办法也很多,何必一定要回家去?你暂消气罢。"清秋道:"我除了回家去,实在没有别的办法,你让我回去罢。"金太太道:"你说了一天了,还是这样一句话。"道之向梅丽丢了一个眼色,便道:"你真要回去,也不能拦住你,八妹我们三个人找一个地方去细细谈上一谈罢。"说着,就拉了清秋一只手,把她搀了起来。梅丽会意,也就向前拉住清秋一只手道:"我们一路去谈谈罢。"清秋不能连谈话也拒绝人家,只得和她姊妹俩一路走出金太太屋子。三人走到廊子上,梅丽道:"我们到哪里去坐呢?"道之笑道:"这两天孩子长得好吗?我要看看孩子去。"梅丽道:"这两天孩子长得好多了,我们看孩子去罢。"说着拉了清秋就向她自己屋子里走。清秋向后一退道:"我今天从那院子里出来了,我决计不回去了。"道之将她的手一拉道:"你这人就是这样想不开,你就是出来了,不愿再在那屋子里住,那也不要紧。进房去,看过了孩子,我们再出来,也是可以的。难道我们把你骗进房去,就当牢一样把你关起来不成吗?走罢,一路去坐坐罢。"清秋听了她这话,不便再执拗下去,只得垂着头跟了她们一路回去。

到了屋子里去，刚好那毛孩子醒了在哭，道之就抱了起来，送到清秋怀里。清秋一看到孩子哭，自己也禁不住要喂孩子乳吃，因之，将孩子搂在怀里，低头注视着孩子，只管垂下泪来。道之和梅丽默然坐在一边，看她究竟怎么样？大家约沉静了五分钟没有说话。还是梅丽忍耐不住，先道："清秋姐，这可以不说走吧？"清秋哪里作声，眼望着孩子由垂泪加紧，又在嗓子眼里哽咽起来。道之知道她的心已经软化了，便耐下性子，慢慢的将离婚的利害关系，直说了两小时之久，才把清秋说得有点活动，因道："四姐说了许多好话，我也不能绝对不理，现在我可以提出一个办法，试办给诸位看。到了这个办法都办不通的时候，那就不能怪我姓冷的不讲情理了。"道之道："只要你肯说出条件来，那就好办。你说你要怎样呢？"清秋道："这楼上一列屋子，不是没有人住的吗？今天我就搬上楼去。我既不能回去找旧衣服，我总不能赤身露体，我要拣几件随身衣服带了上楼去。请告诉厨房，以后每餐只给我一碗素菜，一碗汤，多送了我就不吃。我没有别的事，暂时喂这孩子罢。在没有解决婚姻问题以前，我不下楼。除了一个老妈子送东西而外，无论什么人都不能上楼。"道之笑道："这是作什么？自己画牢自己坐吗？无论什么人都不能上楼，我能不能？"清秋脸一偏道："当然不能，绝对没有个例外的，你们能答应不能答应呢？"道之想了一想，笑道："好！我就答应你罢。不过坐牢是闷得慌的，总要找一点书看看。"清秋道："书倒是要的。请你念我交朋友一场，帮我一个忙，把书给我送一二百本来。"道之点点头道："我又成了朋友了。朋友就朋友罢，我也不想一定争着亲热起来。一屋子书呢，只要一二百本就够了吗？"清秋道："看完了，我可以再要。"道之笑道："那也好，也许你就这样大彻大悟了。就只要书，还有佛像蒲团，木鱼，磬，香炉蜡台……"梅丽一拉道之的衣服道："人家正是有心事，你还要和人家开玩笑做什么？"道之笑道："她这个人，有点疯了，我不好说什么，只有和她开玩笑。"清秋道："四姐，你若和我开玩笑，你就不是诚心和我解围，我依然是要回家去的。我现在要走，不必通知什么人，说走就走的。反正大家不能成天看守着我。"她说着这话，脸可是板得铁紧。道之一想，也许她真会做出来，就让她一人坐在楼上看书，那也没有多大关系。因道："好罢，我答应你就是了。"清秋再也不说什么，将孩子放到床上，打开衣橱，捡了一些衣服，抽了床上一条被罩，胡乱一包，然后一手抱了孩子，一手提了包袱，向道之、梅丽点点头道："看你二位的面子，我这就上楼了。"说着，一步一摇的向外面走。道之道："嗳呀！这个包袱你就让老妈子提着上去，也没关系吧？"清秋这才将包袱向地板上一放，抱了孩子匆匆上楼去。道之、梅丽在后面跟着，一脚刚要踏上楼梯，清秋在楼口上一只手一横，道："你们遵守条件不遵守条件？说了无论什么人都不上楼的，怎么先就来了？"道之摇了摇头道："真这样坚决，你初次上楼，我们送送你也可以。"清秋板着脸道："我又

762

不是上庙出家,送什么?若是一起来我就不照规矩办,以后怎样对付别人呢?"梅丽拉着道之的手道:"四姐,我们就依着她,不要上去罢。她在气头上,我们何必和她争执许多呢?"道之看着清秋板着脸皮,脸皮板得紧紧的,泛出一层红色来,挺着腰杆子在楼口上站着,这自然是不受通融的。道之站在楼梯下,迟疑了一会子,笑道:"真照这样办,岂不成了笑话?"梅丽听说,却暗中牵了一牵道之的衣襟。道之以为她有什么转圜的办法,也就不再说,跟着一路,走到房子里去,避了清秋的眼光。道之先低声问道:"你有什么办法吗?"梅丽道:"你随她闹去罢。一个人住在楼上,一步也不动,那么么闷人?我瞧她就不能住几天,她自然会下来的,你又何必这个时候拦着她一头高兴呢?"道之笑道:"你就是这样一个主意,这一点我都不知道,我成了傻瓜了。"梅丽以为这话也有些道理,不料倒碰了姐姐一个钉子。因道:"那我就不说了,可是你既知道,为什么还一死劲儿的劝她呢?"说着,脸就红了。道之一想这几句话,果然有点令小妹妹难为情。便笑道:"你说的对,不过我怕她愣住了,硬不受调停。你是很知道她的脾气的,既是这么着,就依了你的话,随她去罢。"于是走出屋子来,叫老妈子给清秋送东西上楼去,分付两个老妈子,七少奶奶要在楼上静养,你好好伺候着。如若不然,就告诉太太。说毕,姊妹俩自去了。

这楼上的屋子本也有一张床,前不久燕西就在这里养病。未生产以前,清秋也常在楼上看书,所以楼上的设备,倒也是齐全的,不用得到楼下去搬上来。只是清秋许久未曾上楼,又是老有心事,不曾注意到楼上的事。这时拉开一扇房门,只见桌上椅上,尘灰堆积得如蒙了一层灰色垫子一般,电灯线上,还网着几根蛛丝,人震动了空气,那细丝只管在空中飘荡。清秋在屋子四周看了一遍,叹了一口气,然后把前后的窗户,一齐开了。李妈将她在楼下放的一包衣服,提了上楼,微笑道:"七少奶,你何必呢?有些事,看破一点罢。你又没满月……"清秋一板脸道:"你只做你分内的事,别废话。这里满屋子都是灰,快些给我收拾干净。"李妈究竟是金家的老佣人,很知道燕西的事,未免替清秋可怜。虽然碰了钉子,依然还笑嘻嘻的,请清秋到廊下去站着。把屋子里掸过灰,扫过地,急急忙忙下楼去,把清秋陪嫁的一套被褥抱上楼来,铺在小铁床上。原来清秋来时,以为东西少,婆家看不上眼,索性一点嫁妆也不预备,完全由金家制备一切。一月之后,冷太太想起在家中清秋那份东西,留着也是白放着,便找了一箱书籍,和一套被褥送了来给清秋作纪念。清秋也不好意思拿出来,只有李妈知道,放在下房隔壁一间空房子里。这时清秋见她抱了来,心里倒是一喜。李妈微笑道:"我这件事,大八成儿办得对你的劲儿了吧?"清秋道:"这样看起来,别怕寒碜,还是有点娘家东西好哇。"李妈把床铺收拾好了,便道:"七少奶奶你真该躺躺了。你的身体,也不见得怎样好,设若出了什么毛病,那可是个累赘。就是不出什么

毛病，将来到了你上了岁数的时候，可要发作的呢!"清秋道:"你说的倒管得远，我眼面前就不得了呢。"说着，抱了孩子和衣就向床上一滚。躺好了，舒一口气道:"舒服。"李妈看了她那样子，便笑道:"七少奶，我说你累着了不是?这应该好好的躺一会子了。"清秋正依了她的话，闭着眼睛睡去。及至醒过来时，屋子里已是收拾得清清楚楚。李妈她并未走远，就在楼廊下坐着。听到屋子里有响动，便走了进来，对清秋道:"饭早过去了。我看你睡得好好儿的，不愿把你叫醒。你要吃什么，我叫你。"清秋想了一想道:"我这一程子，心里怪难受，无论见了什么油腻的东西，就要吐。你告诉厨房里，以后每餐给我弄两样素菜，一个碟子一碗汤就得。"李妈哪里知道她有什么意思?富贵人家，倒不想什么珍馐美味，总是爱吃个新鲜素菜的，她这种分付，自也是在情理之中。便答应着向厨房分付去了。自这天起，便是这样吃饭。到了晚上夜深，燕西又进房来拿衣服换，扭了电灯，一看屋子里是空的，倒吃了一惊。李妈跟着进来，问要什么?燕西两手一挥，望着床上道:"人呢?"李妈道:"七少奶要养病，要楼上待着去了。"燕西四周看了看，屋子里东西，不像移动了什么，便问道:"这话是真吗? 怎么一样东西也没有拿走?"李妈笑道:"你还不知道七少奶的脾气? 说愣了，是扭不转来的。她把家里带来的那捆行李搬上去了。"燕西听说，便想到楼上去看看。转念一想，她搬到楼上去，正是要恐吓我，我若去了，正是中了她的计，我偏不理会她，看她怎么样?冷笑道:"搬上楼去算什么?反正还没有出这个院子呢。"偏是燕西这样在楼下说着，在楼上的清秋，完全听到了。心想，幸而我是死了心，并不是假惺惺，要你来转圜。设若我希望丈夫来转圜的话，我岂不是作法自毙吗?这样想着，把她已灰的心，又更踏进两步。到了次日早上，等老妈子送过茶水之后，自己便把楼梯口上的楼门锁住了。她早已预备下一个小簸箩，和一根长绳子。要什么东西，用绳子将簸箩坠下去，然后叫老妈子放在里面，自己拉了上楼来。非万不得已，不让老妈子上楼，自己也不下去。这样一来，自有许多人来看清秋，都上不了楼。就是金太太来过一次，清秋也是站在楼廊上告罪，不肯开门。道之在家里得着消息，又跑了来，隔着楼门和清秋说话。道之道:"你这岂不是自己给自己牢坐?你挤倒别人什么?"清秋道:"我根本就不想挤人，因为我要回家，你们都不放我走，我只好躲在楼上。若是我的目的达不到，我就永不下楼了。设若你再把书送来，让我心思更定些，你就功德无量。"这楼门本是格子的，道之站在那边，看见清秋穿了一件旧的黑绸旗衫，瘦怯怯的身子，白而无血的皮肤，又是蓬着一头长发，一个大长楼廊子，并无第二个人。她斜倚着身子站定，高处的风，吹着她的衣服和头发飘动起来，那样子怪可怜的。一个花样娇艳的人，不到一年，就踩蹯到这般田地，燕西实在不能不负些责任。她如此想着，倒望呆了。二人相隔了格子门，彼此呆呆的对立了一阵子，还是道之先道:"清秋妹，你真是下了决心,我有什么法子?但是你打开楼门,让我们进去,陪你坐坐,这也无碍于你的事呀。"清秋两手扶了门格子,向格子缝里和道之点头道:"四姐,我和你告罪了。我为了自己要拘束我自己,开门这是做不到的。"道之伸手摸了她的手指头,叹了一口气。于是和她握了一握手道:"好罢,你进房去,我去和你把东西点来就是了。"她于是望了一阵子,转身下来径直的跑到存书的楼上去,搬了几十部书,一齐叫佣人送给清秋。清秋得到了这些东西,如获至宝,一般齐齐整整的完全陈设起来,更不作下楼之想了。

第九十六回

风景不殊游踪增感慨
情怀莫逆闲话自缠绵

清秋闭楼封居以后，一连三日，都是这样，这可把全家都震动起来。真是这样闹下去，那就不好办了。清秋的表示是不必说了，大家都注意到燕西身上来，看他的态度怎样？燕西第一晚，本来睡在自己屋子里。到了第二日，心里想着，若是不理会她，她一人睡在楼上，若是闹出什么意外来，可是不得了。但是自己要进房去睡，大家都会说我是软化了，那就丢大了面子，只要告诉老妈子一声，叫他们留意就是了。如此想着，借着到屋子去拿东西，先看动静。因为不愿表示软化，就没有向老妈子问清秋的话。老妈子又知道燕西的脾气是很强硬，说了清秋的事怕碰钉子，也一字不提。因之燕西虽有意而来，却无所得而去。到了外面，消息更是不通，只得把这事搁下去。在这样僵持的态度中，又经过了一天，燕西也觉得太不痛快，既不能一下子就离婚，又是一副绝对不能合作的神气。在家不妥，在外老不回来，也是不妥，想来想去，想到这只有找梅丽去探探清秋的口气是怎样？然后才能作定主意。这样想着，于是装着无事闲散步的样子，溜到二姨太院子里来。到了院子里，故意放重脚步，又咳嗽了两声。二姨太在屋子里听到，伸头在玻璃窗子里望着，先呵呀了一声，接上说道："老七今天有工夫在家里，难得呀！"燕西道："大家都这样说，我一天到晚在外面跑，其实……其实……"说着话，一步踏进屋子来。很随便的道："梅丽呢？也是老见不着她。"梅丽手上拿了一本书，卷着一个筒子在手里，由里面屋子跑了出来，一偏头道："那是，你五湖四海到处逍遥，我知道你在什么地方？怎能送着你看去？你一到我屋子里来，准见得着我，只可惜你没来。"燕西也不去理会她这生气的话，却很随便的道："我有两本新的小说杂志，不知道在你这儿没有？"梅丽道："你又胡扯！你去年订的一些杂志，早满了期，今年你又没有订，哪里来的新书？"燕西道："我说新的，不过说是不曾看过的书罢了。我那几个书架子，实在也乱得厉害。我想自告奋勇来清理一下了，你能不能够帮我一

点忙?"梅丽还不曾答应出来,二姨太道:"去罢,去帮七哥一点忙罢。自己看的书,总是自己清理的好。"说着,倒抚了梅丽两下头,又给她牵牵衣服。燕西笑道:"梅丽这么大人了,姨妈还是像带小孩子一样的哄着。"二姨太笑道:"不是我把她当小孩子,这东西矫情着啦,不哄着一点可不成。"燕西道:"矫情还能再哄吗?就当打。"二姨太笑道:"打?谁让一家人算她小呢?就是你媳妇儿在娘家的时候,你岳母也是哄,可不打呀。"燕西听二姨太说到这里,就不愿让她往下再提了。因对梅丽道:"要说哄,也已经哄过你了,现在可以和我一路去捡东西去了吧?"他说着,先在前走。梅丽正有一肚子话要和他说,他既约了前去,正合其意,就很高兴的跟着他走去。到了书房里,燕西找着钥匙,开了书橱门,只见堆着上起下落的书本,铺着很多的灰尘。橱门一开合,震动得灰尘的霉气味,向鼻子里直扑将来。梅丽抢着把橱门一关,笑道:"这个差使我受不了。你反正也不看书的,让它生了蠹虫算了,干嘛让我受这罪呢?"燕西道:"怕脏就算了,我回头叫金荣跟我拾掇就是了。"梅丽道:"你往后可别起新花样,添人事做,今天又要散掉一半老妈子了。母亲说了,现在一个院子里,只用一个老妈子,谁要另外用人,谁一个月交出十二块钱来,工钱伙食,一齐在内由母亲去给。你想,谁还肯吃这个亏呢?结果是散了。你那院子里,就剩下李妈一个人了,楼上跑到楼下,到外面去做事,少不得交给金荣去办了。"燕西道:"这个与我没关系,我不管。你到我院子里去过吗?"梅丽听了这话,却向燕西望着。因道:"说到了你院子里的事,你会想到清秋姐吗?"燕西故意皱了眉,装出苦脸子来道:"她这个人真是不容易应付,你想在这年头,夫妻还有什么大问题,合则留,不合则去。她却要闹着别扭,死也不肯解决。"梅丽冷笑道:"你说这话,以为夫妻拆开,也像主人辞退一个下人一样呢。"燕西道:"那本来没有什么分别。"梅丽道:"你说她闹别扭,以为她不肯走吗?其实她要走,比你还急得多呢。"因把这几天清秋的态度,对燕西说了一遍。燕西一鼓掌道:"那就好极了,让她走就是了。她要什么条件,只要我力量办得到,我就完全答应。"梅丽道:"你以为人家是那没有志气的女子,离婚还要什么赡养费呢?她就是要这样随身一套衣服走了出来。看你一听到离婚,你就鼓掌,真是令人寒心。可是现在你既然这样讨厌她,为什么去年又那样不顾一切要讨她?"燕西顿了一顿,淡笑一声道:"你别说那话,我对于她,也牺牲了相当的代价的。我先是不知道她的志向怎样?既是她很明白,那就两下情愿,可以……"梅丽不等他说完,突然将身子一偏道:"我不爱听你这种话,你这人太欺侮人。"梅丽一面说着一面向外走,脸上红红的,还有一片怒色。

恰是玉芬匆匆的由外面走了进来,在她后面笑问道:"八妹打算出门吗?怎么上前面来了?"梅丽本就知道玉芬来了,故意装了不知道,这时她问出来,倒不能不答应了。装麻糊装不过去了，才道："我是七哥叫我出来的。"玉芬携着她的手，轻轻对着她耳朵道："这个人不要是得了精神病吧？我看他的举动，真有些反常了。"梅丽倒不料站在玉芬的立场上，她会怪燕西反常，便淡淡地道："人是难说的。"玉芬笑道："你这个喜欢打抱不平的人，怎么不出来说两句公道话哩？我们的身份不同呀。你说错了话是不要紧的。"梅丽一想，人心都是肉做的，七哥做得太过不去了，自然她也不能再嫉妒清秋，因道："我说是无可说的，不过我对七哥有些不高兴，不像以前，认他是可亲爱的了。"玉芬道："你的哥哥们都是这样哇。老七现让两个唱戏的迷住了，一个叫白莲花，一个叫白玉花。"梅丽道："唔，也是姓白的！"玉芬顿了一顿，一看梅丽的样子，还不怎样着恼，便挟了她一只手臂道："你到我屋子里去坐坐，我把这二花的事，谈些你听，这才觉得有趣哩。"她如此的亲热起来，弄得梅丽心软起来，却不好意思不跟她走。走到玉芬屋子里，鹏振也在屋子里。玉芬笑道："偏是不凑巧，我们要谈几句私话，偏是你在这里。"鹏振道："既是你们有话说，我又何必打搅？我就让开罢。"说着，已是站起身来，做一个要走的样子。玉芬连摇了两下手道："不用不用！我好久没有到公园去过了，我和八妹一路到公园去走走。八妹，去吧？"说着，见梅丽并没有十分愿意的样子，又笑道："太热闹的地方，我们当然不能去，上北海水边走走罢。"梅丽原是想推辞不便到公园去，现在玉芬说，公园不去也不要紧，可以到北海僻静地方走，再不好意思不去了，便道："你刚回来，又要出去吗？"玉芬道："不要紧，这两天我有点事，借了白家一辆汽车坐着，来来去去，都是很快的。现在车子还放在门口，我们就走罢。"梅丽听说白家的汽车，很不以为然，心想，自己家里有汽车，为了省工省汽油不肯坐，倒要坐人家的车子，这是什么算盘？宁可不坐车子，也不向亲戚家去丢这个脸。玉芬见她有些犹豫的样子，却猜不着她是为什么犹豫，便道："不要紧的，就是母亲说你，有我承当，就说是我把你拉出去的就是了。走罢走罢，不要犹豫了。"说时，又挽了梅丽一只手臂，只管向外拉。梅丽被她拉了一只手臂，总不好意思说不去，只得勉勉强强的一同走出大门。果然有一辆不认得的汽车，停在大门外。汽车夫看见人到，跳下车来，将门开着，让她二人上车去。梅丽坐上车子，自己有一种说不出来的感想，玉芬却是丝毫也不在意，谈笑自若的到了北海。进得门来，远望见琼岛上的树木，绿成一片。经过长桥，望到水里的荷叶，如堆着碧浪似的，高出了水面好几尺。歇了许久不曾到此地来，不觉得是时光更换，仿佛是这个地方的景致，完全变动了。一看之下，好像又是一番沧桑，另到了一个地方一般。在梅丽眼光看来，更觉着不如和任何人来那样有趣了。玉芬见梅丽东看看，西瞧瞧，似乎有了什么感触似的，便道："八妹，好久不来了，乍到这里，倒很快乐似的。"梅丽道："我还有什么快乐？这合了那一句文语，风景不殊，什么……哟！抖文我可不成，我说不上来了。"玉芬虽说不上那一句话，但是梅丽命意所在，倒是知道的，因道："这话也难怪，无论什么有趣的事情，我觉得都不如父亲在日那样好了。"梅丽默然，跟她走着。玉芬见梅丽感触很深，自己当然是不便高兴太过分了，因之只能默然的走着。过了北海，在五龙亭找着茶座，玉芬引着她看荷花，说些风景上的话，慢慢谈得梅丽高兴了，才笑道："这话还得说回去，我不是说老七捧上两个女戏子吗？因为这两个戏子叫白莲花、白玉花，人家只知道老七为姓白的忙着，哪知道白莲花、白玉花，是他们唱戏的名字。其实他们是姓李，由这个假姓白的头上白生了误会，人家以为老七最近的行动，是受了秀珠的关系，你说冤枉不冤枉呢？"梅丽道："哦！这里头倒有这些曲折。不过七哥自己说着有时候也会到秀珠姐那的，不见得一点没有来往。"玉芬停了一停，才微笑着答道："来往当然是不能一点也没有，他两个人平常的友谊本来保持着，来往也是人情呀。"梅丽道："那末，七哥要跟她到德国去的这句话，倒有些真了？"玉芬道："真也没有用，你想，秀珠肯带他去吗？总之，老七是好恶无常的人就是了。"梅丽对于玉芬这种答复，认为不甚满意，便笑道："无论这件事，是哪个主动的？不过这种远道同游的计划，说出来是很令人注意的。而况在以前，他们本有些关系呢。"玉芬道："你这种说法，是普通的眼光观察出来的。若照我说起来，可又不同。光明正大的，又不瞒着谁，同道要什么紧？从前的关系，尽管是从前的关系，好在早已散开了，现在干现在的事，有什么相干？"梅丽道："照理说，这是不容易驳倒的一句话，但是我又要问一句了，陆军部派员到德国去，有让他两人跟着去的必要吗？白小姐呢，沾他哥哥的光，到德国去一趟，倒也无所谓。我七哥到德国去做什么？跟我一样，连一个德国字母也不认识的。这一句话，真把玉芬问着了，半晌答复不出来。想了一会，才笑道："那或者还有别的原因，老七不是急于要得一个位置吗？或者是他走白家的路子，想在使馆或领事馆里，找一件事做吧。"梅丽道："这样说，还是秀珠姐携带他了？他要是走路子的话，不找秀珠姐还找谁呢？"玉芬笑道："人要走起路子来，什么都不顾的，也许就是走的她这一条路子吧？你听到清秋她有什么话没有？"梅丽心想，你也把我当小孩子呢，绕了一个大弯子，倒是在我口里讨口风，因道；"唉！她现在自己罚自己坐牢，是十二分消极的了，还有什么话说呢？而且她有什么话，也不会对我说，怕我嘴不谨慎，又乱说出来了。"玉芬笑道："你总是这样热心，倒很帮她的忙。"梅丽道："人类同情心总是有的，这也不算是帮忙吧？"她说着这话，脸上就有些气鼓鼓的。玉芬也就不谈这个问题，又讪讪的扯到别的问题上去了。

　　恰好两人谈到有些不合调的时候，远远望见刘宝善的太太，在树阴底下，纱旗衫风吹得飘飘然，笑着向亭子里走来。玉芬站起身来，和她招了一招手，让她坐下。梅丽道："怎么是刘太太一个人出来?"刘太太道:"那边茶座上,还有好几个人,乌二小姐、邱小姐都在这里。我想在茶座上找找宝善的,不想会遇到你二人。"玉芬笑道:"你两口子,算是生活问题解决了,吃一点,喝一点,乐一点,可以老三点儿了。"刘太太听说,回过头对前后茶座上望了一望,便低声道:"我的少奶奶,你还不知道吗? 自从闹了那一回案子,已经受了很大的损失。这几个月来,接一连二的丢差事,现在算一点什么都没有了。这也不但是他一个人,还有那朱逸士,总算是个老公事,前两天也把差事丢了。我倒正想找你,白师长听说有外调督军的希望,你和那边是亲戚,帮宝善一个忙儿,给他介绍一下罢。"玉芬听了这话,眉头一扬,嘴角微牵,脸上表示出得意之色来。笑道:"你的消息真灵通呀! 这事是不假,可是你要走这条路子,有一个人可找,比我说话灵得多哩。"梅丽站起身来,笑道:"你二位谈谈罢,我到那边去瞧瞧,看有些什么人?"说毕,她站起身来就走。刘太太正巴不得梅丽走开,她既走远,也不拦住她了。

梅丽沿水岸走,那海里的荷叶,一阵的清香吹送到鼻子里来,令人精神为之一爽。眼贪着看着荷叶,只管走去,就忘了经过了茶座,及至省悟过来,已离开远了。心想,和乌二小姐这些人坐在一处,也谈不出什么好的来,走过来就算了,不必和她见面了。因之一人沉思着,只走了去。绕了大半个弯子,已走到老槐树下面了。现正是槐花半谢的时候,一阵风过,那槐花如雪片一般,由树枝上落将下来。人行路两边的草外,齐齐的堆着一行槐花,远看尤其是像残雪。梅丽见槐花正落着,就站在树下徘徊观望,赏鉴着景致。正在这时,却见远处有个西服青年,也在那里徘徊,好像是要走过来的样子,看到梅丽在这里,又不敢过来。这里绿槐阴森,除了行人,是没有专在这里浏览的。梅丽见有男子窥探,倒吓了一大跳,正待抽身要走,那少年却取下帽子,鞠了一个躬,叫了声八小姐。他叫出一声,梅丽才想起来了,这正是燕西的朋友谢玉树,便也点了个头,站在树阴下让他过来。谢玉树将帽子拿在手上,连连点着头走过来。隔了三四尺路,就站住了。笑道:"八小姐,久违了。"梅丽点了点头,也道了一声久违。谢玉树道:"令兄在家吗?燕西在家吗?"他第二句本是因为第一句说得含糊,特意解释的。可是连道两句在家吗?自己觉得有点语无伦次,脸上有点红晕了。梅丽也不知是何缘故,到了这时,向身前身后看了两回,又低着头牵了牵衣服。谢玉树本来就鼓着十二分的勇气前来说话的,梅丽再害臊起来,更不知如何说是好了。还是梅丽振作起精神来,向他笑道:"谢先生也好久没有会到七家兄吧?"她有了这一句话问出,谢玉树才定了一定神,笑道:"可不是吗?我到府上去奉访过两回,燕西都不在家。"梅丽微微叹了一口气道:"唉! 他现在的行为,有点不对了,和拿书本子的朋友,一天远似一天,和玩的朋友,可又一天近似一天。"谢玉树笑道:"他很聪明的,只要一用功,无论什么功课，自然的就做上来了。"梅丽道："那也不见得吧？"谢玉树道："是的，我和他同过学，还不知道吗？"梅丽听到这里，不便得把一个哥哥为题只管谈下去了。但是除了接着这话说，一刻儿工夫，又不容易牵扯到别的问题上去，因此只向着他笑了一笑。谢玉树想了一想，才道："八小姐是一个人来的呢，还是同府上哪位来的呢？"梅丽道："是和三家嫂来的，她和几个女朋友，坐在五龙亭里，我是走出来散步散步。"谢玉树趁她说话，偷眼看她的身体，见她穿了一件黑纱长衫，露出手胳膊来，越是显得白。她那贴着蝴蝶翅的短发，又贴上一朵白绒线扎的菊花，在这素净之中，又充分的现出美丽来。但是这偷看的时候，也极其短促，不等梅丽的眼光觉察出来，他已经把眼光回避到一边去了。正在这个时候，有一个西装少年，手挽着一个时髦装束的女子，并着肩膀，比着脚步，笑嘻嘻的低声软语过来。谢玉树和梅丽，都侧目而视的，看人家走了过去。谢玉树笑道："公园里散步，恐怕要算北海为最好了。"梅丽笑着点了点头。谢玉树道："吴蔼芳女士没有信给八小姐吗？"梅丽笑道："谢先生和卫先生的交情，在我和吴女士之上，他二人总有信给你吧？"谢玉树道："咳! 不要提起，自从分别以后，一个字也没有接着他的。也许是蜜月风光，把朋友忘怀了。"梅丽道："这么久了，难道还算蜜月风光？"谢玉树道："这蜜月似乎不应该只限定一个月，只要是认为是甜蜜的期中，不难把这个月延长到一年以至于无穷期。"梅丽和谢玉树，也会面不少了，每次会到他，他都是羞人答答的，随便说几句话就算了，倒不料他今天开了话匣子，絮絮叨叨就说上许多。自己本是暂时避玉芬的，既不曾和乌二小姐一处，耽误时候久了，倒怕玉芬会疑心。可是谢玉树正谈得高兴，忽然告辞而去，又觉大大的扫了人家的面子。而且心里虽这样踌躇，脸上也不愿显露出来，因为只略微表示一点出来，像谢玉树这样的聪明人，没有不知道的，让人家扫兴而去，无疑是表示讨厌人家了。于是只管装出微微的笑容来，站在一边。谢玉树因她只管笑着，并不答话，心里也就明白，因点着头道："过一两日，我再到府上去奉看燕西兄罢。"梅丽笑了一笑道："那是很欢迎的。"说到这里，所谈的话，差不多告一个段落，可以走了。但是谢玉树依然在那里站着，梅丽就不能不陪着他，相对而立。所幸这位谢先生，今天比以前要脸老得多，所以只顿了一顿，他又想起话来了，因道："八小姐，现在没有上学吗？"梅丽道："舍下遭了这样不幸之事，什么事都灰了心了，哪还有心上学？"谢玉树倒觉有十分惋惜的样子，便道："令尊去世，虽然是一件很不幸的事情，但是也不能因为这个，荒废了自己的学业。"梅丽道："谢先生说的是，下个星期，我依然是要到学校里去的。"说到这里，这个问题，又算告一段落了。谢玉树若不另找题目的话，又得呆呆的站着。梅丽一回头，见后面有两个女子走来，其中一个，似乎就是玉芬。只得向他点一点头道："三家嫂来找我来了，再见罢。"说毕，抽身向来路走，及至与那两个女子见面，并没有玉芬在内。自己一想，这样匆匆忙忙走开，却是何苦？不过已经走过来了，决无再回去和人谈话之理。回头看看谢玉树时，正也是向这边走了来，于是就放缓了脚步，一步一步的走着。谢玉树听说梅丽的三嫂来了，他并不认识，就不敢再向前面跟了来。但是虽不跟来，远远看着，似乎也并无妨碍，因之他又只是遥遥的跟随，并不向前。梅丽不向后看，倒也罢了，梅丽一向后看，他心里想着，跟在女朋友后面，这成什么话说呢？身子一缩，缩到树阴下去。

梅丽回头看了几回，见他依然是不肯上前，就放出了平常的步子，依然走回五龙亭来。玉芬皱了眉道："啊哟！我的八小姐，我怕你丢了，上哪儿去了呢？乌二他们都到这里来了，说是并没有看到你。"梅丽笑道："反正在北海里头，不出大门，不出后门，会跑到哪里去？"玉芬道："你一个人溜到哪里去了呢？"说着，拖着椅子，靠近了她，低了声音道："你一个人瞎走，仔细碰到拆白党。公园里，一个年轻的姑娘，是走不得路的。"梅丽红了脸道："青天白日，要什么紧？"玉芬笑道："你倒胆子大，只要是那样就好。我忘了叫汽车开到后门接我，我们在水边下溜达溜达，走到大门口去，别坐船了。"梅丽对于这层，倒无所谓，就跟着玉芬由海边绕出来，走到东边老槐树林子里大道上。经过刚才和谢玉树说话的所在，心中倒不免略有所动。偏是玉芬前后看看人，扶着梅丽的肩膀，对她耳朵道："这一条路，又幽静，又幽远，晚上走这里过，常有不好的男人冲出来瞎说八道，就是白天，也算这地方最不妥当。"梅丽道："怎么又说上了？"玉芬笑道："我这是指导你们的好话，你倒嫌我贫嘴吗？"梅丽对她这话，也不再去辩论，只随她走。走到琼岛边，又遇到谢玉树从山上下来，玉芬眼光锐利得很，将梅丽轻轻一推道："那个和燕西作傧相的美男子来了。"谢玉树远远见她一望，又是和梅丽说话的神气，以为人家是打招呼，便取下帽子点了一个头。这一下子，真把梅丽为难死了，心中不住的乱跳。心想，这个书呆子，未免过于老实，怎么好在我家人面前客气起来呢？这样一来，未免给人家许多笑话的材料了。她如此想着，心里乱跳，原是和玉芬并排走着的，不觉退后了一步。玉芬心想，他是认得自己的，只得笑着叫了一声谢先生。这一叫，谢玉树无所用其客气，更是迎了上前，点头道："三少奶奶，久违了。"玉芬也笑着答应久违了。谢玉树的眼光于是射到梅丽身上去。梅丽却对他丢了个眼色，他不觉的就连着哦了两声，才说出一句话来："八小姐不再逛逛吗？"梅丽答应一句是，于是大家点头而别。这一下子，让玉芬就猜了个透彻，刚才她两人藏头露尾的说话，颜色很是惊慌，分明是有意闪避。而且两人见面，并不说什么寒暄之词，只含糊的过去了，很是可疑。尤其是谢玉树说不再逛逛吗？这个再字，似乎知道梅丽已经逛过去

了。怪不得刚才梅丽一人走开,原来是会她的情人来了。这个小鬼头,人家都说她天真烂漫,到了谈恋爱的时候,也就不能保全她的天真了。心里如此想着,且不说破,依然当是不知道,和梅丽同车回家。

第九十七回

冰炭人情失官求内助
泥云身世访主忆前情

　　玉芬到家之后，白天是没工夫谈论，到了晚上，她心中再也搁不住了，就借着到佩芳屋子里去看侄子小双儿，在灯下逗着孩子玩了一阵，便笑道："大嫂，令妹没有来信吗？"佩芳道："他夫妻二人，婚姻很美满，现时正在预备英语，他们要到英国去呢。"玉芬笑道："天下的事，真是说不定，不料老七那次结婚，竟会惹下他们这一段好姻缘。"佩芳道："可不是，天下事就是这样难说。"玉芬笑道："不但惹下一段姻缘，大概是惹下两段姻缘呢。"佩芳道："两段姻缘，还有一段，出在哪个身上？"玉芬道："那一个，自然是那位伴郎姓谢的，女的却是我们家的。"佩芳笑道："不错，我仿佛听到说，那姓谢的很注意我们家一位姑娘，我想再不能有冒充小姐的小怜出现，要是有这样的人，一定是八妹。不过八妹在学校里读书的时候，汽车来，汽车去，就很少与男子接交的机会。这半年来，人也仿佛大了，懂事多了，有了父丧，从不出门……"玉芬摇了一摇头道："得了，得了。你没听见说过，女子善怀吗？她要是有了什么心事，哪里会让你知道？"佩芳笑道："当年你和鹏振没结婚时，对于他大概就善怀过。要不然，你怎么就知道女子善怀呢？"玉芬笑道："我老皮老脸的，还怕些什么？要说笑，你就尽管说笑罢。"佩芳道："这个不管它。我问你，你忽然说出来，一定有点凭据，你告诉我，让我参考参考。"玉芬于是将今天在北海的情形，添了些穿插，自头至尾告诉佩芳听。佩芳笑道："据你这样说，倒有八九成相像了。八妹嫁得这样一个如意郎君，她也很好。不过二姨妈的意思，以为儿女婚姻，上人多少要参加一点意见的。这段婚姻，她能不能同意呢？"玉芬道："我想八妹的婚姻，二姨妈也未必能作主，而且这个姓谢的，也没有什么可驳的，只是一层，这人未免贫寒一点。据老七说，他在学校里，是个著名的穷学生。往将来说，二姨妈似乎用得着一个有钱的姑爷。"佩芳点着头笑了一笑。玉芬道："怎么样？你不以我的话为然吗？"佩芳道："自然是如此，不过在八妹一方面，年轻的姑娘，不沾上爱情两个字则已，沾上爱情两个字，富贵贫贱，那是不成问题的。"玉芬道："所以作长辈的，对于这一层，就不能不事先慎重考量，譬如老七这一段婚姻，当时一团高兴，就是要打破一切阶级观念的。可是到了现在，怎么样呢？不是互相不情愿吗？若是早知道如此，不联上这一段婚姻，那是多好？到了现在，两方闹得很僵，一时又收不转来，何苦呢？"她谈到了这上面来，佩芳就有点不愿意往下谈，只得扯开来笑道："君子成人之美，后事就不管它了。这件事你是有关系的，何不给他们漏一点消息出来呢？你把消息漏出来了，八妹要是不否认的话，就可以进行了。"玉芬道："我怎么会有点关系呢？你这话，大可考量。"佩芳道："我并不是说你有别的关系，不过是你首先发现的罢了。其实我也知道你很谨慎，哪会去漏出这消息？"玉芬突然向上一站道："那要什么紧？这又不是不可告人的事情，我就去。"佩芳笑着挽了她的手道："你不要信我胡扯的话，你得考量考量，别去乱说。"玉芬身子不动，回转头来笑道："你以为我当真有那样傻，去管人家的闲帐呢？我是试试你的态度的。"佩芳笑道："哟！你还不知道我是个老实无用的人吗？你一说，我自然信以为真的了。还用得试吗？下次你不要玩手段试试我，只要随便对我一说，话里套话，我自然会把心事说出来的。"玉芬红着脸，才掉过身来，索性笑道："哟！我的老姐姐，你打我几下好不好？我顽皮一点，偶然和你开了一点玩笑，也不要紧呀。我玉芬就自己卖弄聪明，也不敢到孔夫子面前来背书文啦。"带说带坐，挨着佩芳坐在一张沙发上，用手抓着佩芳的手。佩芳一缩手，笑骂道："你这小刁钻鬼，真厉害，闹得我笑又不是，骂又不是。你这套玩艺儿，别在我这儿使，去玩弄鹏振罢。我看你对鹏振也没有给他过什么颜色看，也没有什么大争论，他对你像一只小绵羊一样的驯服，大概也就是受不了你这种手段。"玉芬笑着点头道："是呀！无论谁对丈夫，都免不了用这一着的。这是女将军的甩手铜，一甩出来，准没有错。"佩芳还没有答复她的话，只见秋香匆匆的跑了来道："三少奶快去罢，三爷不知道为什么事，只在屋子里生气呢。"佩芳一推道："快去使甩手铜罢。"

　　玉芬听说是鹏振在生气，猜不透是为了什么？却急于要回屋子去看，也顾不得佩芳笑话了，跟着秋香就走。走到院子里，只听到鹏振将桌子一拍，一人在屋里嚷了起来道："这真是世态炎凉。别忙，老子总有一天报你们的仇。"说毕，又将桌子拍了一下。玉芬听了口音，分明是受了外人的气，与自己夫妻们的事无关。在外面便道："什么事？这样发了疯病似的。"鹏振却在屋子里长叹了一口气。玉芬走进来，只见他斜靠在沙发上，像害了病一般，一点精神没有。玉芬道："什么事？吓得秋香把我找了回来。"鹏振突然站起来，两手一拍道："你瞧瞧，这是不是岂有此理？盐务署裁人，竟会把我名字也裁掉了。这样一来，一个月又少四百元的收入了。"玉芬听了这话，倒是一愣，问道："真的吗？"鹏振道："都发表了，怎么不真？老实说一句，财政界的人物，哪个没有受过我父亲的好处？而今就忘记了。"玉芬道："事先怎么你一点消息也不知道呢？"鹏振道："就是这话了，他竟打了一个措手不及。我若知道一点消息，我不必托人去讲情，我亲自出马，也要找这位署长大人谈谈。"玉芬坐在他对面，用上嘴唇咬了下嘴唇皮，低头想了一想，微微点着头道："我和你找一条路子，试试看。"鹏振道："我知道，你找的是白家，他未必肯和我帮忙吧？白雄起现在是况巡阅使的灵魂，这班官僚最怕军阀，只要军阀肯说话，那比圣旨还灵的。"玉芬道："你不要说那一套，你到底是愿意不愿意呢？"鹏振道："只要能托人去说回来，那是再好不过的事，岂有不愿之理？"玉芬道："不是那样说，因为你府上有一部分很有志气的人，是不肯找白家人作人情的。因为白家从前远不如你们府上，现在你们要回转头来去找他，好像是有些丢脸了。"鹏振叹了一口气道："十年河东，十年河西，哪个保管得了那些？我这事就重托你了。"说着，站起来，向玉芬拱了一拱手。玉芬笑道："你虽是要托人，我看你还有点不服这口气似的。我有言在先，要托人家，就不能埋没人家的人情，我可不能秘密进行。"鹏振道："这也无须乎秘密呀！哪个能说一辈子不求人呢？"玉芬道："我看一个人，还是要倒两次霉才好。倒了霉之后，他就懂人事，说人话了。"鹏振觉得夫人这话，未免重一点，但是这时要去驳倒夫人的话，又怕夫人生气，只得淡笑了一笑。玉芬道："除我之外，你不妨再找一个人，让老七对秀珠说一说，比我的力量又高上一倍。"鹏振皱了眉道："不要提这位先生了，我是整天整晚不见他露一回面。"玉芬道："这几天，他常是到秀珠那里去吃午饭，你不妨在吃午饭的时候，打一个电话去找一找他，我想总十有八九可以碰到。"鹏振哦了一声。玉芬道："你哦些什么？好像说这就难怪找不着他了。其实他也就是那一会儿在那里，其余的时候，不知道到哪里去了？我还替他瞒着秀珠呢。"鹏振道："他到的地方，我倒仿佛听到有人说过，恐怕也未必完全在那里。"玉芬道："在什么地方？你说！"鹏振一时高兴，先是无意说出来了。这时一想，自己又怎么会知道燕西的所在呢？这未免有点嫌疑。顿了一顿，然后笑起来说："我哪里知道他在什么地方？不过胡猜罢了。我想他无非是在戏园子和舞场这两个地方罢了。"玉芬听说，鼻子里哼了一声，望着鹏振冷笑，而且抿了嘴，和他连连点了几下头。鹏振一看夫人这种情形，大有生气的样子。这是惹不得，连忙在衣架上取了帽子向头上一覆，笑道："我是想到了什么，就要做什么的，让我去找老七看。"说毕，匆匆忙忙，就向外面走。所幸玉芬对于鹏振的行动，却未加注意，于是他就很平安的走到外面来了。

　　现在外面几重院子的事，差不多全归金荣一个人管。金荣坐在大楼下那间二重门房里，是不大走开的。全家原来有五所电话，现在也只留下一个，电话机就在楼下。进来的电话，都是归金荣接着。鹏振走出来时，只见金荣伏在一张小桌上，拿了一张包茶叶的纸，用墨笔胡乱写了些大小不匀的字，看那样子，是十二分的无聊。他听到脚步响，一抬头见是三爷，随手将字纸捏了一团，站将起来。鹏振道："鬼鬼祟祟的，一人又在这里瞎涂些什么？"金荣微笑了一笑，没答复出来。鹏振道："我不管你写什么，我问你，这一程子七爷总是在白莲花那里呆着吗？"金荣怎么敢说燕西到哪里去了，只是微笑着说不知道。鹏振道："你瞒别人就是了，还瞒着我干什么？有人打电话给七爷，总瞒不了你的，他到哪里去了，你还有个不知道的吗？据我想，一定是在白莲花那里的时候居多吧？"金荣微笑着道："三爷当然是明白的。"鹏振道："这个时候，他在那里不在那里呢？"金荣道："这可不敢说定。不过……"鹏振道："你藏头露尾做什么？纵然是七爷知道了，就说是我问你的，也不要紧。"鹏振说着，看这情形，就断定了燕西必在白莲花那里。若是打电话去，也许他还不接。自己已是改坐人力包车了，坐着车子直向白莲花家来。

一到门口，便见自己家里的一辆汽车在这里，两个汽车夫，也都不见，似乎在门外停留了好久的时候了。鹏振下了车，也不惊动人，悄悄的走了进去。到了院子里，脚步放重着，先咳嗽，上房有个人掀着帘子迎了出来，正是白莲花。她笑道："这是什么风，今天把三爷刮来了？"鹏振道："好久不见，我特意来看看你们。我家老七在这儿吗？"说到这句话时，已是跟白莲花钻进帘子里面来。燕西见是老三一个人，而且料到此来必有所谓，并不藏躲，也就迎了出来。笑道："你真有耳报神，就知道我在这里，我是刚到呢，家里有什么事吗？我这也就回去了。"鹏振道："你回去不回去我管不着，我有一件事要找你商量商量。"燕西也想不到清秋在家里出了什么事，心中未免有点微微的跳。鹏振道："你不要多心，我不管你的事。我就是有两件自己的事，要和你谈一谈。"说着，脸便向里边一间房里看去。燕西笑道："可以到里面去坐的，我介绍一个朋友和你见见。"说着，就叫一声玉花，客来了。便代着掀开帘子，让他进去。鹏振向里一钻，只见一个十六七岁的姑娘，蓬松着短发，脸上并不曾扑粉，长眉人鬓，美目流盼，穿了一件淡青的旗袍，清淡之中，别具风流，着实可爱。她见了人来，缓缓的站起，微微的向鹏振一鞠躬。而且轻轻的叫了一句三爷。鹏振连忙笑着点头道："别客气，请坐下罢。头两次令姊出台，我不知有你，要不然，我一定捧场。"白玉花却不说什么，只是微笑站着。鹏振望了她，笑对燕西道："和她姐姐的相貌，虽然她有一两处相同，可是她更温柔了。很好！不错！"说时，白莲花已跟了进来，张罗一切。鹏振笑道："李老板，你有这样一个好妹妹，怎样没有和我们提过一声儿呢？"白莲花道：

"有半年了，也见不着三爷的面。就是要和三爷提一声儿，又怎样提起呢？"鹏振笑道："这是我的不对，许久没有和你打个照面。你这位令妹，是个可造之才，前途未可限量……"燕西插嘴道："你不是和我有话说吗？"鹏振笑道："我和人家初见面，总得应酬两句，有话不妨慢慢的说，忙什么呢？"燕西初以为鹏振找了来，必有重大火急的事情，而今看起来，似乎也不要紧的，也就很淡然了。白莲花笑道："别是因为我们在这里，你们不好说话吧？那么，我们就躲开罢。"鹏振笑道："我们无论说什么话，也不至于和你们有什么冲突，又何必这样避嫌？"白玉花听了她姐姐的话，已是首先站将起来。鹏振虽是解释了一番，要加以拦阻，但是白玉花和她姐姐丢了一个眼色，就向外面走去。白莲花本来也想听他兄弟说些什么，既是白玉花都走了，自己怎好在屋子里独自待着，抿了嘴，也就微笑出去了。

　　燕西见她姊妹走了，就低声向鹏振道："你这是怎么回事？特意跑来找我说话。找到了我，又是逍遥自在的，好像一点事情没有。"鹏振道："怎么没有？我的话可便当着人家说呀。"燕西道："这更怪了，刚才人家走开的时候，你还再三再四的留着人家，这会子人家走了，你又说是当着人家的面，有些不便说。究竟是……"鹏振皱了眉道："不辩论这些无聊的话了，我有一件事和你商量。盐务署这回裁员，居然把我的名字也勾了，你说气死人不气死人？据你三嫂说，这事不难挽回，只要托白雄起写一封亲笔信，就可以实现。只是我和白家，以往并没有什么私人交际，今天有了事才去找人家，有些不对，这是怎么好？"说到这里，眉毛是皱得更厉害了，望了燕西，很盼望的等着他回话。燕西道："我虽然常到白家去，但是也不常和他交谈的。这事除非另找一个人去说，不过……"说着，嘴里吸上一口气，现出充分踌躇的样子来。鹏振道："我只找你去说一说，至于你再去转托哪个，我就不理。好在秀珠女士，为人极是热心，对我们姓金的，只要能帮忙，她决计没有不帮忙的。这件事，我就请你转托她，说我余情后感罢。"燕西笑道："其实要去找她，不如让三嫂去。"鹏振道："她怎比得你？她不过是亲戚的关系罢了。你……"鹏振觉得这以下不好说了，不能说是朋友的关系，会比亲戚还深些。因就顿了一顿，含糊着道："你就努力试试罢，她自然也是要去的，双管齐下，自然更妙。现在你就去得了，你得着什么消息，也不必回家，打一个电话告诉我就行了。你去罢，你去罢。"他原是坐着的，他口里说着你去罢，燕西没有站起来，他倒站起来了。燕西笑道："这也不是抢着办的事，何必这样急？"鹏振不管，扯着他的衣服，把他拉了起来。因道："趁着条子刚下来，盐务署留我也好，财政部给我一个事也好，这回被裁，可以说是为了调动调动，我就不寒碜了。"燕西站起来，伸手搔了一搔头，又向他微笑。鹏振道："我知道你有为难之处，你只管走，这里李老板姊妹有什么说出来，我

可以和你讲个情。"说着，便叫了一声李老板。白莲花走进来笑道："你们的私下话，说完了吗？"鹏振道："没有什么私语，不过我有一件事要他和我跑一跑罢了。"说着，向白莲花拱了一拱拳头，笑道："两三个钟头之内，他准回来。你有什么事，他不会误的。"白莲花笑道："这是什么话？难道说我还能干涉七爷的行动吗？"鹏振道："不是那个意思，因为燕西到你这儿来，总是有什么约会的，约会没有完，我怎么好叫他走开呢？"白莲花笑道："我们这儿，成了七爷半个家了，差不多天天来的，还有什么约会？"

在她这样说时，白玉花已经走了进来了，就不住的向她使眼色。白莲花笑道："你别着急，不要紧的。三爷也是我们的好朋友，许多事还得求求三爷帮忙呢，瞒着他干什么？"白玉花道："你瞧，我又没说什么，你怎么说上这些个？"她说着话，脸可就红了，远远的走了开去，坐在墙角一把小椅子上。鹏振看到，心想，在坤伶里面，白莲花那样斯文的人，已经是不可多得。不料白玉花的性情，比她姐姐还要温柔几倍，看起来着实可爱得很。她穿了一件白地花点子长衫，瘦瘦的，长长的，越觉得是亭亭玉立。她低着头，只管拿右手去抚摸左手的指甲。燕西在一边，见他一双眼睛，只管射在白玉花身上，便笑道："你不是催我马上就去吗？现在你倒不急了。"鹏振省悟过来，笑道："哦哦，是，我先走，我在家里等着你的电话了。"说毕，匆匆出门而去。白莲花追着送到大门口。白玉花在屋子里，却向燕西一撇嘴道："你们兄弟，都是一双馋眼。"燕西笑道："怎么我弟弟都是一双馋眼？我老三看你一会子，与我又有什么关系呢？"白玉花低着声道："你初见我的时候，不是像这一样的吗？"燕西哈哈大笑起来道："那天初见面的情形，你还记得呢？"白玉花道："我怎么不记得，我一辈子都记得。你兄弟……"燕西抽出身上的手绢，抢上前一步，一伸手，捂住了她的嘴，笑道："不用说了，下面这一句话，我完全知道了。"白玉花头一偏道："别在这里胡闹了。你哥哥有事托你，你也应该去替他办一办才好。只管玩，什么正经事都放得下，这算什么呢？"燕西笑道："得！我倒要你来教训我，我这就走了。"说毕，便满屋子张望，好像要找什么。白玉花斜着眼晴望他，只是发笑。好久，才道："你不是找帽子吗？你今天就没有戴帽子来，大概落在白小姐那里了吧？你去会白小姐，顺便带着找帽子，再好不过了。"说毕，又是微微一笑。燕西知道她把话听去了，让她揶揄得够了，一转身便走。出门坐了汽车，就一直向秀珠家来。他看见秀珠，把鹏振的事实提了两句，秀珠便说："已经得了玉芬的电话，知道是这一回事，这不值什么，我追着哥哥写一封信就是了。"

燕西见她已肯帮忙了，很是欢喜，坐着车子就回家来报信。刚到家门口，只见有一辆不认识的汽车，停放在那里，这是很少见的事了。是谁呢？心里如此想着，且不去找鹏振，先到客厅里去张望，看是谁人？在雕花玻璃门外，远远看去，便见有几个人影子在里面晃动，而且是一片的欢笑之声。燕西倒不料家里忽然热闹起来，赶紧向里面一走，看到第一个人，就让他大吃一惊，原来是拐走小怜的柳春江来了。这一惊之下，燕西向后一退。柳春江见他那种吃惊的样子，也是一愣。他等燕西站定了，然后抢上前一步，伸手和他握着，笑道："七哥，久违了。"燕西猛然听到七哥两个字，未免有点刺耳。本来彼此的交情，并不见深，连见面用名号相称，都觉得勉强。现在忽然称起哥弟来，却有些突然。一看凤举、鹤荪在屋子里坐着，都很坦然的样子，自己也便镇静着，笑道："我听说你到日本去了。什么时候回来的呢？"柳春江道："回来有一个礼拜了。这里还有两位朋友，你认识吗？这位是贺梦雄，这位是余健儿。"说时，早有两个穿西服的朋友，迎上前来。燕西道："我们认识的，我们认识的。"于是一一握了手。余健儿笑道："我们这一来，你有点愕然吧？春江兄回国以后，家庭中是很欢迎的，听说很好。其实在这二十世纪里头，婚姻问题，本来只要主角同意，其余是不成问题。我们就劝他认府上作一门亲戚走，他自然是赞成，而且他夫人……"说到夫人两字，声音低微极了，而且还顿了一顿，又接着道："也是想回来看看。梦雄兄和令兄电话一说，令嫂就马上要她来，我们这是前站先行，大元帅也就快要到了。"说着，哈哈一笑。燕西这才明白，今天柳春江也算新亲过门，他头里一声七哥，却是从这儿来的。他这话当然是不假，乐得做个好人。便笑道："那我们欢迎极了。她……春江的夫人，我们就像兄妹一样，最好是……能来往更好了。"柳春江见燕西说得那样吞吞吐吐的样子，觉得再逼他说，他是很窘的，掉过头来，还是和凤举、鹤荪谈话。大兄弟俩究竟是善于谈吐一点，根本上就不谈到小怜身上去，只谈些日本人情风俗。谈了一阵子，只听到外面过道上一片脚步杂沓之声，而且还有人说笑。燕西心里明白，这一定是女眷们，不曾有人介绍，未便进来，先偷偷看这位恋爱使女的柳少爷，究竟是怎么一个人？燕西听外面有人起哄，自己也镇定不了，趁着柳春江和大弟兄们说得热闹，就溜了出来。走到外面看时，乃是阿囡、秋香、小玉、兰儿四人。燕西和他们招了招手，走上前问道："你们看什么？有点不服气吗？"小兰向来老实，而且向来不敢和少爷说笑的，听了这一句话，脸先红了。燕西因客厅里有人，也不便再说笑。因低问道："我还指望是大嫂他们出来了呢，原来是你们。"秋香嘴一撇，低声道："小怜随便现在怎样好法，总是这里做使女逃走的，少奶奶们不怪也罢了，还能来欢迎她吗？"燕西摇着手，低低的道："别瞎说，别瞎说。"说着，手向屋里一指。这时，门口有一声喇叭声，是汽车来了的表示。阿囡笑道："来了。"一手挽着秋香，一手挽着玉儿，就向外面跑。燕西缓步走了出来，还不曾到大门口，早见一个穿白底红点子花纱旗衫的少妇，袅袅婷婷而来。燕西不觉想起去年见她穿花衣，笑她像观音大士的事，时光容易，人事大变，

和从前完全不同了。小怜倒不像以前那样小家子气象,见着燕西,笑盈盈的早向燕西一个鞠躬,叫了一声七爷。燕西倒愣住了,一时不知道叫人家什么是好?只是笑着点了一点头。秋香这班人,不容分说,已是一拥而上,有的握着小怜的手,有的牵着小怜的衣襟,都围着叫你好呀!可没有人称呼她什么。小怜却依旧姐姐妹妹的叫了一阵。问好的,答应好的,大家闹了一阵,于是大家簇拥着她向上房里走。这一番亲热,自然是不可以言语形容的了。

第九十八回

院宇见榛芜大家中落
主翁成骨肉小婢高攀

　　小怜到大门口的时候，还不觉察到情形有什么不同。及至走到大楼下那个二门边，只见两旁屋子里不像从前，已经没有一个人。大楼下的那个大厅，已经将门关闭起来了，窗户也倒锁着。由外向里一看，里面是阴沉沉的，什么东西也分不出来。楼外几棵大柳树，倒是绿油油的，由上向下垂着，只是铺地的石板上，已经长着很深的青苔。树外的两架葡萄，有一大半拖着很长的藤，拖到地下来。架子下，倒有许多白点子的鸟粪。架外两个小跨院，野草长得很深。小怜问秋香道："花儿匠简直不管事了，你看，什么东西也不收拾收拾。"秋香道："唉！花儿匠早辞掉了。前面院子这大地方，只有金荣哥一个人，他怎么管理得过来哩？"小怜哦了一声，眉毛皱了一皱。等她走到第二重院子时，正门关上，却让人由旁边小侧门内进出。这时，蒋妈由里面迎将出来了，她老远的便笑道："小……"这一个小字刚叫出口，猛然省悟，现在人家是正正堂堂的少奶奶了，如何可以还叫人家当丫头的名字？心里一机灵，便笑道："小姐，我的小姐，可把我想极了。"小怜笑着点点头道："你很好，还是这个样子。"蒋妈笑道："哟！我们还不是这个样子，有什么好样子呢？"说着，迎上前，想要握她的手。猛然低头一看，见人家手指上，带着一粒钻石戒指，便将手缩回去了。小怜虽看到她有些难为情的样子，只好装模糊当是不知道。

　　大家一齐进了里院，小怜道："我先看太太去。"于是向金太太这边屋子来。一看那院子里，两棵西府海棠，倒长得绿莹莹地，只是四周的叶子，有不少凋黄的。由这里到金铨办公室去的那一道走廊，堆了许多花盆子。远望去两丛小竹子，是金铨当年最爱赏玩的，而今却有许多乱草生在下面。那院子静悄悄的，不见一个人影。金太太住的这上边屋子里，几处门帘子低放着，更是冷静得多。不过这个时候，小怜全副精神，都注意在屋子里面的老主人，心里扑通扑通乱跳了一阵。那脚步也不知道是何缘故，也有些抖擞不定。小兰抢上一步，掀开了门帘子让她进去。她笑着说了一声不敢当，那声音也是细微得很。她把一脚跨进了门，便见金太太端端正正坐在屋子里，立刻浑身一发热，脸红了起来，远远的她就是一个鞠躬下去，口里极低的声音叫了一声太太。金太太对于小怜，是隔了一层关系的主人，她上次逃跑，虽然在大体上不对，然而与金太太无多大利害。现在她很阔绰的回家来了，对她私人言，也替她可喜。而况她又很谦逊，依然还用主仆的称呼。因之也就立刻站起身来，点头笑道："好！很好。"接着，用了一句问行人的套话："几时回来的呢？"小怜道："回来一个礼拜，早就应该回来请安的。"说时，身子偏着站在一边。金太太笑道："快别这样称呼了，你现在总是一位少奶奶，柳府上也是体面人家，过去的事，提他做什么？好汉不论出身低啦，只要心里不忘本，大家都愿意顾全体面。你这样就很好，不是那样小人得志便颠狂的样子。以后当一门亲戚走就是了，你是无家可归的，我们家也不嫌多一门亲戚。你总是客，坐下罢。"金太太先坐下了，小怜见身边有一张椅子，倒退一步坐下。一回头，见秋香、小兰一班人，都站在一边，面上有点犹豫之色，又站了起来。金太太笑道："你一讲礼，又太多礼了，和他们也客气什么呢？"便对小兰道："这有什么，看西洋景似的？客来了，也该倒一杯茶来吧？"小怜笑道："不用了。我先去见见各位小姐少奶奶，再来陪太太坐。"金太太道："那也好，你去罢。你回来了，我很欢喜，我有许多话，要和你谈一谈呢。"说毕，她却情不自禁的叹了一口气。小怜退了一步，走出屋来。

　　秋香早抢先一步，忙着给佩芳去报信。小怜走到佩芳院子里时，是旧日所居的地方了。第一件事，便是自己常喜徘徊的柏枝短篱，已经有好些焦黄的，走廊上一架鹦鹉架子，还在那里，旧日相识的鹦鹉，却不见了。但是也来不及寻觅旧踪，早见玻璃窗内，佩芳的影子一闪，便喊起来道："少奶奶。"说着，秋香倒由屋子里掀了帘子出来，然后引她进去。小怜进来，见佩芳手上抱了一个孩子，由屋子里笑迎出来，便觉脸上一红。佩芳笑着点头道："这是想不到的，你居然会回来。怎么不和你们柳少爷一路进来呢？"小怜道："他早来了，在前面客厅里。待一会儿，他自然是要进来的。"一伸手，将小孩子接过去抱着，吻了一吻小脸，笑道，"我在日本，就听到说添个孙少爷了，很是快活。这样子，多么像他爸爸呀！"说时，在身上掏出一把小金锁，提了丝缘，挂在孩子脖子上。佩芳笑道："这样子，你好像是早已预备下的了。你还是这样有小心眼儿里。"小怜笑道："不是我有什么小心眼儿，是我们那边亲分付下的。二少奶奶还有一个小孩，我也带着的。"佩芳说着话，将她引到自己屋子里来坐，接过孩子，抱了他向前摇摇身子，笑道："谢谢姑母了。"小怜对于这种称呼，也没有什么表示，只是一笑。这时，金荣左右两手提着两只细丝藤萝，走了进来。在藤萝外看到里面左一包右一包的纸包，红红绿绿的。佩芳笑道："这样子是在海外给我们带了东西来了？"小怜笑道："这些东西，虽不少洋货，可是并不是日本货。我在日本的时候，本想带些日本出产回来。春江他说，我们国里，正在抵制日货，我们为什么还带日本东西去送人呢？难道有意替日货宣传，提倡日货吗？我听了他这话，倒不好意思再说什么。到了上海，他倒想起来了，买了好些东西带来。"她在这里说着，金荣已经放下了藤箩要出去，小怜将手一招，笑道："你别走，我也送你一样东西。"于是在藤箩内挑了一个纸包，交给他道："这是一件袍料，柳少爷叫我送给你的。"金荣眼看着她长大的，当年他也叫声金荣哥，今天她以少奶奶的资格回主人家来，自己对她不谦逊，是不懂规矩。对她谦逊，不服这口气，所以见小怜的时候，只笑着说一声你回来了。而且心里也怕她照规矩赏钱，实在不好意思收她的。而今她只说送礼，而且还抬出柳少爷来，不卑不亢，措置得很当。自己也就不便再含糊了，趁接着纸包的时候，向小怜作了几个揖，笑道："请你替我谢谢柳少爷。"说毕就走了。佩芳笑道："你越发想的周到了，连听差的也不得罪哩。"小怜笑道："并不时我想的周到，我听说宅里人都走了，只有他和李升，依然还在这里作事，这种人总算有良心的，所以我很器重他。"佩芳叹了一口气道："不要提起，自你去后，我们家是一天不如一天。总理一死，大殿倒了正梁了，家里人心惶惶，接二连三的出岔事。就是我和你大哥，也不知如何了局？"小怜听到了佩芳这样称呼，心里又不免一动，想不到当年的主人，现在变成阿哥了。这样看来，富贵人家所谈的身份问题，也大可以通融，只要看作奴才的，自己怎样去努力罢了。不过佩芳都会谈到将来不知如何了局，那末，金家的前途，也就可想而知。便微笑道："你也太过发愁了。总理虽然去世了，还丢下许多家产啦。再说，大爷自己的差事，也就很不坏，将来爬到总理那个位份，也是不可知的。"佩芳叹了一口气道："别人说罢了，难道你也不知道他的为人？他从前那些差事，哪一件不是靠父亲的面子弄来的？现在已经有两处发生问题了。至于丢下来的家产，要好好的过日子，未尝不可以混一辈子。若要像你大哥那样子，一个月一万也花得了，请问又过得几时？我是不问三七二十一，把这些捞到手，替他保留起来再说。"小怜还不曾答话时，只听窗子外有人哟了一声道："你们真是久旱逢甘雨了，一见面，谈得就分不开来，怎么把客留住了，也不让她和我们见面呢？"小怜隔了窗子，昂着头向外叫了一声："二少奶奶，你好哇？"慧厂笑着自掀帘子进来，抢上前一步，握着小怜的手，笑道："好极了，你现在是十分得意了。"小怜笑道："我有什么得意呢？就是得意，也是靠主子的福。"慧厂道："呀！快别再说这话。我向来就主张平等的，现在你结了婚，又不沾金家一草一木，更谈不到什么主仆了。"小怜笑道："人总不能忘本，虽然这儿大家都待我不错，我怎么能够那样自负呢？你添的小宝贝呢？"佩芳笑道："你还是以前那样，肚子里搁不住事，身上放着的那一件见面礼，你是急于要送出去，是不是？那末，你就先到她那边去,和小孩儿见着面,把这问题解决了罢。"慧厂握着小怜的手,就让她一路跟着到自己屋子里来。小怜经过走廊,到慧厂房门外,只见门口那一片玫瑰花地里,生长许多牵牛花和野豆子,将花干胡乱卷着,蓬卷着一大堆。花外的一堆假山石,爬山虎的藤却是长得更茂盛,山石成了一个绿堆。然而东拖一条,西拖一条,倒垂下来,又卷着地上乱草,更觉上下一片毡了。慧厂对于家庭琐务,原来就不大爱清理,一切都归下人去治理。现在院子里,草长得多深,除了鹅卵石砌成的那一条人行路而外,一律都让乱草铺了。慧厂见小怜四周的打量,便笑道:"你觉得我这院子里太荒芜了吧?"说着,叹了一口气道:"现在要办而未办的事,也就多了,哪里管得到院子里这些草上面来?我们一天一天看惯了,倒也不过如此。大概初来的人,是会觉得今昔不大相同的了。"小怜走了几重院落,所见各院子里的情形,都一律如此衰败,对于金家不振的趋势,也就看透了十分之七八,也不免暗暗替着大家叹了一口气。走到慧厂屋子里,倒是有一件可喜的事,首先射入眼帘,就是摇床里面,睡着一个白胖的小孩子。这是个正暑的天气,那小孩子只穿了一件连叉脚短裤的兜肚,大半个身子,全暴露在外面,非常的好玩。小怜俯着身子,拿起来粉团儿似的小手,在鼻子上闻了一闻,站起对慧厂笑道:"这一个小孩儿,真是可爱!"慧厂笑道:"这很容易的事呀,到了今年下半年,你自然有的。"小怜红了脸道:"我不要。"慧厂笑道:"你说话真是一个大大的矛盾。刚才你说小孩儿好玩,这会子你怎么又说起不要来了?"她说着话时,小怜又在她手拿的小皮包里,取出了一把小金锁,轻轻的给小孩儿挂上。趁着慧厂一谦逊,便把这个岔儿揭过去。这时,小兰由外面跑了进来,笑道:"柳少奶奶,太太请你呢。"小怜道:"哟!妹子,你这是什么话?我们还能这样客气吗?"慧厂道:"自然名正言顺的应当这样称呼,难道她还叫你的小名不成?"小怜道:"叫小名要什么紧?至多叫一声姐姐……"底下一句还不曾续完,秋香也进来了,笑道:"姐姐,我们少奶奶请你去。"慧厂笑着向小怜丢了一个眼色,指着秋香道:"这孩子的聪明,不在你以下,她将来也许和你一样。"小怜只说了一个哟字,秋香一掉头一转身子道:"我没那个福气!"慧厂笑道:"怎么没那个福气,你就托你姐姐找柳少爷介绍一个,不就行了吗?"秋香一掀帘子,站在廊檐下,向屋子里头道:"姐姐,你去不去?我们少奶奶等着呢。"慧厂笑道:"你一年不回来,成了个香饽饽了,你就去罢。"小怜笑道:"这可不敢当,大家看得起我罢了。"慧厂笑道:"怎么不是香饽饽?若不是香饽饽,人家就不会想尽了法子来……"她说到了这里,也是觉悟过来,这句话,实在是不容一语道破的。小怜装着麻糊,匆匆的走出屋子,就向玉芬屋子里去。她怕这处到了那处不到,会得罪人,索性脚不停留,各处一转,然后再到金太太屋子里来坐。只是一位七少奶那里,原来不认识,而且她是闭楼自居,熟人还不见,生人更是无法拜见,就不曾去。不过在金太太面前，总还要表示一下，以期周到。因道："这位七少奶，听说长得极漂亮，学问又好极了，我没有法拜见。"金太太叹了一口气道："这件事简直不能谈。现在我们家，什么事都有了。你的七爷，现在还是以前那样子吗?唉!两个人了。这位少奶奶呢，也是几句书害了她，心高气傲，弄成这一份僵的局面。这件事，亲戚朋友无人不知，大概你也明白了。"小怜道："原先不晓得，还是刚才听到三少奶说了一点。"金太太道："我们不能道人家不好，你回家以后，大概谁都见着了，就是没看到燕西吧?"小怜还没有答话，燕西却在门外答道："怎么没有见着? 大概全家和她见面最早的还要算是我吧?"说着，一掀帘子进来。金太太见他身上穿了一件雨过天晴色的直罗长衫，只是袖子上套了一个黑纱圈圈。下面又是白丝袜子，软底漆皮鞋，上面头发梳得溜光。金太太对着小怜，原已有点笑容，及至燕西走了进来，她的脸色，立刻向下一沉，便对他道："这真是难得的事，今天怎么会有工夫回家来了呢? 其实家里也没有你什么事，天倒下来，还有屋脊顶着呢，你大可在外面玩了一个够再回来呀!"燕西脸色略一迟钝，接着又笑道："你老人家没有看到我，就说我不在家，其实我到外面去的时候也很少。忙一件事，不能老是忙着，我也总应当结束的呀。"金太太冷笑一声道："你也知道结束的时候吗?哼!"燕西虽然受着母亲的教训，并不敢做声。小怜在一边看到，心里却有些奇怪，为什么太太现在对于七爷是这样的厉害，难道儿子一讨了媳妇，母亲就有些不以为然的吗? 再看金太太的脸色时，依然是紧紧绷着。燕西却斜侧了身子，坐在一把软椅上，微笑着问小怜道："在中国看到日本人，自己一生气，头发梢子上都是有火的。你们在日本，终日和日本人鬼混，觉得自己怎么样?"小怜道："我是不大出门的，社会上一般的情形，不大明了。若照我所知道的说，日本人倒很欢迎中国人肯在他们那里花钱。我们遇事肯花钱，他也恭维得厉害。不过那些无知识的人，有时候不客气起来，当面直说中国人会作亡国奴，好像说，中国迟早是日本的。据我听到人所说的，在日本留学的人，这种刺激是常常碰到的。没有法子辩驳，也不敢把人怎么样，忍气吞声，只好含糊过去罢了。"金太太坐在一边，听他们所说，都是些正经的话，这也未便来干涉他们，就让他们向下谈去。燕西说了一阵子，偷眼看母亲并无怒色了，便向小怜道："春江在前面，我还不曾和他谈谈呢，回头见罢。"说毕，也不等金太太开口，连忙就钻了出帘子来。小怜笑道："别忙走哇，还得请你引我去见见少奶奶呢。我有点小礼物，得当面交给小孩子。"

燕西站在檐廊下，只哦了一声，人也就走远了。他回来，原是向鹏振报告白家那个消息的，偏是小怜夫妇一来，将这事打了一个岔，便扯开来了。这时走到前面，鹏振却在他小书房里等着。他已是三天不曾进这书房了，走这书房门口过，燕西原不打算进去，鹏振却由里面喊了出来。燕西道："我正要到前面找你呢，说的那件事，已经行了，你放心罢。"说毕，自己依然举步向外走。鹏振道："你哪里去?"燕西笑道："我是抽空回来的，还有几件事不曾交代呢!"鹏振道："你有什么事没有交代?你的事我全知道。我托你的事，你也总得和我说个清楚明白，要不然，你说事情已经办妥了，我知道你办到了什么程度?"燕西被他一问，只得站住了，将一双脚踏在走廊的栏杆上，再用手撑在大腿上，托住了自己的头，笑道："我到白家去，……"鹏振连连摇着手道："你有什么事那样忙，连到屋子里去谈一谈的工夫都没有?这件事，也不是那样不值得注意，随便站着说说就算了。"燕西笑道："其实也没有什么可说的，所以我不进去。倒不知道你也是这样念妈妈经，非要我说个清楚明白不可!那末，我就陪着你进去说一说罢。"鹏振还怕他溜开去，直等燕西走进屋子以后，才由后面跟了进来。燕西向沙发椅上一躺，笑道："你真不放我的心，我不进房来，你还不肯进来呢。"鹏振道："谁叫你这一程子闹得太不成话呢?大概除了你自己，现在是没有能信任你的了。"燕西叹了一口气道："各人有各人的难处，别人哪里会知道?谁相处在我的环境之下，谁也会像我这样的。"鹏振连连摇着手道："别谈了，别谈了!我不管你那一本账。我现在所要问你的，就是你和我谋的事，是怎样和前途说的?前途又怎样答应的?"燕西笑道："官场也没干多久，官场的习气，倒是这样的深。左一个前途，右一个前途，说得多肉麻呀!"鹏振见兄弟讥笑他，很有些不高兴，转身一想，现在要托重着兄弟呢，也犯不着和他计较什么。便笑道："这也是一句很普通的名词，有什么肉麻?难道平常就不许说前途两个字吗?然而我这也不去深辩，你就告诉我你所要说的话得了。"燕西道："我觉得没有什么可说，你托我的事，我照样告诉了秀珠，秀珠认为是不成问题的事，等她哥哥回家，就让她哥哥写信。最好的结果，也不过如此，你还要我怎样详细的说?"鹏振听着，心里一阵痛快，噗哧一声笑了。只道："就是如此简单吗?"燕西道："不如此简单，照你说，还得把怎样进大门，怎样进客厅，怎样坐着说话，一齐说了出来不成?反正你托我的事我替你办到了也就行了，你还有什么话说呢?"燕西说到这里，再也坐不住了，已是爬起身来就向外面跑。鹏振追到门外来，只摇了一摇头，没有他的法子，也就不做声了。

燕西出得门来，坐了车子，一直就到白莲花家来。白莲花笑道："玉花，你瞧瞧，七爷来了不是?我说的话，不会错吧?"燕西笑道："我答应办的事，并没有办完，怎能够不来呢?"说着话，自打帘子，走向白莲花屋子里面来。白玉花手上拿了一本小说侧着身体看。燕西进来的时候，她只斜着眼珠，向燕西瞟了一下，身子也不曾动一动。燕西一歪身子，也在她坐的椅子上挤将下去。一手搭了她的肩膀，笑道："看的什么书?我……"白玉花不等他说完，将他的手一推，站了起来，头一扭道："斯文一点行不行?你怎样老是这种样子?动手

动脚，我也不好怎么样说你了。"燕西碰了一个钉子，默然了一会儿，也不站起来，斜斜的躺在靠椅上，只是抖文。白玉花又斜过眼睛来看了一看他，见他有些难为情的样子，她就不是那样骄气扑人了，手上拿了书还是看着，退了一步，坐在椅子上来。燕西也不理她，依然是左腿架在右腿上抖着文。白玉花见他依然是不理，这才掉转身来，将书向他面前一伸，笑道："你瞧，不过是一本武侠小说罢了。"妇女们的笑，是有莫大力量的。在她这样笑着一说之下，燕西又进了她爱力圈了。

第九十九回

谈笑弄娇嗔新装十索
言行失常态情局孤忙

　　白玉花一笑之后，燕西也就跟着笑了。因道："这倒怪，你不看言情小说，倒要看武侠小说。这是什么原故？"白玉花道："一个人一天到晚只是醉生梦死的谈爱情，那还有什么振作的精神？我现时全过的是胭脂花粉的生活，再要看言情小说，就一点丈夫气都没有了。我不是一个男子，我要是个男子，决定要轰轰烈烈干一干大事，不能够整天的……"说到这里，她顿了一顿。白莲花在外面听到，觉得又是妹妹给燕西钉子碰，便笑道："玉花，你别吹，自己说漏了，真要轰轰烈烈作一场的话，也没有谁拦着你，干嘛一定要作了男子才成呢？作女子的，就不许轰轰烈烈干吗，这样说，还是你自己不争气。"她说着笑了，一掀门帘子进来，对燕西眉毛一扬道："七爷，我可跟你出了一口气了。"燕西笑道："就让你妹子说着痛快痛快罢，又何必把她的话驳回呢？"白莲花笑道："你这人也是楞受罚不受赏的人，我帮着你，你倒不愿意。"白玉花斜着看了一眼，抿嘴微微一笑。白莲花笑道："七爷匆匆忙忙的跑了去，匆匆忙忙的又跑了来，必有所谓。"燕西道："玉花不是要我和她去买点东西吗？昨天我有事没去成，今天我要再不去的话，你们会疑心故意推诿了。所以我今天无论怎样的忙，我还是跑了回来，打算陪你们出去一趟。"白玉花听了这话，禁不住又是一笑，两腮上微微露出两个小酒窝儿，站起身道："劳你驾了。"燕西最爱看她这两个小酒窝儿，也望着她笑了。燕西知道她姊妹二人，已经乐意了，便笑道："要走我们就走哇。你们二位一出门，由洗脸以至换衣服，这其间，所消耗的时间太多了，快点罢。"白玉花道："你这样郑重其事的要带我们去买东西，但不知道可以给我们买些什么？"燕西道："你二位不是说要到印度公司去买些印度绸缎吗？"白玉花道："我没说这话。我这人有点顽固，不愿穿外国料子。绸缎本来出在中国的，不穿中国料子，倒穿印度料子，这是什么用意呢？"燕西心里想着，中国料子比印度料子就便宜多了，她不要印度料子，倒要中国料子，这是乐得省钱的事了。便笑道："那就上绸缎庄罢,我有家熟铺子,东西都是很好的。"白玉花道："我不等着什么衣服穿,你真要送我东西的话,你就送我一挂金链子。"燕西道："成!少不得下面还有一个鸡心小匣子,打算嵌谁的相片呢?"白玉花道："谁的相片我也不嵌进去,我用不着那个,我要挂一支转动的铅笔。"燕西向着白莲花笑道："她改了东西了,你打算要什么呢?"白莲花道："我陪你们一路上金店罢,也许可以找着一两样合适的。七爷,你还是别这样慷慨罢。我们去了,回头把首饰乱七八糟一挑,一个人真会花上你好几百块钱,你会后悔的。"说着,抿嘴一笑,望了白玉花。白玉花因她姐姐的话很是俏皮,也就跟着她的笑,接上一笑。燕西到了这时,只有绝对的赞成去才是,不然,就没有面子了。白莲花自己一个人笑道："我还是不去罢,我只刚说出来这一点子要求,七爷就有点不大愿去的意思了。"燕西笑道："这是哪里说起?我一个字也不曾响出来,你怎么就知道我不愿意去了?而且你两个人说着,我还带了一点笑意儿听着呢。"白玉花在一边看了,只是抿嘴微笑。白莲花道："你笑什么?我说的可是真话呀!"白玉花望了一望燕西,又望了一望她姐姐,依然是微笑。燕西在这种一阳一阴的揶揄之下,实在不能忍受,便强笑道："你姐妹俩大概有点信任我不过吧?但是我自己仔细想着,也不曾在你二位面前失信啦。"白玉花道："你怎么提起我来?我没有说你什么。"燕西道："你虽然没有说什么,可是你姐姐说了许多俏皮话,你怎么不代我驳回去一声儿呢?"白玉花道："我又何必替你去驳回呢?你不会用事实来证明她的那句话不确吗?"燕西道："你这话对了。那末,我现在就请二位一路出门上汽车。若是二位不愿去,那就存心让我做滑头,我也就无可说的了。"说毕脸上可就微微泛出了一层红晕。白莲花笑道："七爷真急了,我们就去罢。"说时,就向白玉花丢了一个眼色。又道:"玉花,你就随便换一件衣服得了,别再多耽误时候了。"于是二人匆匆的换了衣服,就一同和燕西上汽车向金店而来。

燕西身上,已带了三百多块钱。心里想着,她们也不过买几件零碎首饰,总也不至于用多少钱,也就毫不踌躇的陪着她二人去。汽车停在一家金店门口,自己首先跳下车来,将二位老板引着进去。金店里的伙友,一看是坐汽车来的主顾,料是不坏,相率迎上前来。连忙问着,要点什么?白莲花道:"我们要买两挂链子,你拿出来挑挑。"燕西心想,我就知道不能一个人要,一个人不要,这不就由一挂变为两挂了吗?默然不做声,随她二人去和伙友接洽。伙友将她们引到玻璃柜边,等她二人隔了玻璃柜指明了要盒子里陈列的那一挂,然后由身上掏出钥匙,将玻璃格子旁边的活门打开,拿了一挂链子出来。依然把那活门关上,两只手拿着链子,交给了白莲花。身子向并排的这一边一闪,似乎有点障碍去路的样子。燕西站在一边,原是微笑的望着,这时就禁不住发言了。笑道:"你们一小心起来也就未免太小心了。我就不说，站着离货格子远啦。凭这两位小姐的样子，身上总不会带着手枪，你干嘛这样小小心心的防备着？"伙友听说，倒有些不好意思，便笑道："笑话了。我们这行，都是这样，开了格子，马上就得关上。"一个小胡子的伙友，走过来一拱手，笑道："这位先生一双眼睛好厉害。做生意买卖的人，我们替东家办事，办得……总得什么一点……"燕西摇摇手道："不谈这个了，做买卖罢。"便笑向白莲花道："挑好了没有？挑好了给钱就去，别让人家担上一分心。"白莲花笑道："我们反正花钱买东西就是了，管人家怎么样呢？"她说着，向白玉花招了一招手，笑道："你不挑一挂吗？"白玉花懒懒的样子，很随便的答应一声道："照你的样子买一挂就是了。"这样说着，于是伙友又拿出一挂金链子来，替她送到里边柜房去，给她们包裹。燕西走向前一步，对白莲花笑着低声道："你看他们多小心呀，我们不给钱，他是不交货的呢。"白莲花道："当然的，这有什么奇怪呢？"说了这句话，却回头对伙友道："你们有白金的戒指吗？给我挑一只拿出来看看。"伙友到了这时，也看出他们几分情形来了，就照着她的话，挑了两个白金戒指，递到她手里。她看了一看，拉着白玉花一只手，向她一个指头上轻轻套了上去，笑道："你带一只试试，合适不合适？"白玉花带着，平伸着手看一看，笑道："就是它罢。"白莲花笑道："还得取下来，让人家秤一秤分量呢。"笑着，仍就在她手上取下来，交给伙友道："也是照样的两只。"伙友拿到内柜去了。白莲花还伏在玻璃格子上，望里面张望着。燕西看这情形，分明还是要挑东西，心里不免有点焦急，身上并没有带着许多钱，再要挑首饰，如何会得出账来？但是果真要上前拦阻的话，又显着自己小器，站在一边，倒有些踌躇的样子。偏是白莲花又看出来了，对伙友道："东西挑好了，我们丢一百块钱的定钱在这里，回头我们再拿钱来取货。好在货在你们柜上，你们总可以放心的。"伙友都笑着说："不放定钱，也没关系。"燕西倒不怕花钱多，就是怕受窘。既然可以暂时不付钱，就先拿出一百块钱出来，倒也无所谓。因之在身上掏出一百元钞票来，交给了柜上。伙友渐渐也就看出燕西是个阔少爷了，既是先放了一百块钱的定钱，而且东西又并不拿一样在手里，这买卖还有什么不可以放手做的？因之二花要什么，他就挑什么出来看，结果，白莲花挑了一个粉镜盒子，白玉花挑了一个锁链镯子，一齐让柜上开了账单子，一把交给燕西了。燕西拿着账单子顺便看了一看，就向身上一揣，似乎是毫不注意的样子。白莲花走向前一步，靠近了燕西，低声微笑道："你不是说和我们去买绸料吗？我们可以一路去了。"燕西一想，不是说好了只买首饰，不买衣料的吗？怎么首饰刚买到手，又要买衣料呢？然而不去这一句话，怎好当了金店的伙友们说出来？便含糊点了一点头，首先向店门外走。白莲花姊妹跟着他一路坐上车去。汽车夫照例要回过头来，问一句到哪儿？白玉花脸色一沉道："把车子送我们回家去罢。"燕西最怕是得罪了她,见她有不高兴的神气,便道:"怎么回家去呢?不是说好了去买衣料的吗?"白莲花微微一笑,白玉花绷着脸却是一字不响。燕西这却无可推诿的了,便向汽车夫一挥手道:"向成美绸缎庄去。"汽车夫当然是听主人翁的命令的,便拨转车机,一直向绸缎庄开来,而且开到绸缎庄大门里的天棚下面才停住。燕西还不曾下车,这里的掌柜,认识他们金家汽车的牌号,早有几个迎了出来。等他下车时,大家便点着头,鞠着躬,同笑着叫七爷你来啦。跟着白莲花、白玉花走下车来。大家一看,并不是金府上的少奶奶和小姐们,那末,其来由可知了。当时一阵欢迎,把他迎接到楼上去。这一字通楼靠南的一带,列着七八列长案,每张案子上,都是绸料架子,云霞灿烂的陈列了一片。这些东西,有丝织物,有毛织物,那些名字却由着绸缎庄上的人去瞎诌,无非绫罗绸葛之上,再加些花月金玉的好看字眼。燕西随着二花之后,绕着这几张长桌,转了几个圈圈。凡是颜色清淡一点的,花色新鲜一点的,几乎两人都要挑上一件。燕西默记着,大概有十几件了。燕西这倒放心,好在这个绸缎庄,是和家里有来往账的,夏季的料子,又无非是绸和纱,买得多也不过二三百块钱材料,那也不要紧,只记上一笔大账罢了。这店里的老伙友,一见七爷一声不言语,只管由两位女宾去挑选,料着七爷是要大大请一次客的。那末,索性趁此机会,多招揽一点买卖,因笑着在二花之前,将新到贵重料子,指指点点,告诉许多。看了三五样,当然总有一两样中意的。中了意之后,总是白莲花笑着问燕西道:"这个料子怎样?"燕西明知在她一问之时,已经非买不可。若是说不好的话,徒然扫了人家的兴致,所以也就干脆说好。二花将衣料挑选完了以后,老掌柜的就把账单子递了过来,笑道:"七爷,这一笔账还是记上罢。好久不照顾我们了,今天才来。"燕西拿过账单子来看了一看,点点头道:"好罢,你就拿去记上罢。好在也快到付钱的日子了。"老掌柜捧了两只拳头,连连拱了几下,笑道:"七爷说话,总是这样客气。"燕西笑道:"只要你不客气就好,我这衣料算是叨光了。"老掌柜不好说什么了,伙友们已经是把衣料捆束成四大包,两个伙友们夹着两包,走了过来。老掌柜的就借此笑道:"给七爷送上车子去罢。"说时,他先接过一个纸包裹来,便向旁一闪,有个让路之势。燕西也不和他说什么了,就引着二花一路走下楼,伙友先将绸料一齐送到汽车上去。燕西上了汽车,就向二花问道:"你们还上哪里去买什么吗?"白玉花对她姐姐望了一望,白莲花将脚向上抬了一抬,把鞋尖扭了两摆,微笑道:"我们去买两双皮鞋吧。"白玉花低声微笑道:"也好罢。"燕西对于这个要求,更用不着推诿了,便分付汽车夫一直开向安康鞋庄去。这个鞋庄,也是和金家极熟的,伙友满盘招待。掌柜的一看七爷后面,跟了两位女友,心里就明白了一大半,便向燕西微笑道:"买两双坤鞋吧?"燕西点了点头。早有小徒弟们将高跟鞋平底鞋,搬了许多双放到玻璃格子上来。燕西呵呀了一声笑道:"怎么样?打算让我们给你去开鞋庄分号吗?要不然,是特别大廉价吧?"伙友也笑起来道:"我是怕两位小姐挑得费事,所以一齐搬了出来,让大家看看。"燕西指着向二花道:"人家都搬出来了,请二位挑罢。"白莲花笑道:"不用挑,都是好的,一样拿一双罢。"白玉花也笑道:"就是那么样子办罢。"燕西听她们所说,分明是有意负气,也就跟着微笑,并不置可否。伙友在一边也看出了一些情形,虽然趁此可以多卖几双鞋子,然而得罪了七爷,闹得金家不来做买卖了,那也不好,而况这半年以来,金家也就不大有大生意可作呢。于是向学徒丢了一个眼色,低声道:"收拾收拾。"白莲花道:"为什么收拾起来?你怕人家买了去吗?"伙友笑着没有作声,白莲花于是将最好的鞋子,拿了几双试了一试。试过了一遍,又让白玉花试了两双,然后她突然站着,将手一拍衣服道:"行了行了,不必再挑了,别……"说着,眼睛向燕西瞟了一下。燕西只是微笑,什么也不说。好在这个所需要的钱不多,就掏出钱来会了账。会了帐之后,索性不说回家,静等她二人怎样分付?白莲花抬起手腕上的手表看了一看,笑道:"时候还早着,我们一块儿到乌发洋行去一趟,还来得及,能陪我们去吗?"燕西笑着拖了长音道:"可……以。"白莲花向她妹妹一笑。二人先坐上车去,燕西跟着上车以后,车子已是向回路上走了。燕西敲着前面的玻璃板隔扇道:"现在还不回去哩。你向哪儿开?"汽车夫回转头来道:"李老板分付了回去呢。"燕西且不去理车夫,即回转脸来向白莲道:"你不是说还买东西吗?"白莲花道:"我倦得很,要回家睡觉去,今天我还没有睡午觉呢。以后天气凉一点的时候,再去买罢。"燕西笑道:"可以的,我总会人情作到底。"

这样议决了之后,燕西才安心送了二花回家。不过心里想着,小怜今天回家去之后,自然有许多话说,柳春江那人也怪有趣的,偏是自己在家里只待一回子,匆匆忙忙的就出来了。将来事后说起来,我这人未免有些对不住人。于是笑着向白莲花道:"差事算是我办完了,现在我可以回去了。"白玉花微笑道:"我可不敢要七爷办差事呀!别走了,吃了晚饭再走罢。"燕西知道她向来不易对人客气的,现在也客气起来,这一餐晚饭,不能不吃。不过今天不回家去,又很容易令人注意的,这只有推谢白玉花这一段人情的了。于是笑着道:"像我这样的客,人家家里,别来多了。一来之后,就是整天的不知道走。"白玉花微笑道:"是了,出来久了,也该回去看看你们少奶奶了。"燕西也不和她辩论什么,只微笑着点了点头。白莲花见他向外走,就跟着送到大门外来,趁着过道里无人的时候,轻轻握了他的手道:"你明天是什么时候来呢?我们一块儿去游北海去。"她这一只热手,在燕西手心一触着,又嗅到一阵肉香,不觉心里一动,忽然一转念,还是不走吧?此念一转,他的行动也变了。向她一笑道:"你们都留我吃晚饭,预备了一些什么好菜呢?"白莲花笑道:"要说好菜，我们这里可比不上府上，只是一点敬意罢了。"燕西和她说着话，脸朝着里，正也打算向里面走。只见白玉花悄悄的跟出来，站在院子门边，嘿了一声响，向燕西招了一招手。燕西以为她有什么分付呢，就迎上前去。白玉花微笑道："快回家去罢。你们的贵管家，打了电话来了，说是请你快快回去，有要紧的事呢。"燕西曾和金荣说好了的，没有十分紧要的事，可以不必打电话，免得人家担心。便问道："真的吗？"白玉花道："你不信，你就自己打一个电话回去问问，我又几时骗过你呢？"燕西一想，她这话想是对的，不能留我吃饭之后，又突然要我回去。因笑答道："也许家里有什么事发生，那末，我就先回去罢。要是我赶不上来吃饭的话，我就先打回一个电话来通知你，不必老等着我了。"说毕，就向外面直走了去。汽车夫先看到燕西出来，正要打开车门来，现在燕西又出来了，可不知是不是上车。因之呆坐在车座面前，却未动身。燕西一面开着车门，一面骂道："你怎么回事？想什么事，想出神了？快开回家去。"在他如此骂汽车夫的时候，脸上当然是有些生气的样子。在车子开着向前，脸回过来，一看二花之际，脸色还依然有气。等他自己觉察出来的时候，彼此已离得很远了。燕西第二个感想，可就想着，这件事怎么办？人家好好的送我出来，我倒给她不好颜色看，这要不解释一下，那是会发生极大的误会的。一路想着，车子到了家门口。

　　下了车子，首先就向客厅里跑去，看看柳春江可还在这里坐着。这时，他大弟兄三个，除了依然陪着柳贺余三人之外，又添了朱逸士、何梦熊二人，大家说说笑笑好不热闹。柳春江一见燕西进来，连忙起身相迎。笑道："七哥是个忙人啦。"燕西道："我算什么忙人？瞎胡闹罢了。"柳春江道："其实年轻的人，也不妨在外面寻些娱乐，因为娱乐是调剂人生的。若是光作事，不找娱乐，人生就未免太枯寂了。"燕西原是一句随便敷衍的话，不经过柳春江一番解释，倒也罢了。经过解释之后，反而觉得自己所谓瞎胡闹云者，是真个有些瞎胡闹，不免脸上红了一阵，怕是让柳春江看出了什么破绽，他故意当了大众来洗刷的。凤举在一边冷眼看着，知道燕西是有些不满意这句话的，便道："不过我们在服中，要找什么玩的，事实上也是不便。实不相瞒的话，到了现在，愚兄弟自身，也得自去找一条新出路，怎能够腾出工夫来娱乐呢？"柳春江一句为人解释失言的话，结果是弄得自己失言了，真是大为尴尬。只得借着站起身来，以取火抽烟卷为由头，躲过了人的注意。同时大家也就向余贺二人去谈话，把这一层原由，给他揭过去了。燕西对于这话，却不十分在意，看见柳春江中指上戴了一个钻石戒指，便迎上前看了看，笑道："这个宝光很足，哪里买的呢？"柳春江笑道："这算是我们订婚的戒指，不是新买的。"燕西听说，心里倒有些纳闷。小怜跟着他逃走的时候，纵然还有几个私蓄，无论如何，不够买这一只钻石戒指的，这可见小柳是在信口胡诌。柳春江似乎也就看出燕西踌躇不定的情形来，便笑道："我是一对买来的，我们彼此各分了一个带着的。"燕西待要再问时，凤举望了他一眼，只得停止了。约隔了两三分钟，凤举起身走出客厅来，燕西也跟着走。凤举一回头，见他跟着来了，便停住脚，望了一望后面，低声道："你这人怎么回事？小柳总也算是个新亲过门，你先打了一个照面就不见。现在重见面，你什么也不提，就是问上了人家的钻石戒指，未免俗不可耐了。"燕西红了脸道："他戴得，我还问不得吗？你们谈了一天的话，又谈了一些什么高尚风雅的事情呢？"凤举道："我是好意点破你，爱听不听，都在乎你，你又何必强辩呢？"

燕西再想说两句，却也无甚可说的，正站在走廊下出神呢。只见金荣在前面一闪，心里忽然想起来了，糟糕！他打电话催我回来的，我也不问是什么事，还有人等着我一块儿吃晚饭呢。于是抛开凤举，自走向前面来问金荣。金荣见附近无人，才低声道："太太问你两三次了，不定有什么话和你说呢？"燕西道："你这个东西，真是糊涂虫，既是太太有话对我说，为什么我进门的时候，不对我说明？现在我回家这久了，你才对我来说，耽误事情不少了。"金荣道："我的七爷，你回家来了，我根本上就没有看到你，叫我有话怎样去报告你？"燕西道："你把事情做错了，你还要混赖，难道你不会先在电话里说明吗？"他嘴里如此说着，脚步就开着向上房里走。到了金太太屋子外边，听到里面静悄悄的，并没有什么声音。心里就想着，母亲屋子里大概没有旁人，正是一个进去说话的机会了。因之先在院子里，故意放重了脚步，然后又咳嗽了两声，这才走进屋子里面来。金太太闲着无事，却拿了金铨的一个小文件箱子，清理他生前一些小文件底稿。燕西进来了，她也只当没有看见，还是继续的清理着。燕西只得一步一步走上前，直走到她身边来，先开口问道："有什么事找我吗？"金太太一回头，淡笑着道："你忙得很啦。你瞧，回来只打了一个照面，又公忙去了，连和我说句闲话的工夫都没有呢。"燕西只是笑道："其实我也不曾跑远，就在附近看了两个朋友，而且老早就回来的了。"金太太放下了文件，向着燕西坐下来，问道："附近的两个朋友，是谁呢？"燕西见母亲全副精神都注视在自己身上，一刻儿也就不敢再撒谎，默然的站着。金太太长叹了一声道："最不得了的一个人，恐怕要算你了。"燕西默然了一会儿，很从容的道："我出去会两个朋友，也不算什么，这也值不得这样重视啊！"金太太道："好罢，就算是你会朋友罢，不过你这样一天到晚的会朋友，会到什么时候为止？又会出了一些什么成绩出来？"燕西被母亲如此一问，倒无甚可说了，便笑道："你老人家也不必追问，反正我不久就要出洋去的了。趁我没有动身以前，先快活两天，这也不过分。"金太太道："你不要说什么出洋出阴，我不管这些的。儿女哪一个

795

是靠得住的?我看透了,你只管走罢,我不怕的。"燕西呆呆的站了一会儿,母亲不说什么,自己也就不能说什么,踌躇着道:"妈没有话说了吗?我要到书房里去清理清理书了。"金太太听他如此说着,向他看了看,冷笑了一声。燕西无可谈的了,搭讪着捡着小箱子里的文件看了两页,因母亲总是不理,也就无法在这里坐住,于是悄悄的走出屋子来了。

第一百回

惨语断生平小楼伴佛
狂呼惊夜半烈焰冲霄

　　燕西原是想到前面客厅里去混上一顿的，忽然记起还不曾通知二花，别让人家老等着吃饭了。如此一转念头，自己就赶快跑到前面去，和白莲花通了一个电话。经过小客厅时，他兄弟们已经在陪柳春江一块儿吃酒了。这个时候，也不便突然参加入席，只得一个人自溜回书房里去。躺在沙发上，加倍的觉得无聊，拿了一本书，随翻了几页，也是看不下去。手按着书出了一会儿神，心里便想到今天所用的款，由今天所用的款，又想到自己所有资财的总数。他如此想着，这两个月来，究竟消耗了多少，不能不结算一下账。自己的现款，都作了活期存款，究竟花了多少钱，自己也记不清，这只有将支票根清查一下子，便可以分明了。想到了这里，赶忙就回自己院子里去，翻箱倒箧一阵，把几家银行的支票簿，都拿了出来，清查一遍。查了头一本，再查第二本时，只查了一半，把前面支票的数目就忘了。手里还有两本支票不曾查。自从离开了学校，对于数目字，就不愿意去记，而今突然要几分几角堆上百十千万算起来，实在不胜其烦。于是将支票向箱子里一塞，叹了一口气道："迟早反正是完，算个什么劲儿？"于是关了箱子，躺在一张沙发上，静静的坐着出神。当他如此出神的时候，便听到一种微吟低诵之声，缓缓的传入耳朵来。这分明是清秋在楼上读书。过了一会儿，又有毛孩子的哭声，清秋的吟诵声停止住了，便有拍孩子和哄引孩子的呵哈声。那声音由模糊变到清晰，似乎是由屋子里踱到外面来了。燕西仔细的听，果然清秋是抱了小孩子，在楼上廊檐上踱来踱去。踱了许久，她把小孩子抱进去，然后又在沉寂的空气里，发出吟哦之声了。燕西心想，这个女人真算有忍耐性的，难道不知道我在楼下，只管看她的书？是了，她是知道我在楼下，故意装出这种态度来的。她以为她很镇静，并不把我放在心上呢。哼！其实我也不会被你屈服。燕西想到这里，一点也忍耐不住，将房门倒锁着，又到书房里睡觉去了。他不出去，楼上的清秋还不知道。他到了院子里，便扑通一声反带着外房的门，可就把清秋惊动了。不过她不知这是燕西出去，反以为是燕西走进屋来，连忙停止了自己的书声，熄了临窗的电灯，只留着床面前一盏绿罩壁灯，斜照了床上。自己便斜靠了一张软榻，静静的出神。然而她很沉静的听了许久，并不听到楼下有一点响动，这倒有点奇怪。他这种人，决不能如此沉静的，莫非有什么意外的举动吗？果然他有什么举动，那真是我虽不杀伯仁，伯仁由我而死，在天理良心上，有些说不过去。因之悄悄的开了房门，伏在楼栏杆上，向下面看着。但是看了许久，依然不见有何动静。而且楼下的各房子里电灯，也一齐熄了。楼下几间屋子，黑漆漆的，没有一点形迹，似乎不像是有人。清秋看到，这就更可怪了，他来之后，能闭灯就睡觉吗？她如此的沉思着，伏在栏杆上更是不能走，只管向几间屋子望着。望有许久，因为吹了两口风，一直呛到嗓子里去，不由自主的，便咳嗽了两声。她这样一咳嗽，把楼底下的李妈便惊动了。跑了出来，抬头向楼上问道："七少奶，要什么东西吗？"到了此时，清秋不能不做声了，只得答道："不要什么，我不过在屋子里热得厉害，出来乘乘凉罢了。没有事，你去睡觉罢。"说着，她也就自回房间去了。

只在这时间，楼下走廊上的电灯，又是一亮。清秋想着，究竟是燕西没走。刚才自己伏在楼栏杆上的时候，就不定他藏在什么地方呢。然而有人叫起来了，不是燕西，却是道之。她道："清秋妹，睡了没有？"清秋答道："没睡呢。"于是亮了电灯，也走出来。向下一看，只见道之走在前面，那位日本姨太太樱子抱了小贝贝跟随在后面，并无别人。道之向楼上招招手道："你能不能打开楼门，让我们到楼上来坐坐？"清秋踌躇了一会子道："有什么事呢。等不及明天谈吗？"道之道："倒没有什么要紧的事，我现在不大回家，来了一趟，我总想和你谈谈。我今天晚上，还要回去呢。"清秋看那样子，她自是诚意，一定拒绝她上楼来，也是不对。只得打开楼门，自己迎到楼梯口上。樱子还是第一次到清秋楼上，只见通楼上用花格扇隔成几间房。正中一间，正面摆了一张琴台，壁上挂了一幅灵山说法图。下面一张长方桌，正中一个三脚鼎，左边一个紫色胆瓶，插了一束鲜花，右边一个玉瓷果盘，紫檀架子架着，堆了满满的一盘鲜果。两面又是两张琴台，列着整整齐齐的几十部经书，只台前有一盏电灯，用绿纱宫灯罩罩着。屋子里虽很简单，微微的还带有一点檀香味。令人丝毫感不到这是少妇深闺了。右边一个雕花圆门，有绿色的垂纱幔子，清秋自掀着幔子，让她二人走进去。大家走进屋来，迎面所看到的，除了一床一桌一几之外，便只有三张软椅，和一张小孩儿摇床。像金家什么中西家具都全备的人家，真料不到屋子里陈设倒如此简单。清秋让这妻妾二人坐着，便坐在床上，一手靠了床栏杆，斜撑着身体。她虽不说什么，可以知道她是疲倦极了的。道之道："我看你这样子，身上似乎有些不舒服，你觉得怎么样?"清秋摇摇头笑道:"我一年到头,都是这样的,无所谓舒服,也无所谓不舒服。"道之笑道:"这就叫善病工愁了。但是这四个字,从前是恭维女子,而今可是咒骂女子。"清秋叹了一口气道:"我这种人,还不该让社会上去咒骂吗?"道之道:"你有什么罪恶,应该这样?"清秋一手撑了头,默然了一会儿,然后慢慢的低低的说了一句:"我自己知道。"道之见她两道眉峰深锁,长睫毛低垂着,蓬乱的头发,配着清秀的脸儿,十二分的可怜。因道:"不是我又说废话,人生不过几十年光阴,遇事都应该看破一点,何必这样消极,日坐愁城?"清秋笑道,站起来道:"你的意思,是要我积极呢?我从哪个地方去下手呢?"说着,牵了一牵自己衣服的下摆,又坐了下去。樱子坐在一边,看了清秋郁郁不乐的样子,对于个中情形,虽不十分了解,但是也知道她是在婚姻问题上,受了重大打击的一个人,也就只管皱了眉望着清秋。清秋也想,日本人只管瞧不起中国人,但是不嫌嫁给中国人作妾。道之见清秋一双眼睛,都射在樱子身上,便问道:"你为什么对她这样注意?"清秋笑道:"我想日本人都是强横异常的,所谓共存共荣,那是靠不住的话。何以你们这位姨太太,倒是这样的温柔?我每次看到她,总会有这样一个感想。"樱子已很懂中国话了,清秋的意思,她已明了十之八九,于是向清秋微微一笑。道之笑道:"她现在和我们守华不是实行共存共荣吗?这话又说回来了,日本人都是腹剑森森的,一个外交官家里,讨一个敌国的女子作姨太太,是有点危险性的。她之所以肯嫁到刘家来作二房,也许因为守华是个外交官吧?"清秋听了道之这一篇话,倒替樱子捏了一把汗,觉得她的话,实在严重一点。但是看看樱子的态度,一点也不在乎,只是将眼珠望着道之,微微带些笑容,并不感到怎样的难受。清秋一想,这位日本太太,是真心这样的屈服呢?或者是假惺惺呢?也许道之是故意给她这种侮辱,然而就樱子方面而论,真是能忍受的了。道之笑道:"清秋妹,你真是一个好人,处在你自己这样的环境里,你还要顾念旁人。"清秋道:"这个你有点不明白。你要知道,越是境遇不好的人,越可以和别人发生同病相怜的情形。我怜惜别人,正是怜惜自己呢。"道之一拍手笑道:"这是天地反了常,日本人居然有足怜惜的,而且怜惜她的,还是中国人!"如此一说,连樱子也跟着笑了起来。樱子坐在一边抱着孩子,只管举目四顾,她仿佛是猜不出清秋这样居住,含有什么用意?清秋算是懂了她的意思,便笑道:"你别看我这屋子里不华丽,我很心满意足了。我只希望一辈子够这样住着,可是环境许可不许可呢?这可就难说了。"道之笑道:"你说这话,也未免过虑太甚了。就算老七会花钱,难道还能影响到你的生活问题上去不成?"清秋对于这话并不理会,只是默然坐着。还是道之知道她心里又有了感触,便将言语拉开来道:"你现在看的是什么经书了?大概很有进步吧?"清秋道:"进步是谈不到,不过书是看得不少。现在我正做第二步功夫……"道之笑道:"那末更要参禅打坐了?"清秋道:"绝对不是像你所猜想的什么参禅打坐,我还是看书写字,设法增进一点学问。我想一想,像我们作女子的,第一步就是要竭力去了寄生虫这个徽号,所以我的第二步是干,不是做了丈夫的寄生虫之后,再变成一个社会或人类的寄生虫。"道之一拍手道:"你这话简单痛快极了。都照你这法子去办,那又什么要紧?"清秋笑道:"半夜深更,为什么这样大嗓子嚷嚷?"道之道:"哟! 你这里真成了大雄宝殿了,连嚷嚷都不成呢?"清秋道:"不是如此说,我这院子里,是寂寞惯了的。若是突然热闹起来,却很能引起别人注意的。"道之指着樱子道:"那末,让她这种人陪着你得了,她是整日整夜不做声的。"樱子笑了,搭讪着抱着孩子闻了一闻。这时,楼下有人叫道:"四小姐,太太叫你去呢,我们哪儿不找你哇。"道之听说,又安慰了清秋几句,便走了。走出了院子,回头看看她院子里那一分凄凉,倒不由得叹了一口气。

到了金太太屋子里,金太太告诉她道:"倒是小怜回来,勾起了我一肚皮心事。你看,她和姓柳的,感情多么好?偏是你这些兄弟班子,没有一个像人家的。尤其是老七,他决不能这样以了不了之。大概冷家那方面,也完全明白了,索性不来往。虽然不知道人家有什么用意,就着表面看起来,人家总是二十四分让步,真让我心里过不去。"道之道:"我刚才也是由清秋那里回来,看她那样子,倒也安之若素了。"金太太道:"她虽安之若素,我们能让她就这样闭门自守,这样下去吗?"道之听了这话,倒是怔怔若失,说不出一句什么话来。金太太道:"我也不过这样说起,这也并不是今天就能解决的事情,慢慢再说罢。天晚了,你也可以回去了。"道之一看金太太,是个很伤心的样子,这话也就不必怎样的向下说了,说了也是徒惹她难过,便道:"我本来也就打算回去了的。儿女的事,到了读书毕业,男婚女嫁之后,也就用不着父母再去操心了。他们各有各的主张,事到如今,说也是不行,你就由他们去罢。也别在屋子里老开着电扇,这种风,总是不自然的,吹在身上久了,不见得好,恐怕反而有碍。你最好是早点睡,万一睡不着的话,出来凉凉也没什么关系。"她说着一行三人自走了。

金太太屋子里,把所有的用人都散了,现在只有金荣的姐姐和小兰。道之走了,现在只有几个姑娘们来陪着,少奶奶们都各有私事,姑娘不来,自然是一个人了。因见小兰坐在靠门一张藤椅上打盹,便道:"中午睡了一场午觉,也该过足了睡瘾了,怎么这时候又是这样七颠八倒的?你去把二姨太请来,说我无聊得很,请她来谈谈话。"小兰揉着眼睛,在灯光下一笑,扶着门走出去了。这正屋走廊上,本设有两把藤椅和一个茶几,金太太自行搬到院子里来,又把屋子里一壶菊花茶和两个茶杯,一块儿搬到院子里,自己坐下,静等二姨太来谈天。不料小兰走回来说:"二姨太院子里漆漆黑,叫了两声,八小姐在屋子里答应,二姨太肚子痛,已经睡觉了。"金太太道:"即是睡觉了,那就算了。你也乘凉去,让我一个人在这里休息休息。"她一个人坐在藤椅子上,四周无人,不知不觉的,就抬着头看了天上出神。这时,一道深浅明暗的银河,横拦在天空,成群结队的星斗,满布在银河左右,偶然一个长尾巴流星,箭一般的由高而下。她就想着,这又不知道天空中是哪个小星球炸裂了,飞出陨石来?假使地球也有这样的一天,什么也就完了。这样想着,就看着天空中那闪烁不定的星光。当日金铨在时,夏天乘凉,他喜欢谈天文的,他说,那就是另一个太阳系的太阳,那个太阳系,当然也有几个像地球一样的行星围绕着。天空上有这些个闪烁的星光,就应该有许多太阳。这个宇宙是有多么大呀?我们看别个太阳系,也不过一个铜盘大,一个星球,也不过一粒豆子大。反过来说,那星球上有人类的话,一定看着地球也是一粒豆子。全世界不过一粒豆子,全世界上一个家庭,那小得还能去研究吗?唉!失败就失败了罢,照着宇宙看起来,反正是渺乎其小的一件事。金太太在今天晚上,本来有一肚皮的牢骚,不知怎样子自己去解释才好?于今由几颗星星上一想,倒反觉得四大皆空,并不足介意了。自己心里的积闷一经排除,心里舒服得多了。悠悠的晚风,由墙头上吹来,那种凉意就不断的向人催眠,昏昏沉沉的,也就睡过去了。忽然有人推着身子道:"太太,你别着了凉,进去睡罢。"金太太正入睡乡,不愿人家叫醒,说了一句不要闹,偏过头去又睡着。但是过了一会儿,推的人又来叫了。金太太知道是小兰,说了一句你去睡罢,并不再说什么。

也不知道经过了多少时候,突然怕人的声音,突破了寂寞的黑夜,只听得说:"不好了!着火了!不好了!"金太太听了这话,猛然向上坐了起来,眼前通亮,满院子都是红光,所有院子里东西,都看得清清楚楚。抬头看时,只见屋后头,冒出几十丈高的火焰,火头上的红烟,卷着团,向长空里直冒。同时那零碎的火星,在烟中间乱飞。因为火势是这样猛烈,只听到一种呼呼的声浪,犹如刮风一般。金太太哎呀了一声,转身向外院走。跑了四五步,觉得不对,又向屋子里跑,口里也情不自禁的喊着不好了。这时,金家男女,都惊醒了,里外乱跑。金太太定睛一看,火在最后进堆东西的空房起来的,到前面还远。便站在院子当心,用手乱挥着道:"大家不要惊慌,叫人打电话到消防队。各人先把贵重东西捡捡,再向外搬。"玉芬一手提一个小箱子,七颠八倒,走到这院子中间站定,口里只喊怎么好?怎么好?佩芳两手抱了小孩子,浑身筛糠似的抖,牙齿抖得咯咯作响。凤举赤了一双脚,手里拿了一只脸盆。鹏振两手抱一只箱子。鹤荪光着脊梁,披了一件白纱长衫,一面扣着一面跑。慧厂让乳妈抱了小孩,自己跟着在后面走出来,抬头周围看了看,转身又走进后院去。鹤荪顿着脚道:"你向哪里去?你向哪里去?"慧厂一扭身子,发狠道:"傻瓜!你拉着我做什么?你不要去救出一些东西出来吗?看你这样子,还斯斯文文的,拖上这样一件长褂,

这是做什么?你要和火神拜会吗?"说毕,跑了进去了。这几句话,不但把鹤荪提醒了,把由书房跑出来的燕西,也提醒了,赶着就向他自己院子里跑了去。

燕西跑到自己院子里,只见那屋头上的火焰,向天空上乱喷,满院子火光熊熊,全让浓烟弥漫着。楼上几间屋子,一大半都遮着了黑烟,分不出窗户房门来。燕西一想,清秋还在楼上呢,这个人脾气很倔的,不要还钻在楼上没有下来啦。如此想着,且不进房间,就顺着楼梯,直冲上楼去。不料那楼梯口上的房门,竟是大开着的,由门里冲了进去,已是觉得烟味触鼻,令人承受不住。尤其是两只眼睛,熏得不好受。这样看来,清秋在屋里面,那如何受得了?禁不住口里喊了起来道:"清秋!清秋!不逃命去吗?"喊着,直冲进屋子里去。这屋子里,电灯虽还是亮的,只因黑烟重重包围,也不十分清亮,在外屋子里,却看不到里面屋子。外面屋子无人,伸头看看里面屋子,黑烟更甚,也是没有人。她不是一个傻瓜,其余的屋子,自然是没有人。楼下还有许多东西,赶快跑下楼去拿东西要紧。也不再喊清秋了,连窜带跳,跑了下楼去。自己刚下楼梯,身后却也有楼梯一阵响,回头看时,有阵小孩子哭声,一个女子由走廊下一蹩,已跑出院子去了。燕西看到,心想,那岂不是清秋?我在楼上乱找乱嚷,她为什么倒不作声?因又喊道:"清秋!清秋!你不来拿一点东西走吗?"然而在他这样喊时,人已经走过了回廊,出院子去了。不但是没有回声,而且头也不曾转过来看一看。

燕西见她如此,也不再去追问,在烟雾中奔进了屋子,先把自己放现款支票的那个箱子拖了出来,带跑带拖,抢出了房门。一看楼上,已经有一角屋檐,沾着火焰。火声风声,呼啦作响,已是闹成了一片。似乎是救火会消防队的人都到了,外面已经发出了军号声警笛声,同时有救火人的呼喊声。燕西生平不曾搬过什么笨重家具,这时两手一身,和一个箱子厮搏,浑身是汗,再被声音一惊扰,人简直不知道如何是好?加上那火焰头上冒出来的火星,四面纷飞,洒到院子地上,更是吓人。燕西要走,手里放不了那只箱子,不走,又站不住脚。正在万分为难的当儿,只见烈火丛中,一个人跳了进来,高声叫道:"七爷!七爷!快出来!火打后面来了!"燕西听那声音是李升,便道:"快来罢,我这只箱子。"说着气喘喘的将箱子拍了两下响。李升这时已看得清楚,跑上前来,举起箱子,向肩上一背,顿着脚道:"七爷,你在前面走,我在后面跟着,别耽误了。快走快走!"燕西见李升已经背了一个箱子,自己手上是空着的,却待一转身进去,再背第二只箱子。李升伸出手来一把将他衣服抓住,喊道:"怎么着?你不要命了吗?"燕西听到李升口出不逊之言,也有点气,便道:"你怎么回事?"李升依然抓着他的手道:"我的爷,你也看看前面是一种什么情景,还能走过去吗?"说着,也不管燕西同意不同意,一手拉住肩上的箱子,一手抓了他的衣服,拚命的

向外奔。待燕西奔出那里院子门时，只听到轰隆隆一声，也不知道是倒了墙，也不知道是坍了屋，只觉那火焰向四周一撒，烟雾里夹着许多灰尘，向人身上直扑了来。燕西看了这种情形，也觉再耽误不住，只得跟了李升跑。

到了前面院子看时，已是零零碎碎，搬了不少的东西在地面上。也有许多消防队，拿了钩耙梯子，各种救火器，四处乱跑。同时，亲戚朋友家里，也各有人来慰问和帮同抢救物件的。百忙里抬起头来，看到火焰冲上天空，大半边天，都是红色。在火光中，看到墙头上和屋顶上站了许多人。尤其是注水皮管放出来的水头，犹如一条水龙在火焰中，直穿了过去，射到燕西住的那所后楼去。眼见那楼上的火光，一伸一缩，极力和水抵抗。墙后面的火光，兀自卷着几十丈大小红烟团，慢慢上升，火势还未见少煞。那些救火的人，也不知得了一种什么暗号，十几个人一齐扑上墙头，伸着钩耙就把燕西住房前面的一排低屋一齐打倒，哗啦啦一声响得惊天动地，这一下子，算是把火头已然断住。金太太站在人丛中，禁不住口里念了一声佛。凤举嚷道："不要紧了，不要紧了，火路算是断了。"不过他们虽是在庆幸着，然而燕西所住的地方，已经在火路里面，算是牺牲了。

第一百一回

两老恻慈怀共看瓦砾
同胞作愤语全没心肝

金太太到了这时，目望着火光，已经出神了许久，忽然哎呀一声道："这可不好了。"凤举道："你老人家又发什么急？火不至于再烧过来了。"金太太道："清秋呢？清秋呢？还有小孩呢？"大家猛然想起，都叫了一声哎呀。燕西在人丛中挤出来道："我进去拿东西的时候，曾抢到楼上去找她的。可是随便怎样地叫，也不见人，后来我下楼，看到她抱了孩子走出来了。"金太太走近前一步问道："是走出来了吗？这不是闹着玩的！"燕西道："事到于今，我哪里还有什么心思闹着玩，她抱着小孩出来的时候，我还听见了小孩哭呢。"金太太道："既是出来了，何以不见她出来？"站在院子里的人，大家都说没人看到。金太太道："老七不要是看花了眼吧？若是有个三长两短，一大一小，天啦，那……那……真作孽。"燕西道："我清清楚楚看了她走的，若不是她，除非是鬼显魂。"金太太道："老说是她，人呢？"慧厂道："大家不要慌，好在火不要紧的了，四处找找看。"燕西抢了一阵东西，心神刚刚粗定，这时经大家一恐吓，他也慌了，转身就跑向外边去。金太太抬着手喊道："糊涂虫，你到哪里去？"燕西道："她胆子小，也许在大门口。"说毕，依旧向外跑。

这时，火路虽然断了，火势有没有熄灭的希望，还是不可料。加之救火队怕电线走火，已经把几个总电门都关闭了，前前后后的电灯，算是一齐熄了。大家只在暗中摸索，也没有谁敢离开东西去找人。金太太最担着一分心，一个儿媳，一个孙儿，设若不幸葬身火窟，未免太惨。儿媳们都要救东西，既没人肯走，只得催着小兰道："你也给我找找人去，烧光不烧光，你反正是穷骨头，为什么舍不得走呢？"小兰虽然心里害怕，已经烧了许久，恐吓的时间一长，人也有些麻木了。既是金太太催着去，不能不分身去找找。但是她也没有定见，随便跑了几个院子，一无所得的又回来了。燕西跑出了大门口，问问人，也是不知踪影，重回院子来。现在火势渐渐低下，已不至于再行延烧。结果，算是烧了一排堆东西的空房，和燕西住的半幢楼院。平房是拆掉的，隔壁院子里，鹏振所住的也拆掉一间房。照着警察章程，失火的人家，带事主到区问话，要负失火的责任。但是体面人家，着个听差到区转一转就行了。至于失火的原因，便可以说是空房电线走火，连失察的责任，都不必去负的。这里的警察人物，对于前国务总理家失慎，有什么可说的？现在正是空房起火，这也不用金宅报告，他们自己调查所得，便是电线走火。现在金宅只两位管家，彼此都极相熟的，也不便带区问话，含糊便算了。火势既熄，把总电门重开，大家又重新来找人。这一回子，算是大家都动身了。然而由内及外，由外及内，找了几个来回，哪里能看到清秋的影子？这就不能不疑心她是逃走了，或者烧在火里的了。

现在金家算又热闹起来。亲戚朋友们不断的来慰问，外面客厅里，拥挤着好多男宾，金太太上房里，是挤着全部的内眷。火的事，都扔到一边，大家议论着清秋失踪的事。有些人说，清秋抱了厌世的主义，烧死了也未可知。有些人说，她不是那样傻的人，要自杀，简便的法子很多，何必跳在火里去死呢？今晚亲戚朋友都有人来，只是冷家没理会。他们有姑娘在这里，岂有不过问之理？准是清秋跑回去了，所以冷家不必来人。倒是这一句话，有相当的理由。金太太连忙派人到冷家去打听，不到一小时，打听的人回来说，冷太太就不知道这里失火，还问七少奶平安否？我说，只烧了几间闲房，没事。冷太太说，夜深了，家中无人，不便出门，明天再来。金太太得了这种报告，稍微镇定一点的心事，又复跳荡起来。这个人就算没有烧死，只是不辞而别，就这样走了，也是一种不好的现象呀！大家纷纷议论，不觉得也就是东方发白。金太太再也忍耐不住了，亲自带了几个人到燕西那幢院子里去，将火烧的所在，挑掘寻找了一阵，看看可有尸首？然而寻了许久，并没有什么形迹。金太太寻过了一遍，凤举又带着人来寻找一遍，这也就太阳高照屋顶了。金太太站在这院子门边，整有二小时，见并没有不幸的痕迹，心里才算平安了许多。燕西、金荣已抢着来报告，说是冷太太来了。这句话，不能不让金太太心里一跳。

这个时候，金太太还不曾转了身子，小兰已抢着跑了来报告，说是冷太太来了。金太心想，这个地方，怎好让她来看？只是她已来了，自也拒绝不得，因此迎着出了院子门，先在那里等着。不大的工夫，冷太太来了。她总是抱着古套的，这个日子，上身穿了夏布褂子，下面还飘飘洒洒的系着一条长裙子，那样子自然是很镇静的。金太太迎了上前来先皱着眉道："我们不幸得很啦！"冷太太道："是呀，昨天晚上我听说府上走了火，身上立刻就抖起来。后来听说没有多大的损失，我心里就宽了。你是知道的，我家里人口少，半夜深更，那是走不开的。清秋这孩子是大意的，这一子总是淘气，我也没有她的办法。她昨天晚上在……"冷太太说着，一面只管向里走。她一脚踏过了走廊门，哎呀了一声，向后一退，她已看到那个很幽雅整齐的小院子，变成瓦砾之场了。她初进金家大门的时候，除了看到地面上透湿之外，其余一切如常，原来种种揣测，差不多一扫而空，倒也心里很舒服。现在看到女儿所住的地方，竟烧成了这种情形，大大出乎她意料之外。立刻，脸上颜色青一阵白一阵，站着也有些前仰后合的不定。她手扶着走廊上的一根柱子，望了金太太道："她……她……我那孩子呢？"金太太看她那种情形，脸上正也是一样的青白不定，现在冷太太既问起来，只得镇静着道："这还有原故的，你不用慌。"冷太太道："有原故的吗？她究竟死了没有死呢？别的我也不问了。"金太太道："死是没有死，但是人也不见了。"于是把昨晚失火，燕西看到清秋的情形，说了一遍。冷太太道："哟！他和她是冤家了，他的话，哪里会靠得住？这样说，我的孩子准是没命了。"只说到一句没命，早是哇的一声，哭将出来。金太太虽不愿意人家哭，然而人家丢了一个女儿，又怎能禁止人家不哭？只得靠了门框，站在一边干望着。冷太太究竟是个斯文人，在人家家里一个人放声大哭，也是不对，便掏了手绢捂住嘴，自己勉强的忍住了哭，然后揩着眼泪道："还是在火场子里面刨刨罢。也许可以找出来的。"金太太道："你就放心罢。你想，你的姑娘是我的儿媳，你的外孙是我的孙子，我能说麻麻糊糊不找个水落石出吗？"冷太太也不肯再说什么，缓缓的走进了那院子门，见清秋住的地方，地下的砖瓦，堆有一尺多厚，乱七八糟的在瓦砾堆上，架了几根横梁。三方的砖墙，秃向空间立着，屋子可是没了。开窗户的地方，墙上倒露了几个焦糊的窟窿。冷太太向着天叹了一口气道："老天怎么也是专和这孩子为难，偏偏是把她住的这屋子给烧了？这孩子命苦。"只这一个苦字说出来，嗓子一哽，两行眼泪，又滚将下来。金太太道："你放心，我决计不骗你，她实在没有落在火里。只是她这样走了，走向哪里去呢？我依然还是很纳闷呀。"冷太太又自己拿着手绢，擦一擦眼泪，向金太太道："我到你屋子里去坐坐罢，在这里我瞧着怪伤心的。"这句话，兜动了金太太也是心里一酸，只是人家刚停止哭，怎好又去招人家？便道："我也有话和你细谈一谈呢。"

　　说着，自在前面引路。冷太太到了金太太屋子里，只见所有的陈设，收拾了一大半，桌子上椅子上，都乱放几只箱子。因道："你这屋子里，也预备搬动的吗？"金太太道："嗳！你哪里知道？昨天晚上的火，简直红破了半边天，到处火星乱飞，不是消防队拚命的救，十幢这样的房子也烧掉了。因为火那样大，大家各逃生命，就没有顾到别人。等火势稍顿一顿，我就想起清秋来，一阵乱嚷，大家这才急了。"冷太太道："你良心好，将来总有你的好处。你瞧，府上这些个人，没有人注意到她，都罢了，燕西和她是什么关系？也会不知道。嗳！"冷太太叹过了这一口气，坐在椅子上，好久不曾说第二句话。小兰过来倒茶，冷太太道："你七爷今天总应该在家吧？你请了他来。"小兰答应着要去，冷太太又道："你可千万别说

我在这里,要不然,你算白跑一趟。"金太太听她的话,很有些讥讽的意思,待要点破一两句吧,燕西这个人是没有准的,也许今天早上,真不在家。原不必做什么坏事,他一想左了,真能开了汽车满城去找清秋的。因之金太太也默然坐着。但是只管默然也不行,好好儿的也叹了两口长气。小兰去找了燕西一趟,还是一个人独自回来。金太太问道:"七爷呢?又不在家吗?"小兰道:"七爷不大舒服,在书房里躺着呢。"金太太道:"你没有说冷太太来了吗?你这个傻东西。"小兰顿了一顿,想了一下,便道:"我是照着太太话说的。请他来。他躺在沙发上,没有起身,只是说身子疲倦极了。"金太太向冷太太道:"你看这孩子,真是不经事,昨天晚上就这样闹了一下子,今天他会病倒了,怪是不怪?"冷太太道:"也不必他来了,我也没有什么话对他说。就是对他说,他不听我的,也是白费几句话。现在只请求你,想个法子赶快把这娘儿俩找回来。不看僧面看佛面,你念着小孩子,也应当把她找着。我们亲戚,彼此都用不着瞒的,我这种穷家,哪里还拿得出钱来悬赏格呢?"金太太道:"这件事,要那样办,那就会闹得满城风雨的了。老实说一句,清秋真是走了的话,无非为了他们夫妻不和睦,负气走的,要回来自然会回来,不回来决不是报上一段广告,可以把她找回来的。"冷太太听了这话,突然将脸色一正道:"这样子说,我们就看着她丢了,一点办法都没有的了?你是儿孙满堂的人,真可以不在乎,你想我就这一个姑娘,怎能够不挂心呢?我把这孩子,从小养到这样大,真是不容易的呀。"她说着话,情不自禁的复又哽咽起来了。拿了手娟,不住的擦眼泪,眼泪依然是不断的向下流着。金太太固然是个很精明的人,然而她的心术,却是很长厚的。她见冷太太一行眼泪一行眼泪的流着,自然虽有卫护燕西的意思,就也说不出口,只得默然坐在一边。冷太太哽咽着:"在一年以前,我决想不到今天是这种情形。我本来就苦,于今索性只留我这一个寡妇,真是苦上加苦的了。"这几句话,也不免兜动金太太一番心事,心一酸,跟着就流下泪来。两位太太彼此相对的流着泪,一句话不能说出,于是乎站在旁观地位的小兰,也不知有一种什么奇异的感触,眼圈儿一红,眼泪也要向下落。金太太一回头,见她靠了一张高茶几,有那种悲惨的情形,便道:"这倒怪了,与你有什么关系,要你做出这种缩头缩脑的样子来?"不说明,小兰倒无所谓。一说明之后,小兰倒很是不好意思,只得一低头走出了房门去。冷太太是个柔懦的人,平常就不容易和人红着脸说一句话,现时在亲戚家里,又哭又说,已觉是万分的越出了规矩,连着人家丫头都引动得哭起来,如何再好向下去说?只得擦擦眼泪道:"咳!事到于今,哭也是无益,还总是请亲母太太,想个法子,就是找不着她回来,也要打听打听她究竟是死是活。"金太太道:"这自然是我们这边的责任,就是亲母太太今天不来,不说这话,我难道能置之不顾吗?我已经告诉他们弟兄几人,大家分头去打听。只要不出北京城,不会找不着的。"冷太太对于这个答复,虽不能十分满意,然而在事实上,除了这个,也没有第二个办法,这也只好忍耐着,不能再去作第二步的要求。便叹气道:"只要亲母太太看这办法好,我也没有什么说的。她虽是由府上走的,总不成我还要向府上要人?"金太太听了她这话,自是有些不高兴,然而看她那种凄楚的样子,决不能再与人以难堪。便道:"她究竟是个人,也没有犯什么法,当然可以行动自由。况且昨晚上,家里又是那样忙乱,她和家里人一样的逃难,谁又能够禁止她不走呢?"冷太太道:"虽然是如此说,假使燕西有一分心事关照她,我想也决不会落到这步境况的了。"金太太被这话顶住了,答不出所以然来。

恰是道之、敏之从后面进来,她们是比较和冷太太熟识些的,一齐走了进来。先安慰了冷太太一阵,然后又说出了许多办法来。冷太太道:"别的什么都不说,事情已是闹到这种样子了,不谈什么责任不责任,在情分上说,我们这位姑爷也应当来和我商量个办法。我真不料他躲个将军不见面,简直不理会我,我是又伤心,面子上又难看。"道之道:"我又要替他辩护一句,他并不是躲着伯母,他实在因为这事对不住人,见了伯母有些惭愧。当了家母在这里,他又怕更受什么责备,所以暂时不出来。等一会我必定让他到伯母家里去,想出一个妥当办法来。"敏之道:"我看伯母暂时不要回府了,在我们这里,先等一等消息罢。"冷太太道:"我在家里,只知道府上走了火,真没料到有这件惨事。家里什么事都没有安排,整天的在这儿等消息,可是不行。"道之道:"伯母家里有事,只管请便。我们这儿得着消息,随时向你府上去报告。"金太太道:"你就有事,也在我这里宽坐一会子,等他们分途去找人的带些消息回来。"冷太太也没有说好,也没有说不好,叹了一口气,抽出一条手绢,擦了一擦眼泪。那眼泪水只是一行一行的向下滚着。道之敏之只管看了不过意,只管去安慰她。又谈了一小时,冷太太见没有消息,又站起身来告辞,两手伏在胸前,向金太太作了一个揖,很诚恳的道:"亲母,孩子的事,托重你了。"说着,又转过身来,向道之姊妹,揖了一个揖。大家都哗然起来,说是不敢当。金太太握着她的手道:"亲母,你放心,我还有四个女孩给人呢?你这样,不是让我更不过意吗?"冷太太垂着泪,点头道:"亲母这样说,我就放心了。"一面说着,一面向外走。金太太道:"各凭各良心,我反正不能把一个孙子牺牲了。别的话能假,这一句话,我总不会假的。"说着话,执着冷太太的手,只管向外面送着,一直送到洋楼重门下,才止住了不送。道之姊妹,更一直送到大门口,分付开汽车送了冷太太回去。直等汽车开走了,然后才回来。

走到金太太屋子里,只见她沉着脸色道:"老七这东西,太可恶了。这样重大的事情,全不理会,就让老母亲一人替他抗着吗?"道之道:"实在也是不对。刚才冷伯母在这里坐着，说的多好，他能够出来见一面，也让人家心里好受点。我去问问他去，这是个什么用意？"说着，就向燕西的书房里走来。走到门口，里面是静悄悄的，并没有一点声息。伸头向窗子里一望时，只见燕西躺在一张睡榻上，手上拿了一张白纸，翻来覆去的，折叠着玩意儿。目光看了那纸，只管出了神，似乎东西折叠成功不折叠成功，都不在乎，只是要继续折叠着，方才有趣。道之站在门外停了一停，见他并不注意到门外，便喊了一声老七。燕西一回头，连忙站了起来，让道之坐下，问道："你还没有回去吗？"道之道："家里闹了这样大的事，我总得在家里安慰安慰老人家，哪能像你这样没有心肝，一点儿不在乎？"燕西道："我怎么没有心肝？火已经烧了，烧的就是我，我算倒霉极了。我有什么法子？叫我对火场痛哭一顿不成？"道之道："你还要强嘴？老婆儿子，生死不明，你倒坦然无事？"燕西道："她走了，叫我有什么法子？这大的北京城，叫我满市乱找去不成？"道之道："随便怎么说，你都有理。刚才你岳母来了，你怎么不去见一见？人家只有这个姑娘，嫁了你，只望前途光明，结果是火烧走了，你也不去安慰人家两句。假使不是文明人家，和你要起人来，你打算怎么办？"燕西两手一撒道："让她要人得了，充其量也不过是打官司。可是我有嘴，我也会说，一个人，不是一件东西，哪里看守得住的？哪个丈夫，也不负看守妻子的责任吧？"道之冷笑道："你倒辩白得有理，你会说这些个话，怎么不去对你岳母说呢？若是一个人藏在屋子里说这种话，那不算什么。"她说着话，脸可就红了。燕西倒不料道之向来为着自己的，今日也是这样有气的样子。便道："你不要信旁人的话，以为我怎样薄待清秋，把她气走了。其实不过我忙一点，没有工夫敷衍她，她就对我不满。我的脾气，你也是知道的。她既然是对我不满，我又何必苦苦迁就她，因此二人就生疏了。你想，她忽然会搬到楼上去住，简直要和我绝交的样子，你想，我这个人能受她那种手段，对她低声下气将就下去吗？"道之道："她搬到楼上住，不是为了你要到德国去，才气出来的吗？"燕西道："这就不能望前推了，不是她有对我不住的所在，我也不会气出这种话来的。"道之道："我以为这些话，都不必去说了。我作姐姐的，总愿没有人说你的短处才好。难道让大家说你虐待女人了，我还有什么面子不成？只是现在人生死未卜，你总应该把她的短处忘了。"燕西道："不是这样说吗？我正躺在屋子里发愁呢。"道之道："我本来也不愿多管你们的事，可是母亲说，你们的婚姻，完全是我一个人促成的，现在闹成这种样子，我要负责。我听了这话，我怎样不生气，当着你们可生可死，那样要好的时候，拼命的要求结婚，我们在一旁的人，倒能说将来一定会翻脸，拦住你们不进行吗？"道之越说越有气，嗓子也越说越高，到了最后，左腿向右腿上一架，两只手抱了左腿的膝盖，偏着头向一边看着。鼻子哼一声，冷笑道："假如再换一个人的话，不见得比清秋好，苦还在后头呢，这倒是我料得定的。"燕西偷眼看着道

之,实在有了气。这个姐姐,向来是疼爱自己,又肯帮忙,终不成把她也给得罪过来了。便站起来向她拱拱手微笑道:"不要提那些了,只要你能和我想个法子,我和她彼此两全,我没有什么不遵照办理的。"道之向他望了一眼,哼了一声道:"你还有心肝吗?事到于今,你居然还笑得出。家里固然闹得是家败人亡,你几乎也是杀人放火了。"燕西脸一红道:"四姐,你这话,也未免特重一点吧?"道之把架的大腿放了下来,在地板上,用脚连点了几下道:"不重!不重!"燕西两手向胸前一抱,昂着头,两手又一扬道:"杀人偿命,欠债还钱,天大事也完了。就算冷清秋是我逼走的,我也不过陪她一走,也就完了。"道之道:"你陪她一走,这倒正合了你的计划了。我告诉你,别起那种糊涂心事,以为靠着白秀珠的力量,到德国去就可以发财。秀珠根本上就是不可侵犯的小姐脾气,你再要去依靠她,她这一份骄气,应该长到什么程度?你受得了吗?"说时,将手连连向燕西指点着。燕西板了脸道:"你那样瞧不起我,简直损坏我的人格。"道之道:"我是好话,你别以为我踢了你的痛脚,你心里难过,你要知道现时难过,比较将来难过,好得多呢。你不必和我争论,我们同到母亲那里去,看她对你说些什么?一个人有理无理,决计不是自己可以强说出来的,总得求大家的公论。你不信,就和我一同走。"说时,推了他一推。燕西身子一扭道:"我不去。"道之道:"哼!我也知道你不去呢。"说毕,一掉头走出屋子而去。

第一百二回

对客道烦忧初尝苦境
替人流急泪重见残装

　　道之到了此时，总也算二十四分不满意，一人走到金太太屋子里来，脸上还是怒气未息。金太太道："你见着他了，他说些什么?"道之道："有什么可说的?这孩子算是毁了。"她说了这话，也是一偏身子坐在椅子上，架了腿，两手抱着膝盖。金太太道："你也是这样大的气，他究竟说了些什么?"道之道："他是利欲熏心，想靠了白家一条路子去找出身，所以家里的事，无论失败到什么样子，他都是满不在乎。我也不愿说了，反正是我自己的兄弟，我要批评得他一个大不值，与我有什么好处? 你要愿意知道他说些什么，你就自己去问他罢，我是不好意思说的了。"金太太究不知燕西说了些什么，道之既是不肯说，自己也不好怎样问得。便又叫小兰再去催燕西来。这时，燕西一人躺在睡榻上，两手牵了一根绳子，只管互相扭着。眼望了天花板，口里随便的哼着。小兰站在书房门口，先叫了一声七爷。燕西手里，依然牵着那绳子，不曾理会。小兰又大声道："太太请你呢，七爷，你听见没有?"燕西一翻身坐了起来，皱了眉道："你们怎么回事? 我在书房里静静的养一会儿神，都不能够吗? 去! 去! 别在这里打搅。"说着这话，连连的挥了几下手。小兰怎敢和燕西抵抗，没有作声，低头走了。燕西站了起来，长长的叹了一口气。昨晚上抢出来的一口箱子，放在书房里边屋子，进去对箱子出了一会神，又叹了一口气。他望了许久，忽然叹了一口气道："我料不到呀。"说时，自己一个人，想要上前去开箱子。手刚一扶到箱子盖，又愣住了，还是退了回来，依然倒在睡榻上，架着腿摇撼了出神。出神了许久，还是跳了起来，又到那间小屋子里去开箱子。箱子打了开来，一看那里面，乱七八糟的，所塞的一些衣服和零用东西，胡乱的纠缠着一处，简直分不出哪项归哪项起来。在箱子面上爬梳了一阵，好容易找出自己的存款折子和支票来。向来就怕校阅数目字，而今在失意的时候，倒要去仔细盘查几个月来挥霍的总数，这如何不头痛? 因之两手抱了这些有数字的文件，猛然向箱子里一掷，又

昂头叹了一口气道："反正是花费干净的了,完了就了事罢,算什么劲儿?"

外面忽然有人插嘴道："怎么一个人在屋子里嚷嚷起来了?"燕西一回头,原来是朱逸士来了。因道："你瞧,糟心不糟心?好好的来这么一场火,专烧我一重院子,我现在是合了那句俗话,人财两空。你瞧,我是应当怎样办?"说毕,也到外边屋子来,一仰身子在睡榻上坐了,接着两手一拍。朱逸士也皱着眉道："说起来,真也是怪得很,怎么偏是在这个时候,嫂夫人会失踪了?"燕西摇摇头,叹了一口气,又将脚在地上涂了几涂。他胸中那一种抑郁不平之气,只在几项表示上,可以知道,他简直是没有法子可以发泄出来,其痛苦也就可想而知了。朱逸士看了他发愁,倒没有什么法子去安慰他。一看燕西分开了两条腿坐着,两只手肘撑了两个膝盖,将两只手托了头,眼睛望到地板,头发向前散着,披了满额和满脸。朱逸士道："事已至此,你懊丧也是枉然,你没有打听嫂夫人现在什么地方吗?"燕西道："偌大的北京城,叫我到哪里去打听?她不下决心,也不会走。这个我倒无所谓,只是我心里有一种说不出来的痛苦。长了这么大,我今天算是知道什么叫痛苦的境遇了。这痛苦,自己也不知道是为了人,还是为了东西。你给我想个法子,要怎么样解释这层困难呢?"朱逸士不禁笑道："我又不是你肚子里的蛔虫,连你自己痛苦在哪里还不知道,我们作朋友的,知道从何处下手?"燕西依然两手捧了头,脸向着地板,不曾掉动。朱逸士走向前,拍了他两下肩膀,笑道："前面客厅里,有许多人在那里,大家到前面去谈谈罢。谈谈笑笑,你就会把烦恼解除了的。"说着,拉了燕西手臂,就向书房外面拖。燕西勉强的站了起来,就让他拖着走。

到了前面客厅里,所有弟兄们的朋友,差不多都在这里。看见了燕西,大家都感到他是此次受难最重的一个人,都和他拉着手,说他受惊了。燕西笑道："也无所谓,向来就抱着随地化缘的宗旨,火烧了,倒落个无挂无累。"说着,倒笑嘻嘻的在一张软椅上靠了背,半躺着坐下去。刘宝善口里衔着一根雪茄,竭力的吸了两口烟,闭了眼睛,出了一会神,叹了一口气道："唉!这一程子,大家的运气,都不大好哟!"凤举道："你还发什么牢骚?你的生活问题,算是解决的了。"刘宝善站起来,向凤举连作两个揖,笑道："我的大爷,别这样抬举我,我可受不了。许多人都说我生活问题解决了,以至于想找一点儿小事混混,也不能够,人家总说我用不着忙这个。上次那个大竹杠,不都是这空气坏的事吗?再要来一下子,可要了我的命。"燕西道："有什么要你的命?反正比我强吧?我现在真是两袖清风了。"说着话时,鹤荪嘴里,衔着一杆七寸长的象牙小旱烟袋,上面燃着大半截烟卷,身上穿着一件旧直罗长衫,可踏着一双拖鞋。他皱着眉,缓缓走进来,两手轻轻一拍道："这回可是真正的散了。"说毕,右手取下小烟袋,左手伸平了巴掌,弯腰向着痰盂子里敲了敲烟灰。

凤举皱了眉道："我们二爷，真有点名士派，你看他这从容不迫的样子。他带了一句话到这里来报告，只说了一个头子，人家都等着听他的下文，他倒是那样没事似的，许久也不露出一个字。"鹤荪依然将小旱烟袋在嘴里衔着，向旁边一张藤椅上坐下，吸着烟卷道："忙什么？反正没有昨天晚上发火那样着急。"凤举道："我就让你从从容容的说罢。现在大家都在听你下半截的话，这下半截怎么样？"鹤荪道："母亲刚才说的，说是家里一切的用途都减少了，又何必住这所大房子？她决计搬出去独自过活。你想，她老人家走了，我们还能住在这里不成？慧厂说了，她真要搬。"凤举道："真有这件事吗？"鹤荪道："当然是有这件事。没有这件事，难道我还成心来撒这样一个谎不成？"凤举道："其实据我看来，也不必急急的走上这条路，只要别的事俭省一点就成了。至于房子大，是自己的，又不多花一个钱。"鹤荪道："你这是只知其一，不知其二。虽然住着不花钱，倘是大家搬出去了的话，租给别人住，岂不会挣了一些钱进来吗？"凤举道："难道我们家里还差这几个钱用？到了我们家都要干吃瓦片的生活，大事就完了。"他对于这几句话，倒是轻飘飘的说出来的，可是大家一听之下，都默然的不说一句话。

燕西是不大理会各人的意思，就问坐在身边的鹏振道："三哥对于这件事，持着什么态度？"鹏振沉吟着道："真是大家要搬出去的话，那也好，我的意思，以为各人组织了小家庭，大家有一种方便。"燕西淡笑一声道："现在倒是我好了，大家庭也好，小家庭也好，对我反正无所谓。我一个人，哪里也好安身。"凤举道："你这叫胡说！难道你的孩子和媳妇，就听其自然的消失，不去找了吗？"燕西道："就是找回来的话，她也未必能和我合作。我觉得她不下散伙的决心，是不会走的。夫妇勉强结合，那也没有一点趣味，倒是这样的痛快。"他如此一说，满屋子的人，又是一次默然。还是燕西叹了一口气，站起来道："大家别这样愁眉苦脸的了，有什么开心的话，大家谈上一谈罢。"鹤荪向朱逸士道："你看到哪里有适合的房子没有？我倒不必要大，只要干净点就行了。"朱逸士道："你这个大字当然是以现在府上的屋子为标准。可是比这小下去，三间房是小，一间也是小，究竟要小到什么程度才合适呢？"鹤荪笑道："当然不至于小得到一间或三间房那种程度，像你们住的那个样子，也就行了。"凤举听到鹤荪所说，竟是搬定了，心中很不高兴。但是果然老太太有了这个意思，兄弟们是遵慈命而行，自己哪里干涉得了？皱了皱眉道："这都是急其所缓的话。现在我们先要谈到火场上的善后问题。你所说的，又不是今天明天的事，忙什么呢？我看燕西倒应该到里面去，向母亲请示一下，应当怎么样去对付冷家？"燕西道："我闷得了不得，这些人在这里，大家谈谈，也可以解解烦闷，你一定要我去见母亲做什么？见了母亲，也不过多挨几句骂。要找人，只有两条路，一条是在报上登广告，一条是到区署里去送个报告单子,报告走失,让他们通告城内警察去留意。这两件事,似乎都此路不通吧?叫我满街满市找去,我可办不到。"凤举道:"没有法子想,难道就如此置之不理不成?"刘宝善点了点头道:"这是规规矩矩的话,七哥总应该和老太太去商量一下,事已至此,总还是图个结束,不再扩大才好。"燕西道:"怪话了。还扩大些什么,再烧一次房子不成?就算冷家和我要人,也不是我轰走的,而况我金家还有一个小的陪着去呢。"朱逸士正着脸说道:"这倒是正话,置之不理,总是不好。想办法不想办法是一事,办法行得通行不通又是一事。若是老太太方面不免责备两句,这也没有关系。总不能因为老太太责备,你就永久不见老太太。"燕西因大家都劝他去见母亲,不便坚执不去,慢慢的站起来,微叹了一口气道:"真是让我没有法子!"说了这话,于是缓缓的踱出客厅门,走向金太太屋子里来。

金太太正躺在一张睡榻上,手里拿了一挂佛珠,一手掐着,一手数着,眼睛微微闭着,似乎是心无二用。燕西缓缓走进来了,她依然在掐着佛珠,并不睁开眼来理会。燕西本想叫一声妈,也不知什么缘故,这个生平最先会说的一个字,竟一时说不出来。既不能惊动母亲,又不能来了之后,转身就走开,只得在母亲对面一张椅子上随身坐下。他手碰了桌上的茶杯,叮当一下响,金太太这才睁开眼来,冷笑一声道:"你还有工夫来看我?你不是很忙的吗?"燕西手扶着桌上的茶杯,转着杯子,远远的看看杯子上的画,并不曾作声。金太太道:"你现在脑筋有点麻木不仁吧?怎么烧了房子丢了人,你还是一点没有事似的?"燕西道:"我怎么会没事似的呢?我到现在为止,还是坐立不安。可是坐立不安,也只能急在肚里,难道我还摆在脸上,只管又说又哭的道着苦情不成?"金太太道:"事到于今,我也管不了你们了,我决计搬出这屋子去。"燕西手拿着茶杯,只管转着看花纹,许久,叹了一口气。他又望了金太太正要说什么。只听李升在外面叫道:"这样热的天,就是没有什么危险,那里一股火气没有退,也不该过去,现在打伤你,你怪谁哩?主子家里,有这种不好的事,你倒要讨小便宜?"金太太便喊道:"李升,你说什么?"李升走到房门外,隔着纱帘子道:"那厨房里一个打杂的,他跑到火场上到土里去掏东西。墙上落下几块砖头,由耳朵边斜劈下来,肩膀上打肿了。他要跑来求求太太恩典,给他几个钱养伤,我把他骂了一顿。你想,上上下下,大家心里都怪难过的,他还要来求恩典,这种人简直是没有心肝。"金太太道:"他在火场里去掏东西,什么意思?"李升道:"他以为七爷屋子里,金银财宝是烧不了的,一定都埋在乱瓦乱砖里头,他趁着家里人都没有心思,想先掏出一些去。太太,你想这东西可恶不可恶?"金太太叹了一口气道:"人心都是这样的。无知识的人,也就不必和他去计较了。"李升道:"我倒在土里头刨出一个小扁箱子,大概是七爷的,外面还没有坏,好好的还锁着呢。"燕西由屋子里抢了出来道:"还有个箱子吗?怎么样的?我看我看。"

李升手上提着一只二尺上下的长方形扁箱子，举了一举道："你瞧，这不是？"原来这是一只绿漆铁皮的小箱子，原是放些信件和纸张零碎的，也不记得是搁在什么所在。有了铁皮保证，竟未烧着，这倒是出于意外的一件事。金太太在屋里问道："找到一个什么箱子？里面有什么吗？"燕西道："不相干，是个装文件的箱子。我书房里有一把同样的钥匙，等我拿去开开看。"说时，连忙提了箱子，就向书房里跑。找着钥匙，将箱子打了开来，只一掀盖子，自己倒失声笑起了。原来里面这些文件，都烧成了焦黄的，手伸着一捏，却是一把灰。因为箱子，虽是铁皮包的，不能烧坏，然而这种热气，总可以传了进去，隔了箱子，就是这样把纸给炼焦了。手提箱子，走到廊子外，就向地上一倒，以为这也不值一顾了。然而这样一倒，却是当的一声响，将脚拨开纸灰一看，原来这纸灰里面，藏着有一面镜子呢。弯腰拾起来，不觉自己是一怔。记得结婚后几天，自己端了照相匣子，和清秋照了好几张相。有一张相，在松树下面，堆了几盆菊花，清秋侧着身子看花，姿势照得好极了。自己一高兴，配了个圆镜框子，一面玻璃砖的镜子，一面是薄玻璃盖着相片。就放在桌上，不料一个不小心，把镜子打破了，自己脸上，当时很是不好看，幸而清秋不在屋子里，赶快藏在箱子里。心里还想着，等到将来彼此年老了，把这相片取出来，打破迷信。现在凤去楼空，这事倒真有些可信的。心里如此想着，手上捧了一个破镜框子只是出神。身后有人问道："站在太阳里作什么？不怕晒人吗？"说着话，那人已将镜子接了过去。回头一看，原来是梅丽。梅丽接过那镜子一看，只见里面夹了一张相片。那相片由镜框子夹缝里，漏出来大半截，都烧糊了。那在镜子里的大半截，只剩了清秋大半截影子。她接着，也是许久不做声。燕西原来出神，被她接过，就醒悟过来的。现在看到如此，便道："你老看着做什么？"燕西只管如此问，梅丽却是不做声，依然怔怔的将镜子拿着。那镜子上面，却滴了几粒水珠。燕西低头一看，原来她哭泣着，已经滴下泪来了。燕西道："你这是做什么？"他不问则已，他一问之后，梅丽索性哭得息率有声，那泪珠像抛沙的一般流了下来。燕西道："你这是怎么着？站在大路上哭，人家看见，还以为是我欺负了你呢！"梅丽道："你不欺负人吗？你你……你多损呀？我看着这相片，好像清秋姐就烧死了一样呢。"她说着话，一扭身子就跑了。燕西听她所说，虽是小孩的话，然而自己心中，为了这事，却也有一种说不出来的痛苦。赶紧走回书房里去，将房门一关，两手托了头，靠着书桌坐了。自己不知道坐了多久，有人敲着门，连叫了几声七爷。燕西糊里糊涂的，叫一声进来罢。却是金荣推门进来，低声道："唉！你也别伤心，保重身体要紧。前面客厅里，开一大桌饭，我怕你吃不下去，叫厨房作些清淡的，送到屋子里来吃好吗？"燕西道："不必，我吃不下去。"金荣道："你总得吃一点，饿着肚子也是无济于事。"燕西站起身来，又复坐下。金荣见他有些徘徊不决的样子，又道：

"七爷,你早上一点东西都没有吃,总得吃一点。到了下午,你总还有些事,若是一点东西不吃,你会病的。"燕西叹了一口气道:"像这日日向下落的家庭,死了倒也干净,省得用眼睛来瞧,也省得伤心。"金荣道:"你吃得了多少,你就吃多少,可是你和大家一处坐着谈谈心,也是好的。"燕西站了起来一顿脚道:"好罢,我就依了你的话。"他说着,就走向前面客厅里来。

这时,前面一桌宾主,都坐下了,举了筷子要吃菜,一见燕西到了,都站了起来,向他乱招着手道:"加入加入!"燕西往常遇到大群朋友的所在,有人欢迎他,他一定是欢欢喜喜的,也嚷着加入。这次可是例外,只是皱了眉毛,淡淡的一笑,在下手一张空椅子上坐下。这一群人中,现在要算赵孟元最快活,因为他并不曾受金家势力消歇的影响,而且自己在官场上另开了新路径,还是很活动。所以在全桌上,他是最高兴不过,话也说的最多。他首先向燕西笑道:"七哥是个快乐之神,向来不知道这个愁人的愁字是怎样写,而今也是这样老皱着眉头。凡事总得看开一点,别尽管向失意的地方想。我们大家也都在和你想法子。你烧了一点东西,当然不算什么,就是尊夫人,我们详细的讨论了一番,不带孩子去,她或者有什么意外。带了孩子去,决不忍心抛了孩子怎么样的。"燕西踌躇了一会子,望了桌上这么些个人,开口要说一句什么话,忽然又忍回去了。赵孟元道:"你想想,我这话不对吗?"燕西没有作声。桌上的人,可就根据了赵孟元的话,大家讨论起来。燕西本是要坐到大家一处来,把这件事暂时丢了的,不料大家所议论的,偏偏是这一件事,不免惹起了心中无限的烦恼。因之索性一句不提,只管听旁人说去。但是口里虽不说话,同时也就吃不下东西去,手扶了筷子,只拨弄着碗上的饭粒,夹了几粒,送到嘴里去,并不曾扒上一口饭。凤举看到,皱眉道:"我看你这样子吃不下去,那就不必吃了。勉强吃下去,回头心里更是不好受用。"燕西将筷子一放,将碗一推,就下桌来,坐到一旁去。凤举究竟是个长子,看到家中连出事故,心中也是抑郁不欢,只吃了大半碗饭。鹤荪心里自惝记着分居的一件事,不大说话,也更沉默。鹏振深知清秋和自己夫人不大合适,很觉得自己夫人,对她有些过分的地方,那末,清秋出走,多少有点责任,心里也是不安。这四位少爷,都是忧形于色的,在这里的朋友们,自然是不能喧宾夺主,很快的就把一餐饭吃完,桌上许多碗菜,竟有不曾下箸的。凤举绕着桌子走了一个圈子,叹了一口气。因对刘宝善道:"二爷,我们聚餐的时候,总算不少,像这样赴鸿门宴似的吃饭,大概不多吧?哎!风景不殊,举目有河山之异。"

鹤荪接过听差的手巾把,擦了一把脸,自在身上拿出烟卷盒子,取了一根烟卷,放在旱烟袋头上。拿出身上的自来火盒,划动了火机,盖子一掀,火焰一冒,偏着头,将烟卷就

了火焰吸上。盖了自来火盒，缓缓的放进口袋。却趁着这时，喷出两阵浓烟来，悄悄的坐在一张藤椅子上，人向后一躺，便架起腿来。见旁边茶几上放两张印刷品，顺手拿来，两手捧起，挡了面孔看着。凤举道："鹤荪，昨晚起火的时候，你在哪儿?"鹤荪依然在看印刷品，随便答道："在屋子里睡着呢!"凤举道："你起来了没有?"鹤荪道："家里失了火，焉有不起来之理? 你这话问的是什么意思?"凤举道："我看你这样从从容容的样子，一定是疾雷起于前而不变色，大家烦闷极了，你好像没事。"鹤荪这才一放印刷品，站了起来道："你叫我怎么着? 我向着大家哭一起子，跳一起子，事情就太平了不成?"凤举皱了眉道："你简直是语无伦次!"鹤荪且不理会他。见赵孟元正背了手隔着玻璃窗向外张望，便喊了一声老赵。他一回转身来，鹤荪笑道："我现在知道古人说的什么诗以穷而愈工，那倒是一句实话。你瞧我们大爷，不过三分钟的工夫，肚子里急出好些典故来了。"大家也正觉凤举今天何以大抖其文?鹤荪一说破，大家想着，不由得哈哈一阵笑了起来。这一笑不要紧，可是又引起一阵麻烦。

817

第一百三回

对坐无聊愁城生怨色
远来有意情海起新澜

凤举兄弟在客厅里吃饭，悲极转喜，大家笑了一阵。就在这时，李升由外面走进来，走到凤举身边，低声道："老太太请。"凤举看李升有一种郑重的样子，似乎不是什么好消息，便跟着走了出来，也低声问道："又发生了什么问题吗？看你这样子，倒好像有什么大事。"李升道："老太太刚才由客厅外面过，脸色很不好看。到了屋子里，就分付我请大爷。"凤举也猜不出这是什么事，一走到屋子里，就看到金太太沉郁着脸色，端坐在那大椅上。凤举进来，她许久不做声。凤举虽是不畏惧母亲，然而在这家难期中，母亲心里悲痛之时，自不能不加上一份小心，因走近前来，低声道："有什么事吗？"金太太又将脸色一沉道："你们都是些毫无心肝的东西！到了现在这种时间，你们还能够大吃大喝大乐？"凤举远远的坐下道："你是听见我们刚才在客厅里说话吗？这都因为刘二爷这班朋友，今天一早就来了，家里的便饭，留着他们吃一顿。我们有什么可乐的？不过因话答话，笑了两声。"金太太道："还笑得出来吗？"凤举道："我们家里不幸，朋友家里没有遭不幸，自己不笑罢了，难道还……"金太太手一拍椅子靠道："我恨透了你们这班东西了，事到于今，你还强辩？我坐在这里，是日坐愁城。今天下午，我就到道之那里去住些时，这家不管了，由你们闹去罢。好在也就只剩了这一所空房子。"听到这里，凤举不觉得颜色一正道："你若是气头上的话，我就不说了，若是你真有这个意思，我可要说一句，这是行不得的。无论怎么样说，多少还有四个不中用的儿子，难道家境一不好起来，这四个人就是如此无能，娘也供养不了，让你到亲戚家过活去吗？你可别去。"金太太道："我愿到哪里去，我身体上的自由，谁管得着？我到她那里去，她能给我一种安慰。你们呢？昨天晚上这一场火，我看不是无缘故的。我这一所房，还值几万块钱，我要保留着，我得想法子保留。"金太太说着话，脸上可是变成了红色，似乎很生气。凤举用右手五个指头在桌上轮流的敲了一阵，眉头紧锁着，这样

818

子约摸有三分钟之久。在沉默的当中，极力的思索，终于是想出了一句话，冷冷的道："这样说，你是要大家搬出这一所房子去?"金太太一点头道："对了。到现在，我为什么不打一打算盘呢?我的几个存款，已经全分给你们了。我不但没有了进款，而且也没有了积蓄。现在排场虽然小了许多，但是每月伙食用费，依然得拿出一两千块钱去，这样下去，不到三年，我要穷个精光了。管他呢，只要大家好好的过日子，我也就能对付一日，就过一日。现在你们在一处，除了用小心眼儿之外，快活的还是快活，胡闹的还是胡闹，这不闹到大家同归于尽，你们不会觉悟! 我勉强维持这一大家人，那不是维持大家，是送大家上死路了。"凤举听母亲这一顿申斥，羞惭之下，不免愤激起来，突然向上一站道："你这话说得是对的。不过真是大家要过下去，决计不能这样没有办法的向下过。除了老七现在还没有收入而外，我们兄弟三人，当然每人每月要摊出一笔款子来，维持家用，以后就不至于要你出钱了。"金太太道："现在的家用，就算每月一千块钱罢。我问你们，每人能摊三百块钱出来不能?"凤举顿了一顿，又坐了下去。右手伸了一个食指，在茶几上连连画着圈圈，缓缓的道："这总可以的吧?"金太太冷笑一声道："这总可以的吧?"凤举不敢说了。那手指头依然在茶几上去画圈圈。母子都默然了一会子，金太太道："老实说，我并不希望你们有这样一天，只要你们自己养活着自己，不再闹什么亏空，我也就觉得是福星高照了。我叫你来，并不是商量这一件事，我早有了这个意思，还没有决定哪一天实行。现在就是叮嘱你一句，家门的祸事，重重叠叠而来，虽然你们抱了那种达观主义，满不在乎，不过也只宜放在心里，不可摆在表面上。人家说你们一句全无心肝，我也不去管他，若是人家说到我和你死去的父亲，会养出你们这种儿子，可是替我们添了一行罪，我想你们总也有些不忍心。我话说到这里为止，外面还有你们那些好朋友在那里等着，你快去高谈阔论罢。"凤举听了母亲的教训，看她的脸上，又是没有一丝笑容，觉得母亲真是气极了。便踌躇着不敢走。金太太看了凤举刚想起身一站，复又坐下，便冷笑道："你不用做出这种样子来。你们弟兄，对于我的话，只要十句肯听一两句，我们家里，又何至于冰山一倒，大家就落成这一步田地?要好也不在现时这一下子工夫，你去罢。"凤举本来还有许多话要说，但是直跟着说下去，又怕把话说僵了。只得还是站起来，缓缓的向外走去。到了客厅里，原人都在，只差了鹏振。凤举便问鹤荪道："老三呢?"鹤荪道："他说要出去一趟，但是没见出门，似乎是到屋子里换衣服去了。"凤举道："他哪是要出去……"说到这里，一看屋子里，还有许多的朋友，把话突然忍耐下去了。朋友之间，谁也明白大爷是个最要面子的人，三爷是个最会打算盘的人，大爷只这一句话，已经把他对三爷的态度，完全表示出来。这话不好让大爷再说下去，再说时，三爷的面子就要不好看的了。大家就趁着凤举说话顿了一顿，抢着说些别的事情，把这种话锋牵扯开去。凤举躺在藤椅上，向着天花板叹了一口气道："心有余而力不足。"燕西道："什么事心有余而力不足？"凤举皱着眉，将头摇了一摇道："说起来很牢骚，我不愿谈，回头到里面去问问，自然明白。"

　　燕西听了这话，也就明白十之八九，心里想着，果然我们这一大家子人要分散了。倒剩了我一个孤独者，这应当和谁去混在一处？母亲是不大满意我的，几位嫂嫂，既是说各立门户了，我哪能去附和他们？二姨太，两个姐姐，更是不能合作的了。燕西由前想到后，真是全家散了的话，谁也不能和自己同在一起住着。一个人住着呢，又寂寞不堪，现在唯一的办法，就是跟着秀珠，一同到德国去。到了德国有事就作事，无事就读书，总比在家里捧着膀子赋闲好得多了。他如此一想，心里无限的烦恼，似乎又解除了一点。最好是马上到白家去，和秀珠谈上一谈，更是安定。然而这个时候出门去，未免令人注意，要到秀珠那里去，更是招物议。心中一不耐烦，坐在许多人一处，人家说些什么，都不曾听到。有心不如自己到一边想去，如此一转念头，马上起身到书房里去。走进房，先静静的躺了一会，躺着不能安定，爬起来又在走廊上徘徊着。徘徊了好久，依然走到屋子里，在睡榻上躺着。伸手一按电铃，金荣走了进来，不等他开口，燕西便道："你知道吗？我们快散伙了。"金荣听到这话，不明他用意所在，站在一旁，倒愣住了。燕西又问道："你没有听见说吗？"金荣笑道："听见说的，这不过是老太太一时气头上的话罢了，你别多心。"燕西道："决不能是气头上的话了，一定要成事实，你看要怎样办？"金荣哪知道燕西问这话是什么意思，停了一停，慢慢的道："我向来就是伺候七爷的，当然还是伺候七爷到头。"金荣总不是那种趋炎附势的小人。燕西摇了一摇手道："唉！你误会了我的意思，我不是问你的事，我是问我自己的事，你有什么办法没有？"金荣真不料七爷会说出这话，竟要自己作军师，便笑道："你这是笑话，怎么叫我出什么主意哩？"燕西道："那要什么紧？真知道我事情的人，为数就不多，所以能替我想法子的，也就只有几个人，你说对不对？"金荣听了他如此说，虽然也可以出一点主意，但是一想到主仆之分，以及燕西的为人，还是不乱说话为妙。因此笑了一笑，向后退着，作个要出门的样子。直退到门边，才道："你也别急，再过两三天，大家心里一安，就不会这样烦恼的了。"说毕，他反带着门就退出去了。

　　燕西为了没有法子，才想到叫金荣来问，不料金荣也是说不出所以然的。一人便静静的在屋子里躺着，也不叫人，也不出门。因为听到冷太太留下了的话，回家去看看，下午还是要来的。不料这天下午，冷太太却不曾来，而且也没有派人向这边来打听消息。心想，这可怪了，在这样紧急的时候，他们那一方面，竟会突然的停止打听消息，难道放弃了干涉主义，听其自然了？想了一阵，在屋子里又坐不住了，便踱着步子，缓缓的走到金太太院子里来。先在院子门口站了站,听听金太太在屋子里有什么表示没有?听了许久,却是寂然,不知道金太太在休息着,还是不在屋子里?因此虽然缓向里面走,却极端的放重着脚步。但是一直走到窗户边,依然听不到屋子里有一点声音。这样看起来,简直母亲不在屋子里了,于是放开脚步走进去。他将门帘一掀,走进门来一看,这倒出乎意料以外,原来除了屋子里坐着金太太而外,还有二姨太和敏之姊妹仨。大家都是愁眉不展,对面相向,并没有一个人开口说话。燕西进来了,梅丽向他脸上望了望,问道:“怎么脸上出那些个汗?”说着,在身上掏了一条手绢,向燕西身上一扔。燕西道:“我没有出汗啦。”说着,拿起手绢,向脸上去揩,揩了几揩,并没有什么汗。因道:“我照着镜子,也看到脸上是黄黄的,这不是出汗,是出油。”他这一说,大家都笑了。燕西道:“这是真话,笑什么?天气太热,或者是人过分的着急,脸上都会出上一阵黄油。”金太太已是不笑了,便道:“据你这样说,你倒是很着急的了?不过要打你去出洋的算盘,倒是这样大家散了伙的为妙。你也应该快活才是,怎么倒会着急呢?”燕西皱了眉道:“你老人家,一天到晚的嚷着散伙,真是散了的话,可合不起来。”金太太冷笑道:“你以为我愿小到九世同堂呢!”说完了这句话,她又不说了。她斜靠了躺椅坐着,正了颜色,并不看人。敏之姊妹,也是各靠了椅子背,仿佛各人都撑不住自己的身子。二姨太手上找了一张报纸,很无聊的看广告上的图画。因为她虽然认识几个字,却不通文理的。大家都是这样的闷着。燕西要一人打起精神来说话,也是很勉强,自觉坐着无味,站起身来,便向外走。走到房门口,手一掀帘子,金太太道:“哪里去?多坐一会子,要什么紧?”燕西被母亲这样一喊,只得转回身子,依然在原处坐了。皱着眉道:“我在这里,看到大家都是很发愁的样子,我坐不住。”金太太道:“岂但这屋里你坐不住,我看乌衣巷这一所房子,都没有法安顿你的大驾。”燕西听了,却不敢做声。金太太又道:“到了现在为止,清秋的消息,还是渺然。你虽不管这些,我总不能不担一点心,我已经出了一个赏格。虽不便登报,请亲戚朋友口头传说出去,把她母子寻回来的,酬洋一千元。有报确实消息的,酬洋五百元。同时,你也可以做一则广告,登到报上去。就说无论什么事,都好解决,只要她回来就行。至于这报登出去,不用彼此真姓名,要怎样使她知道,这却在乎你。”燕西道:“闹来闹去,还是要闹到登报,我认为不妥。”说时,两手环抱在胸前,昂了头,只管出神。金太太道:“你打算听其自然吗?不必说什么感情不感情了,就是敷衍敷衍面子,你也应该有点表示。”燕西昂了头,还是在想着,不过他的脚,却随着颠簸起来,正是更想出了神。梅丽抢着答道:“这是应该的。假使七哥不肯出这个面子,我金梅丽不在乎,报上用我的名字得了。”二姨太手上兀自看着广告,这时突然将它向下一放道:“回头你又要怪我多事了。只要是登报,管是谁出面子,不总是会闹得无人不知的吗?”梅丽站了起来,头一偏道："倒要你帮着他说，他更要不听大家的话了。"金太太向梅丽瞪了一眼道："你这孩子说话怎么还是这样的呢？你要知道，以后大家分开来过了，你就得全靠你妈一个人。她虽比你少认识几个字，比你多活二十年，这见识就多着呢。你若是不听她的话，还是这样子闹脾气，你母亲一伤心，不理会你了，你才是苦呢。这大岁数了，你还当着你是小孩子吗？"梅丽对于她亲生母亲，实在是很怜惜的，只是让这位老实的二姨太惯坏了，一点子事，就使小性儿。而这位二姨太每逢说话，又不免露怯，梅丽一番好心，总要纠正过来，所以常是在人前抢白她母亲。今天这几句话，本来也不能说是坏意，现在金太太于伤心之余，切切实实的说了这几句话，也正是字字打入梅丽的心坎，一念母女二人，果然离开了家庭，那种情形，自己正是冷清秋第二。而这位老实的母亲，晚景也就不可以言宣了。心里想着，低头不语，不知不觉的，竟会掉下几滴眼泪来。敏之笑道："一说你娇，你更是娇成一朵鲜花了。说你这样几句，你会哭起来，怪不怪呢？"梅丽听到这句话，既不便否认自己撒娇，也不好意思把自己的心事说了出来，只是低了头垂泪。燕西望了她许久，叹了一口气道："这就够瞧的了！你还趁着这个时候，来上一分，那是什么意思呢？"金太太道："什么是够瞧的？谁说了你什么来着吗？到了现在，我看你没有发别人脾气的余地吧？"燕西道："我当然不能不担点忧愁，但是说我一定要负什么责任，我是不承认的。你想，一个人愿意牺牲的话，有手有脚，随时可生可死，旁人哪里看守得住？"润之道："一件事情，总有一个起因……"金太太向她摇了一摇手道："别说了，对这种人说话，那是对牛弹琴。"说着，脸向了燕西道："我也没什么话对你说了，你去罢。"燕西一想，一会子叫住我有话说，一会子又轰我走，也不知道母亲这是什么意思？虽不立刻就走，坐着也就没有做声。金太太望着他两手向后倒挽着脖子，枕在睡椅上，两只脚半悬着，在地板上带点带踏，很是无聊的样子。因用手一挥道："我说了没有什么话和你说，就没有什么话和你说，你还在这里候些什么？我们这几个人，还有别的话要谈呢。"燕西站起来道："既是不让我听，我就走罢。"说毕，无精打采的走出房去。站在廊檐下停了一停，却也没有听到谁说什么，只是金太太叹了一口长气。

燕西也明知道母亲不会有什么事可以对着许多人说，倒不能对儿子说，因此也就走回书房里去。一推门，有一个客笑面相迎，却是谢玉树。燕西道："好久不见，今天何以有工夫来？"谢玉树道："我听到府上有点不幸的事情，所以，我赶来看看。"说着，偏了头看着燕西的脸色，呀了一声道："你的气色不大好。"燕西一拍手又一扬道："当然好不了，人财两空，气色还好得了吗？"谢玉树道："伤了谁？"燕西道："不是伤了，是跑了。你老哥总算是个有始有终的。她来的那一天，有你在此，她走的这一天，又有你在此。"谢玉树一听这话，就明白了，还假装着不知道，就对燕西道："你和我打什么哑谜？你说的这话，我全不知道。"燕西道："我们少奶奶趁着起火的时候跑了。不但是她跑了，还带走我一个小孩呢。"谢玉树正着脸色道："这话是真？"燕西道："跑了媳妇，决不是什么体面的事，我还撒什么谎？"因把大概情形，对他说了一遍。谢玉树道："你们是完全恋爱自由的婚姻，都有这样的结果，这话就难说了。"燕西道"合则留，不合则去，这才叫是婚姻自由呢。"谢玉树道："或者是嫂夫人一时气愤，急于这样一走，出她一口气，在亲戚家住个三五天，也就回来了。"燕西道："你这话，若在旁人，或者可以办得到，至于这位冷女士，她是个性很强，恐怕不是这样随便来回的。"燕西说着话，可就躺在藤椅上，腿架了腿，只管摇撼着，口里哼着道："都说千金能买笑，我偏买得泪痕来。"谢玉树突然将脸向燕西一偏，问道："你这是说嫂夫人的吗？未免拟于不伦吧？"燕西依然摇着他的腿，淡淡的道："这里头的原因，也是不足为外人道也。"谢玉树笑道："不是我老同学说话不知轻重，在你满嘴文章之下，也不应该说这话。纵然你对这位嫂夫人，不免十斛量珠，你所得的，恐怕也不止一副泪痕。天下人都是这样的，只会朝前想，可不会朝后想。"燕西道："若是照你这个说法，我以前不成其为人了。"谢玉树道："这是笑话，你别多心。现在既是嫂夫人已出走了，当然要想个善后办法。在这个办法之中，你有用着我的地方没有？若是有的话，我可以效劳。"他说着这话，脸上现出很诚恳的样子，决不是因话答话的敷衍之词。燕西心里想着，这位先生却也奇怪，我和他的交情究竟不过如此，至多也还是我请他当过一回傧相之后，才略微亲热。不料他常是和我表示好感，这次还由城外远远的跑来慰问。慰问了不算，而且还愿效劳，这未知是何理由？谢玉树见他在一边沉吟着，倒以为有什么重大的事情相托，便道："我们这样交情，当然用不着什么客气，只要是我可以办的事，我一定去办。"他一面说着，一面望了燕西的面孔，静等着他的回答。燕西何曾有什么事要拜托他？经他如此很郑重的一问，倒不能置之不答，便故意沉吟的样子，心里去想着主意。因也放着很郑重的脸色道："只是这一件事，未免令你为难一点了。"谢玉树道："为难不要紧，只要是办得到的。不要是为难而又办不到的就得了。"燕西道："冷家那方面，我当然不能就这样置之不理。可是他们执着什么态度，我又不知道。我那位岳母，就是早上来过一趟，以后并无下文。我自己既不便去探听他们的意旨，非找个朋友去问问不可。你对于我们的婚姻，总也有点关系，所以我想请你去一趟。"谢玉树不待燕西再向下说，将身子一站，慨然答道："可以可以！若是这一点事，我都不能效劳，那也不成其为朋友了。什么时候去呢？"燕西道："那方面说了，今天下午，再来给我的回信。既是他们答应来，我们先别忙着去。要不然，倒好像我们只管将就人家了。"谢玉树听了这话，也摸不清燕西是什么意思。既然是叫我去打听消息，可又说是今天别忙着去，却不知道是去好还是不去好？因笑道："你觉得哪些话应当怎样的辗转说的为妙，我就怎样的说。现在我已经把演说这一道本事，练习了多次，总不至于见人说不出话来的了。"燕西道："我不是这个意思。难得你老远的跑进城来，今天不必回去，我们痛痛快快的谈一下子。这一次长谈，也许就是最后一次，因为我打算出洋了。"谢玉树也仿佛听到人说，他要和另一个爱人，一同到德国去。在他夫人走失之后，他说的如此肯定要出洋去，这里当然不无问题，自己却不便跟着问下去。断章取义的，只能答他上半截的话，便道："好极了，我也很愿意和你谈谈。但不知你有事没有？可不要为陪了我闲谈，耽误你的正事。"燕西道："我有什么正事？正事不过是伤心罢了。"说毕，长长的叹了一口气。在这时，金荣进来换茶，燕西道："谢先生老远的到城里来，大概肚子也饿了，你到上房里去看看，有什么点心没有？装两碟子出来请请客罢。"

金荣答应着走到上房里来，便向金太太要点心。金太太屋子里坐着谈闲话的这班人，依然不曾走开。金荣走到廊檐下，见他姐姐正出来，便迎着道："请你向太太问一声，有什么干点心没有？七爷来了客。"金太太在屋子里已经听到了，倒插嘴道："什么干点心湿点心？叫他少高兴罢，什么人来了，他特别恭敬？"金荣走近窗户道："是那位当过七爷傧相的谢先生来了。"金太太道："他怎么会来了？平常是不大肯来往的呀。"梅丽道："妈这里有点心没有？我们那里，倒还有些西洋饼干和陈皮梅，倒可以凑两个碟子。"金太太道："未免俗气，客来了，摆什么干果碟子？"梅丽道："人家的学校在乡下呢，老远的跑了来，大概也就饿了。陈二姐，你到我屋子里那玻璃格子里去找一找，那玻璃罐子里有些吃的。"她站起身来。脸向了窗子外，这样的说着。润之笑道："你倒这样子热心。老七来了客，与你什么相干？"梅丽脸一红道："这算什么热心？七哥叫人进来要东西，一点也要不出去，岂不扫了他的面子？"金太太道："不用什么干点心了，金荣可以问问那小谢吃了饭没有？若是没有吃，干脆让厨房里和人家下碗面吃。"润之道："妈又好像跟人家很熟似的，怎么叫起他小谢来？"金太太道："我听到老七和别人谈到他的时候，总是叫他小谢，不知道倒有多大岁数了？"梅丽道："比我们七哥……"她一个不留神，又插嘴了，等到自己感觉到不对时，不免顿了一顿，下半截话就说不出来。金太太望了她的脸道："怎么说了半句又不说了？"梅丽道："我也是听到七哥说过，说这个姓谢的比他小一岁，知道准不准呢？"二姨太道："说起和老七当傧相的，我看他们，都不会比老七年纪大的，不知道你们说的哪一个？"润之道："别研究这年龄问题了，还是先让金荣到厨房里去要点心，人家可还饿着呢。这个人和我可没什么交情，我不过白说一声。"说着话时，眼光可就向梅丽瞟了一眼。梅丽脸子只朝着窗外，没有理会。金荣站在外面，屋子里听说的话，都听见的了，便道："太太，我就到厨房

里看看去罢。"说着,便走了。金太太道:"这个人来了,我想老七应该有点感触才对。当日娶新媳妇儿的时候有他,于今新媳妇跑了,又遇见了他。倒是这两个作候相的,有一个人占了便宜去,把我们佩芳的妹妹讨去了。"润之道:"两个之中,只有一个占便宜,那还不足为奇。那个没有占便宜的,可是也在打着糊涂主意呢!"金太太道:"这小谢也有什么意思吗?你说是谁吧?"润之向屋子里的人,都看了一眼,笑道:"有是有一个人,不过我不知道猜的对不对?"梅丽听润之说到这里,坐在二姨太身边,把她母亲看的那张报,她倒拿过去看了。金太太是个周游世界,经过两个朝代的人,从幼也是金粉队里长出来的,虽然时代思潮不同,然而儿女之情,总跳不出那一个依样葫芦的圈套。这会子她看了梅丽的举动,和润之的口吻,已是昭然若揭的。一个做母亲的人,当然不便将女儿的隐秘,在人前突然宣布出来。所以金太太心里虽然明白,这时却也不便跟着说什么,只微笑了一下。敏之究竟持重一点,她怕太说得明白了,二姨太夹枪带棒一阵乱嚷嚷,就更是不好收拾。因之找了别的几件事来谈着,把这话扯了开去。本来金太太心中烦闷得很,也没有这种闲情逸致,不提也就不提了。

825

第一百四回

上室迎宾故谈风土好
大庭训子严斥羽毛丰

到了这天晚上,冷太太那方面,依然不曾有人来探问消息。金太太心里倒纳着闷,难道这位母亲,对她姑娘倒是如此不注意?莫非这里头别有作用?但是以作用而言,也不过是在法庭起诉。然而看这位母亲,又不是那种人物,倒真的有些猜不透。金太太一人闷想了一会子,到了晚上,究竟放心不下,便把燕西叫了进来,将自己的意思,告诉了他。燕西道:"他们家里几个人的脾气,我是知道的,不会有什么意外,只是拿不出主意来罢了。我已经托了谢玉树,明朝到冷家去走一趟,看看他们有什么意思没有?好在我已经照妈的话实行,在好几家报纸上登启事了。稿子是小谢拟的,说得很恳切。那末,明天拿了这张报到冷家去,说话也更好说一点。"金太太道:"留了底子没有?先给我看看。"燕西道:"留了的,我原打算先送给你来看呢。"说着,在身上掏出一张稿纸,交给金太太。接过来看时,是一张玉版笺,上面写着行书带草的几行小字,觉得清秀灵活极了。金太太道:"这就是那个姓谢的亲笔字吗?现在学新文学的人,写出好字来的,倒是很少。有些人简直不用毛笔,全是用钢笔写字呢。"说着,看那启事道:

二松轩主人鉴:君抱幼子不辞而别,大难之余,倍增悲痛。某反躬自问,数月以来,对君虽有不德,而出入参商,君亦有所不谅,去留死生大计,苟意已决,非他人所可阻遏。君果以某为不足伍,欲另觅生机,从容商议,以瞻其成可矣。若以一走了之,于事既无可结束,徒增两家堂上之忧,非计之得也。君从兹与某绝,不愿晤乎?果尔,某亦不必相强,请于书面提出意见,以示标准,某自当于力可致处,尽量照办。夫叶落不起,水覆难收,事已至此,岂能强求,君殊不必有所顾虑也。纸短情长,不尽欲言,谅之察之!

知白

　　金太太念了两遍，笑道："咬文嚼字，未免有点酸气。"燕西道："文字虽然酸一点，我的意思，倒都已包括尽了。我看他起草的时候，倒有点费劲。"金太太道："这不去管他了，这二松轩主人，就是清秋的别号吗？"燕西道："她以前写东西闹着玩，喜欢署这个下款。只要她见着报，一看就明白的。"金太太道："咳！启事只管登，我看也是白费力，尽尽人事而已。姓谢的既答应了明天到冷家去，你请他过来，我有几句话当面嘱托他一番。"燕西道："他怕见生人的，有什么话我代说得了。"金太太道："我还是见不得你的朋友，还是怎么着？你为什么不让他进来和我说话？"燕西道："你没有听清楚我说？他是见生人说不出话来的。"金太太道："你更是胡说了。既是他见生人说不出话来，为什么你倒推他去代表呢？"燕西道："这也不懂什么原因，他对于我们家里少奶奶小姐，都格外不好意思相见，我想也许是那回当候相让人看怕了吧？"金太太道："这话不通，你把他请进来。"燕西见母亲一定要见，只得到书房里去对谢玉树说了。谢玉树脸一红道："这又是你和我惹下来的麻烦。我还是去见不去见呢？"燕西道："你若不去，连我都要受申斥的，说我不会传话呢。"

　　谢玉树听了这话，面子上虽然很是害羞，可是心里想着，果然金太太要见我做什么，这倒不能不持重一点，免得人家说我不郑重。于是站了起来，整一整西服领子，又摸摸领带，最后，还扯了一扯衣摆。燕西笑道："你这样郑而重之的，倒像是戏台上唱戏，小官要见大官一般。"谢玉树道："老伯母特意来叫我去，我怎好不整齐衣冠？宁可费事一点，也不要失仪呀。"他口里如此说着，对了壁上悬的镜子，又照了一照，他分明是整齐形态的决心，虽然是有人在一旁议论，却也是不顾的呢。燕西看他如此，心里也就明白一点，于是不再去说破他。引着他到金太太这院子里来，自抢上前一步，替他掀着帘子，同时笑着点点头，意思是告诉他只管进去。谢玉树听了这话，连忙伸着手向头上一举，打算把帽子取了下来，不料是自己过于小心了，原来头上并没有戴帽子，自己倒不由得好笑起来。然而第一个感觉如此，第二个感觉，已经知道了自己的错误，赶快忍住了笑，一低头走了进来。刚一抬头，便见金太太含着笑容，由一个内室走了出来。谢玉树远远的立定了脚，便向前行了个鞠躬礼，然后才慢慢的移步上前。当他这样向前走路时，脸上不免有点红色。然而他自己也曾感觉到，竭力的镇静着，不让红色晕上脸来。金太太早已知道他是善于害羞的人，不必让他难为情，先就向他道："请坐请坐，谢先生和燕西是多年的老同学，到这里来了，也像家里一样，请不必客气。"谢玉树点着头，连说："不客气，不客气。"这个大屋子里，算是金太太招待内客的，桌椅很多。燕西怕他不知道向哪里坐下去才好，便伸着两手，带拦带推，把他引到金太太向来喜欢坐下的椅子边坐下。谢玉树一看这屋子里，有湘妃竹的桌椅,有红木大理石的桌椅,有细藤的桌椅,四处罗列,并不带一点洋气。绿纱窗配着绿色的细竹帘子,映着这屋子里自然有一种古雅之气。虽然是这种天气,屋子里自然凉风习习的。他心里想着,不说别的什么,只看这一点布置,这位太太就不是平常人的胸襟。金太太在他对面一张藤椅上坐下,对他更是二十四分的注意。燕西总怕谢玉树回答不出话来,只得为他先容,因道:"我托你到冷家去的事,已经和家母说了,家母很同意。"金太太道:"谢先生为我们家的事,老远跑了来,又要耽误了功课。"谢玉树笑道:"伯母太客气,小侄也不是那用功的学生,这样进城一趟,哪里就算耽误?"金太太道:"不必那样说,你看我们老七,不是和谢先生同学同班吗?谢先生在大学好几年了,他的成绩又在哪里呢?"谢玉树道:"这因为燕西打算出洋去,所以耽误了。"金太太一看燕西脸上,有些难为情的样子,究是自己的儿子,也不便让他十分难堪。于是转过一个话锋,就问谢玉树道:"谢先生还有几年毕业哩?"谢玉树道:"早哩!还有三年半。"金太太道:"好在年轻,那也不要紧。"谢玉树微微皱了眉道:"只是在经济一方面,支持不过去。"说着话时,偷眼看看金太太的脸色,看她对于人的贫寒,是不是表示同情?金太太点了点头,又叹一口气道:"天下事都是这样。有钱读书的人,书偏是读不出来。这极肯读书的,经济上又维持不了。府上现在还有什么人呢?"谢玉树道:"就是家母在堂。还有一位家兄,在省城中学校里当教员,除了养家而外,还要帮助小侄,简直周旋不过来了。"金太太点头哦了一声道:"令兄贵庚是?"谢玉树道:"三十岁了。小侄倒只有十九岁,兄弟的年龄,相差得是很远的了。"金太太道:"令兄有了家眷了吗?"谢玉树踌躇道:"家寒……"金太太已经知道了他的用意,便笑道:"这很不算什么,哪一个富贵人家,能荣华一辈子?哪一个清寒人家,又会穷苦一辈子?天下的事,还不是在于人为吗?"谢玉树道:"不过像愚兄弟,才学疏浅,年事又轻,恐怕救不了自己的穷。但是小侄自己也很明白,决不能自暴自弃。"金太太听他说穷之后,自己又夸上了一句,心中也好笑,这孩子别看他斯斯文文的,倒也有些小心眼。因笑道:"除此之外,府上还有什么人吗?"谢玉树道:"没有什么人,我们的家庭,真是简单极了。"金太太道:"府上是余杭,就住在杭州吗?"谢玉树道:"一向住在杭州的,乡下还有点田,还有点桑树,然而还不够一个人花费的,算不得产业。"金太太道:"一个人要创造一番事业出来,只凭他自己的本领去混,不在手里有产业没产业……"金太太如此的说着,不免向他看看,又向燕西看看。燕西脸上,似乎有点惊奇的样子。金太太心里也明白,必是儿子怪自己,太顺着这位客人说话了。于是转过话锋来道:"杭州是好地方,西湖是名震全球的了。"谢玉树道:"不过这两年,西湖也减色了。一来是物质文明,把许多古色古香的所在都破坏无余了。二来湖里鱼虾太多,把湖水全弄浑了。"金太太道:"这话也诚然。城里的城隍山,我曾去过一回，倒也有趣，比北京天桥这地方，总要算是高明些的所在了。"燕西听到此处，忽然噗嗤一笑。金太太道："你笑什么？"燕西道："我想起一件事了，有一次我上城隍山，走错了路，由一条小巷上去。这一下子吃了大亏，经过许多人家的大门或后门，每家门口，摆着一个马桶，臭得我几乎发昏过去。"谢玉树皱了眉笑道："这倒也是事实。本来旧街市的市政卫生，是不容易改良的。"燕西听到这里，心想，母亲是叫小谢进来，有几句话嘱托他的，而今看起来，简直是说闲话，这是什么意思呢？这样说着，话就越说越远了，母亲在今日，决没有那种闲情逸致，会好好的找个晚辈进来闲谈。自己又不知道有什么话要说，又不便将话锋引了上去，只好坐在一边干着急。金太太问了许久的话，无非是些家乡风景和家庭细故。小谢不问，总是处于答复的一方面。后来金太太对燕西道："谢先生和我谈话，很客气，不免受一点拘束，你陪着谢先生到前面书房里去罢。"说着，她首先站起身来。

　　燕西见母亲并没有什么话说了，究竟看不透这是何缘故，只好又陪着他回到书房里去。这样一来，燕西心中，固然是纳闷，就是谢玉树自己，也未尝不纳闷。这位老伯母，无缘无故的把我叫了进去，不曾谈一句什么重要的事情，只是谈些闲话，用意安在呢？燕西叫了我进去的，是什么意思，自然他一定知道。因笑问道："伯母今天考了我一顿风土人情，我是样样照实说。你在旁边听着，我有什么失仪的地方没有？"心里想着，燕西说话，从来是不大留神的，如此一问之后，多少总可以探得他一些口风。便望着燕西的面孔，看他如何回答？燕西躺在藤椅上，倒很自在，笑道："我看家母很同情你的话，你有什么失仪？"谢玉树原坐在他对面椅子上，这时站起来，在屋子里踱来踱去，闲闲的道："明天到冷家去的事，我倒想请示一二，可是你不提，我也不敢冒昧先说。"燕西道："就是我，也不知道家母请你去说话，是何用意呀，你叫我又说些什么呢？"谢玉树听了如此说，这话倒有点不便追求，不过自己心里，对这事已是很欢喜的了。因道："这样一来，明天到冷家去的事情，倒现着又重大些，更是让我们不胜其任了。"燕西道："那也无所谓，我们是预备最后一着棋的了。这都是些陪笔，办得不好，没有关系。"谢玉树道："最后一着棋，是怎么一着棋呢？"燕西微笑一笑道："暂时倒也不必发表。"谢玉树向来是抱沉默态度的，便也付之一笑。这天晚上，在金家住了一宿，次日用过早点，便向落花胡同冷家去。到了那里一问，冷太太不在家，宋润卿也不在家。韩观久出来说了几句话，牛头不对马嘴，一点没有结果。谢玉树只得无所得回来，向燕西报告了一番。燕西态度冷冷的，却也不作什么表示。谢玉树急于要回学校去。只对燕西说，请代向伯母告辞，便走了。燕西自然把这话回复了母亲。金太太听说，却也是很淡淡的，倒不明原因何在？只是她随后叮嘱了一句，今天你无论有什么大事，也不必出去，可在家里吃晚饭，我有要紧的话说。燕西料着是为了清秋的事，便答应了。

这一餐晚饭，因为兄弟们都在家，还有几位朋友，大家又都在客厅里聚餐。吃过饭，闲谈了一阵，金荣进来说："老太太叫大爷二爷三爷七爷都去。四姑爷也去，有话说呢。"凤举一听，便知大有原因，对在客厅里的拱拱手道："各位请便罢，我们不定什么时候出来了。"燕西先走了出去，一会儿又走了回来，向在座的刘宝善道："二爷，你若是没事，先别忙着走，我还有话对你说呢。"刘宝善道："可以。就是我回家去了，你打一个电话给我，我就来。"燕西也不曾多说，就随着兄长们，一块儿到上房来了。到了金太太屋子里，只见外屋坐满了人，金太太膝下子女，竟不曾缺一个，另外还有位平辈的二姨太。这样看起来，一定是有什么重大事情商量。心想，自己的乱子，惹得大了，母亲若发起脾气，当然是找着自己先申斥一顿。这样看来，倒不如坐远一点，省得首当其冲。金太太坐在靠椅上，将全屋的人看了一周，大家坐定了，便先开口道："很好！都在这里。我叫你们来，你们心里应该也明白。"说着，又向大家看了看。大家都觉得情形非常严重，哪个敢插嘴说话？因之虽然满屋子是人，屋子里却是一点声息没有。然而大家不做声，形势又非常的僵，更是不便。只是刘守华是个外姓人，不在严重情形之下，受什么恐惧，便微笑道："这话说别人可以，我就不大明白。"金太太道："无论明白不明白，当然我不能说那样一句就算了事。"说着，想了一想，因道："昨天我不是提议大家散了吗？你们不要以为我是一句气话，这是实话。你们想，这一大家子人，每月叫我拿出一两千块来养活着，那算一回什么事？我不想儿女养活我，老实说一句，我一个寡妇，也不能这样挥霍去养活一群儿女。"金太太说到这里，脸色又是一正。大家心里已是恐慌，还敢说什么？依旧是默然无语。金太太道："一切过去的旧帐，现在不必算了，算也是无益。你们弟兄和你们姊妹，除了梅丽而外，大家都可以自立的了。先说凤举，你父亲在日，你就在政界里混着。你父亲所认识的人，你认识一大半。纵然世态炎凉，现在差你父亲一点力量，然而人家总不好意思绝对不帮忙。要不然，以前你在外面交际，忙些什么？佩芳也是很识大体的，撑起门户来，将来在我以上。你两人应当有办法。鹤荪呢，办事能力虽差一点，守成是行的。有慧厂大刀阔斧的帮着他，生活也不成问题，而且慧厂很羡慕西洋的小家庭生活，自然分出去有办法。"说到这里，就应该轮着鹏振夫妇了。玉芬搭讪着自起身倒了一杯茶，手捧着杯子，慢慢喝着。金太太先望了一望她，然后对了鹏振微笑道："你处事很精明，不过用起钱来，也就有点糊涂。这一件事，我不免替你发愁。好在玉芬很能补你这点不足，你也非要她来帮助你不可。"玉芬偷眼看婆婆的脸色，有很严肃的样子，于是又把手上那个茶杯，依然送到茶几上去。不敢在原来的地方坐，坐到更远的一把椅子上去。金太太也很镇静，当她走动的时候，并不说话，及至她坐下了，才道："不过话又说回来了，过犹不及，无论什么事，太做过分了，总也是不妙。我告诉你们大家一句话，以后做事，总要适可而止。"大家听了这话，虽然知道是指着玉芬说的成分居多。然而言外之意，未尝不兼指着大家。所以在这种情形之下，谁也觉得面子上难看，都不能作声。金太太道："我这几句话，还得补充两句。就是这个年月，人跟着人学，大家都学机灵了。自以为机灵，要去把人当傻子。结果，也许傻子玩机灵人。多少人都是自作聪明，结果是聪明自误了。"这几句话，分明是指着玉芬了。玉芬虽极力的镇静着，然而脸上总是不断的一阵一阵发热，跟着自然也有些红了起来。金太太见她虽泰然坐着，眼皮下垂，可是不能平了视线看人，知道她已够受的了。于是鼻子哼着冷笑一声道："燕西不必我说了，一天到晚，都是计划着出洋。出洋也是好事，不到外国去镀一回金回来，是不值钱的。不过也要看是什么东西镀金，像你现在这样学问，未必需要镀金吧？可是总而言之一句，在你们自己，都以为自己了得了。我好比一只燕子，把这一窠乳燕都哺得长着羽毛丰满了。那末，这一个燕子窠，也收藏不下，大家可以分开来，自己去筑巢，自己去打食。老燕子力有限，不必再来为难它了。哺长大了一窠燕子，老燕子已经去了一春的心血，也该让它休息一下。自己会飞自己会吃，还要老燕子一个一个来哺食，良心也不忍吧？我这样说着，话总算很明白。你们也不必过于孝顺了，有话只管当面说。我现时是在气头上，也许我的话不对。"所有在座的人，都受了一顿教训了，哪个还敢在这个时候去向金太太回话，都默然的低了头。凤举究竟是个居长的人，对于这件事，本来不能漠然置之，现在母亲又再三声明了一回，大家有没有话说？若是不做声，不但是对分居的事，业已承认，就是母亲刚才所申斥的那一大段话，也完全承认了。只得将身子挺了一挺向着金太太道："母亲这段提议，本来好几次了，我们晚辈除了自己承认无用而外，还有什么话说？不过母亲昨日所说每月贴出家用一两千元的事，那是一时的情形，当然不能永久这样下去。这件事不妨我弟兄几个来商量一下子，大家分别负责。"说着，看了三个兄弟一眼。金太太淡笑了一声道："你还不改这大爷的脾气，什么大问题，都是一句稀松的话就解决了。分别负责，你就有那样的力量，恐怕还没有那个权柄呢？你们挣几个钱，还是拿去开心用罢。我还有几个死钱养老，用不着你们出份子来养活我的。"凤举碰了这样一个钉子，也不知道如何是好，接着向下说吧？母亲把话都说死了。不接着向下说吧？在许多人当面，很现着自己无用。于是也微微一笑道："谁又敢自负是有用的呢？不过儿子养娘是一个问题，能供养不能供养娘，又是一个问题。"金太太道："这一层你不必顾虑，以为你们离开了我，人家就会责备你们不孝顺。这个不成问题，是我不要你们养，并不是你们弟兄不养我。"慧厂见大家在座，只管受着教训，却没有一个人理直气壮能答复两句，于是站了起来道："妈这些话，教训得很对，我们都应当接受。老实不客气一句话，哪个要独力撑持这个家，当然是不容易。要说合

作，为的是顾全面子吗？分居并不见得有损面子。而况合作的家，一国三公，大家摊钱，大家出主意，也许倒惹些纠纷。分开来，大家独立组织小家庭，自寻发展，母亲愿意到哪家去看看，就到哪家去看看，大家不敢说是能比以前好，对于母亲，当然是尽力而为。母亲不管理这大的家，也可以少操许多心了。这又并不是争田夺地来分开的。这是由大组织化为小组织，由一种保护势力之下，各寻出路去奋斗，这并不是有伤和气。我们当然不敢说是羽毛丰满，然而也没有一辈子倚赖上人之理。现在只是要求母亲宽限几天，等大家去找好房子，布置小家庭一切应用的东西。"润之和敏之坐在一张沙发上，低低的道："你听听二嫂说话满口新名词，倒好像在那里演说一样。"敏之也不好说什么，将身子碰了润之一下。慧厂说完，依然坐下。金太太道："那当然，我还能要你们走立刻就走不成？我今天叫大家来当面说明了，不过就是要宣布我这点意见。大家能了解我这意思，那就好极了。其实我主意拿定了的，你们就是不了解，我也是一定这样的办，倒是慧厂这样说的痛快极了。"金太太说毕，直视大家。儿女接触着她的眼光，都低了头下去。在众无异议之下，这分家一件事，可以说是成了定局了。

第一百五回

得意让花骄权门夜叩
失踪惊屋闭旧巷空来

　　燕西一股子劲,跑到了白家。不料一进大门,偏是那门房的嘴快,第一句便迎着问道:"七爷今天怎么坐洋车来了?"燕西一想,不料偶然改坐一辆车子,都令人人注意,以后还是坐汽车来罢。一路想着,一路走了进去。白家现在是来得ం熟的了,只管进去,也用不着什么通报。走到上房走廊下,恰是正面遇到了白秀珠。燕西是低了头的,并不曾看到人。秀珠先笑道:"你想什么心事?到了我家里来,还是这样的低着头想了去。"燕西一抬头笑道:"我在街上看到一件事,所以想着不断。"秀珠道:"什么事?这样的耐人寻味。"燕西想了一想笑道:"不说也罢。"秀珠笑道:"还是我不问也罢。"说着话,她引着燕西到她的小书房里来坐,由这小书房过去,便是秀珠的卧室,原是一年以来不曾引燕西进来过的。燕西忽然见她今天特别优待,倒不明用意何在,不过自己正想与她合作之时,这样的接近,自是可喜。坐下来,首先叹了一口气。秀珠道:"你这个人真是合了那句迷信的话,现是在倒运的时候了。家里失了火,哪里也没有损失,偏是烧掉你住的几间屋子。"燕西道:"咳! 这也许是合了那句话,在劫的难逃罢。"秀珠道:"这就不对了。又不是遭了劫遇了难,怎样提得上在劫的难逃这一句话起来?"燕西用一只手撑了头,斜靠了椅子坐着,又微微的叹了一口气。秀珠道:"我听说,除了东西之外,还有别的损失,是真吗?"燕西点了头,又突然问道:"难道你还不知道吗?"秀珠道:"你们家的事,我怎么会知道呢?"燕西笑道:"你不知道我家的事,怎么昨天你会打电话去安慰我呢?"秀珠道:"照你这样说,倒是我多事,安慰你坏了?"燕西听说,连忙站起身来,向秀珠作了几个揖。笑道:"这实在是我的不对,连个好歹不知道,用话把你冲犯了,我这里和你赔礼。"秀珠说过话以后,原是将脸绷着的,燕西作了两个揖之后,也笑了一笑,立刻又把脸绷住了。燕西道:"你难道还生我的气?"秀珠道:"我也不能那样不懂好歹呀?人家对我用好话来表示,我倒怪上人家了。"燕西觉得秀珠这句话，依然是骂着自己。可是再要反问两句时，秀珠更会生气的了。因之向秀珠一笑，自坐到一边去。秀珠不做声，燕西也不作声，屋子里倒静默起来了。秀珠究竟是忍耐不过，便道："你冒夜而来，必有所为吧?"燕西道："没事呀。"秀珠道："你自己家里许多事，都要去办善后，没有什么事，怎能够跑了来?"燕西向她微笑了一笑道："这个你有什么不明白的?我们有两三天没见面了，又劳你的驾，打好几次电话去安慰着我，我应该来看看你，和你道谢。"秀珠笑道："就是这个事吗?你也太客气了。"燕西听了她的话音，又看看她的颜色，心里自觉得是老大的不舒服。可是要像一年以前，她有话来，便给他顶了回去，现在却没有这种勇气。然而不顶回去，再和她赔笑脸，实在又有些不甘心，因此靠了椅背坐着，架起右腿，只管摇撼，像是沉吟什么事似的。秀珠看到燕西一种很不自在的样子，便道："你晚饭是吃过的了，要不要喝杯蔻蔻?"燕西见她说话时，脸上已经带有一种笑容，也就跟着笑了，便道："不必费事。"秀珠道："这也不费什么事呀?"燕西笑道："我这话有一种别解，以为我到府上来，最好就是你一个人知道，不要让大家去注意。若是一来之后，又是要吃的，又是要喝的，四处八方都惊动了，我很觉得无味。"秀珠笑道："回头又要说我批评你了。彼此正正堂堂的交朋友，一年来一回，不见为稀，一天来一回，也不见为密，这就看彼此相处的感情如何?为什么你来了，只许我一个人知道，而且你一进大门，就有门房看到，你要不让人知道，也是不可能的事。我听了你这话，我真有点不高兴。"说着话，脸上立刻又呆板起来。燕西真不料秀珠这样容易生气，若是驳她，固然是怕因此在友谊上发生了裂痕。若是向她赔小心，又实在有些不甘心。心里在顷刻之间，起了好几个念头，结果还是忍住了这口气，一句话没有说。秀珠见他又默然了，笑道："你为什么现在这样斯文了?"燕西道："我肚子里既没有中国墨水，也没有西洋墨水，怎么斯文得起来?这两天，我魂不守舍，人有一半成了呆子了。我们是无话不谈的，我一点东西，都烧光了，我想到将来，一点根基也没有，也许有挨饿的一天呢。你想想看，在这种情形之下，我还有什么事高兴，蹦跳得起来哩?"秀珠听了他的话，又看了他那种发愁的样子，又不忍跟着向下和他为难了。便伸手抓住他一只手，握了一握，笑道："我和你闹着玩的，你急些什么?你真有什么为难的事情，我也很愿意帮忙。"燕西等了许久的机会，才得着一点话缝。而且秀珠执着自己的手，表示非常的诚恳，于是向她笑道："你总算是我的好朋友，别人看到我发愁，谁肯说句帮忙的话?求着他，他还要推三阻四呢。这只有你慷慨，用不着我说什么，我心里的一番意思，你早就一宝押中了。"秀珠笑道："也并不是我押中了，不过我和你相识这多年，彼此的情形，都是知道的。第一你没事，第二你的积蓄，现在在让火一烧，自然是更加困难。再说，你那一位……"燕西两手乱摇道："你又提到她做什么?"秀珠瞟了他一眼，又静默了一会儿，笑

道："这就是你的不对。难道她和你一年夫妻，还有一个小孩，说走了就走了，一点不动心吗？你不要以为她是我的情敌，我就不愿你对她有一点怜惜的表示。其实不然，她现在走了，就是表示在我手上失败下去，一个人怕了一个人，那就是了，我还有什么对她过不去？说句作孽的话，她果然是寻了短见，一了百了，那倒没有什么。若是她还带了一个孩子去寻生活，她是个穷苦出身的人，一点经济力量没有，叫她怎样去维持呢？据你说，她很有点旧道德，那更是不肯胡来的。这个社会，能容一个规规矩矩的女子去谋生活吗？"燕西笑道："你倒很体谅她。"秀珠道；"我这人心眼就不坏，公是公，私是私。"燕西道："我倒要请教，什么叫公？什么叫私？"秀珠一笑。二人话说到这里，感情更好了，声音也更小了，唧唧哝哝，谈了许久。秀珠因为听到屋子外面，有人的脚步声，料着是仆人们经过，便高声道："你看我这人说话，真是有头无尾，说了冲蔻蔻给你喝的，现在我会把这事忘了。"说着话，就伸手去按叫仆人的电铃。燕西一伸手，掩在电铃机上，笑道："我们彼此心照，我说了不用喝，决不是客气，当然就不用喝。你何必和我客气呢？"秀珠回手一把捏住燕西的巴掌，向他一笑道："说了半天，你还是保持你那种态度。那末，我就不叫他们。你早点回去罢，我叫车子送你。"燕西道："不必了。令兄的车子，不定什么时候要用的，我没事的人坐出去了，倒耽误他的正经事。"秀珠道："他今天不大舒服，已经睡觉了。"燕西道："他就是不用，我也不坐他的车子。他已经表示过，我不该坐汽车。我放了自己的汽车不坐，倒坐起他的车子来，更没有道理了。"秀珠瞟了他一眼，笑道："你倒有些怕他，那为什么呢？"燕西脸一红道："并不是我怕他，他说的话，实在有理哩，让我说什么？我走了，明天见。"秀珠因为他有一句彼此心照的话，笑着点了一点头，握他的手，一路出了小书房。燕西停住了脚，现出很踌躇的样子来，因低声道："我的事，就是这样说，有什么消息，你随时告诉我。"那握着秀珠的手，紧了一紧，表示诚恳的意思。秀珠笑着向他点了两点头，笑道："我知道，你放心得了。"说着话，燕西让她送到重门边，笑道："你不必客气了。我们这种交情，难道还要在这种俗套上来分别吗？"秀珠笑道："我也不是故意的，好像不这样送你几步，我是缺乏诚意似的。"

　　燕西对于她这话，在可解不可解之间，然而心里就立刻麻醉了一下，然后笑嘻嘻的，走出大门，依然雇了车子回家去。坐在车上，便一路想着如何到德国去作事，如何和秀珠做共同生活，到了外国去，要洗心革面干自己的事，不要像在北京一样，糊涂瞎混了。他如此想着，到了家，由大门口直想到钻进几重院子去，一直回自己那个二松轩去。不料到了那院子门口，漆漆黑的，竟没有一盏电灯，猛然一抬头，却看到星斗满天，原来是房子烧光了，只剩一院子残砖败瓦。自己这才想起来，经过了一次大火。于是转身，走向自己书房

835

里来。因为在秀珠家里谈话谈得久了，肚子里倒有些饿，很想吃点东西，便按着铃，把金荣叫了进来。金荣道："你这时候才回来，老太太找你好几回了。"燕西道："反正是那几句话，我听腻了，我肚子饿了，你到厨房里去看看，有什么吃的没有？"金荣道："厨房今天又去了一个人，除了两餐饭，一餐粥，不另外预备什么了。"燕西道："难道稀饭这时候也没有吗？"金荣道："稀饭刚开过去，也不知道还有没有？我瞧瞧去。"燕西道："不必去瞧了，有了这几句话，我就够饱的，还吃什么？我马上就要睡觉了。"说毕，和衣就向床上一倒，脚拨着脚，脱了鞋子，拖着枕头来枕了头。金荣看他这样子，自是满肚子的牢骚，不便再在这里唠叨了，转身出去给他带上了门。燕西一人躺在床上，情不自禁的，用手连拍了几下床，心里可就想着，这个家庭真是越过越坏，到了晚上竟会吃不着点心，真是末路了。如此想着，掉转身子向里，就这样的睡了。

一觉醒来，还是半夜。屋子里悬的电灯，亮灿灿的发着白色，窗纱眼里，一阵阵的向里冒着凉气，睡着觉得很是衣单，赶忙起床，把窗户关了。然而在人挡住窗口，向外关着窗子的时候，恰好又是一阵很大的凉风，向人身上刮了来。初睡醒的人，身体是疲倦的，不觉得打了一个寒噤，赶忙再躺下来。当时并不觉得怎么样，及至天亮的时候，自己待要抬起头来，便觉昏沉沉的，有些昂不起来，同时胸中说不出来一种郁塞难受的情形，觉得要吐出来才算痛快。于是伏在床沿上，也不管是不是对着痰盂子没对着痰盂子，哇啦哇啦，向地上一阵大吐。吐过之后，一个翻身向里，才觉着舒服一点。然而这时候太早，全家都未起床，他吐了一阵，并没有一个人知道，鼻子里有一种臭味，闻到很不好受，同时，嘴里又干又苦，很想有点清水漱漱口，再喝一杯茶。然而电铃不在床面前。既不能起床，就无法去按。轻轻叫了两声，也没有人答应。这时，心里恨极了，这样的家庭简直不如住旅馆舒服些，大家主张散，我也散罢。燕西一人在床上发狠，他家里人有谁知道？依然还是静悄悄地。直待过了一个多钟头之后，才听见走廊上有了步履声。燕西不由得骂了一声道："总算是有人还阳了，真气死人！"外面人答道："七爷，你醒得这样早？要什么吗？"说着，已推门进来，原来是李升。燕西道："我昨晚要是死了，恐怕到今天上午，才有人收尸呢。我昨晚上就病了，简直没有人理会。你瞧瞧床面前，我吐了那么多。"说着，将手向床下面一指。李升一见，先呀了一声，因道："你这是怎么了？你可别乱来呀。"说时，眼睛对了燕西脸上，很注意的看着。燕西道："你以为我急得服了毒吗？凭怎么着，我也犯不上如此。我是半夜起来关窗户，受了一口凉风了。嘴里渴得要命，先去给我弄口水来喝罢。"李升口里说着话，眼睛依然望着燕西的脸，便点头答应着道："好！我去叫金荣来给你收拾屋子，我自己去弄水。"李升走出书房来，先不叫金荣，一直就向上房跑。正好遇到陈二姐，猛然问道：

"老太太没醒吗?七爷不舒服了。"说毕,转身向外走。陈二姐见他如此来去匆忙的样子,也是吃了一惊。赶快跑到屋子里去,就走到金太太床面前叫道:"老太太,你快起来罢,七爷人不舒服呢?看看去罢。"金太太被她惊醒,一个翻身向上坐了起来,望着她道:"你说谁病了?"陈二姐道:"刚才李升跑了进来,说是七爷不舒服,也没有说第二句话,就跑走了。大概……"金太太听说,也不问个详细,穿好了衣服,赶紧就向外走。只走到燕西书房门口,先问了一声道:"老七,你身体怎么了?不大要紧吗?"说着话,已是很快的走进屋子来。这时金荣在屋子里扫地,李升捧了一壶茶来,倒了一杯,放在床面前。不问燕西有病无病,倒是绝像一种害病的样子。因道:"孩子,你这是怎么了?可别乱来呀!"燕西道:"这很怪,我不舒服,你怎么会知道呢?没事,我不过吹了一口凉风,受了一点感冒罢了。"金太太虽然听他如此说,究竟不大相信,又走上前,用手摸了一摸燕西的额头,坐在床沿上,低着头,看了一看他的面色,然后掉转脸来向金荣问道:"你看看七爷的情况,是哪里不舒服?"金荣道:"昨晚上一点钟了,七爷要吃点心,厨房里没有,精神还挺好的。今天我还没起来,李爷就来告诉我,说七爷不舒服了,我哪里知道呢?"金太太笑道:"这样说,他是馋出病来了,哪有这样的事呢?"金太太一说,大家都笑起来了。金太太见燕西一样的笑容,料着他的话是真的,不过是感冒而已,这倒算解除了一种心事。便站起身来道:"只要你果然是受感冒,那倒没有什么要紧,可以好好儿的在床上躺一会儿。还有一件,你可别乱吃东西。我还没洗脸呢,回头我再来瞧你罢。金荣,你照应着他一点儿。"说着,缓缓走出房去,到了房门,又回转头来道:"老七,你可别乱动,只管躺着。"陈二姐因金太太不曾漱洗,匆匆忙忙的就跑出来瞧七爷的病,自己也跟着出来看看,究竟怎么回事?站在门外边听了许久。及至金太太走了出来,她就微笑道:"你实在是疼儿女的人,这几位少爷,谁不是生儿养女的人了?可是你还这样的挂心他们。"金太太叹了一口气道:"这也只怪我的心太慈善了,我这些儿女,谁是这样挂心我的呢?"陈二姐笑道:"你嘴里又是这么发牢骚,只要哪位少爷有事,你就不知道怎么好了?"金太太听说,倒是一笑。走回房去之后,陈二姐就忙着运茶运水,一面又陪着金太太谈心。

　　金太太喝了一杯茶,静坐了一会儿,究竟是按捺不住,复又起身走向燕西这书房里来。这时他已起了床,拿了一床薄毯子盖着下半截,斜躺在一张沙发上。口时还衔着一支烟卷,很自在的两手捧了一张报纸在看。金太太道:"你瞧你这孩子,现在全没有事了,倒吓了我一大跳。"燕西放下报,便伸脚到地板上来踏鞋。金太太连连摇着手道:"你和我拘这些礼节,只要少放荡些,少让我担一分心,什么也就够了。你现在好一点子了吗?"燕西道:"哪里好了?头还在发晕呢。"金太太道:"既是头在发晕,你还抽着烟瞧报做什么?"燕西道:"我哪是瞧报?我找找报上,我登的那个启事,清秋有答复没有?"金太太道:"你傻了,她又不是无处通信,有答复的话,她不会写信来吗?何必花那笔钱,还登一道广告呢?"燕西道:"我也是这样想,不过自我们启事登出以后,如石沉大海,她竟是一点响声没有。我猜着这个里头,多少总有点原因,所以我在报上找找看,或者她有些反响。她是每日非看报不能过瘾的人,我所登的这几家报,又都是她常看的报,不能没有见着我们的启事呀。"金太太道:"这话也怪,今天三天了,你那岳母,她也不曾再来过一次。她母女二人,是相依为命的,难道把这样大一个女儿跑掉了,她也像你一样,置之不问不成?"燕西道:"你这话,我不能承认啦,我又何尝置之不问呢?"金太太道:"我们自己,也用不着去抬这些杠。我就问你,你私下去打听过冷家的消息没有?"燕西道:"我打听做什么?他不来找我,我倒要去找他吗?"金太太道:"你瞧!听你这话,你就是不大挂心了。孩子,你别糊涂,天下没有这样容易了结的事,你不理会人家,也许人家正在安排巧计动你的手哩。等到人家的锤子打到你的头上,你再来想法子挽回,那可就迟了。"燕西听了这话,仔细一想,也觉有理。冷太太和清秋,是彼此十分亲爱的,清秋走失了,就是丢了她半条命,她如此放过金家,不向金家找人,决无此理。既然没有这个道理,一定是在想什么法子,来摆弄金家了。于是两手一拍腿道:"母亲这话,说得很对的,我马上到她家去看看,她若有什么表示,我们也好想法子对付她。"金太太道:"你这孩子,总是这个脾气,哪一件事情,是不爱办的,就不怕延长到周年半载,哪件事情,若是要办的,立刻就办。"燕西道:"并不是我说要办就办,无奈我想起了这件事,心里就拴了一个老大的疙疸,非解除不可。"金太太道:"又不是今天拴的疙疸,为什么忙着今天立刻要解除呢?"燕西道:"我自己也不知道是什么原故,不这样是不痛快的。我吃点东西,早上就去罢。我还有车,坐了车子去。虽然有点毛病,也没有多大关系。"金太太道:"我也知道你的毛病,你要去,就先去罢。谁让咱们亏着理呢?见了你的丈母娘,你可得好好的说几句话,别火上加油,又惹出麻烦来。"燕西答应着,就按铃叫金荣进来,分付他随便弄点吃的。金太太一看他身体也不怎样难受,上房里还有事,便先走了。

燕西见金太太一走,哪里坐得住?在衣架上抓了一件长衫,帽子也来不及戴,披在身上,一面扣钮扣,一面就向外走。到了门口,自己叫了德海开车,车子由车房开到大门口,刚刚停住,燕西就自己开了车门坐上车去,敲着玻璃板道:"走!走!"德海回转头来道:"你上哪儿?不说一声,我向哪里走呢?"燕西道:"上落花胡同冷家。你不是常去的吗?还有什么不知道呢?"德海知道七爷脾气上来了,不便多问,开了车机,直向落花胡同而来。燕西在车上,憋着一肚子心事,见了冷太太,要说些什么话,自己都预备好了。不料汽车开到了冷家门口，在车上看到是双扉紧闭。燕西急忙跳下车来，要上前去按门铃，忽然一张红纸条，映入眼帘，这却不由得大吃一惊，原来上面大书有招租两个字。原来通到外面的电灯线，也割断了，电铃的机钮，也不见了，这只好用手去拍门。拍了好几下，里面才有一个老头子出来开门，向着燕西问道："是瞧房的吗？"燕西道："我不是看房子的，我是来拜访朋友的。原来住在这里的冷家，现时搬到哪里去了？"那老人摇着头道："这个我说不上，我是看房的。"燕西道："这冷家是哪一天搬走的，你总知道吧？"那老人道："我是昨天来看房的，以前的事，我全不知道。"说着，他两手就要来关上门。燕西一看，这个偏老头子，似乎无甚话可对他说了。心想，这里关了门，隔壁自己作诗社的那所房子，以前让给邱惜珍家赁下去了，不如到邱家去问问。于是不坐车子，步行绕到圈子胡同来。胡同口上停着的人力车，那些车夫，是常年停着车在这里，作老主顾生意的。这时看到燕西步行过来，两三个人呀了一声。有个多嘴的，还抢着上前，向燕西请了一个安，笑道："七爷，好久不见你啦，你好？"燕西点了一点头，走过去几步，又回转身来，问道："我们亲戚搬家，是你们拉的车吗？"车夫道："坐汽车走的，用不着我们啦。那天搬家，我们没瞧见你。"燕西本想再打听，然而明知这些车夫嘴快，让他们知道了所以然，也是不好，于是点头走开。燕西转到了圈子胡同这边，一看邱家的大门，也是紧紧的关上。原来这大门口，有灿亮的一块铜牌，刻着邱寓两个字，现在牌子没有了。只是那牌子原钉的地方，还有个钉牌子的印迹。在那印迹之下，也是照样的贴了一张红字招租贴子。这样看来当然也是一所空屋子，不用得上前去敲门了。自己打算将车夫找来问一问，然而又怕车夫看破了情形，消息外漏起来，更是与体面有关。踌躇了一会子，汽车已由隔壁胡同追了过来。燕西想着，当了汽车夫的面，胡乱打听，也是不好。也分付汽车开到胡同口去等着，自己一人缓步而行，只是出神。后面忽然有人叫七爷，叫了过来，看时，却是看房人王得胜。他抢上前请了个安，笑道："老见不着你。"燕西皱了眉道："我家运不好，总理去世了，不大出门。房子让给邱家以后，他们不短房钱吗？"王得胜笑道："七爷介绍来的，那还错得了吗？怎么上个月，邱家说是回南，就全家都走了？"燕西这才知道邱惜珍家回南了，便笑道："他们走的时候，我正不便出门，为了什么，我也不大清楚。"王得胜道："怎么你外老太太，也是走得很忙？第一天辞房，到第二天就搬走了呢？"燕西听他的话音，也是不知道底细，便装出故意反问，让他猜的样子，因道："你知道他们搬上哪儿？"王得胜道："说是搬出大城去住了，我想不能吧？"燕西和他说话，却见街旁停的人力车夫，很是注意，又怕露出什么马脚，只笑着点点头。王得胜也摸不清他是什么用意，跟着说了几句话，告辞去了。燕西一人在胡同里转了一阵子，并不能得有什么结果，只好转出胡同口，坐上汽车，垂头丧气而去。

第一百六回

亦假亦真旧邻传噩耗
疑非疑是胜地觅芳踪

天下事，原有不少出人意料以外的。但是像这样的事，却是出乎意料以外太多了。燕西在车上一路想着，这可真奇怪，冷家不向金家要人，反倒是全家都走了。她既不曾拐去我的金钱，我又不是不让她离婚，何必有这种行动？是了，一定是怕我要回小孩子来，所以带着他隐藏起来了。其实我不过二十岁的人，哪里会愁到没有孩子？你带了去就只管带了去，我是丝毫也不关痛痒的。到了家里，下车就直奔上房，在金太太屋外院子里，便嚷起来道："你看这事怪不怪？冷家一家全逃走了。我真不明白，这是为了什么？"一面说着，一面走进屋子里，草帽也不曾垂下。两手将长衫下摆一抄，向藤椅子上坐着靠下去。金太太坐在屋子里，正自默念着这件事，听他由外面嚷了进来，心中也很惊异。及至他走进房时，倒是很坦然的样子坐下，便望了他道："你这话是真的吗？"燕西一拍手道："当然是真的，难道无缘无故，我还会撒这样一个大谎？"金太太道："既然是真有这件事，我可要引为奇谈了。你们两个人的婚姻，你说要离，她也说要离，谁也不碍着谁的事。你都不躲开她，为什么她倒会躲开你呢？难道还怕金家把她包围起来吗？"燕西道："我也是这样猜着，这件事很奇怪。我自己本想在街坊面前打听打听，又恐怕太着痕迹，所以我跑了回来，先向你报告，打算叫金荣到那胡同前后，仔细去打听。她若是逃了，我想没有别的用意，无非是舍不得把那个孩子扔下。"金太太皱着眉想了想道："除非是如此，然而也不至于呀。"燕西道："我真猜不出这里面还有其他的原故。"金太太将如意钉上挂的一串佛珠，取着拿在手上，一个一个的，由前向后掐着，低眉垂目的坐着，只管出了神。许久，然后向燕西一点头道："这个法子倒使得，你就叫金荣去打听一趟试看。"燕西道："事不宜迟，马上就叫他去。"说着，起身便向外走。金太太道："别忙，你也把他叫了来，让我教他两句话。"燕西只管向外走，哪里听到母亲最后说的两句话？已经一直走回自己书房去了。

这天金荣得了燕西的命令，到落花胡同前后打听了一个够，直到晚上七点多钟方才回来。燕西已是自己走到大门外，等着他有两三次了。金荣回家来了，他也知燕西性急不过的，一直就向他屋子里去报告。燕西见他满脸带着忧色，料得事情有些不不妙，先抢着问道："怎么样？他们预备了什么手段，对付我们吗？"金荣摇摇头道："那谈不到了。"燕西道："怎么会谈不到？难道他们还有更厉害的手段吗？"金荣道："并不是更厉害，七少奶奶大概……去……世了。"金荣说到这里，也不免嗓子哽了起来。燕西吃了一惊，原是靠在藤椅子上坐着的，这时突然站立起来，向着金荣的脸问道："那是怎么回事？你别是胡打听的吧？"金荣道："我怎能胡打听这种消息？我为这个，整跑了一天呢。我先跑到落花胡同，站在那里，和车夫闲谈天，他们似乎知道一点。看我那样子，是打听消息去的，他们不敢乱说。只说冷家已搬到乡下住去了，至于怎样搬到乡下去，住在什么乡下，他们也不知道。后来我索性冒个险，等到南隔壁有人出来开门，我就走上前，和他们鞠了一个躬。抬头一看，我才知道上了当，敢情是个十二三岁的小姑娘。可是说起来，还是算没有白行这个礼。"燕西一正脸道："要说就干脆说出来罢，说话为什么绕这大的弯子？快说罢。"金荣道："那姑娘是个小孩子，倒也心直口快。我只问隔壁冷家搬到哪里去？她就反问着我，他们家那大小姐跳了河了，你知道吗？我问在什么地方跳河的？她说在城外跳河，冷家人哭了一天呢。"燕西道："小孩子知道什么？这样重大的事情，你怎么到小孩子嘴里去讨消息？"金荣道："我也是这样想。可是小孩子不知轻重，也不会无缘无故的撒什么谎。所以我问了那小姑娘以后，我又对那姑娘赔着笑脸，问她家里有什么人？她说有父母。我就告诉她，是冷家亲戚打发来的，请她父亲出来见见。那个人出来了，倒也是个混小差事的。听是我们宅里打听消息，很愿报告。据他说，他果然听到冷家妇女们哭了两宿，起一个早，搬家走了。由他们的老妈子口里传说出来，说是冷家大小姐到城外去跳河了。我当时听了，心里很是难过，几乎要掉下眼泪来，不忍怎样的仔细盘问下去，你要不信，自己到那人家去拜访，可以当面问他一问。"燕西听了这话，怔怔的坐着，许久不能做声，斜躺在一张藤椅上，左腿架在右腿上只管颠簸着。金荣站在他面前，走是不好，不走也是不好，也是只管发愣。燕西叹了一口气道："消息是越来越不像话，我有什么法子呢？我得去和老太太报告一下，看看她老人家怎样说？但愿这消息不的确也罢。"说着，站起身来向上房走。金荣虽然不便跟着走了去，也知道金太太得了消息之后，一定会来盘问的，因之就在书房外面站了等着。

果然不到三十分钟，陈二姐走出来叫唤，说是老太太叫去问话。金荣跟着到了上房，金太太和三位小姐，都坐在走廊下乘凉，眼圈儿都是红红的。金荣看了这样子，知道所报

告的消息,已经是够惹着太太一阵伤心的了,远远的站着,不敢过去惊动。金太太用手绢擦了眼睛道:"据七爷说,你是到过冷家去了一趟的了,你打听得那消息很的确吗?"金荣要说的确,让老太太更是伤心。若说不的确,为什么以先胡乱报告?犹豫了一阵子,才道:"我打听是打听了好几处的,都是这样说。可是七少奶奶家里的人,我一个也没有见着,又哪知这话靠得住靠不住呢?"金太太道:"你没有听说是哪一处城外吗?"金荣道:"听说是出西直门的。"敏之听到这里,点了一点头道:"这就是了。"金太太看了她那种神气,望了她道:"难道你还知道这里头有什么原故吗?"敏之道:"我也不过这样猜想罢了,谁又敢说一定是这样的。清秋以前常和我说,玉泉山昆明湖一条好水脉,假使要寻死的话,最好就死在那里。我还笑着说,无论那地方怎样好,死了也不得一个好死。她就大驳我一阵,说死就是一个死字罢了,还有什么好死坏死?而且古来高明的人,死在水里的也很多,什么屈原啦,什么李太白啦,说了许多,我也闹不清楚。当时我虽知道她是一种牢骚话,议论很是奇怪,所以记在心里。于今用事实一引证起来,竟是很有几分可信的了。"金太太手上拿了一把小芭蕉扇子,慢慢的在胸面前招着风。点点头道:"这话也很有几分近情理,她那种人,这种事会作得出来的。"燕西道:"若果这话靠得住,这也没有难处,到了明天,我可以自己跑到城外去调查一趟。假如她是如此下场,以前一切的事,不必提了。我私人所分得的钱愿拿了出来,和她办理善后。"敏之望了他,想带一点冷笑,但是立刻又把这笑容收起来了,就对他道:"哦!若是她有了不幸的事情,你就要拿出钱来,和她办理善后。若是她并不见得有这种事情哩,那末,你就还是不管她的事了?"燕西先看了金太太一眼,见金太太的颜色,还是和平常一样。然后向敏之拱拱手道:"你说这话,我真有点受不了。我这人倒好像是诚心希望她死。等她死了,再来给她风光一下子,做个好人,是也不是?"敏之道:"是与不是,我哪里知道?不过你自己说话,有些前后不能关照,露出马脚来了。我既不姓冷,我又不是清秋的表姐表妹,她走得远远的去了,难道我还会帮着她说你什么不成?"敏之越说越急,说到后来,脸色都变红了。金太太道:"这种人你还说他做什么?他有了他一定的主意,旁人说他,也是枉然,白费一番心力,他又知道什么好歹?"敏之低了头望着地上,只冷笑了一声,并不再说什么。燕西虽然觉得敏之的颜色和言辞,都过于严刻一点,然而有老母在当前,看那样子,是不会帮着自己的。再要申辩两句,无非又是一场是非。只得懒懒的道:"我只认错就是了,有什么可说的呢?"一面说着,一面向外走。这时,金荣带来的这个消息,已传遍了全家。无论与清秋感情如何的人,听了这句话,都不免伤心一阵。那样一个人,竟会落这样一个结果。加之她又带了一个小孩子去的,这个小孩子,出世才得两三个月,倒跟着母亲,受了这种无故的牺牲,也是一件很造孽的事。因之大家又纷纷议论起来。这种话，当然不免传到燕西耳朵里去。他虽然自信不负清秋生命的责任，可是在大家这样传说着的时候，总感到有些心神不安，若不表示一点追悼的意思出来，这会让旁人更疑心了。

自己心里存了这个念头，到了次日，一清早起来，就叫金荣告诉德海，开汽车出大城。金荣因他脸上颜色不大好看，而且一下床，丝毫也不曾考虑，就告诉开车出城，似乎打了一夜主意似的，这也许又要出什么事故，不能不向老太太报告一声。于是在燕西当面，尽管答应，走出书房，立刻就到上房，去向金太太报告。自己隔了窗户，先叫了一声。金太太在纱窗子里，看到金荣匆匆的由外面走了进来，心里就知道他必有什么要紧的事报告。在屋子里就答应道："有什么事，你只管说罢。"金荣回头看了一看，究竟还不敢大声说出来，一直走到窗户边，才低声道："太太你瞧，七爷一早起来，什么事也没提到，就要赶着出大城去。我看他脸上的颜色不大好，你把他叫进来问他几句话罢。"金太太道："他要出城去什么意思呢？"接着又道："这孩子做事，这样任性，简直有些胡闹！把他叫了进来。"金荣巴不得一声，把燕西叫进来。金太太问道："你这样一早出大城，打算到哪里去？"燕西道："我想到颐和园玉泉山都去看看，究竟有什么形迹没有？若是那里出了事，当地人当然知道的。"金太太道："你一个人瞎撞，未见得能撞什么结果。我看叫凤举陪着你去罢，李升也可以去。你们有些地方，不肯谦逊去问话，可以让李升去问人。"燕西对于这个办法，倒也无所可否，便顺便的答应了好罢两个字。金太太让他在屋子里等着，让陈二姐去叫凤举。凤举不曾来，梅丽先来了。一见燕西，便道："一早就到母亲屋子里来了，有什么消息报告吗？"燕西道："正打算出城找消息呢。"于是把意思告诉了她。梅丽很高兴的道："我也……"只说了两个字，回头先看看金太太的颜色怎样，金太太道："他又不是去玩，你跟去作什么？"梅丽道："我也不是要跟去玩呀。老实说，我对于清秋姐这件事，真比七哥还着急呢。"燕西道："那为什么？"梅丽道："我和她感情很不错。譬如说，这个时候，秀珠姐要有个三长两短，你不着急吗？"燕西见金太太向着梅丽，脸上有点微笑的样子，就不敢说什么，只淡笑着说了胡扯两个字。金太太却呆呆的注视着燕西的面孔，那意思好像说梅丽的话是对的。燕西便站起来望着窗子外道："大哥还没有起来吗？怎么还请不来？"凤举披着一件长衫一路扣钮扣走了进来，问道："听说一早就要到西山去，这是为什么？"金太太道："并不是到西山去，燕西高了兴了，他要去打听清秋的下落了。"因把话告诉了他。凤举道："我就猜着是要我去的，所以索性穿了长衣出来。"梅丽道："我也要去呢，行不行？"凤举道："只要妈让你去，我就不反对。要不然，这又不是去玩……"梅丽道："谁又是去玩？父亲去世以后，就只有玉芬姐，带我到北海去过一趟，我才真不要玩呢。"燕西也知道梅丽既说

843

要去，也推辞不了，只得答应了。梅丽看看金太太的颜色，似乎也不至于拦阻，就赶着回房去换了出门的衣鞋，就到燕西书房里去等候。

一会凤举出来了，三人坐了汽车，直向颐和园而来。管理颐和园的人，向来不收金家人门票的，现时金总理虽已去世了，自己也抹不下面子来要票。他们三人进了大门，不假思索，直奔前山昆明湖边。当然，这宏壮的风景里面，山水宫殿，一切依旧，并看不出什么出了事故的痕迹。李升跟在后面，随他们走过了长廊，便道："大爷，我们先找个人打听打听罢。"凤举道："这是什么有面子的事吗？怎好胡问人？我们这种体面人家，会有内眷跑了，还是投水，说起来，大家脸往哪儿搁？"李升碰了钉子不敢做声，默然相随在后面走。梅丽道："既不打听，我们为什么来着？"凤举皱了眉道："别嚷！别嚷！慢慢的自然可以打听出来。"梅丽道："这又不是什么不能对人说的事，为什么别嚷？就算不能对人说的事，我们自己都调查来了，人家还有个不知道的吗？"凤举叹了一声，皱着眉对这位小妹望了一望，又不说了。燕西道："你们真也肯抬杠，这个时候到了这种地方，还要说个是非。"这长廊尽头，排云殿下方，有个水榭，正向着昆明湖，开了一所茶社。两个穿白衣服的茶房，看到这二男一女很有些豪华气象，后面跟着一个听差，分明是少爷小姐一流。一齐跑出来笑脸相迎，请到里面去休息。凤举因这里在水边，正好打听消息，就一同进去了。大家坐下，李升也在外面走廊栏杆上坐着。茶房忙乱了一阵，远远的坐到一边去。凤举先问问这里可有什么吃的？茶房说："只有干点心。"凤举道："现在天气热，这里逛的人正多，怎么倒不预备一点呢？"一个茶房走了过来，站着在桌子椅角边，仿佛是很郑重的，半鞠着躬微笑道："你不知道，这两天虽是逛的人多一点，其实一天也不过来百儿八十的人。第一到城里太远了，第二门票又是一块钱一张，哪能像城里中央公园那样人山人海？我们这小买卖，哪里敢多预备？"凤举一看这人三十多岁年纪，手臂上刺着一朵花纹，头上一把头发，向后梳得溜光，因笑着点点头道："我在什么地方见过你，一时想不起。"茶房道："我在城里洁身澡堂，待过三年。"凤举哦了一声道："这就是了。"茶房笑道："先生你贵姓是金吧？"凤举点头道："我姓金，你怎么知道？"茶房道："从前我侍候大爷洗过澡的，于今我想起来了。你今天有工夫到这儿来逛逛？"凤举点着头哼了一声。那茶房，他要表示殷勤招待的样子出来，拿着桌上的茶壶，向各人茶杯子里斟了一遍茶，然后退到一边去。一个当侍役的人，在主顾不和他说话的时候，他自然也不便无端插嘴说话，因之静悄悄的站在一边。梅丽看了，倒有些急。心想，和那茶房说得很投机，正好探问消息了，怎么又不做声？她心里如此想着，就不住的看看凤举，又看看燕西。燕西明白了她的意思，自己也是有些忍耐不住了，就对茶房道："大爷二爷，你都知道，你倒很能打听消息。"茶房道："金总理家里，那是北京城里大

844

有名望的人家，谁不知道？"燕西喝了一口茶，笑了一笑，目光望了昆明湖一片汪洋的白水，很不经意的样子问道："这湖里水，深不深？"茶房道："也有浅的地方，也有深的地方。"燕西道："假使落一个人下去呢，危险不危险？"茶房笑道："深的地方，自然是危险。"燕西依然用眼光射到湖面上，很随便的问道："若是有人到这里来投河，地方又大，水又深，又没有人救，那总是活不了的。"他如此一说，凤举、梅丽都望了茶房，等他的回话了。茶房笑道："那可不是！"茶房也是很随便答复的，然而只他这样一句话，各人心里，立刻紧张起来。燕西情不自禁的问了一声道："真有这样一件事？"茶房笑道："没有这回事，你干嘛问起这个？"凤举也就插嘴道："你这叫笑话了。你想，到这里面来，还要买一块钱的门票，哪个寻死的人，那样清闲自在的到这里来投湖？"茶房又接嘴说了一声道："可不是！"梅丽坐在一边，就望了凤举一眼，心想，你还是打听消息来着呢？还是证明消息不确来着呢？刚问得了一点消息，你倒说决没有这件事。凤举看了梅丽的脸色，可是他又有他的心事。他以为真有这事，自己说是没有，茶房必会反驳。若真没有这事，话就遮掩过去了，免得露出马脚来。现在茶房果然说没有，就默然了。他不做声，梅丽不便做声，燕西也是呷了茶望着湖水出神。不过老远的跑了来，不打听个实在，就这样含糊回去，也有些不甘心。因又装出很不经意的样子来问道："前几天，报上好像登过这样一条社会新闻，大概是谣言了？"那茶房靠了亭子的木柱站定，突然将身子向前一挺道："我也听见的，这新闻可是不假。"他这句话不要紧，不但把在座三个人吓得心里乱跳，就是在水榭外边站的李升，也脸色变了，一脚踏进亭子来道："是有这么一回事吗？"凤举听到这里，也是一怔。梅丽也禁不住问道："怎么不假呢？"茶房见大家都注意这件事，倒有些莫名其妙。望了大家缓缓的道："我也不知是真是假。这万寿山前后，很有些人传说，说是玉泉山有个人投河，过两天，报上就登出来了，说是昆明湖里出的事，其实不是。"燕西道："哦！玉泉山出的事，你不知道是怎样一个人吗？"茶房道："听说是个年轻女的。"他这一说不打紧，大家的脸色都变了。

　　正要向下问时，远远的有个人跑了来，站在亭子外，向李升打量一遍，问道："你是金府上来的吗？"大家一听，又是一惊。那人道："你们宅里来了电话，请大爷去接，说是有要紧的话说。"凤举道："难道又有什么要紧的事发生了？"说着，就向亭子外走。燕西、梅丽都是惊弓之鸟，见了这种势头，心里都蹦跳起来。也不问茶房话了，就这样相对坐着。这个电话之谜，各人都是急于要打破的。这一种焦急，那一分钟之久，大概也不逊于一年的了。

第一百七回

决绝一书旧家成隔世
模糊双影盛事忆当年

俗言道:等人易久。其实燕西等凤举,也不过二十分钟罢了。老远的看见他跑回来,高举着两只手嚷道:"清秋回来了,清秋回来了,我们快回去罢。"燕西听了这话,脸上一征。梅丽听到,却不由得站起来,连跳了两下道:"好了好了,我们回去罢。"燕西等凤举走近前来,才低声问道:"这是怎样一回事?你在电话里听清楚了吗?"凤举道:"我哪有那么糊涂,连在电话里听这两句话,都听不清楚吗?"燕西道:"她是怎样回去的呢?"凤举道:"在电话里,何必问得那样清楚?我们不是马上要回去吗?等着回去再谈,也是不迟吧?"梅丽连连将脚顿了几下道:"走走!我们快回去。"说着话,已是跳到亭子外长廊下栏杆边去。凤举道:"看你忙成这个样子,你比燕西还急呢。"于是会了茶账,匆匆的走出园来。大家坐上汽车,凤举对梅丽道:"大约回家之后,首先和清秋谈起来的,就是你。你一定要把我们向茶房探听消息的话,说个有头有尾。其实她跑出来又回家去,怪难为情的,你对她还是少说话罢。"燕西道:"为什么少说?这种人给她一点教训也好。"梅丽道:"你这人说话,也太心肠硬着一点吧?我们为着寻她的下落,才到城外来的。我们原来的目的,不过是要知道人家的死信。于今不但人没有死,而且还是活跳新鲜的回来着,比我们原来的希望要超过几倍去了。你怎么倒反是不高兴?难道你不乐意她回来吗?"燕西淡淡笑了一声,并不说什么。梅丽道:"你不说,我也明白,你当然是不愿意她回来的了。但是据我看来,决不是没有办法回来的,回家之后,你看到人家的态度再说罢。"燕西依然是不做声,又淡淡的一笑。汽车到了家门口,梅丽一进大门,见着门房就问道:"七少奶奶是回来了吗?"老门房倒为之愕然,望了梅丽发呆道:"没有呀,没有听到说这话呀。"梅丽道:"怎样没有?刚才我们在颐和园,家里打电话把我们找回来的呢。"门房道:"实在不知道这一件事。若果然有这一件事,除非是我没有看见。"梅丽再要问时,燕西和凤举已经很快的走进大门,直向上房而

去。梅丽也是急于要得这个消息,直追着到上房来,早听到凤举大声道:"怎么和我们开这样大的玩笑?"梅丽走到金太太屋子里看时,屋子里许多人。凤举手上捧了一张信纸在手上,围了七八个人在那里看。梅丽也向人缝里一钻道:"看什么?看什么?"凤举道:"别忙,反正信拿在我手上是跑不了的,你等着瞧罢。"梅丽既看不到,又不能伸手来夺,却很是着急。金太太在一边看到,便对凤举道:"你就让她看一看罢。这一屋子人,恐怕要算她是最急的一个了。"凤举咳了一声,便将那信摊在茶几上,牵了梅丽的袖子,让她站近前来,笑道:"干脆,你一个人念,我们大家听,好不好?"梅丽道:"我念就我念罢。"于是她念着道:

　　燕西先生文鉴:西楼一火,劳燕遂分,别来想无恙也。秋此次不辞而别,他人必均骇然,而先生又必独欣然。秋对于欣然者,固无所用其不怿,而对于骇然者,亦终感未能木然置之。何也?知者谓我逃世,不知者谓我将琵琶别抱也。再四思维,于是不得不有此信之告矣。

　　秋出走之初,原拟携此呱呱之物,直赴西郊,于昆明湖畔,觅一死所。继思此呱呱之物,果何所知?而亦遭此池鱼之殃。况吾家五旬老母,亦唯秋一点骨肉,秋果自尽,彼孑然一身,又何生为?秋一死不足惜,而更连累此一老一少。天地有好生之德,窃所不忍也。为此一念徘徊郊外,久不能决。凡人之求死,只在最初之五分钟,此五分钟犹豫既过,勇气顿失,愈不能死。于是秋遂薄暮返城,托迹女友之家。一面函告家母,约予会见。家母初以秋出走非是,冀覆水之重收。此秋再三陈以利害,谓合则在君势如仇敌,在秋形同牢囚。人生行乐耳,乃为旧道德之故,保持夫妻名义,行尸走肉,断送一生,有何趣味?若令秋入金门,则是宣告我无期徒刑,入死囚之牢也。

梅丽将信念到这里,不由叹了一口气道:"就是这信前半段,也就沉痛极了,真也不用得向下念了。"凤举道:"这不是讲《古文观止》,要你看一段讲一段,大家还等着听呢。"说着,便要伸手过来,将信拿过去。梅丽按住了信纸道:"别忙别忙,我念就是了。"于是念道:

　　家母见秋之志已决,无可挽回,于是亦毅然从秋之志,愿秋与君离异,以另谋新生命。惟秋转念择人不慎,中道而去,知者以为君实不德,秋扇见捐,不知者以为秋高自攀附,致遭白眼。则读书十年,所学何事?夫赵孟所贵,赵孟能贱之,本不足怪。然齐大非偶,古有明训,秋幼习是言,而长乃昧于是义,是秋之有今日,秋自取之。而今而后,尚何颜以冷清秋三字,以与社会相见乎?因是秋遂与母约,扬言秋已

847

步三闾大夫后尘，葬身于昆明湖内，从此即隐姓埋名，举家而遁于他方。金冷婚约，不解而解矣。

秋家今已何往？君可不问。至携一子，为金门之骨肉，本不应与同往。然而君且无伉俪之情，更何有父子之义？置儿君侧，君纵听之，而君所获之新爱人，宁能不视此为眼中钉，拔去之而后快耶？与其将来受人非种必锄之举，则不如秋保护之，延其一线之生命也。俟其长大，自当告以弃儿之身世，一日君或欲一睹此赘疣，当尚有机缘也。

行矣！燕西。生生世世，吾侪不必再晤。此信请为保留，即作为绝交之书，离婚之约。万一君之新夫人以前妻葛藤未断为嫌，则以此信视之可也。

行矣！燕西。君子绝交，不出恶声，秋虽非君子，既对君钟情于前，亦雅不欲于今日作无味之争论。然而临别赠言，有未能已者，语云：高明之家，鬼瞰其室，虎尾春冰，宜有以防其渐。以先翁位高德茂，继祖业而起来兹，本无可议。若至晚辈，则南朝金粉之香，冠盖京华之盛，未免兼取而并进，是非青年所以自处之道也。愿有则改之，无则加勉焉。

慈姑老大人，一年以来，抚秋如已出，实深感戴。寸恩未报，会当衔结于来生。此外妯娌姊妹，对秋亦多加爱护，而四姊八妹，一则古道热肠，肝胆相照，一则耳鬓厮磨，形影相惜。今虽飘泊风尘，每夜雨青灯，每一回忆，宁不感怀？故秋虽去，而寸心耿耿，犹不免神驰左右。顾人生百年，无不散之筵席，均毋以秋为念可也。蓬窗茅户，几榻生尘。伏案作书，恍如隔世。言为心声，泪随笔下。楮尽墨枯，难述所怀。专此奉达，并祝健康！

冷清秋谨启

梅丽将这封信一口气念完，念到最后一段，大家觉得清秋的文笔，固然不错，就事论事，也说得很沉痛。风举首先道："我算今日领教她的笔墨，真是看不出来，一个十几岁的女子，有这样好的文字，前途实在未可限量。大家都说她汉文有根底，我也没有去十分注意，于今看起来，很是名副其实。老实说一句，目前的人，恐怕还没有谁赶得上她？"玉芬坐在一边，就插嘴微笑道："大哥一抬举人，又抬举得太过分一点了。固然像我们这种人，自然是学识浅陋，赶不上人家。可是大哥和二哥的国文，都是很好的……"金太太不等说完，便皱了眉道："管她文章好不好，不是现在所要讨论的事情。"说着，便向风举道："我接着这封信，自己真愣住了大半天，不用提心里多么难受。知道的呢，不过说是燕西夫妻感情

不好，她不愿在我们家，不知道的，倒以为是我们这一大家人，不能容物，硬把人家挤着跑了。别的我都不怕，我就怕她这一封信，辗转传到新闻记者手上去了，老实不客气给我们发表出来，这让我承认是不好，否认也是不好。"风举道："这倒不必去过虑。她这信上，明明说着自己隐姓埋名，要另去找新生命，分明是一种秘密行动。若是把这信公开出来，试问又从哪里去秘密起来？"金太太道："这话也难说，她若是为泄愤起见，也许牺牲她自己的成见，宣布出来，和我们干一下子。"玉芬心里有一个对字，冲口要出。她感觉很敏捷，想到刚才插嘴说了两句话，已经碰了一个大钉子，现在怎好又去多嘴？因之嘴唇皮只动了一动，这个对字又忍回去了。金太太坐在屋子里说话，眼光是不住的四处射着的，尤其是对于玉芬，那目光是常常的照顾着。玉芬欲言又止的情形，正好是看到，便问道："你要说什么？"玉芬道："我很赞成你的话，不过照她为人，不至于这样。所以我要说，又忍回去了。"金太太未答言，点了点头。这时，大家对于这封信，都不免有一番议论。玉芬见大家都有点惋惜的意思，她未便独持异议，也皱了眉毛，装出苦脸子来。金太太侧着身子，坐在藤椅子上，只是不言语，默默静坐，慢慢的也就垂了眼泪来了。风举叹道："你又何必伤心？连老七他自己，还看得十分平淡呢。"金太大摇了摇头道："我倒不是这样想。"佩芳道："我明白，你是舍不得一个小孙子。"金太太道："当然也有一点，但是这还不是最大的原因。"说着，两手抄在胸前，长长的叹了一口气。同时，便将眼光射到燕西身上。燕西知道母亲有十二分不满意的表示，但是不满意的是哪一点，却不能猜中。自己只好避开母亲的眼光，低了头看着自己的鞋尖，两脚不住的在地上颤抖着，似乎心不在焉的样子。金太大又叹了一口气道："我也管不着，反正是大家要散的，与其将来闹得不可收拾，再来散家，倒不如早早的散场，大家落个好来好去。"大家听金太太如此说着，都不敢做声，默然坐着。金太太站起来，将那纸长信，拿到手上，又重新看了一遍，然后递到燕西手上道："这个交给你罢，你也好留着作一个纪念。"说毕，又冷笑一声道："这算是白家小姐战胜了，你可以把这信给她看看。只要她相信了，也就是你一个升官发财的一重保障。"燕西听了这话，脸上不由得红上一阵，搭讪着笑道："你说这话，我受得了吗？"金太太不说什么，又是一阵冷笑。风举料着金太太动了慈善心，燕西若是不离开，还是有许多话要说他的。便向燕西瞟了一眼道："你在颐和园那一分子跑法，想必是很累，这也应该休息休息去了。"

　　燕西会意，搭讪着伸了一个懒腰，就回书房去了。心里想着，这样一来，人既不曾死，婚姻又脱离了关系，总算如释重负。她自己愿意写这信和我脱离关系，我也没有什么对她不住的。只是自己第一个儿子，白白是让她带走了，心里总不能完全抛得下。但是留了儿子，其实也不能不留他的娘，崭新的人物，牺牲个把儿女，又值得什么放在心上？他是一个人在屋子里踱来踱去。这样想着的。于是突然立住了脚，连顿两下，表示他不以为意的决心。就在这时，书房门悄悄的有人推了开来，略听到一些响声。燕西心里正在不耐烦的时候，于是用脚一顿，立刻将身子一扭道："又是谁进来捣乱？"说时，一回头，瞪了两眼。但是这一回头之下，却是梅丽。自己还没有放出笑容，改去怒容，梅丽已是不耐烦，将嘴一撇道："干吗对我们生这样大气？我不是来说你什么的。"燕西笑道："请进来罢。我真不知道是你，我一个人在这生闷气呢。"梅丽道："我倒不管你生闷气不生闷气，我心里搁不住事，有话就要来报告你一声。听二嫂说，她的房子已经看好，也许两三天之内，就要搬走了。我也不知什么原故，听了这个消息，心里怪不好受似的。"燕西道："什么？他们就要搬走吗？怎么这样子的快？"梅丽走进屋来，向屋子四周看了一遍，叹了一口气道："这些个东西，你能都带到外国去吗？当然是留下的了。这几架书格子，我都很欢喜，你就送给我罢。"燕西道："这又不是我私人的东西，怎么让我送你？"梅丽点点头道："这算你说了句公道话，可是我听到说，各人院子里的东西，都归各人搬去，有的嫌不够，还争着要这样要那样。"燕西道："咳！让他们去争，让他们去分罢。家都散了，抢夺这些木器家具，又有什么用？你要这书格子，你就连这些书都可搬了去。我反正是个不读书的人，又要这些书做什么？"梅丽点头笑道："你这倒干脆，表明态度是不要书本子。"燕西两手一撒道："你想，从前有的是机会去读书，我都耽误掉了。到了现在，自己要去经营饭碗问题了，哪里还有工夫读？你难道还不晓得我为人？我在你面前还要个什么虚面子？"梅丽道："这倒也说得是。不过你现在也不必烦恼，你受着拘束的事，算是完全解除了。以后你一个大人，爱怎么着就怎么着。天下之大，一个人到哪里去混不到饭吃？我跟你计划着，晚上可以在饭店里跳舞。睡到下午两三点钟起来，公园里也好，戏馆子里也好，混到六七点钟，上小馆子吃晚饭。吃完晚饭，上电影院瞧电影，到了十一二点跳舞场上，正是热闹……"燕西皱了眉道："你干吗也学了这样一张贫嘴？"梅丽道："我是贫嘴？就算我贫嘴罢，我猜着这样浪漫的生活，你总是愿意过的吧？"她一面说着，一面向外走，就回到了二姨太屋子里来了。

二姨太见她脸上，似乎还带着一些怒色，便道："你又是和谁生气？"梅丽撅了嘴道："别提了，我心里有二十四分不痛快呢。"二姨太道："咳！你倒喜欢管那些闲事，准是清秋的事，你瞧着又有些不顺心了。你管得着吗？"梅丽道："也不光为这个，你瞧，二哥的房子看好了，马上就要走，自然，别人也是要走的。今天说散伙，明天说散伙，这可真要散伙了。"二姨太坐在一张藤椅上，是半躺着的，头枕在椅靠上，眼望了梅丽，半晌不做声。梅丽道:"你又什么事发愣?"二姨太将头点了一点道:"你说我老实,可是你也够老实的了。不散伙怎办?难道我们还顾全得了不散伙吗?"梅丽道:"谁又说能顾全得了?不过我瞧着,心里怪难受的。"她说着,也就在对面一张藤椅子上坐下了。母女二人,彼此对面默然坐着,静默了好久。二姨太因是斜躺着的,目光斜射在对面墙壁上一张二人合拍的半身相片,只是出神。那相片的胶纸,都变了黄色,人影也有些模糊,年月可知了。梅丽也回头看时,是父母二人的合相。二姨太见她目光也回过去,因用手一指道:"你瞧,这是我初嫁你父亲时候的一张相片。那个日子,你父亲刚从外国回来,老太爷也还在世,门面比这些年还阔多了。因为你祖父是个总督,和现在的巡阅使差不多呢。"梅丽道:"这和这张相片,又有什么关系呢?"二姨太道:"自然有关系呀。你祖父除了收房的丫头不算,一共有五房姨太,你瞧是多不多?真也是怪事,可就只添了你伯父和你父亲两个。你伯父三十几岁,就过去了。只剩你父亲一个,而且他真也有些才学,上人是怎样的痛爱,那就不用说。可是你父亲倒不像你那些模糊虫哥哥,玩笑虽是免不了的,正经事也是照样子办。讨我的时候,老实说,你那位母亲是不高兴的。无奈上面一层人,就是多妻的,她也没法儿反对。祖老太爷自然也看出了这番情形,听说在你那位母亲面前,还说了一番大道理。索性让我进门的时候,还行了一大套礼节。末了,就是照这张相。祖老太爷的意思,就是说他作主替你父亲讨二房的,不让你母亲压迫我。我年轻的时候,就不知道什么叫脾气,你那母亲,看我也是很容易说话的,也就不怎样和我为难。那个时候,你大哥二哥,都在英国留学,其余的都在家里,燕西还只两三岁呢。一家的小孩子,你父亲和你母亲是很和气的,我又不多一丁点儿事,所以家里头大家只是找法子享福,不知道什么叫闹气。后来小孩子大了,人口多了,不是这个瞧着那个,就是那个瞧着这个,只要瞒了上面两个人,就什么事也干得出来。这样的闹,至少至少有五年了。我老早就猜着,好不起来。现在看起来,也是疖毒破了头了。"梅丽道:"照你这样说,散伙倒是应该的。"二姨太道:"也不能说是应该的。不过有你父亲在,大家坐着享福,还有些不耐烦。于今不能坐着享福了,有这个家庭呢,少不得大家要负一分责任。你瞧谁是肯负责任的?谁又让谁不负责任?恐怕会闹得大家刀枪乱起吧?从前就是燕西没有办法,现在清秋走了,他可以靠白家这条路子去找出身,也是不要紧的了。"梅丽道:"人家最忌讳的就是这个,别说了。"二姨太道:"说也没有什么,反正这是公开的事。"梅丽道:"公开也好,秘密也好,反正摊不到我们头上来说。"二姨太道:"咳! 说是不必说。可是我们一家人,总望一家人好,闹到这步田地,谁也是好不了,我们心里当然是难受。我早知道就不能有什么好结果的,那天吞鸦片,你们让我一闭眼睛,睡了过去,是多么的好。偏是你们又想法子把我救了过来。"梅丽撅了嘴道:"你这话倒说得好,让你一闭眼

851

睛,睡了过去,那末,把我扔下来,我又怎么办呢?"二姨太道:"我自己的性命都不要,别人我就管不着了。可是这话又说回来了,我就是不死,你的事情,我哪里又管得着呢?"梅丽听了这话,望了她母亲一会,并不做声,意思好像不明白母亲命意所在。打算要问一句是哪件事没让母亲管?然而这句话说出来,又怕母亲误会到什么自由不自由上面去,对答上也更感到困难,就不如不问了。

第一百八回

寄爱写小诗投邮有意
对亲作快语析产何惭

二姨太看到梅丽那沉吟不定的样子，便也是不解，望了她问道："你想什么?"梅丽坐在躺椅上，将脚悬着，摆了几摆，放出很自然的样子，脸上微微笑道："我也不知道有什么事，让你管不着?"二姨太想了想，微笑道："我管不着你的事吗? 那可多了。"梅丽也不多说，依然还是将两条腿垂着摇摆，右手一个食指，却在左手掌心里，只管画着字。二姨太看到她那种出神的样子，也只管望了她那脸。梅丽在手里乱画了一顿，眼皮一抬，见母亲很注意的样子，抵在当面，颇有些不好意思。于是突然站起身来，就向里边屋子里走去。二姨太一看梅丽那神情，和她说话的话音，觉得她那心中，当然含有一段隐情。这话在她自己不说出来，作母亲的，自然也无法追问。她到了隔壁屋子里去，默然不做声，有两个钟头之久，那边一点响动也没有。二姨太隔了一道绣花屏风，叫着问道："梅丽，你怎么样，睡着了吗?"梅丽在那边，依然是不做声。二姨太以为她真的睡着了，就悄悄的在屏风边溜了过来。及至转过门来一看，只见她伏在一张小写字台上，手上拿了自来水笔，只管在那里写。她仿佛听到身后有点响动，猛然回头一看，见是母亲来了，好像是吃了一惊。连忙将自来水笔一放，扯开抽屉，就把桌上的纸张，用手一卷，一齐卷到抽屉里去，扑通一声，把抽屉跟着就关上了。二姨太道："这为什么? 这为什么?"梅丽脸上一红，站起来靠着写字台道："人家在这里作文呢，你跑了来，打断人家的文思。"二姨太道："打断你的文思? 你又做什么文?"梅丽笑着推她母亲道："你出去罢，我练习学校里的国文课呢。"二姨太道："怎么着? 你这屋子还不许我来吗?"梅丽依然向前推着她母亲道："你去罢，你去罢，我这里不要你。"二姨太笑着连连说："你这孩子，你这孩子。"梅丽道："真是的，人家作文作得正有味的时候，你跑来捣乱，你说讨厌不讨厌呢?"

母女俩正这样说笑扯着，恰是玉芬到这里来找什么东西。一掀门帘子，将头一伸，不由先笑了起来道:"你瞧,娘儿俩这样亲热,还闹着玩呢。"二姨太笑道:"咳!哪是闹着玩呢,她在这屋里作文,不许我打断她的文思,把我轰了出来呢。"玉芬道:"这样用功,那是好事,你别拦着呀!"二姨太和梅丽就都不说什么了,和她一路到外面屋里来坐着。二姨太知道玉芬是无事不到这里来的,既来了,不是要什么东西,就是有什么话要说。陪了她坐着,只是说闲话,等她开口。梅丽觉得无意思,一人自走了。玉芬谈了一阵子,才问:"二姨妈,八妹不是有一个开书格子的凸字钥匙吗?和我那开书格子的钥匙,大小差不多,我要借着去开一开书格子。"二姨太道:"她的东西,我不知道,也许在那写字桌子的抽屉里,你自己去找一找罢。"玉芬道:"她自己不在这里,我可不好去开她的抽屉。"二姨太道:"你也太见外了,这让外人听见,岂不是笑话?"玉芬笑道:"不是那样说,我们这位妹子,心高气傲,有点像我。若是不征求她的同意,糊里糊涂先就去搜她的抽屉,她听到了会不乐意的。也并不是说她有什么不能公开的东西,让我翻了看。可是人家整理得好好的东西,旁人给她一阵乱翻,翻得乱七八糟,看了也不顺眼。而且……"二姨太笑道:"哎呀!我的三少奶,你解释了这么些话,也就够了,下面还有而且,这样一转,又不知道要转出多少议论来!会说话的人,真是不同。"玉芬说着话,带笑着,也就走向梅丽屋子里来。二姨太因为怕她多心,坐在那边屋子,没有动身,自让她一个人来开抽屉。玉芬见这桌上,一枝自来水

笔,斜放在吸墨纸上,正是梅丽匆忙中,没有收起。随手抽开正中一个屉子,只见三四张西洋纸信笺,蓬松着放在纸张上面。那纸上是钢笔写的红色字,正是梅丽的笔迹。信笺的横头上,注有码子字一二三号,于是拿起第一张来一看,起头四个字,乃是玉树先生。玉芬身上倒像受了什么激刺一般,肌肉抖颤一下,扑通一声,就把抽屉关上。然而关闭了之后,双手依然扶了桌沿不肯就走。定了定神,回头又看看,见二姨太并没有过来。于是又轻轻的将抽屉拉开,将一共五张洋信笺拿在手上。然而那字写得很细,除了四张信笺写满之外,第五张也写了一大半,顷刻之间,如何可以看得完?只看那第三张中间,有几行抬头另写的,却是可以注意。玉芬将身子半侧着,一手托了信纸,一手扶着抽屉,预备一听到隔壁的脚步声,就把信纸放下,抽屉关上。再仔细看那另行的字句,恰是每句一行,下面加着一些新式标点,不用提,这是新诗了。一念那诗是:

怅惘的前途,布着重重的烟雾!
憧憧的鬼影,在那里徘徊回顾。
我要大着胆子上前呵,觉得那是危险之路。
我要站住不前呵,荒野中怎容留得住?

看呵!那里有一线曙光。

自由之神穿了白色的衣裳,

她手拿着鲜花,站在鹅绒似的云上。

呀!她含着微笑,和我点了点头。

好像告诉我说:她那里可以得着自由。

自由之神呀!你援一援手。

我为着你,要奋斗!奋斗!奋斗!

　　玉芬念了一遍,心想,咦!自由之神,这自由之神是谁?她要为他奋斗呢。这幢幢的鬼影,又指着是谁呢?这小鬼头真有点儿看不出,倒会作爱情诗了。别说那个小谢,正是想吃这只天鹅的人,就是让别一个人看到这种诗,这文字隐隐之中,正含着一种乞怜求助的意思,有个不动心吗? 她这小人儿嘴尖舌快,总说别人在丧事办这样办那样,都是全无心肝。那末,她自己大谈其爱情,又当怎么解说呢?玉芬这时,只听到屋子外面得得得一阵脚步声,似乎是梅丽来了。因为她不脱小孩脾气,有时是喜欢跑的。玉芬赶快就把信放下,身子向后一靠,关上了抽屉。停了一停,并不听到梅丽说话,于是大声道:"二姨妈,你说这钥匙在哪里?我并没有找到呀。"二姨太道:"她也不一定把钥匙放在抽屉里的,只好等她自己来拿罢。"玉芬对于这个钥匙,原无着得之必要,既是二姨太说等梅丽来拿,就不必再问了。于是走到外面屋子来,向二姨太道:"回头等八妹来,找出来了你给我收着,我回头叫人来拿罢。可是一层,你千万别说我翻了她的抽屉。她那个脾气,我惹不了。"二姨太也没有料到她在隔壁屋子里,会偷看了梅丽的信,并没有去找钥匙。因之她如此说着,也就信了她的话,答应不说。玉芬走出房去,后又回转身来,正色道:"真的,不说笑话。回头八妹来了,万万不能说我翻了她的抽屉。其实她也没有什么,可是要说作嫂子的,不是来找钥匙,是借缘故捉她的弊病来了,我成了什么人? 现在我是十分后悔呢。"二姨太笑道:"哟! 我的少奶奶,你也太多心,太仔细了,一个写字台抽屉,做嫂子的翻着寻一寻东西,有什么要紧呢?"玉芬依然正色道:"是真的,不能告诉她。"二姨太道:"好罢,决计不告诉她,你放心就是了。"玉芬一看这情形,大概是不会说的,于是才笑着走了。

　　过了两小时以后,梅丽回房来,二姨太怕惹下什么祸,果然照玉芬叮嘱的话,没有说出来。但是不多一会儿,玉芬自己又来了。二姨太倒有些奇怪,她说派人来取钥匙,怎么自己又来了?不用提,一定是怕我把话告诉了梅丽,所以特意来预防着。哎! 这种人,真是用心良苦。梅丽倒是很坦然的,对于玉芬的行动,一点不曾留意。她倒以为玉芬是打听鹤荪

855

搬家事情来的,忍不住先问起来了,便道:"二哥说走就走,后天就搬了,你知道吗?"玉芬淡淡的答道:"我倒没有知道呢。"梅丽道:"三哥找着房子了吗?"玉芬皱了眉道:"我真不解母亲什么意思?一点儿不肯迁就,说要我们搬,就要我们立刻搬走。已经有一个开始了,我们哪里又能够久住?所以鹏振这两天找房子,我倒也不拦阻他。大概也找妥了一所,哪日搬走,虽是说不定,可是母亲逼着我们搬的时候,我们只好跟着你三哥搬了。世上的事真是难说,几个月前,我们哪里会料到现在这种样子?"梅丽道:"我看也没有什么可悲观的,大家分散开来,各人去找各人的出路,也许我四个哥哥,将来造成四个这样的门面,那是多么好呢?"玉芬说:"八妹现在很会说话,不能把你当小孩子看待的了。"二姨太道:"不把她当小孩子看待吗?那除非是两三年以后的事,现在她知道什么?"玉芬听了这话,又想到刚才所看见梅丽写的爱情新诗,于是向着梅丽微微一笑。梅丽道:"你笑什么?我看你这笑里面,很包含着一点意思的。"玉芬依然偏了头望着她道:"有什么意思呢?你说!"梅丽道:"我哪知道你包含着什么意思?因为你这种笑相,我是看惯了的。事后研究出来,总是有意思的,所以我就说你笑着有意思了。"玉芬一想,不要再向下说,真会露出什么马脚来,于是站了起来,拂了一拂衣襟,笑道:"这样说,我倒成了一个笑脸曹操了。"一面说着,一面就走开去。梅丽让她走得远了,才道:"你看这个人,无所谓而来,无所谓而去,这是什么意思?"二姨太正知道她是有所谓而来,有所谓而去,不过玉芬再三叮嘱说,别告诉她开了抽屉,因此也就不去纠正梅丽的话,便道:"她也许是自己因为要搬走,来探探我们口气的。"梅丽道:"可怜!我们是未入流的角儿,去也好,留也好,绝对碍不着谁的事,她跑到这里来,打听什么消息?"二姨太道:"也许是打算在我们口里,套出别人的消息来呢。"梅丽脸色又一红,顿着脚道:"散了好,散了好!这一家子人,大家总是勾心斗角,你看着我,我看着你。散了以后,这就谁也不用瞧着谁了。"二姨太也没说什么,只叹了一口气。梅丽坐了一会,又回到隔壁那小屋子里去了,直到晚上亮电灯的时候才出来。二姨太总以为她在作功课,哪里料到她有别的什么用意。

第二日清早,梅丽找了一阵子邮票,后来就出去了。不一会儿工夫,她由外面走进来,先嚷着道:"咳!二哥真成,还雇了一辆长途汽车来,停在大门口,等着搬东西呢。"二姨太道:"你一早到哪里来?"梅丽倒不料自己无心说话,就露出马脚来了。因道:"我也没上哪儿去,不过是到门口去望望,就看见搬东西的汽车了。"二姨太道:"这样一早就动身搬家,真肯下工夫,我到外面瞧瞧去。"二姨太刚说完这句话,梅丽倒起了身,先在她前面走,一路走到金太太屋子里来。看时,只见金太太态度很安然的样子,半躺着坐在一张安乐椅上。慧厂也在她对面一张椅子上坐了,一手捧了一个日记本,一手捏了一枝自来铅笔,脸望着金太太,显出笑嘻嘻的样子来。金太太口里说一句,慧厂就答应着在日记本子上写一笔。二姨太看着,倒有些莫名其妙,走到门外,就站住了,不敢冲了进来。金太太笑道:"瞧你这老实人,倒也知道避嫌疑,没有什么,你只管走进来罢。"二姨太被人说破,倒有些不好意思,笑道:"我又避什么嫌疑呢?因为太太报一句,二少奶写一句,我不知道什么意思,所以站着猜了一猜。"慧厂将手上捏着的铅笔反过来拿着,用铅笔头敲着日记本子的面页,笑道:"你猜猜看,我们是在写什么呢?"梅丽知道慧厂是快走开的人了,说不定是金太太的一番好意,留下几句治家格言,让她在日记本子上写着,好牢牢记住。便笑道:"一定是些传家之宝。"慧厂对金太太道:"你瞧瞧,连八妹都会说这种话了,我说是记下来公开的好不是?家用里用不了的东西,我拿去一点,自是可以少花钱去买,可是我决不想沾大家的便宜,一人独吞。"金太太道:"梅丽这孩子,喜欢闹着玩,你倒注意她的话。"梅丽道:"哟! 二嫂是在写什么呢?我还不知道呢。"金太太道:"你既是不知道,为什么倒瞎说一阵子?是你二嫂和我另要几样木器,我答应了。心里想着,有多少可以拿出去分配的,于是乎我慢慢的想着,想得了一样,就让慧厂写上一样。"梅丽道:"这完全是我弄错了。我以为你有什么治家格言告诉了她,让她去写,倒不料是些木器家伙。二嫂,得啦,算我对不起你。"说着,向慧厂勾了勾头。慧厂知道梅丽是个要强的人,这样子和人道歉,简直是一百一回的事,便笑道:"你这样一来,倒弄假成真了。好罢,明天我搬过去,第一个要请的,就是你。"梅丽道:"哟! 还要下个请字儿,成了生人啦。"金太太淡笑了一笑,点点头道:"这个你会不晓得,俗言道得好,分家如比户,比户如远邻,远邻不如行路人。"慧厂听了这话,又瞧老太太的颜色,觉得是牢骚话又要来了。便低了头翻着日记本,用铅笔一样一样的点着,数那木器家伙,口里还带念着。二姨太又觉得是梅丽的话问出祸事来了,便道:"二少奶为人是很爽快的,要办什么,心口如一,这就好,我就喜欢这种人。"她在金太太下手坐着,扬了脸向金太太问道:"太太,你说是不是呢?"金太太还未曾答话,慧厂笑着插嘴道:"二姨妈怎么平空无事的加上一段赞词,这是难得的呀?"金太太笑道:"大概你没有懂她的用意。"慧厂道:"这还有什么意思?我一时倒想不出。"金太太道:"她的意思说,搬家是谁都愿意的,只不开始作去。你很痛快的赞成,又愿先搬,所以她夸奖你。"梅丽也抢着说道:"像二嫂这么的心口如一,一点不作假,确是不可多得的。就是我,也很是赞成她的这种举动。"慧厂点了点头,笑道:"我们八妹,书算没有白念,可以谅解到这一层,就没有平常妇女……"慧厂说到这里,突然将话缩住,自己明白,这句话说出来,得罪的人就太多了。在屋子里的人,都也了解她的意思,就没有人追问她这句话了。

恰好是玉芬进来,看到慧厂手里倒拿着铅笔,只管去打日记本的封面,一眼就射在上面。慧厂也不等她问，将日记本子举着，扬了一扬道："你猜这里面记些什么？"玉芬道："分明是日记本子，你还要我猜什么呢？"慧厂道："你想想，若是这上面还写的是日记，我又何必说这句废话呢？老实告诉你，我抢了大家一个先，和母亲要了许多木器。"玉芬听了这话，脸上立刻有些不好看，不免掉过脸来，向金太太看了一看。金太太道："木器我是给了她一些，但是这也无所谓先后，我已经把家中的木器家伙，全盘估计了一下，大家都可以分得一部分，你别听了她的话着急。"玉芬被金太太一说，心中更是不高兴，自己何曾着什么急呢？便笑道："你自然是公心的，可是我也没说什么呀？"金太太笑道："你不愿意吗？反正也多不了，送人总是得送得掉的。"梅丽道："三哥是讲究的人，三嫂又好个面子，这些旧东西，当然是不要。"二姨太究竟是个忠厚心眼，恐怕玉芬下不了台，插嘴道："木器家伙，有什么新旧？而且俗言道得好，富家必有旧物。一个人家制了满堂新，那也不见得阔。三少奶这点事，还不知道吗？家传的东西，无论什么，都是好的，哪有不要的道理？"她这样几句不见经传的典故，倒很合了玉芬的心思，笑着点头道："还是二姨妈说对了。就是母亲不给我，我还要讨一点东西作纪念哩。"金太太道："什么大事也完了，我留着这些木器又干什么？说了给你们，自然是给你们。你也找一张纸来，我把给你的东西告诉你，你自己去写上。"玉芬向四周看看，看哪里有现成的纸笔？因之站起身来。但是刚一站起来，又坐下去，微笑道："也不忙在这一会子。"慧厂将日记本子和铅笔，一齐递给了她道："你由后面倒着页数向前写，写完了，你撕下去就得了。"玉芬依然将日记本子递回道："好好儿的，又撕了一本日记簿做什么？我可以找笔去。"她说着，就到隔壁屋子里，将砚台笔墨和一叠白纸，一起搬了来放在桌上，自己也在桌子边椅上坐下。金太太冷眼一看，微撇着嘴，却不作声。玉芬一头高兴，起先还不理会，将墨在砚台里磨着，抽出笔来蘸墨，依然还听不到金太太开口。这要向下写，可写些什么呢？于是放下笔，把桌上一张白纸整理着折了一折，向桌上吹了一口灰，将纸端端正正放着。但是金太太依然望了不做声。金太太明知道她等着开口，故意将出字格子上的佛珠，拿到手里来，一个一个的掐着，垂下了眼睛皮，作个要参禅的样子。玉芬心里一着急，心想，若是像她这种神气，一参禅下去，不定什么时候回转过来，呆等到什么时候？只得将脸向金太太望着，微笑道："你不说是报给我写吗？"金太太放下了佛珠子，笑道："你老没做声，我以为你不要了呢。"玉芬对于这句话，虽有点不愿受，然而为了马上可以承受东西起见，这时也就高傲不得，便笑道："我以为母亲在全盘推想，想完了，才告诉我呢。我在这里等着，就不敢打断你的思想。"金太太因她已经承认了要东西，也就不必再和她为难了，于是就将所能记忆的木器，随报了几样给她听。玉芬就也不再谦逊，听着一样，就写上一样了。写了十几分钟，金太太还在报，慧厂便插嘴道："快够了。"玉芬微笑道:"你怎么知道母亲的心事,就说快够了?"慧厂道:"这决不是胡猜,自然有原因的。我照着我的日记本子算,你所得的,和我只差一两样,岂不是快够了?母亲口里报着,哪里记得多少件?我心里听到一样记一样,和日记本子上的总数,比了一比,所以知道。这样提一声,咱们两人一样,很是公平。以后还有别人要,咱们还是这样照方吃炒肉,事后可少许多是非。我这话是厉害一点,可是我说在明处,就是你见怪,总还可以谅情一二。"玉芬笑道:"这些话,幸亏是二嫂说的。若是我说的,那可不得了了。"慧厂道:"既要作那件事,就免不了人说,与其让人说,就不如自己说出来的干净,你觉得我这人痛快不痛快?"梅丽笑道:"老实说,刚才我看到二嫂向日记本子上写木器家具,我是有点不高兴。于今听到二嫂说的这一篇话,就很有道理,我又高兴了。"玉芬觉得她过于抬高慧厂,正是有点瞧不起自己。只是在正面上说,慧厂这话本是有理,却又不能不附和着赞成。因笑道:"二嫂和二哥,相配得是正好。二哥是个很沉默的人,遇事总是慢慢的去办。二嫂是个很爽快的人,干就说干,不干就说不干,正好彼此抵补起来。"慧厂笑道:"他也不能算沉默,只是遇事退后。我也不能算爽快,只是遇事胡来。可是你和老三,一个精明强干,一个强干精明……"金太太皱了眉道:"不必说这些话了,大家在一处,还有多少日子?说这些俏皮话,大家明白过来,不过是闹着玩。一个不明白,又要生许多是非。"慧厂对于老太太这话,也很觉有理,只得一笑了之。

859

可是她们二人这样一番抄写了家具单之后,佩芳也不知如何得了消息,赶到金太太屋子里来,也照样的和她要东西。到了这天晚上,大家坐在金太太屋子里讨论分配木器家具的事,除了燕西而外,兄弟姊妹都到了。金太太便叫人到书房里找去,回来报告已是到白家去了。金太太点着头,微叹了一口气。这晚议论,算是最后的一幕,大家心里都有一种说不出的感想,越谈越晚,到了两点钟,大家方始散去。

第一百九回

巨室瓜分最怜孺子去
情场球戏难受美人狂

次日上午，鹤荪夫妇将检点好了的东西，重加捆束一番，然后同到金太太屋子里来吃午饭。金太太似乎有为儿媳钱别的意思，还让厨子多作了两样菜。在一同吃饭的，有梅丽三姊妹。慧厂坐下来便道："今天还多添了许多菜。"金太太道："就是吃这一餐饭了，大家放开怀来，要吃一个饱，所以我让厨子多添两样菜。"鹤荪在金太太对面一张椅子上坐了，将面前放好的一双筷子用手按着，让它比齐来，低了头，一句话也不说。金太太扶起筷子，向清炖鸭子的大碗里，挑了一丝鸭肉起来吃。口里咀嚼着，把筷子又放下，拿了长柄铜勺子，只管舀了汤向饭碗里浸泡着，舀了一勺又是一勺，一直把这碗白米饭都浸过来了，然后才扶起筷子来。敏之偷看母亲的脸上，一点儿笑意没有，而且有点心不在焉的样子；当然是心里很难受。回头向润之、梅丽望望，大家打了一个照面，彼此莫逆于心。慧厂虽是不见得怎样难堪，然而一桌子的人，都愀然不乐，偏是自己一个人欢欢喜喜的，也有些对人不住。因之也就低了头吃饭，不说什么。金太太吃了小半碗饭，倒把浸的汤完全喝干了，于是又拿起勺子，伸到鸭子碗里去舀汤。梅丽笑道："妈心里难受，既是吃不下去，就别勉强了。"金太太勉强笑道："这又不是到欧洲美洲去，同在北京一个城圈子里，要见面，天天可以见面，这有什么难受？"梅丽看了金太太那个样子，知道她是在外表上极力来掩饰她的态度，可是心里憋住了一层理由，又不能不说，便道："这话可不能那样说，出门去了，无论十年八年，总是短期的。这一分开来住，就是不回来，而且……"润之望了她道："这也不必你说，谁都明白。你这一说出来，母亲倒真要难受了。"金太太情不自禁的，叹了一口气道："其实，我也没有什么难受，不过大家在我面前，我虽是个幌子，多少有个照应。家庭小事，让我作个参谋，也是好的。从此我就管不着你们了。你算算，你父亲去世到现在，有多少日子，那样轰轰烈烈，真是合了那句古话，钟鸣鼎食之家，如今风流云散，人都要跑光了，我真是作梦想不到。说变就变,会落到这样一个下场。"她说着说着,两行眼泪,早是顺着腮帮子就流了下来。连忙放下筷子碗,掏出袋里的手绢,缓缓的揉着眼睛。将眼泪擦干了,站起来坐到一边去,向大家一挥手道:"你们吃罢,我是吃不下去东西的了。"鹤荪本来也觉心里有许多不痛快之点,如今一看到母亲如此,自己又怎吃得下去? 也只好淘了一大碗汤,连吞带倒将大半碗饭吃下了,起身也自坐到一边去。敏之姊妹,自然也是吃不下。剩下慧厂一个人,如何又可以吃得饱呢?一餐饭就是这样草草了事。

大家擦洗过了手脸,坐在一边,都没有走开的意思。其间只慧厂很无意的看了两回手表。金太太便道:"你东西都捡齐了吗?"慧厂道:"都捡齐了。"金太太道:"你两个人,应该先把一个到新屋子里去照应,一个人在这里料理东西上汽车,别坐着了。"鹤荪向慧厂道:"那末,我到那边去看看,你在这里料理罢。"慧厂也不反对,点了点头。鹤荪站了起来,向金太太道:"那末,我走了,妈!"说着,望了望金太太,很有些依恋不舍的样子。金太太强自镇静着,微点了点头道:"好罢,以后要好好的干事,撑起一个局面来,不要再麻麻糊糊的了。这是你自己成家立业的第一个日子,我也没有什么可说的,只是祝你成功而已。"鹤荪虽然觉得母亲的话,并不怎样的深刻。但是这些话,似乎比平常听的话,更耐于咀嚼,怔怔的站了许久。金太太道:"你还等着什么呢?去罢。"鹤荪答应一声,低头走了。慧厂也不多谈,自回房去料理东西。料理过了一会,然后再到各方去告别。先到佩芳院子里走了一趟,然后到敏之、润之屋子里去,最后又到二姨太屋子里来。二姨太不等她开口,先就道:"二少奶,你老说要独立谋生活,现在算是你办到了。恭喜呀,你这一去,愿你大成功。"慧厂倒不料这位老太太劈头就说了一句恭喜,说她是一番好话固然可以,说她有意在反面说上这样一句,也未尝不可以,这倒不好怎样的对答了。梅丽在里边屋子里,赶着跑了出来道:"哟! 二嫂要走了,我得送送呀。"慧厂笑道:"又不是出什么远门,送什么劲儿?大家还不是三天两天就见面的。"梅丽道:"话虽如此,究竟是你从今天起,跨过了这大门,还是得送送。"正说着,玉芬、佩芳也赶来了,这样子正是送客。慧厂笑道:"说一声要走,大家都多礼起来了。我若是一定不要你们送,倒觉得我这人有些不认抬举,我只好愧受了。"于是她在前面走,大家在后面跟。她本来和金太太告辞了的,临到要出大门,又到金太太屋子里去叫了一声,说是要走了。金太太眼眶子里,含着两包眼泪,哽着喉咙,答应了一个好字。慧厂走出院子来,金太太也站到上房门口,向她的后影,遥遥望着。慧厂虽是一个很洒落的人,但是见老人家都如此依恋,觉得自己这样毅然决然而去,也太任性一点。正自这样徘徊着,恰好乳妈抱着小双儿,由外面进来。她笑道:"刚才大爷在门口遇着,说是小孙少爷要走了,让他辞辞奶奶。"慧厂双手接过孩子来,笑道:"真的,是我忙着捡东西,把这事就忘了。来，辞辞奶奶罢。"说着，她抱孩子回转身来，走到金太太面前，将孩子向下弯弯腰。金太太接过孩子来，用老脸靠着小脸，笑道："和奶奶亲一个罢，我的孩子。若是你爷爷在，我也许可以看到你们在家上小学上中学，于今你是和爸爸妈妈过去了。孩子，长得康康健健儿的，别让奶奶挂心。"说毕，又在小孩子脸上闻了一闻。金太太这几句话，听去好像是很仁慈的，但是一玩味这语后的余音，却是十分的哀切。不但是敏之姊妹听了心里难受，就是慧厂听到，也是心里一动。于是她就对金太太道："奶奶，你别舍不得，我一天二天的，就回来看望你。"金太太道："奶奶也不会在这儿待着的了。回来看我，这回来两个字，可是应当研究研究的哩！"慧厂也是没有什么可说的了，只好站了一站。金太太道："车子在门口等着哩，你娘儿俩去罢。"敏之也道："新屋子里什么也得布置，你就去罢。"慧厂这才缓缓回转身，向大门口而去。金太太依然站在原地方没动，平辈都一直送到大门口，直等着慧厂上了汽车，然后才回去。

　　这其间，玉芬夫妇，也是急于要搬走的人，好在有人开始了，这便也用不着顾虑。第二日隔了一天，当天晚上便在金太太屋子里闲谈，坐了很久的时候。金太太一想，儿媳们既是要走了，也犯不上和她孙庞斗智似的，再弄什么手段，便先问道："你们的房子都安排好了吗？"玉芬很从容的低声答道："都安排好了。"金太太道："安排好了，就早早搬过去罢。省得两边布置，一切都忙不过来。"玉芬道："是……还没有定日子呢。鹏振的意思，想明天就搬，我怕是来不及，不如先搬过去一部分罢。"金太太沉思了一会子，很沉重的道："东西也不是怎样的多，作两回搬，那更显得累赘。一劳永逸的还是一次搬去的好。你们都搬走，也好让我收拾这屋子。"这样一问一答的，终于是把玉芬搬走的日期，很明白的固定出来，就是明天。玉芬虽是无所恋恋，然而自己要作出慧厂那种满不在乎的样子出来，是有些不可能的，而且也觉得那种样子，更会引人疑虑。因之她只管在金太太屋子里说话，把时期延得很长。谈了一阵子，好像要走，却又不走，接着再谈一阵子。这样好几次，不觉是到了深夜十二点钟。金太太道："你也可以去睡了，今天天气很凉快，睡得足足的，明天好早些起来，预备搬家。"玉芬笑道："这屋子里是没有什么外人，不然，又要疑心我说假话。真奇怪，说到一个走字，心里好像就有一件事老放不下来似的。多坐一会儿，多听你说几句话，将来治家过日子也有一个账本。"金太太道："谈到治家过日子的事，我就不成。主持家务的人，极平常的事是煮饭洗衣裳。说句笑话，你问我盐是多少钱一斤，面是多少钱一袋，我全答不上来。自己别谈洗衣服，连一块手绢，都得人家洗好了，叠好了，自己拿着用，这算是过日子吗？过日子的人都是这样，那可完了。"玉芬笑道："这就合着大材大用，小材小用的那句话。你是治大家的人，只管着哪里可以收存一万，哪里可以省下八千，就得了。柴

米油盐小事，用不着你去问呀。"金太太点点头微笑道："你倒是有志气，在经济学方面，很是留意。不过公债买卖这件事，以后倒是要少作，第二回再捣个大漏子，就不见得白家表兄再能帮忙了。"玉芬重重的受了金太太这一番话，心想，她怎么全知道了？只哼着答应了几声是。又谈了一会子，比较往日更多礼，还说了一句道："妈，我去睡了。"然后走开。

玉芬去了之后，在屋子里陪坐的人也走了，金太大一个人坐在电灯之下，半昂着头呆想，半响，自叹了一口气。就在这个时候，门外却有一个人，轻轻的低声问了一句道："妈还没有睡吗？"金太大向外一看时，是鹏振一脚踏着走进来了。金太太道："不早了，你还不睡觉？"鹏振很从容的，在金太太对面一张椅子上坐下，因道："心里好像有许多事搁着，睡也睡不着。"金太太道："也不是我故意的一定逼迫你们走，我有了几个月的考量，我觉得一劳永逸，是这样散了的好。你也不必把什么事搁在心里，以后好好的奋斗，作出一番事业来，我做娘的自然是欢喜的。"鹏振道："什么事也有个困难，决不能像心中想的那样便宜。"金太太道："好在你们出去，不过是住家过日子，也没有什么为难之处。住家过日子，第一个问题就是钱，只要有了钱，什么事情都好办。你这一房，现在人口还少，大概在钱的一方面，你们总好办。"鹏振已是听了他夫人传去的一番话，母亲说是有钱。现在彼此当面，母亲又说是有钱，这显然是一家大小都说自己夫妇有钱了。对于母亲这话，待要更正两句，恐怕更引起母亲的不快，若是不更正，这又是自己承认有钱了。只得淡淡笑了一笑道："这都是玉芬做公债做出来的空气，其实也没有多少钱。"金太太本来还有一大篇牢骚话，想对着鹏振说出来，一见他坐在那里，有很踌躇的样子，许多话也不肯说，就忍回去了。母子俩默然的对坐一会，金太太道："你去睡吧，夜深了，我都坐不住了呢。"鹏振只得站起来，问道："妈没有什么话分付吗？"金太太道："也没有什么可说的了。燕西今天一天没见面，明天早上你见着他，告诉他不要出去。"鹏振道："这两天，大概他在白家的时候多，真有事找他说，叫金荣打个电话，他就回来了。"金太太冷笑一声道："从前白秀珠一天到晚在我们家里，现在燕西一天到晚倒在她家里。这成了赛球一样，彼此换球门了。"鹏振不料母亲老人家还会说这种俏皮话。因为大家都是有心事的时候，也不敢笑出来，默然的就走了。

到了屋子里，见玉芬正将屋子里的零碎东西，大一包，小一卷的，归并到一个大篮子里去。便道："夜深了，明天早上起来再收拾罢。"玉芬道："我作事就是趁高兴。在高兴头上，把要办的事说办就办完了。"鹏振低声道："你是随便一句话，若是让别人听去了，我们骨肉分离的搬出去，还有什么事高兴？"玉芬脖子一扭道："人家听了，我也不怕。"然而她虽是如此说着，说出来的声音，比鹏振的声音，还要低下去许多。见桌上现成的一杯凉茶,拿起来就喝了,笑道:"忙我一身的汗,我得由里向外凉凉。几点钟了?我怎么一点也不倦呢?"鹏振见玉芬也有些怕事的样子,便笑道:"据一般人的意思所露出来的,好像都是说我们锋芒太露,以后总要小心一点才好。"玉芬道:"我不信这话,那是别人要多心罢了。将来我们过我们的日子,和别人井水不犯河水,就露锋芒也碍不着别人,何况我根本就是个笨人呢!"鹏振本来还想说两句,然而夫人的谈锋甚健,不要为了不相干两句话惹着她又谈个不歇。明天要搬出去了今天还闹一场,那就太没有意思。于是笑而不言的,自去睡觉。玉芬一个人还是很高兴的将东西捡点了许久,方才安歇。到了次日上午,她也是照慧厂的样子,各处告辞了一遍,大家也是送到大门外。只是今天相送的里面,多了一个燕西。

　　燕西送她走,还没有什么感触。只是走到家里,向各人院子里一看,剩出一幢幢的空房,纸片和破瓶破罐,院子里扔了满地。走到屋子里去,脚踏着地板,冬冬作响,好像较往常响得更厉害。在慧厂、玉芬屋子里,各巡视了一遍,也说不出来有一种什么感触,叹了一口气,自回书房去了。因为鹏振也叮嘱着说不定母亲有什么话要说,先别走开,因此就留在家里,暂不敢走了。不多一会儿,金荣就来说:"白小姐打了电话来,让你赶快去。我问有什么事没有?电话就挂上了。七爷可以打个电话去问一声儿,若是没有要紧的事,就别忙去,今天老太太心里可透着难受呢。"燕西听了这话,很踌躇一会子。因道:"照说,我今天是不应当出门。可是白小姐要没有要紧的事情,也不会这样来找我,我还是去一趟罢。万一老太太有什么事找我,你就打电话到白家去告诉我就是了。"金荣怎敢拦阻他不出门?只得答应了两声是。燕西的汽车夫,已经辞退了,这时,只有走出大门来,雇了人力车前去。金家到白家,路途不甚近,人力车子坐了来,已经有半个钟头了。燕西匆匆忙忙一直向里走,往秀珠的书房来,因为他和秀珠究竟是朋友的关系,不是秀珠引导着,他就不敢再向前进,只在书房里等着。白家现在客多,听差也增加了不少,现在有个听差张贵,就是金家的旧人。燕西来了,他以旧仆的关系,常常来伺候着。这时,他又走到书房来。燕西便问道:"你们姑小姐在哪里?"张贵道:"在太太屋子里打牌。"燕西道:"不能吧?她刚才打电话给我,说是有要紧的话说呢。"张贵道:"我给七爷去问问看,也许有要紧的话。"燕西昂头想了一想道:"你别问她有什么话说没有,你就说我请她出来就是了。"张贵答应着走到上房去,自己不敢进太太屋子,站在窗户外面,却托了一个老妈子进去问,说是金七爷来了。秀珠打牌正打得兴浓,鼻子里随便哼了一声。张贵在窗子外听到没有下文,便问道:"你不是有事和七爷说吗?他请你出去呢。"秀珠道:"我知道了,让他等着罢。"张贵总算是碰了个钉子,料着再问不得。可是七爷的脾气,也未尝不大,假使把这话直对七爷说了,他二人闹僵了，倒又是自己的过错。只好走到书房来，对燕西道："姑小姐就来的，你等一等罢。"燕西也不疑他，果然在这书房里等着。殊不料等了有一个钟头之久，还不见秀珠出来。这就不由得他心里不着急了，说了有急事把我找来，找来之后，却让我一个人在书房里坐着，这是什么用意呢？而且母亲原嘱咐着，今天要守在家里的，倒偏是老早的跑出来。就在这里等着，母亲不明原故，倒好像是自己和母亲为难了。想着不耐烦，就背了两手在屋子里踱来踱去，又过了许久，还不见秀珠出来，他忍无可忍了，只得走出书房来。看见一个老妈子走过，就对她道："你去告诉姑小姐，有什么话说没有？若是没有什么话，我就要回去了。因为家里还有事呢。"老妈子答应着去了。过了有十五分钟之久，老妈子出来道："姑小姐输了钱了，七爷你等着罢。"燕西道："莫不是她生了气？"老妈子笑道："可不是！这个时候，我可不敢去和她说话。"燕西皱了一皱眉头，只得又走回书房。在书架子上翻了两套书下来，放在桌子上，随便揭着看。恰巧翻的两套小说，都是自己看过的，看着一点也不起劲。将书叠好，依然送到书架子上去。然后缓步走到上房来，远远的却听到里面有一片麻雀吵动之声，正是热闹。燕西心里想着，这岂不是和我开玩笑？既叫了我来，又不见我，既不见我，也不让我走，就是我们对付听差老妈子，也不能用这种手段。于是自己暗暗将脚一顿，就走了出来。但是走出来之后，又怕秀珠以不辞而别加罪，只得回转身来，再到书房里来，就了现成的笔墨，写了一张字条，放在桌上。那字条写的是：

秀珠：我接你电话，立刻跑来，偏是你在竹战，候驾一小时有余，促驾两次，还不见出。舍下今天实在有事，不能久等。你牌完之后，请赐一个电话，若有必要，我立刻再来。请你原谅！

燕西留上

读完了这张字条，觉得这办法圆满，然后才回家去。不过他心里想着，这几天，正有大事要和她商量，得罪她不得，总希望没有急事商量才好，要不然，她以我自己错过机会为名，不再和我商量，倒是自己误了自己的事了。他如此想着，回家之后，还是不放心，在书房里坐了一会，也不等秀珠的电话来，先打了一个电话去。那边听差接着电话，燕西就问："上房里牌打完了没有？"听差说："没有打完，是请姑小姐说话吗？"燕西道："既然还是在打牌，就不必去搅她了。"说毕，自己把电话挂上。这才放下了心，秀珠一定是没有什么事，要不然，不会继续的打牌。幸是我回来了，若是老在她家书房等着，也许要等到晚上去呢。

　　他自己觉得是无事，便到上房来看老太太。金太太在屋子里，也是疲倦得很，正闲躺着。看见燕西进来，也没有怎样理会。燕西问道："你不是让我今天别出门吗？有什么事？"金太太望了他一望，板住了脸不做声。燕西知道母亲又是不高兴，要多问，少不了又是碰钉子，只好在金太太对面的软椅上坐下。心里可就望着，今天真是倒霉，在白家憋住了一肚子气，回来又憋住一肚子气。别的罪都好受，惟是有话不许说，这个气可受不了。因是嘴里虽不说什么，脸上的颜色，当然也不大好看。金太太见他在身上掏出一个银币，在硬木桌上，只管用手转旋着。他两只眼睛，也是射在那银币上，不理其他。金太太便冷冷的问道："你既无聊得很，坐在我屋子里做什么？不会出去找开心的事情去吗？"燕西一手将银币按住，说道："因你叫我别出去，我就别出去，怎么着？这倒是我不好，你又不愿意。"金太太道："你一天到晚在外面鬼混，有一天在家，这也算不了什么，值得到我面前来卖弄。"燕西道："并不是卖弄，我怕有什么事……"金太太道："没有事，我要你今天不出去，愣在家待一天。"燕西明知母亲不会那样，可是她有话尽管不说出来，又有什么法子？只好正襟危坐，默然不做声。金太太道："你这人，难道总不前后想一想？现在家里人，这样东逃西散，各寻各的出路，你闹得人是没有了，钱大概也花去不少了，究竟打算怎么样，也该对我有个商量。"这时燕西气愤不过，又把那个银币掏了出来，继续的放到桌上来旋转。金太太冷笑一声，却到里边屋子去了。燕西虽是不怎样惧怕母亲，可是到了现在这种家庭情形之下，总不便让母亲太伤心。母亲虽是走了，他还是坐在桌子边，旋转那银币。过了一会，佩芳进来了，一进门便笑道："今天很难得，怎么你一个人在这里坐着呢？"燕西明觉得话中带着讥刺，要驳两句，又怕惹出许多是非来，只得向里边屋子一努嘴道："妈在里边屋子里呢。"佩芳怕金太太在里面有什么事，不敢擅自进去，就在外面屋子叫了一声。金太太答应着走出来，手上捏了一本书。佩芳道："妈看什么书？闷得很，不会找两个人来打小牌？"金太太道："我看的是佛经。原来这东西，根本就说人生是空的，什么事也值不得计较，自然也就无所谓烦恼了。"佩芳道："你又何必那样消极？"金太太淡笑道："年纪轻的人怕老，年纪老的人怕死，怕死没有什么法子，从积极方面去做，就是迷信神仙之说，去修长生不老。从消极方面去做，就是把人生看空来，以为活着也不过那一回事，死了没有关系。修长生不老这个办法，我当然还不至于，把生死看空过来，这并没有什么难。我现在就是这个样子去想。"她说着话，斜躺在藤椅上，又带看着书，好像很自然的神气。燕西在一边听了这话，并不敢搭腔，只是抬了一只手放在桌上，撑了自己的头。佩芳道："老七这个时候在屋子里，有什么事商量吗？我就不在这里坐了。"金太太道："你想想，我还有什么秘密的事和他商量的吗？我是要闷他一天，看看会误了什么大事？"佩芳笑道："既是这么着，老七可以出去，我看他坐在这里是怪闷的。"金太太望了燕西一眼，也并没有说什么。燕西看到金太太并没有责骂的意思，就慢慢起身，走了出去。

到了外面，金荣立刻迎上前低声道："白小姐打了两次电话来了，我没有敢上去回。"燕西一顿脚道："你怎么不上去回声儿呢？"金荣道："我在窗户外面，听到老太太在高声说话，我怕回了话，大家都要碰钉子，所以不敢做声，退回来了。"燕西叹了一口气，无精打采的道："这也没有办法，你和我叫一个电话过去罢。"金荣知道七爷现在是最能凑合白小姐的，便依着话打了电话过去。打通了，请燕西说话。不料燕西拿着耳机之后，那人说了句姑小姐就来，请等一等。这一等足足等了十分钟之久，何曾见秀珠来接话？对着话筒子里连喂了两声，也是一点回响没有。燕西急得要命，只管跳脚。又过了五分钟之久，秀珠才来接话，她道："你真是忙呢？或者是架子大呢？把你请来了，你坐不住。打电话请你，三番两次，你都不肯接话。好罢，要搭架子就大家搭起架子来罢。"燕西在电话里听到这一番话，觉得秀珠有点误会，便道："这两天我家里总不免有一点事，我当然比较忙一点，你就不能原谅我一点吗？"秀珠道："我为什么原谅哩？我能跟着你家一样的倒霉吗？我管不着！"说毕，电话机里嘎的一声，分明是那边将电话挂上了。燕西连连喂了两声，也不听到有回答的声音，到了此时，不由得他心里不发狠起来。心想，她连不跟着我家倒霉的话都说出来了，那是二十四分的看不起我，不但看不起我个人，连我全家人都看不起。你哥哥不过是巡阅使手下一个大走狗，巡阅使作了大总统，充其量你哥哥作个督军而已，就把官来比比，我家也是世代簪缨。若在学问道德上说，除了我这辈不算，上两辈，哪个不是名震中外的？无论如何，我自己总可以找个饭碗，不至于无路可走，去依附你白家。你天天把出洋这件事来引诱我，这又算什么？就是我自己手上，还拿得出一笔出洋费来，非倚靠你不行吗？现时还不曾娶你，你就这样在我面前摆架子，假使我娶了你过来，那还了得，你不会常把军阀妹妹的势力来压迫我吗？好！我觉悟还不算迟，从今天起，我和你断绝来往，永不理会你了。他手扶了电话机，站着竟不知道移动，就是这样的想呆了。还是金荣走了出来，问道："七爷，你这是怎么回事？想哪处的电话号码，想不出来了吗？我给你查一查得了。"燕西心里十分忿激，也不去理金荣的话，掉转身躯，自向书房去了。金荣哪里知道他会不愿意白小姐了，便跟着到书房里来问道："七爷，还要打一个电话到白小姐去吗？"燕西一正脸色道："打电话给她做什么？以后她有电话来，你不要理会，说我不在家就是了。"金荣看了这情形，真是出乎意料以外。我们七爷，居然会和白小姐不通电话了。这样看起来，七爷究竟不是一个好惹的，说翻脸就会翻脸的。金荣也不敢多说什么，迟迟钝钝的，就挨着房门走出去了。

这一天,燕西已经不出去了,秀珠也不曾有电话来。到了晚上十二点钟,秀珠的电话却来了。金荣接了电话,不敢照燕西的话直说,便道:"我们七爷,不是在你公馆里吗?"秀珠道:"没有。现时不在家吗?"金荣道:"七爷下午就出去了,我也是刚从大街上买东西回家,不知他回来了没有,我给你瞧瞧去。"说着,放下电话机,跑到燕西书房来,把话告诉了他。燕西正躺在床上翻弄一本图书杂志,将手一挥道:"我不是告诉了你,说我不在吗?怎么你又来问我?我不在家,我不在家,我一百个不在家!你就是这样去回答她。"说时,手里将书本子乱拍。这一下子,金荣才明白这位和那位是真决裂了。只得回转身去向电话里报告着道:"白小姐,我们七爷还没有回来呢。"秀珠道:"他还有什么地方可去的吗?"金荣想着,难道除了白家,他就没有地方可去?因答道:"那可说不上。"这样的回复着,那边的电话也就挂上了,约过了一点多钟,秀珠的电话又来了。这回金荣接着电话,有了主意,不再去报告燕西了,就在电话里答应说:"我们七爷,还没有回来呢。"秀珠道:"怎么这样夜深,还没有回来?难道是上跳舞场了吗?"金荣道:"那可说不上。"他如此回答了一句,就挂上电话了。这次电话打过,已十分夜深,秀珠当然不再打电话来。

第一百十回

航海倚英雄更谋捷径
弃家付儿辈独隐名山

到了次日早上，金荣向燕西说："白小姐昨夜一点多钟，又打过一次电话来，就是照着七爷的意思，说没有回来。"燕西道："这样就得，以后就是她亲自来了，也不必让她进门，就说我不在家。她若想挟制我，那怎样能够？我为人也不是轻易就受人家挟制的。"金荣见燕西处处听秀珠的指挥，也有些不平。心想，我们七爷的脾气，向来都是指挥人的，于今倒要别人来指挥。白小姐学问也罢，相貌也罢，性情儿也罢，哪一样比得过七少奶去？偏是那种人逼得人家跑了，反倒来受白小姐的冷眼，心中只是不平。现在见燕西有和秀珠翻脸之意，他虽是第三者，瞧着也就很快乐。便道："七爷，这几天，你也真得少出去，外头闲言闲语的不少，我听了也直生气。"燕西道："谁说什么闲言闲语？"金荣站在书房门口，呆立了一会子，却是一笑。燕西坐着的，便站起来，一直问到他面前来道："你怎么倒笑起来了？"金荣道："我想那些说闲话的人，太没有知识。"燕西的态度，这回果然是变了，绝对不去理会秀珠的事。金荣看他情形淡淡的，倒像自己得着什么似的，很是高兴，含着笑容走了出来。

凤举由里院走出，顶头碰到，便问他笑什么？金荣一肚子原委，不是三言两语可以说完的，而且这种原委，也不便在书房外面说。因道："没有什么，我和七爷说话来着。"凤举以为燕西有什么可笑的事，就走进书房来。燕西拿了一叠报，躺在藤椅上看。凤举道："你今天倒起得这样的早？"燕西道："我起来两个钟头了。"凤举道："起来这样早，昨晚没有到白家去吗？"燕西道："我为什么天天去？我还不够伺候人的呢。"凤举见他躺在椅上不动，脸上并没有好颜色，似乎极不高兴，料着和秀珠又闹什么别扭，这也是他们的常事，不足为奇。在他手边，拿了几张报过来，也在一边看。他不做声，燕西也不作声，二人都沉寂起来。还是凤举想起来了问道："你和金荣说什么？刚才他笑了出去。"燕西道："我没有说什

么可笑的事呀。哦! 是了, 我说了, 以后秀珠打电话来了, 不要接她的就是。她到我家来, 我也不见她。大概金荣这东西, 他以为我办不到, 所以笑着出去。一个男子丢开一个女朋友, 这有什么稀奇? 自己的女人, 说离开也就离开了呢。"凤举点点头道: "你大概也有些后悔。"燕西道: "我后悔什么? 我作事永不后悔, 作了就作了, 你们都散了, 我也走, 我作和尚去!"凤举笑道: "你又要作和尚去? 你真要是去作和尚的话, 那倒很好。你手上大概还存着一点钱, 把那个置点庙产, 你一个人去过粗茶淡饭的日子, 那真是舒服极了。"燕西道: "你别小看了人, 我要是下了决心, 什么事都作得出来的。"凤举笑道: "你下了决心, 就下了决心罢。作兄弟的, 也不过劝解劝解而已, 你真是要去作和尚, 与兄弟们有什么了不得的关系? 母亲现在已经够伤心的了, 你又何必再说这种气话呢?"燕西道: "你不打算搬出去了吗?"凤举道: "什么都预备好了, 怎么不搬?"在他刚说完这两句话之后, 第二个感觉忽然来到, 自己刚说母亲已经够伤心, 自己又忙着要搬, 还不是一样不体谅老人家吗? 于是皱了皱眉毛道: "你想, 母亲下了那个决心, 谁能挽回过来? 再说, 老二老三都搬走了, 就留我一个人在身边, 纵然他们不说我什么, 外人也会疑心我别有用意。所以我现在所处的环境, 十分困难。"他越说眉毛皱得越紧, 接连着叹了两口冷气。燕西明知老大是借此自圆其说, 也不便跟着再去逼问他, 就很随便的点了点头。凤举也没有什么可说的, 拿了一张报, 又捧起来再看。燕西道: "你是出来看报的吗?别忘了什么事没去办罢。"凤举道: "我不是来看报, 也没有别的, 这两天, 我就是这样心里乱得很, 坐立不安, 顺着脚步, 走出来看看。其实我也不知道为了什么。"说着, 放下报来, 站起身要走。见桌上有茶, 又回转身来, 倒了一杯茶喝着。燕西道: "我看你倒很是无聊的, 不如早搬开去, 这一颗心, 还算是平安了。"凤举道: "那是什么话?"说着, 倒了一杯茶, 随便的喝着, 然而他脸色很有点犹豫, 对于燕西这一句话, 似乎有点射中心病了。便端起茶来, 喝了一杯, 才很从容的道: "凡事总不能呆看了。"说着, 缓缓的踱出书房门去。燕西听他最后所说的这句话, 简直莫名其妙。但是老大为人较为浑厚, 他对于家产不会像老三那样, 抱着什么浓厚的希望, 而且他又最爱面子, 向不肯使家里有一件不体面的事发现。上次家中解散用人, 他就暗中为难, 后来母亲说是分家, 他又明向老二反对。于今家中大势崩溃, 他还有什么面子? 假使乌衣巷这个大家庭还能维持的话, 让他摊出一笔用费来, 料着他还是真肯。他这两天起坐不安, 当然系事实。他向来用着一个头等公子的身份, 在社会上活动, 家庭这样崩溃, 未尝不是他的致命伤。这话又说回来了, 自己又何尝不是公子的身份在外面活动?于今父死兄散, 妻走子失, 自己又有什么面子? 不看别人, 从前秀珠是如何将就自己, 于今自己极力将就着她, 她还不高兴。这样看来, 一个人实在是不可无权无势。燕西如此想着, 觉得向来受不到

的痛苦,于今都感受到了。以后应当如何应付呢?去作和尚,那自然是一句气话,要成家立业,作官是无大路子,而且二三百元一月的薪水,更何济于事?此外,又绝没有可干的事了。燕西如此思想着,昏沉沉的躺在书房里,已经是过了一上午。到了吃午饭的时候,金荣来告诉,请他到老太太屋子里去吃饭。燕西皱了眉道:"我也懒到那里去吃饭,随便端两样到这里来就行了。"金荣站着呆了一呆,低了脑袋,许久说不出话来。过了一会,才低声道:"我的爷,你还不知道吗?现在就是开上房里一桌饭的,都在一处吃,厨房里现在就剩了两个人了。"燕西站起来道:"原来如此,那也好。"说毕,依然是在藤椅上很沉静的躺着。金荣道:"菜已开上去了,你去吃饭罢。老太太也知道你在家的,你去晚了,倒是不合适。"燕西想着,既是只有一桌饭,这倒不能不去。于是站起,缓缓踱到上房去。

金太太外边的屋子里,临时加了一张圆桌,敏之姊妹,凤举夫妇,两位老太太,正团团坐下。还不曾扶上筷子,梅丽看到燕西进来了,连忙侧着身子,将靠近的一张方凳子移了一移,笑道:"你到这儿来坐罢,咱们兄妹亲近一回是一回了。"燕西不便说什么,含笑点着头就坐下去。敏之对梅丽丢了一个眼色道:"你这是什么话?难道咱们从此就天南地北,各走各的吗?"说着,脸又向金太太看去。梅丽会意,便不做声。金太太对于他们的举动,只当是不知道,将大半碗饭端着,用长铜勺子不住的舀了火腿白菜汤,向里面浸着。舀完了汤,用筷子将饭搅了一阵,看看桌上的菜,大半是油腻的,便皱了皱眉。佩芳一看,又是老太太心里有些不舒服了,不便在桌上多说什么,只是低头吃饭而已。倒是金太太先向着她道:"我已经定了这个星期六到西山去。今天已是星期四,明天你们搬,来得及吗?"燕西插嘴问道:"为什么到西山去呢?"金太太道:"你就是那样铁打心肠吗?家里搬运一空,难道我在这里守着,就一点没有感触吗?我到西山去住几天,只当游历些时候。家里的事,就让敏之和二姨太结束。我要住到秋末再进城,那个时候在哪里住,再作打算。"燕西道:"西山的房子,还借着人家住呢。"金太太道:"我既然要上山去,自然早就预备好了,这个何待你说?"凤举看看全桌人的颜色,及看看母亲的颜色,便道:"你又何必到西山去?"金太太正吃完了那碗汤饭,将筷子一放,脸色一正道:"这是我的自由。"佩芳在一旁,就瞟了他一眼。凤举心想,这样碰钉子,老太太定是在怒气正盛的时候,少说话为妙,因之也就不说什么了。燕西许久不曾和家人团聚,这一餐饭之后,倒有无限的感触。觉得老太太现时所处的环境,实在也令人不堪,满堂儿女,结果,让她一人到山上去住,人生在世,还养儿女做什么?自己本无事,而且也是懊悔,倒不如陪着母亲一路到西山去也好。在山上住,用二百块一个月罢了,自己的私蓄,还准可以住上好几年哩。他心里如此想着,吃完了饭,将一只筷子当了笔,在桌上涂着字。金太太坐在一边椅子上,看到燕西这样子,便道:"你发什么呆?"燕西这才省悟自己愣着坐在桌子边,就站起来道:"我想起一件事,都走了,我呢?"金太太道:"难道不分黑夜白日的,你就这样忙,还不曾忙出一个办法来吗?"燕西不敢说自己不曾忙,又不敢说和秀珠闹翻了,只是默然。他不说话,别人说话,就把这个问题揭过去了。

吃过饭以后,燕西还是不曾出门,下午就走到敏之屋子里来,见她大姊妹俩,坐在一张写字台两面,正在填对一张表格。不知道是不是能看的,就坐在一边。敏之将手上的钢笔,插在墨水瓶子里,将吸墨纸压按了一按填的表,然后十指相抄,放在桌上,很从容的回转头来问道:"你到这里来,一定是有什么事来商量的吧?"燕西点了点头。润之手上捧了一本账簿笑道:"你什么不如意了,态度这样消极?"燕西道:"我怎能够像你们这样镇静呢?"说毕,又皱了一皱眉毛。敏之对润之道:"不和他说笑话罢。"因回头来道:"你说。"燕西两手一扬道:"都走了,我怎么办呢?"敏之道:"你是有办法的呀,你不是要和秀珠到德国去吗?"润之道:"我们也上欧洲去呢,若是你坐西伯利亚火车的话,我们还可以同道。"燕西道:"上什么德国?人家不过是那样一句话罢了。"敏之道:"什么?闹了许久,倒不过是一句话!"燕西点点头道:"咳! 可不是!"润之道:"那为什么呢?你算白忙一阵子吗?"敏之道:"这是怎么一回事?以前说得非常之热闹,盘马弯弓,好像马上就要动身,到了现在,怎么闹个无声无息?"燕西道:"可不是! 我是肚子里搁不住事的人,得了一点消息,十分认真,预备马上就走,连饯行酒都吃了好几回。到了现在,闹个杳无下文,我真不好意思对人说。"润之道:"难道秀珠以前是把话冤你的吗?她这可就不该!"燕西道:"冤倒不是冤,本来白大爷派两个专员到德国去,是办军火的。因为那笔办军火的钱,听说要移到政治上去用,这两个人动身,就缓下来。当这事已经缓办了,秀珠还没有给我消息。恰是家里都不要我走,我也没有去打听。后来我和秀珠谈起来,说是错过了机会。她说人还没有走,机会还在,我倒很高兴。我又在别处一打听,知道是这么一回子事,就问她究竟能不能走?她说不要紧,巡阅使方面就不办军火,也要派人到德国去考察军事的,至迟八月以前可以走。我问是阴历八月,是阳历八月?她就不耐烦,说我太啰唆了,所以我不知究竟。我看这事,简直有点靠不住。"敏之正色道:"这是多重大的事,她哪能这样和你开玩笑?你这东西,迷信着她家是新起来的军阀,把自己妻子弄走……"敏之越说越气,真个柳眉倒竖,两只手摸着表格,带着拍灰,在那沉重的声音里面,拍拍作响,可以表示她心中含着忿怒。燕西向来是怕姐姐的,低了头,只管用手摸额角。润之道:"秀珠也有点贫儿暴富,乱了手脚。这年头儿,三年河东,三年河西,有点儿风头,就得什么劲? 这叫小人得志便颠狂,我最瞧不起这种人。也是老七这种人太没有志气,倒肯去小小心心的伺候她!"燕西红了脸道:"谁伺候

她?我为了这事,告诉了金荣,叫以后秀珠来了电话,不必接她的。"敏之微笑道:"你能下那个决心?"燕西道:"你们总不肯信我有点志气。"润之点点头道:"他这个人喜好无常的,也许做得到。"燕西听了这话,越发是脸上涨得通红的了。敏之道:"我们两人都说你,说得你是怪难为情的,既往不咎,这些话也不必说了。我现在问你,你不出洋打算怎样办?"燕西道:"母亲不是要到西山去吗?我可以一路跟着到山上去陪伴她,母亲什么时候进城,我就什么时候回来。"敏之道:"你知道山上的生活,是很寂寞的吗?你可别因为一时高兴,随嘴就说了出来。"燕西将脚一顿道:"不!决不!"润之摇摇头,微笑道:"这个话,我不能相信你。山上没有戏听,没有电影看,也没有跳舞场消遣,许多你所爱的东西,都没有。你上山去玩个新鲜,两三天就跑回来,剩下母亲一个人,那倒不如让她根本就是一个人去的好。你要去也可以,先到后面园子里那间小书房里住三天不出来,试一试。若是你守得住,你就可以上山去。要不然,趁早别提,免得又闹一桩笑话。"敏之道:"何必说那些?母亲也决不会让他一道去的。"燕西想一想道:"你这话说得也是,但是我要不到山上去,我住在北京城里,就剩我一个孤鬼,我怎样生活呢?"敏之望了望他,又望望润之,沉吟着道:"我倒有个办法,只是这件事关系很大,我不敢作这个主,等我向母亲请示,我再告诉你。"燕西站起来,向她作了个揖道:"你若是有办法,就告诉我罢,也省得我胡着急。"敏之皱了眉道:"你这个人就是这样不好惹。我听你说得可怜,愿意和你出个主意,你倒又逼着我说出来。"润之笑道:"你既不肯说出来,就不该预先告诉他有办法,自己的兄弟,你还有什么不明白的?他那个急性子,你说出这样半明半暗的话来,不是要他的命吗?老七,你别的聪明,这事你有什么猜不出来的?五姐的意思,愿意带你到欧洲去。只是你还愿意念书吗?"燕西望了敏之笑道:"六姐说的这话……"敏之道:"我倒是有这一点意思。只是有两个大前提先要解决。其一,每年在外国不花一万,也要花好几千,设若有个六七年不回来,你自己可担任得起?其二,你现在还是二十岁的人,亡羊补牢,总算不晚。你到欧洲去,可要实实在在的念书,不能抱着镀金主义前去。你那个本领,自己应该知道,先要下死功夫预备两年,然后才进大学,你能不能够吃这种苦?"燕西抢着答道:"能能能!只要你替我想出办法来了,无论怎样吃苦,我都愿意干的了。"敏之一挥手道:"你暂且出去,等我把这账目弄完,晚上再谈。你不是不用伺候白小姐了吗?就不必出去了。"燕西笑道:"你瞧,五姐也说这样重的俏皮话?"敏之道:"我并不是俏皮你,只是你作的事,太要不得了。我若不说你两句,我心里也出不了这一口怨气哩。"燕西真不敢再说什么,自己走出去了。

这里敏之、润之,自办她们的表册。到了晚上,她俩将誊清的表册,送给金太太过目。金太太仔细看了一遍,点点头道:"你们写得很仔细,重要的东西,都记上了。这些东西,你

们都检查过了吗？"敏之道："都检查过了，到今天为止，已经是四天四晚了。"金太太道："咳！能帮我一点忙的，偏是要出门了。四个儿子，就都是生下来的少爷，预备作大老爷的。"润之笑道："你就别再这样比方了。知道的，你是刺激三个哥哥，一个兄弟。不知道的，还要说你有点偏心，重女轻男呢。"金太太道："现在也无所谓了，不是大家都散了吗？"她说着话，态度倒是很坦然的。人坐在藤椅上，旁边的茶几上，放了一大杯菊花茶。她一手捻着一串佛珠子，一手扶了茶杯，端起来喝一口，又复放下，脸上并不带一点愁容。敏之望了望润之，润之微点着头，又将嘴动了几动。敏之说道："妈，我有件事和你商量，你可别生气。"金太太道："你不用说，我明白了。下午我看到燕西由后面出来，准是他又托你们说人情来了。男女婚姻自由，我早就是这样主张的。到了于今……"说着，人向椅子上一靠，又叹一口气道："他娶姓红的也好，他娶姓白的也好，我一一百了，也管不了许多。"敏之笑道："和老七讲情，那是真是。可是他除了婚姻问题而外，不见得就没有别的事。你一不满意他起来，就觉得他样样事情都不好了。"说着，就把燕西受了秀珠的欺骗，自己愿意带他出洋的话，说了一遍。金太太道："你们能相信他有那种毅力吗？我看他这种人，是扶不起来的，不必和他去打算了。在北京城里，无论他闹到什么地步，不过是给金家留下笑柄。若到外国去，作了不体面的事，可是替中国人丢脸。你明白吗？"敏之听了这话，默然了一会。润之道："他究竟年纪轻一点，他自己既然拿不出主意来，我们多少要替他想点法子才好。难道看到任什么事不成，就丢了他不管吗？"金太太道："我真也没有他的法子了。"说着，又摇了几下头。敏之道："话虽如此，我想人的性情多少也要随着环境更改一点。老七在家里，没有和什么研究学问的人来往，所以不容易上进。若是到了外国去，把他往学校里一送，既没有朋友，游嬉的地方又不大熟，自然不得不念书。"金太太道："初去如此罢了，日子久了，一样的坏。不过我对于他，实在没有办法。若是你们愿意带他到欧洲去，我也不拦阻。可是将来钱用光了，别和我要钱。我现在没有积蓄了，你们是知道的，我还能供给他去留学吗？"敏之道："他自己还有一点钱呢。"金太太点点头道："好罢，那就尽他的钱去用罢，别在我面前再提他了。"润之笑道："你管总是得管的，凡事也顾全不了许多，只好作到哪里是哪里。现在一定把事情看死了，料着他不能回心转意，就把他扔在北京城里，眼看他就要不得了，那还不是将来的事呢！"金太太默然了许久，才淡淡的答应一声道："好罢，这件事我也就交给你们去办，我不管了。今晚上咱们说些别的，别谈这个。"敏之道："你要走的话，也得和大哥提一提吧？"金太太道："那不是找麻烦吗？你们只管依了我的话去办就是了。他要怪你的话，你就说是我分付的，不能违抗就是了。等到后天我要走的时候，我自会告诉他。"敏之心想，风举夫妇，也是知道这事的，不过时间没有确定罢

了。就是今晚上不说出来，似乎也不要紧，于是也不问其所以然，坐了一会儿，各自回房去。

到了次日早上，敏之到九点钟方始起床，只听得佩芳在院子里嚷道："两位姑娘还没有起床吗？"敏之身上披着睡衣，正对镜子敷雪花膏，在镜子里就看到佩芳其势匆匆的走来了，倒很是诧异。连忙将身子一转，问了一句怎么了？佩芳老远的站住，就对了她现出很惊异的样子，两手一扬道："你看这事不很奇怪吗？母亲在今天一早七点钟，就坐了车子到西山去了。"敏之道："是吗？她老人家虽是早就说要走，我以为那是气话，不会成为事实，不料她老人家真个走了。带了行李走的吗？"佩芳道："行李没有带，说了叫我们预备好了送去。"敏之道："我不料老太太就是这样一个人走了。这个样子，今天要劝她回来，那是不可能的了。我们倒不如照着她的意思，捡一些应用的东西，下午送了去。"佩芳道："那也除非是这样。"敏之立刻和佩芳到金太太屋子里去，捡了一小提箱衣服，另外又找了个小柳丝篮子，将零碎应用物件，装得满满的，预备吃了午饭就送去。这时不但家里人知道了，搬出去的两房人和道之夫妇，都得了消息，大家赶回家来，都要到西山去。敏之道："我又要多一句嘴了，母亲正是嫌着烦腻，才出城去的。现在我们一家子人，男男女女，全拥到西山去，那里还是热闹，她老人家又要嫌麻烦了。依我说，只去一两个人，她愿意让人陪着，就把人陪着，让小兰和陈二姐在山上陪着她先静养两三天再说。我就是这个主意，你们斟酌斟酌。"大家仔细议论了一阵，大家心里都有个数，没有几个人是金太太所喜欢，可以去陪伴的，最好是梅丽，其次也只三个姊妹。别人去了，恐怕不能得金太太的好颜色。于是商议的结果，就公推敏之和梅丽两个人上山。梅丽自是愿意的，敏之有点避嫌，说今天不去。于是改推了道之，带着小贝贝去。吃过午饭，坐了汽车，就追踪到西山去了。

当天二人果然未曾进城，到了次日下午，方始回家。梅丽进门之后，先问大爷七爷在不在家？听说凤举在家，一直就向凤举屋子里来。凤举先抢着问道："老太太怎么样？还有几天就回来吗？"梅丽在身上掏出一封信，交给凤举道："这是妈写给你的，家事都分付在上面了。"凤举正是急于要知道一切家事的，赶快就把信抽出来看，那上面是：

> 凤举儿知悉：予不忍见家庭荒落之状，迁居西山，聊以解忧。又恐儿等不解予意，加以挽留，故事前不告以的确时期，并无他意，儿等放心可也。家事尚未完全料理清楚，分别告儿于下：一，儿夫妇既已觅妥房屋，仍按期迁居。二，敏之、润之下星期往哈尔滨，由西伯利亚赴欧，燕西愿去，可以听之。其京中一切账目，可代为料理。三，二姨太愿随我山居，亦佳。梅丽可暂住刘婿处，因其上学便利也。每星期六，

可来山小住。四，家中用人，一概遣散。儿等愿用何人，可自择。五，乌衣巷大屋，只留粗笨东西，一律封存屋中，将来再行处置。如有人愿代守屋，由后门进出。其余小事，儿自斟酌之。予在山上，将静养，无事不必来扰我，即儿等之孝心也。

母字

　　凤举看完了，叹一口气道："这倒处置得干净。事到如今，我也管不了许多，只好照着老人家的意思去办。只是梅丽有这些兄嫂，何必还寄居到亲戚家去？"道之在一边就插嘴道："姐姐家里和哥哥家里又有什么分别呢？"佩芳不知那信上说些什么，不便接过去看，也不便问，只是向着凤举发愣。凤举就把信递到她手里道："你也拿去瞧瞧，这件事还叫我说些什么？"佩芳将信接到手，看了一遍，又看了一遍，叹了一口气道："事到于今，那也就只好照着老太太的话去办了，此外还有什么法子呢？"这时，敏之、润之、燕西以及二姨太，都到了凤举屋子里来，大家坐下，立刻开了个家庭小会议。他们兄妹行的事，都没有什么问题了，只是让这位二姨太，跟着老太太住到西山去，也是一件不堪的事情。全家人向来因为她老实，虽是庶母，却不曾贱视过她。如今到了偌大岁数，还让她跟着老太太，作个旁边人，她就不能独立吗？倒是佩芳想到了此层，便笑道："我想二姨妈不像母亲，在山上闷住了，可以借本书儿消遣。大家都组织小家庭，二姨妈为什么就不能？何况八妹又要在城里念书的。"二姨太道："我的少奶奶，你叫我去和谁组织小家庭呢？我这大年纪了，又无用，和谁也说不拢来。倒不如跟着太太，老姐妹俩，还有个谈的。我压根儿就没有怎样逍遥快乐过，也没有什么舍不得这花花世界的。我反正是多余的人，我不去陪着太太，该谁去陪着呢？"佩芳起了身子，向着二姨太太笑道："你把话听拧了。"梅丽就乱摇着手道："大嫂，你还有什么不知道的？她老人家有好话，不能好说。"二姨太红着脸，正待辩两句，凤举站在许多人中间，向大家拱拱手道："什么话不必说了，恭敬不如从命，从今天起，咱们就照着老太太的话去办。"燕西站在一边，早是呆了半天，这时等大家都不说话了，才淡淡的笑了一声道："这倒也散得干净！"梅丽瞪了眼睛道："亏你还笑得出来呢？"燕西道："不笑怎么着？见人就哭，也哭不出一点办法来呀。"凤举皱了眉道："现在什么时候？还有工夫说闲是非呢。现在是最后五分钟了，你也别闲着，帮着我点点家里东西，由今天起就动手。"燕西因为和秀珠生着气，绝对是不去白家的了。白莲花那方面，也是耗费得可观，自己也怕去得，所以差不多是终日在家。既是凤举要他在家检点东西，就很慷慨的答应了。事已至此，大家也无须乎再讨论，只是照着金太太信上的话去办。

　　平常金家有一点事，秀珠就得了消息。现时玉芬自己要忙着自己的事，不像以前的闲身子和她不时通电话，因之金家闹到快大了结了，她还不知道。总拗着那一股子劲，非燕西向她陪着不是行。及至三天之久，燕西人也不来，电话也不来，她知道这事再闹下去，非决裂不可。像燕西这样的男子，朋友当中未尝找不着第二个，只是在许多人面前表示过，自己已把燕西夺回来了。如燕西依然不来相就，这分明是自己能力不够，于面子上很是不好看。只得先打一个电话到玉芬的新居，打算套了她的口气。玉芬因为得着金太太由西山带回书信来的消息，也由新居赶回乌衣巷来。秀珠随后又打电话到乌衣巷来。玉芬看燕西的情形，已经知道他是和秀珠恼了。这时秀珠打了电话来，自己很不愿意再从中吃夹板风味。不过秀珠这个人，是不能得罪她的，便接着电话，将自己的家事，告诉了她一遍。说完之后，她就叹一口气道："你瞧，家里闹到这种样子，惨是不惨？所以我们这些人，都是整天的发愁呢。"秀珠听了燕西要和敏之出洋去的话，心里倒是一动，怪不得他不理我，他已经有了办法了。这样想着，在电话里就答道："原来如此，那也好，那也好。"玉芬明知她连说那也好两句，是含有意义的。自己又不好说些什么，便道："我一两天内来看你，再细谈罢。"秀珠也不好怎样谈到燕西头上去，就把电话挂上了。

玉芬自己想了许久，觉得燕西和秀珠真决裂的话，自己在事实上和面子上，都有些不方便。对于这一层，最好维持着，宁可让秀珠厌倦了燕西，不要燕西对秀珠做二次的秋扇之捐。如此想着，看到燕西到书房里去了，也就借着张望屋子，顺步走了来。推开门，伸头向屋子里看着道："哟！这屋子里东西，并没有收拾呢。"燕西道："进来坐坐罢，现在你是客了。"玉芬走了进来，燕西果然让她坐着，还亲自敬茶。玉芬笑道："你突然规矩起来了，很好。你总算达到了目的，要出洋是到底出洋了。"燕西冷笑一声道："有钱，谁也可以出洋，算什么稀奇？又算得了什么目的？现在出洋的人，都是揩国家的油，回国以后，问问他们和国家作了什么？不过是拿民脂民膏，在自己脸上镀一道金罢，我不作那样的事。"玉芬道："你和我说这些话做什么？我又不弄官费出洋。"燕西也觉刚才这些话，有点儿无的放矢，便笑道："你别多心，我并不说哪一个。"玉芬也只微笑了一笑，心里可就很明白，他这些话都是说秀珠的。就用闲话，把这事来扯开，因道："你现在要出远门去，就不知要多久才回来了。这在我应该请请你，哪个日子得空，请你自己定个时间罢。"燕西道："这就不敢当。我这样出洋，和亡命逃难都差不多，还有什么可庆幸的？别的我不要求你，请你替我小小的办一件事。就是我要出洋的话，不必告诉白秀珠小姐。"玉芬听到他忽然用很客气的话，称呼起来，本来应当问一句的，然而既知道他生着气的，不如含糊过去，倒可以省了许多是非。便道："为什么不告诉她呢？你还怕扰她一顿吗？"燕西冷笑了一声，接着又是微微的一笑。玉芬道："这是什么意思？我倒不懂。"燕西道："老实告诉你罢，我和她恼了。"玉

芬道:"为着什么呢?"燕西道:"不为什么,我不愿意伺候她了。"说着,将头一摇。玉芬觉得他的话越来越重,这当然无周旋之余地。红了脸默坐了一会子,便起身笑道:"你在气头上,我不说了。说拧了,你又会跟我生气。"燕西连说:"何至于。"但是玉芬已经出门去了。燕西和秀珠之间,只有玉芬这个人是双方可以拉拢的。玉芬自己既是打起退堂鼓来,燕西是无所留恋了,秀珠也不屑再来将就他,于是就越闹越拧。结果彼此的消息,就这么断绝了。

第一百十一回

驴背遇穷途昙花一现
禅心伤晚节珠泪双垂

在大家这样各找出路的时候，自然都很忙，因为忙，日子也就很觉得容易过去，随便的这样混着，就过去了一个礼拜。家中的事情，已料理了一大半。燕西就和凤举商量着，无论是母亲高兴不高兴，总应该到山上去看看她。而且敏之已择定了下星期动身，自己也得预先去和母亲说一声。凤举也很同意，就同乘了一辆汽车到西山来。因为天气很早，在山下并没有找轿子，二人就步行上山。转过了别墅面前那道小山弯，走到一丛树林里，就嗅到一种沉檀香味，由树梢上吹了过来。凤举道："这里并没有庙，哪里来的这股子檀香味？"燕西道："山上是很幽静的，人的心思一定，过处的香味，只要还有一丝在空气里流动着，也可以闻得到，这就叫心清闻妙香了。"凤举也不答话，步行到了大门前那片广场上，却有一群小山雀，在草地上跳跃着，人来了，哄的一声，飞上树梢。再由广场上登着石台阶，那香味更是浓厚，这就闻着了，乃是后进屋子里传出来的。凤举推开了绿纱门，却见小兰伏在一张小藤桌上打瞌睡，一点响动没有。凤举正想叫醒她，陈二姐手上捧了一小捆野花，由后面跟着进来，叫道："大爷，七爷，你来了。"凤举道："老太太呢？"陈二姐道："在上面屋子里看书。"凤举道："我们走进来许久，也没有个人言语。要是小偷进来，怎么办？"陈二姐笑着，在前引路，叫着上台阶去，报告着道："大爷七爷来了。"听到金太太在屋子里答道："叫他们进来罢。"凤举和燕西走到上层屋子去，只将铁纱门一推，倒不由各吃一惊。原来这屋子正中，悬了一幅极大的佛像，佛像前一张桌子，陈设了小玻璃佛龛，供着装金和石雕的佛像。佛像面前，正列着一个宣炉，香烟缭绕的，正焚着沉檀。原来刚才在山路上闻到的沉檀香气，就是这里传出去的了。佛案两边，高高的四个书格子，全列着是木板佛经。在书格子之外，就是四个花盘架子，架着四个白瓷盆子，都是花叶向荣的盆景。在佛案之下，并不列桌椅，一列三个圆蒲团。乍来一看，这里不是人家别墅，竟是一个小小的佛堂了。

　　凤举、燕西正自愕然着,不知进退。左边落地花罩之下,垂着白色的纱幔,纱幔掀开,金太太由里面走了出来。她穿了一件黑色的长衣,越是衬着她的脸加了一层消瘦。只是脸虽瘦削,气色很好,两颧骨之下,微带着红黄之色,表现着老人精神健康。金太太不等他两人开口,先就点点头道:"你兄弟俩来了,很好。"凤举在这种地方,看到母亲这样孤零零的在这里,万感在心,竟不知要说一句什么话才好?叫了一声妈之后,便呆呆的站着。燕西看着老大脸上,有种为难的情形,他又如何高兴得起来?也是望了母亲发呆。金太太向他们招了招手道:"你们弟兄里边屋子里来坐罢,我有些话要问你们呢。"二人走到纱幔屋子里一看,很简单的陈设了几样木器,一张小铁床,连蚊帐都不曾撑起。金太太倒是很坦然的在一张藤椅子上坐着,向他二人点点头道:"坐下来说罢,事情都办得怎么样了呢?"凤举先把家事报告了一遍,随后燕西也将自己的事说了一遍。金太太道:"那就很好。"凤举道:"你信上写的事情,我们都照办了,现在就是请你进城去决定一下子。"金太太道:"照办了就行了,还要我进城去决定什么?我不到秋天,是不进城去的了。"凤举顿了顿,才低声道:"难道真在山上住许久?那也不是办法。"金太太道:"住在山上,又有什么不是办法?住在城里办法又好在哪里?我老实告诉你罢,我今年五十四岁了,中国外国,前清和中华民国,无论哪一种繁华世界,我都经过了,如今想起来又在哪里?佛家说的这个空字,实在是不错。我想趁着精神还好,在山上静静心,学习点佛学。我不像那些老太婆要修什么来世,也不闹什么出家,谈什么大彻大悟。我就只要把心里的烦恼,洗刷一个干净,在未死之前,享几年清福。你们若是再要我到城里去过繁华日子,就是再要我进地狱。你问问陈二姐,自我上山来以后,怎么样?饭量也好,精神也好,天黑就睡,天亮就起,没有一点发愁的事。这样过着日子,真许我活个七十八十的,难道你们还有什么不愿意吗?"凤举道:"那当然是愿意的。"燕西在一边听着,先是沉默了许久,等金太太和凤举把话都说完了,他才道:"母亲的事,我们自然也不能勉强。不过母亲是儿孙满堂的人,到了现在,一个人在山上学佛念经,倒好像作儿女的人……"金太太连连摇着手道:"我在山上这些日子,精神上很是痛快,争名夺利,酒色财气,那些事一齐不到我的心上。你现在又谈这些话,打算把我的烦恼,又勾引起来吗?若要是这样,你们以后不许来,你两个人赶快下山去。"说毕,金太太板着脸,就要向别个屋子里走。燕西吓的不敢做声。凤举连忙站了起来,向金太太赔着笑脸道:"妈,你别生气。你要怎么着,作儿子的人,还敢多说什么吗?我们不谈这个就是了。"金太太这才坐下道:"既是这么着,你们可以坐下。大概你们还没有吃饭,叫陈二姐多作一点菜。"凤举道:"我们打算到下午才进城去呢。"金太太道:"你们好好的在这里谈话,我倒也是不拦阻你们。"陈二姐正在外边屋子里掸经书架子上的灰尘,听了这话,就走进来笑道:

"添几个鸡蛋吗?"金太太想了一会儿,点头答应一声好罢。又道:"其实不添呢,也没有什么。不过他们吃惯了好的,总得给他添上一点。"燕西心想,母亲小看起我们来就十分的小看我们了,难道我们把鸡蛋都当着好菜来吃不成?当时也只默然的搁在心里,不好再说什么。大家依旧谈些山上的风景来消遣。

　二小时之后,陈二姐说是饭已烧好了,请太太和二位爷去吃饭。于是金太太起身先走,引着他们到下层堂屋里去。那正中一张小方桌上,陈列着饭菜,母子三人在三方坐下。燕西看那菜时,一碗口蘑烧扁豆,一碗炒藕丝,一碗笋干烧豆腐,一碗丝瓜清汤,另外却是一个碟子,盛了炒鸡蛋。而且那鸡蛋还作一股子芝麻油气味。燕西这才明白了,原来全是蔬菜,作一碗鸡蛋,是特别优待的了。金太太见他们的眼睛,都注视在菜碗里,似乎已明白了他们的意思,便道:"我实告诉你们,自到山上来的那一天起,我已经断荤了。这鸡蛋虽是荤,但是这是没有生命的东西,所以你们来了,我还准许你们吃。你们吃惯了荤菜,大概上山来,偶然吃一回素菜,还比较的有味,总不算我亏负你们吧?"凤举还有什么可说的,只有扶起筷子来,先夹着菜吃。吃过了饭之后,母子三人,依然到上面屋子来坐。因为金太太不许他兄弟二人说回城去的话,二人谈了一阵子,又默然对坐一阵子。金太太道:"你们来了许久了,可以进城去了。"凤举、燕西都说进城去没有什么事,还要在这里坐坐。金太太道:"坐坐自然是可以的,不过我一人在山上住久了,心思是很定的,你们来了,不免又引起我许多无谓的烦恼。我希望你们以后少来罢。"凤举、燕西都默然的。金太太望着他兄弟二人的脸,有一口气要叹出来,复又忍回去了。金太太道:"假使你们能早听我两句话,何至于闹到现在这种田地?唉!这话也无须说了,你们下山去罢。"凤举看看母亲那样子,真个像人所说,她那颗心,已成"槁木死灰"。已经再三再四的催着下山去,若是不走,也徒然惹起老人家的不快。于是向燕西道:"你还有什么话说?若是没有什么话,我们现在就走罢。"燕西望望凤举,又望望金太太,看这样子,是不能强留的,就站起身来。凤举也慢慢的站起,低声向金太太道:"那末,我们走了。"金太太向他们点了点头。于是二人说声走了,走出屋子下台阶去。到了台阶半中腰,凤举站住脚,回转身来问道:"妈,现在没有什么事吗?"金太太也不出来,只在屋子里,掀起半幅窗纱,向他们道:"没有什么事了,你去罢。"燕西虽不说什么,也回转头来望着。金太太又说句回去罢,二人同答应了一个唯字,然后一同走出。到了别墅门外草场上,继续着又闻到那股沉檀香气。凤举低声和燕西道:"你瞧瞧,这个样子,母亲一定是长斋念佛,不会再回家的了。在她老人家说是享清福,然而这种消息,传到别人耳朵里去了,与我们大家面子攸关。"燕西道:"你是无论到什么地步,都要顾全面子问题的。然而事到于今,也就顾全不得许多,只求各人找着各人的生活之路，也就是了。"凤举低了头，顺着山路向下走，也并不做声。燕西随在他身后，回头望望别墅，又连叹几口气。

凤举在前面走得很快，一直下了山口，才停住脚。燕西落在后面，还在想心事，约离着有半里地。燕西到了山口时，凤举到路旁小茶棚子里找汽车夫去了。燕西站在大路上，四外张望，见山涧外边，一条人行道上，有两匹驴子跑了过去。一匹驴子上，坐着一个短衣老头子，手上拿着草帽子，正是韩观久。一匹驴子上，坐着一个女子，穿了蓝竹布长衣，撑了一柄黑布伞，斜搁在肩上，看那身材，好像是清秋。他情不自禁的哎呀了一声，就跑了几步，追上前去。正在这时，凤举把汽车夫已找着了，在后面大叫燕西。当他大叫的时候，那驴子停了一停，驴背上的女子却回头看了看。然而那时间极短，燕西还不曾看清楚她的面目，她已掉过脸去，催着驴子走了。凤举由后面追来，问道："你看些什么？"燕西道："刚才有个女人骑驴子过去，好像清秋。"凤举道："她跑到这种地方来做什么？你错认了。"燕西道："可是后面那个老头子是韩观久，我可认得清清楚楚。韩观久有门亲戚，听说住在碧云寺附近，他们很有到这地方来的可能。"凤举道："既然如此，刚才你为什么不叫她一声呢？"燕西道："我也是愣住了。"凤举道："他们是往哪方走？"燕西道："他们顺着大路向东去，大概是进城去。"凤举道："不管她进城不进城，只要是在大路上，差个十里八里，我们也可以把汽车追上去，这是很容易解决的问题。"说着，拉了燕西跑上汽车，催着车夫快开。汽车一路走来，虽然追上几个骑毛驴的，并不是一男一女。追到了海淀附近，远远看到两匹驴子，其中有个骑驴子的正是撑着一柄黑布伞。燕西指着道："那就是的了，那就是的了。"不到一分钟，汽车喇叭呜呜几声响，追到驴子跟前，将车子停住。那两个骑驴子的，见汽车忽然停住，倒吓了一跳，各按住了驴子，向车上呆看。这时看那撑伞的，是位带连鬓胡子的老道。那个没撑伞的，是个秃子。二人灰尘扑面，又染着黄汗，形象很是难看。燕西大失所望，凤举禁不住要笑起来，催汽车夫开车。燕西心中，本是怦怦乱跳，车子开了，定了定神，向凤举道："这话回家去，不必说，说出来，人家又拿去当笑话，以为我对于清秋，还是梦寐思之呢。"凤举道："你就对于她梦寐思之，这也不算过呀，这有什么可笑的？"燕西道："那不管他，反正我不愿提这事就完了。"凤举道："你不愿提就不愿提罢，这也不关我的事。"燕西坐在车子上，就都不说什么。

到家而后，家中人自不免包围着，询问山上的情形，忙着报告一番，也不暇再惦念到清秋身上去。过了两天之后，还是凤举把这话说出来，敏之、润之都抱怨燕西，说是不管那女子是不是清秋，反正那个老头子你认清楚了是韩观久，为什么不叫唤一声？而况大哥叫着燕西，她又回头来看，分明是清秋了。这可见你对她是一点情也没有。燕西对于她们这

种批评，实在无法否认，自己也就不去否认。人家说得最厉害的时候，自己只是微笑而已。倒是道之多情，听了这个消息之后，派了好几个人到碧云寺一带去查访。然而燕西也不知道韩观久有什么亲戚在那里，那亲戚姓什么，也是不知道。查访了两天，并无踪影，对于这事，也只好罢了。

光阴是很快，转眼又是已凉天气未寒时，敏之、润之的行李，都已预备妥当。敏之的意思，现在大家并不是那样高兴，最好是免除亲戚朋友那番送别的应酬，关于行期一层，事前守着秘密。又怕燕西好事，会说出来，再三叮嘱不要说。燕西现在是靠姐姐携带了，自然也就不敢违拗。到了行期前三天，道之四姊妹，送着二姨太到西山去，大家又团聚了一晚。到了次日，直待夕阳西下，四姊妹才告辞进城。金太太和二太太见这四个花枝儿似的姑娘齐齐的走着，很是动人怜爱。然而下山之后，马上天涯海角，就各自分飞，看到也就不免心里难受。于是两个母亲，紧随在她们后面走，一步一步的向前走着，不觉直走到最下一层的草场上来。道之立住脚道："我们要坐轿子了，你进去罢。"金太太道："你们走你们的，我在这里，看看夕阳晚景。"敏之、润之也就回转身来，向二位老人家呆立着。二姨太道："五小姐，你定着什么时候结婚，务必写信告诉我。一路之上，要不断的写信来。"金太太道："你也太儿女情长了。你在城里，大概说了不少离别的话，上得山来，又谈了一天一宿。这种话，也不知道谈过多少回，临走你还得叮嘱一遍。"二姨太道："你有什么不知道？我就是这样心软。"说着，用手绢去擦眼睛。敏之深怕惹着金太太伤心，便道："咱们快上轿子罢，回头会赶不上进城的。"说着，向三姊妹丢了一个眼色。于是大家向二位老人说声走了，走出别墅的大门，各乘轿子下山。

金太太忙走到山崖上那个草亭子里，手扶了亭柱，向山路上一行人望着。二姨太走过去，陪着她望。直等人看不见了，金太太就看山下平原的晚景。这太阳落到山后去，在山之阳，已先阴黑，可是平原上，山阴所盖不到的地方，依然有太阳晒着。平原之中，有两行疏落的杨柳，夹着一条人行大道，正是进城去的马路。看看北京城，在夕阳烟里笼罩着，雾沉沉的，一圈圈黑影子。北海的塔，正阳门的城楼，在一圈黑影中，透出两个黑尖。金太太回头对二姨太道："你看，那乌烟瘴气的一圈黑影子，就是北京城，我们在那里混了几十年了。现时在山上看起来，那里和书上说的在蚂蚁国招驸马，有什么分别？哎！人生真是一场梦。"二姨太用手一指道："你看，那不是她们的汽车？"金太太顺着她手指的所在看时，只见人行大道上，黄尘滚滚，果然有一辆汽车风驰电掣而去。到了远处，便只看到一道黄尘，看不到车子了。金太太叹了一口气道："这些孩子们，兴高采烈的还正在那里做梦呢。"于是她在亭子里木栏杆上坐着，只管向那烟雾平原，静静的呆望。她不做声，二姨太也不敢做声。二人静静的在草亭子里坐着，那晚风吹得草瑟瑟作响，声声入耳。那平原上的太阳，也慢慢黯淡下去，渐渐暗到看不见人家树木。陈二姐手上拿了两件夹斗篷，走到亭子边来，向金太太道："老太太，到屋子里去休息休息罢。"说着，将两件斗篷递了过去。金太太手上接过斗篷，并不向身上披着，搭在手胳膊上，依然站在亭子边。陈二姐站在身边，不敢催，又不敢就走，也是呆在那里陪着。二姨太先是陪了金太太看看景致，现时景致全看不到了，站在那里，实在是站不出一点趣味来，便道："果然我身上觉得也有些凉，我们可以进去了吧？"金太太虽然是不曾答应出来，觉得也不必太违反了她们的意思，于是默然着掉转身来，先在两人头里走。到了最后一通堂屋里，自掀帘子进去。那佛案上点了白锡清油灯，灯草由油碟子里，伸出菜豆大的火焰，屋子里昏沉沉的。在那边垂着纱幔的屋子里，倒是点着四支白蜡，在这边看到那边幔子里，反是清楚得多。二姨太昨天上山，住在前进，大家拥在一处谈话，还不感到什么寂寞。今天晚上，直走到后进来，见这样青隐隐的灯光，加上檀香炉里檀香烧着细细的火，屋子里停留着那股香味，如在庙里一般。因笑道："这里什么也有，就是差了一面铜磬和一个木鱼，要不然，猛然走到这里来，会疑心是古庙里的观音堂。"金太太道："真要是观音堂，那算我们修到了家。我觉得我还是尘心未断，不能说走就走。"说着话，她就坐到桌子下面那叠蒲团上去。陈二姐看到，赶快就走过来，将二太太的袖子一拉。二太太料着有故，看了陈二姐向门外走，也就跟了出去。到了前进屋子里，陈二姐低声和她道："人家这是要作功课了，你可别在那里打搅。"二姨太道："哟! 太太还念书呀？"陈二姐道："不是念书，每天早上中午晚上，太太有三起在蒲团上打坐。打坐的时候，口里念着心经。心经是什么，我也不知道，老是听了太太念着摩诃摩诃，多利多利。这就叫功课，是太太自己说的。她作功课的时候，分付我们别进去，所以我告诉你。"二姨太听了这话，才恍然大悟，向她点点头道："我明白了。有事你就去作你的事，我不到上面去了。"

　　陈二姐在山上，是兼作厨子的，这时要预备去作晚饭，自然走了。小兰也陪着去洗菜，只剩二姨太一个人在屋子里。大门口有个园丁和打杂的，也离着一个大院子，在这里几乎听不到人的说话声。二姨太从这时起，才领略到山居寂寞的风味。这屋子里，是金太太特许的，点了一盏白瓷罩子的煤油灯，比上房亮得多。只是屋子里，隔了窗子向外看，反而现着黑沉沉的了。二姨太静坐了许久，果然听到上进屋子里，金太太只管念着摩诃摩诃，多利多利。自己为好奇心冲动，就轻轻的开了屋门，轻轻的走上台阶，到了窗户边，将脸贴着窗纱，向里面看去。只见金太太盘膝坐在蒲团上，两手放下来，微按了膝盖，微低着头，闭了眼睛，丝毫不曾晃动。二姨太看着，见所未见，心里想着，这不要是……这个念头还不曾想完,金太太忽然叹一口气,向窗子外道:"你请进来罢。"二姨太被她说破,倒不好意思不答应,便道:"我进来不碍着你的功课吗?"金太太已下了蒲团,代她打着帘子让她进来。向她点头道:"咱们里面屋子里坐罢。"二姨太跟着她进了里面屋子,二人相对坐下。在烛光之下,见金太太脸上很多的愁容,望着她道:"你怎么啦?"金太太沉思一会儿,叹着气道:"我七情不能自主,大概不能久于人世了。"二姨太听了这话,却是不大懂得,依然向她呆望着。金太太道:"我说出这句话,大概你也不明白这事的究竟。我自上山以来,心思是很把得定的。可是昨天晚上几个女孩子上山来一闹,闹得我心里只管慌乱起来。今天她们下山去了,我还恋恋不舍。刚才我打坐,心思就按捺不定,只管想到她们身上去。"二姨太道:"作娘的想女儿,这也是常情,这有什么不好?"金太太道:"这个你哪里晓得?"二姨太道:"这个我也没有什么不懂。太太的意思,不就是说,出了家的人,不可再染红尘吗?"金太太噗嗤一声笑了,因道:"你的意思是对的,不过话说错了,我现时并没有作姑子,怎么能说起出家两个字?"二姨太红了脸,说道:"你瞧,我这人真不会说话,一说话就露怯。"金太太倒也不去追究她露怯不露怯,自己一人,低了头在那里坐着。那四支白蜡烛的光焰,正是有些晃动,将金太太的人影,在墙壁上只管动摇着。二姨太偷眼看她时,眉毛又已深锁,似乎在发愁。自己劝解吧,怕说的话人家不中听。不劝解吧,坐在这里岂不是个呆子?因之就向金太太道:"我想到厨房里去看看,没事也可以帮助他们一点。咱们现时又不住在城里,还讲个什么虚面子?"金太太对于她这话,似乎表示着很深的同意,将头深深的点了几点。

　　二姨太不说什么,就走出来了。她走到厨房里去,陈二姐也不肯要她动手做什么菜。她站了一会子,觉得是很无聊,依然又走回上房来。窗子里面有烛光,隔着窗纱,自然看得是很清楚的。只见金太太竟还坐在原椅子上,只是她低了头,一动也不动。二姨太心里突然有个怪思想,太太这是什么举动? 有点病了吧? 连忙用脸贴近窗户,仔细向里面看了去。金太太这时一人坐在屋子里,心却在北京城里乌衣巷,那旧时憧憧的幻影,正一幕一幕的在眼前映演着。两眼泪珠儿,在眼眶子里,是无论如何也藏留不住,由微开着的眼缝里,一粒一粒的,直流出泪珠来。二姨太在外面看了许久,总算是看清楚了。就走进屋来,先轻轻叫了一声太太。金太太抬头对她望着,点点头,并没有说什么。那脸上的泪珠,依然流着,却不曾擦去。二姨太道:"你这是怎么着?你想空点吧。"金太太道:"你这话算是劝着我了,我就是想不空。你瞧,我老早的就说要定定心,学起佛来,可是到了于今,我还是把持不定,还要你来劝我看空些,这岂不是一场笑话吗?"二姨太道:"哟! 你可别信我的话,我懂得什么?"金太太点着头道:"你劝着我是对的……"说毕,她依然低了头,不再做声。

约摸停了有五分钟之久,那泪珠儿,又是抛沙一般的,落将下来。这泪珠不落则已,落起来无论用如何的力量,也是抑止不住。流了还只管是流,由脸腮上,直滚到衣襟上来。二姨太先还是想劝劝她,后来见金太太哭得厉害,想起自己全家人,各各远走高飞,落得两位老婆子,住到山上来。这个收场,实在也太惨了,怎么禁得住不哭呢?心里想着,眼前又正看到一个人在伤心落泪,她心里只是一阵凄楚,那眼睛里的两行眼泪,也就不知不觉的,一齐滚将下来。只是金太太不曾放声哭,她也不敢放出声来。金太太流泪一阵子,抬头看到二姨太更是伤心,就连忙拭干眼泪道:"我哭我的,你还陪了我哭做什么?"二姨太道:"不是我要哭,我看到太太哭得怪可怜的,也就自然的伤心起来。"金太太并不做声,静坐了许久。陈二姐来了,就叫她打了一盆水来洗过手脸,让二姨太也洗了,然后叫陈二姐在外面檀香炉里,从新焚了一炉香。陈二姐道:"现在还不吃晚饭吗?"金太太道:"稍微等一等。"陈二姐去了,金太太依然静坐着,因向二姨太道:"我看我不行了,快要跟着他们父亲一路去了。"二姨太倒吃了一惊,向着金太太脸上观察了许久,并观察不出什么情形来,皱了眉道:"也许你是在山上闷的,可是在脸色上瞧不出来,进城去让大夫瞧瞧罢。"金太太摇摇头道:"不是那个意思,你猜错了。我自从山上以来,看看佛经,研究研究佛学,心思是很空的了。不料昨天到今天,我心里乱极了,简直按不定。到了晚上,我在佛像下打坐,口里只管念心经,心里只想到繁华下场,禁不住眼泪直滚下来。我这样心慈,一点镇定不下去,我想我道心不坚,是精神涣散的原故。在佛学上说,是入了魔道,俗话可就是魂不守舍。在这点上,我知道我是不久于人世的了。"二姨太听了许多解释,大概是明白了,便道:"太太,你这话我可要驳一句,佛爷是慈悲为本的,难道说作上人的惦记儿女,想起亡人,这也是道心不坚吗?"陈二姐在外面屋子里,倒有些纳闷,不知道今天老太太有什么伤心的事?金太太没做声,微抬着头,似乎想一句答复,然而始终没答复出来,只管是要哭。于是慢吞吞的走到屋子里来,又轻声问道:"不早了,老太太开饭了吧?"金太太点点头道:"好罢,开到下面屋子里吃。"陈二姐忙着开饭,金太太首先站起来,向二姨太道:"咱们吃饭去,在一天总得吃一天。"二姨太也不知道她是解脱的话,或者是伤心的话,就陪着她一路到下层屋子里来。

　　桌上饭菜都摆好了。金太太坐下来,却是先拿勺子,舀了豆腐汤喝。二姨太吃了一碗饭,她却粒饭未尝。二姨太知道她心里难受,自己也不会劝人,不敢多说,便道:"太太,明天打个电话进城去,让梅丽来给你解个闷儿罢。"金太太点点头。过了许久,又道:"不必罢。"于是起身回上层屋去,出了门,又道:"明天再说罢。"等她回上面屋去了,陈二姐低声向二姨太道:"你瞧,老太太说话,有些颠三倒四的,她从来不是这样了的,我想一定是她心里闷成这样。"二姨太道:"是啊!学佛可不是一件容易事,当年总理就常说,现在阔老们喜欢把谈佛学当时髦事,其实不会学佛的人,不是学迂了,就是学病了。太太这样精神不振,可得找梅丽来,她准能给她找个乐子。"陈二姐道:"好!我明天一早就到山下旅馆里去打电话。今天晚上,你陪着点罢。"二姨太擦了把脸,又到上面屋子来。然而在山上的人,睡得极早,金太太已是安眠许久了。二姨太也只好走回自己的屋子去闷睡。

到了次日清晨,陈二姐把琐事料理清楚,正要到山下旅馆里去打电话,一看山外的天色,却是阴黯黯的,太阳不曾出山,自此心里想着,也许是心里有事,起来得太早些了。可是走到屋子里,一看挂钟时,已经是八点多了。照平常论,这个时候,应该是日高三丈,高高悬在天空的了。这才想起来,今日天阴了。接着发现地上已是蒙上一层黄沙,由院子里经过了两趟,连衣服上都洒着一层细微的黄粉,用手一扑,便有尘土气袭入鼻子来。这是北方最劣的气象,叫着下黄沙。有了这种日子,天像要倒下来,终日不见阳光,那太阳在黄沙里埋着,现出一团模糊的紫影,惨淡怕人。今天黄沙更下得重,连那团紫影都没有了。赶快跑到屋后山坡,向山下看去,便是山脚下的人家树木,已经昏暗不明,只有丛丛的黑影。再远些,便只如烟如雾,天地不分的沙层了。陈二姐心想,这样的天,怎好叫八小姐出城来?电话也就不打了。接着金太太和二姨太也都起来了,陈二姐送着水到金太太屋子里去的时候,只见金太太两只眼睛皮,已是微微的肿起,眼睛也有些红色,想昨天定是流着眼泪不少。

这时,屋子外面,轰隆一片怪声大起,院子里也淅沥淅沥有雨点声。隔着窗子向外看时,吹起大风来了。山上的树木,一齐弯着向下,到了不能再弯的程度。在呼呼声中,许多树叶和枯树枝,如下雨一般,打到院子里来。金太太道:"哎呀!天气变了。"陈二姐道:"可不是吗!你没有到坡上去瞧瞧,仿佛是天倒地坍一般,天地都分不开了。"金太太也不再说,也不出去看。这正中屋子里,倒很像是天色昏黑了一样,那佛像面前放的一盏香油灯,菜豆似的火光,倒照着屋子里有些亮色。她不由得点点头,自言自语的道:"还是佛爷面前,有一线光亮呢。"说着,自向蒲团上坐着,垂头不语。陈二姐以为她是做早上的功课来着,也不敢去惊动她,自走开了。但是这一天,金太太茶饭都不用,只是呆坐着,坐久了,就垂下泪来。一日之间,那脸子就瘦削了许多。陈二姐虽没念过书,人是很聪明的,看看这情形,觉得不甚好,便问金太太要不要什么东西?可以打个电话到城里去。她那意思,正是要探探她的口气,要不要叫人来。金太太点点头道:"正好,我有话告诉他们,五小姐六小姐七少爷,都是后天要走的人。你告诉他们,我分付的,叫他们不必到山上来辞行。他们来一趟,惹得我心里两天不能自在。他们再要来,我心思一乱,把我闹病了,他们负得起这个

责任吗?实话实说,你就把我今日的情形,告诉他们。五小姐六小姐心里明白,就不会来的了。"陈二姐道:"电话里说不清楚,要不,我下山去一趟,赶着长途汽车进城,下午再回来罢。"金太太一听,静默着想了许久,便道:"你既是要去,索性后天送了他们上车再回来。"陈二姐说:"这儿的事呢?"金太太道:"里面的事都有小兰呢,那个打杂的本来是厨房出身,让他作两天素菜饭,还有什么不可以的?"陈二姐在山上住了这些时候,实在也想到城里去看看,只是没有工夫可以抽身。既是金太太如此说了,落得以公济私,进城去混两天。于是很高兴的收拾收拾东西,就下山搭长途汽车进城来。

第一百十二回

金粉各飘零情场永别
轮蹄相驰逐旧事重提

陈二姐到了西直门,立刻换了人力车回乌衣巷,心中好像有很紧急的事要办。其实与她自己,没有什么相干。就是和金太太传的话,也并不十分急。可是她心中,只以快到金宅旧居为快。及至到了大门,第一件事映到她眼帘中,便有些异乎常情,原来向不曾关闭一次的大门,这时却掩了一扇,只开着一扇,让人进去。大门外空荡荡的,不见一辆车,也不见一个人。几棵槐树,落了许多半黄的叶子在地面上,风吹着,兀自卷了黑沙打回旋。陈二姐给了车钱,由开着门的地方进去,门房里紧关着门,门上贴着一张纸条。陈二姐本认得几个字,半猜半认,见那上面所说的是邮差请至里门投信,大概前面门房没有人。由这里经过外客厅,乃听差车夫所住的房屋,一律闭着。走廊外摆的盆景,也搬了一大半。到楼房二门下,金荣才一露头向外钻了出来,问道:"二姐回来了,老太太呢?"陈二姐道:"我一个人回来的。前面怎么没有人了?"金荣道:"里头哪里又有人?"陈二姐道:"怎么里边也会没有人?"金荣道:"你瞧去。"陈二姐向后走来,果然是静悄悄的。走廊上倒放着许多木器,似乎放在这里,待搬走的样子。楼下大厅,以前是个最伟大的一个会客室,现在却空洞洞的,只零乱着有两三件桌椅,各处的窗户都闭着,玻璃窗上还有几处落下了玻璃,各处挂的帘子都取消了,满地正显着许多碎纸木片与几分厚的积灰。心里正如此想着,为什么就乱到这种程度?只见李升提了一个包袱哭丧着脸,低头走来。陈二姐道"李爷,送东西上哪儿?"李升蹲了蹲身子道:"陈二姐,我散了。"陈二姐道:"哟!李爷是老人啦。"李升站着回头看了看,低声道:"也只怪我嘴直,多说了几句话。这话可又说回来了,咱们不是那种吃主子饭,望主子家出事的人,这话说出去,总是可以听的。大爷不高兴了,今天对我说,让我回家休息休息,工钱照日子给了,赏了我一百块钱。这一包袱是七爷赏我的旧衣服。陈姐,我没想到这样下场,我打算明天上山辞辞老太太。"陈二姐道:"你别去了。"于是把金太太在山上的情形,说了一遍。李升叹了一口气道:"那末,请你替我向太太告辞罢。大爷后天搬到西城新宅里去住,这两天我还是要来。再见罢。"说着,用袖子揉揉眼睛走了。

陈二姐走到上房,先看看凤举来,他踏了一双鞋,长夹衫倒有好几个钮扣敞着,口里衔了烟卷,在走廊下来回踱着。陈二姐未曾上前,老远的就叫一声大爷。凤举看到,倒吃一惊,问道:"你怎么来了?有事吗?"陈二姐道:"倒没什么事。五小姐六小姐和七爷,后天动身了,老太太叫我来瞧瞧。"凤举道:"今天是天气不好,不然,今天就到西山去了,明天准去,瞧什么呢?"陈二姐道:"老太太说,不让去呢。"佩芳听她说话,在屋子里伸出手来招着,让她进去。陈二姐进去看时,屋子全不是个样子,第一就是四周墙壁空空的,所有字画陈设一齐除了。便是桌椅也减少了许多,倒是箱柜见多,全在各处堆叠着。佩芳道:"你瞧,都走了,剩下我们两口子,也没法看守这大屋子。所以我们也只好是走。我们是后天搬了。老太太怎样不让人去?我还有许多事要报告呢。"陈二姐听了这话,也不知能不能把实话说了出来,只得先笼统的说了一句道:"老太太那个脾气,你还不知道?"佩芳也没有料到有什么特殊情形,也就不曾追问。

陈二姐稍坐一会,又到敏之屋里来,这里是更凌乱了,只有床和桌子没动。陈二姐便问:"后天上车,为什么行李都先两三天收起来了?"敏之道:"预备今天一早就上山去,后天回来就上车,哪晓得天气这样坏。"陈二姐又把金太太的意思告诉了。敏之皱眉道:"这是什么意思呢? 我们这回出门,说不定是三年五载回来,怎么老太太不让我们见一面再走?"陈二姐道:"晚上我慢慢告诉你罢。你在城里有什么事,只管去办。"敏之道:"这话我倒有些不明白,难道老太太连我们要走的人,都恼恨起来,不愿见我们吗?"陈二姐道:"自然有个道理,你忙什么呢?"润之在一边听了,许久皱着眉道:"陈二姐干吗也学得这种样子?有话只要搁在肚子里。你要是憋到晚上再告诉我们,我们这一天也不能好好的过着,心里会老惦记着这事。"陈二姐道:"只要二位小姐上不山去,我就可以告你。"于是把金太太这两天在佛前枯坐的情形,说了个大概。敏之、润之彼此对望着,许久做声不得。润之皱了眉道:"老太太这种情形,简直要成了死灰槁木才痛快。我们若是走了,她越发对世情要冷淡起来,我们岂不是逼老人家上梁山?"敏之叹了口气道:"当然哪,不过这也不止我们一两个人负这种责任。"润之道:"我们决不能让母亲就这样在山上住一辈子,我现在不走了,必要把她老人家安顿好了,我才动身。要不然的话,我们万里迢迢,远隔重洋,无论作什么事,也是不放心的。"敏之也点点头道:"果然的,我觉得也是要把母亲的事安顿好了才能够走。"陈二姐皱了眉道:"哟! 这可是我惹下的祸。"敏之道:"有你什么事?你想,你不来报告,我们明天还不要上山去吗?看见了老太太那样子,我们当然也是不能走。"陈二姐站在一边，默然了许久，忽然微笑道："我想，这件事，不如请四小姐回来，多少准有个办法。"润之笑道："你是说我们姐儿俩，拿不出一个准主意来吗？"陈二姐道："我的小姐，多早我敢这样说呀？我想四小姐是出了门子的姑奶奶，有些事情经验过的，或者她说的话，老太太就相信一点。"敏之想了想道："找回来谈一谈，倒也是不坏。那末，你就去打一个电话罢。"陈二姐也怕这事僵了，就打了个电话给道之。道之因兄弟妹妹要出门，本来是要回来一趟，得了这个电话，她马上就回家来。及至见了敏之，知道了详细的情形，便道："你们要走只管走，老太太还有这些儿女在身边，有什么事，我们就不能管，非留着你们在北京不可吗？而且你们不走，也不见得老太太就肯下山，也许她就因为这件事，更加是不快活呢。"敏之、润之也没拿定主意，又把燕西找了来商量。燕西倒是最好说话，他说，听两位姐姐的便。道之笑道："这样说，人家还要你来商量什么？我看还是你们走的好，一来大家什么都筹划好了，外国还有人等着，若不去，等的人还不知道有什么变卦。二来你们不走显然是为了老太太，老太太决不肯负这种责任，误了老七的前程，又误了五妹六妹的婚姻。老太太原是静养得很好的，只因为你们去搅乱了她，所以不能静养。你们为顾全老太太起见，你看是走还是不走呢？"他三人听了这话，仔细研究一番，本来各人都是急要走的。既然四姐说出这些理由来，也就不必留在北京了。经过几个钟头的商议，结果还是按期动身。不过另外还有一个问题，就是三个要走的人，是不是要到西山去向金太太辞行？道之极力主张不要去，说是："原为老太太不愿见我们，才让陈二姐来拦阻你们的，你们又何必去呢？你们原是要老人家心里安适，我们去了，老太太心里安适，我们就去。我们不去，老太太心里安适，我们就不去。这是极易解决的一件事，何必只管犹豫？"大家原是心里有些不定，经道之如此说了，深感到不去的为是，于是就不去了。

润之、敏之因为此番出洋，已是第二次，并不怎样受人家的应酬。只有燕西想到今日果然出洋，自是一喜。想到因为自己无可托足，才出洋的，又发生不少的感慨。在他自己，也不知是悲是喜。不过他一班男女朋友，知道这个消息，都少不得请他一餐。白莲花、白玉花那里，已经有半个月不去了，最大的原因，就是自己要出门去，二花已经有些知道了，表面装着麻糊，拚命和他要钱买东西。燕西心里也有些明白，先还借故推辞，故意俄延了日子，后来感到俄延不了，他就说身体不舒服，不去见她们。她们来了电话，也是不接。二花心中明白，在燕西朋友面前，只说金七爷这个人真不好伺候，说翻脸就翻脸，真让人寒心。我们姐儿俩，还有什么对他不住的地方吗？朋友们谁又不知道他们的事情？都是一笑置之。燕西对于这事，觉得不过是花了些冤钱而已，也就不怎样放在心上了。次日上午，刘宝善专请燕西在公园吃早茶，有话要谈。燕西以为特别，也就来了。到了茶座那条路上，早

早看见刘宝善同了两个女子，在那里坐着嗑瓜子。燕西看那两人，正好像是二花。若果然走上前去，说起话来，这半个月工夫，做什么去了？现在刘宝善请客，又正是饯行的表示，自己都要到外洋去了，事先对于二花都不给一点消息，有点把人不当朋友了。如此想着，是上前去还是不上前去呢？自己就有些犹豫。偏是那刘宝善眼尖，远远的就看到了燕西，在茶座站立起来，用手向燕西连招了两招。燕西要想麻糊过去已是不可能，只得也取下头上的草帽子，在空中招展着，作为向他答礼，脚步一面也就迎上前去。白莲花跟着站了起来，拿了一条大的花绸手绢，举起来左右晃动。燕西走到茶座边，她首先笑着叫了一声七爷，满脸都是笑容，好像并不知燕西要走似的。白玉花却不然，坐在那里不动，手里端了一杯柠檬水，只管在那里喝。及至燕西扶开椅子坐下去，她才抬起头来，向着他笑道："短见哪，七爷！"说毕，眼睛一瞟，向他撇嘴一笑。燕西笑道："短见是短见，不过这些时候，我忙着收拾东西，所以少看你们。论起来，原是可以原谅的。"白玉花鼻子里哼一声道："收拾东西，就要两三个礼拜吗？"白莲花心里正也怨着燕西，只是不便怎样说他。现在白玉花在说那俏皮话，正可以替她泄忿。她并不拦阻，依然站在那里，手上只管将那条手绢，不住的舞弄着。刘宝善恰是不会看风色，他笑起来道："别忙呀！招手绢这是明天在车站上的事，干吗在这儿就招了起来呢？"白莲花道："照说，我们是应当到车站上去送行，可是金府上的人，到车站上送行的，一定也是很多，他们不会把我打出站来吗？"燕西笑道："言重言重！"二花都笑了。燕西对于刘宝善，不大高兴之下，心想，你知道我是和她们断绝来往的，为什么一大早的就把她招请在一处，让我大为扫兴一下？于是也不说什么，只是微笑着。茶房知道人到齐了，便将早茶的菜牌子递了过来。燕西接过来看时，是鸡蓉汤，牛排，什锦盒子，煎布丁，咖啡。摇了一摇头道："早上我什么东西也不要吃，和我来个牛油茶就得了。"刘宝善笑道："你总得吃一个菜，或者……"燕西皱了眉道："你难道不知我的脾气？"刘宝善原是要闹着玩儿的，就不敢勉强了。他和二花，倒是老老实实的各吃一份早茶。燕西把一小杯牛油茶喝完了，推说有事，站起来就走。二花都说再见，明日恕不奉送了。燕西口里和人家客气着，脚下是不停的走，已经走到老远去了。

　　不料刚刚逃出这个难关，在走廊拐弯的地方，一位摩登姑娘迎面而来。近前一看，不是别人，正是白秀珠。这真巧了，她为什么也是早上到公园里来？走廊两边有短栏，当然不便跨进短栏去躲避她，只好迎面向她一点头道："早哇！"秀珠道："七爷还有工夫逛公园吗？"燕西随口答道："是刘二爷一早打电话叫我来的，所以我没有多停留，我就要走了。"秀珠道："我听说你早就走了，所以也没打电话给你。大概还有几天动身吗？"燕西停了停，笑道："对了，还有几天。"秀珠道："怪了，刘二爷为什么也打电话给我？我倒要去看看。"说毕，弯腰一个鞠躬就走了。燕西对着她的后影望着，呆了许久，点点头又长叹一口气，然后才缓缓出园回家去。因为自己东西都已收拾齐了，反而觉得清闲着没事做，只好走到敏之屋子里来坐着。敏之、润之也是没有事做，在屋子里一张空桌子上打乒乓球。燕西道："大清早的，就干这个？"敏之笑道："东西都收起来了，书也没有得看，家里也没有人，怪无聊的。"燕西笑着，接过润之的球拍子，也要来一个。润之也不争夺，就让开了。但是敏之又不肯来，走到后面花园子里去闲步。燕西无所事事，也是跟着她们走。这样糊里糊涂的混了一天。到了晚上，所有搬出去的男女兄弟辈，都回来话别，到了夜深，方始散去。次日一早，阿囡将动身三人的随身零用物，也收拾好了。到了中晌，是鹏振夫妇，在西车站食堂饯行，全家人作陪。所有十几件行李，由李升、金荣二人，送到车站去，先挂上行李票。

　　到了十一点多钟，敏之、润之、燕西三人，共坐一辆汽车到各家亲友地方，辞行完毕，直接到西车站食堂来。本来这都是家里人，在一处吃饭是常事。可是大家心里，都有一种说不出的感想，觉得异乎平常。玉芬笑道："不短人了，就请坐罢，一定要到了火车上，三位的心，才能够安的。"鹏振夫妇坐了主席，大家不分次序坐下。玉芬对茶房道："拿两瓶香槟来。"敏之道："这又何必？"玉芬笑道："不！这里面有些原因。二位妹妹，大概是会在外国结婚的，我们不能亲贺，只先贺了。老七当然去读书，已是可贺，也许在外国再结婚……"她说到这里，才觉得失口说出了一个再字，这是很令人家不欢喜的，只好将声音提高了，把事情扯开。笑着连连向茶房招手道："来来来，开香槟罢。"茶房于是拿了两瓶酒，向满席斟起来。斟完了，玉芬端了一杯酒，站起来笑道："喝罢，贺你们三位，以壮行色。"大家听了这话，也跟着站了起来，自然都是随便喝一点。惟有燕西不同，端着杯子，将底子朝了天，一杯香槟，一口气就喝完了。玉芬笑道："老七还喝吗？"燕西将杯子向旁边一伸，对茶房点了点头道："来！"茶房笑着将香槟又向玻璃杯子里斟下去，燕西端起来就喝下去了。而且咳了一声，表示喝得很痛快的样子。玉芬待再要叫茶房斟酒时，鹏振对她以目示意，头微微的有些摇摆。玉芬会意，笑道："老七怎么今天放起量来了？香槟是很贵的，我请不起客，我不再让你，给你来汽水罢。"燕西摇了头道："不！三杯同大道，至少还得来上一杯。"玉芬且不答复他的话，先用眼睛，看看同桌的人，是什么颜色？敏之很知道这其间的用意，便向燕西道："你大概是打算喝醉了，到车上去躺着。出起门来，我们都希望你照应我们一点儿。这个样子，倒会要我们去照应你。"燕西笑道："香槟酒像甜水一样，要什么紧？多喝两杯，也不过开开胃口，与脑筋不相干的。"梅丽靠了燕西坐着的；手上端了八成满的一杯香槟，放到嘴边，抿了抿，然后笑向燕西道："喝罢，七哥我陪你一杯。"燕西自己走下席来，在旁边桌子上拿起香槟瓶子，就向酒杯里倒，站在那里举杯子对梅丽笑着，也不说什么，端起杯子来就喝了。梅丽只喝了半杯，摇着头就放下了。玉芬笑道："够大道的了。你可以止矣了吧？"燕西放下杯子来道："好！要喝到火车上喝去，我不喝了。"大家说笑着吃起来，把这喝酒的事，就揭开去了。

到了上咖啡的时候，燕西首先站起来，笑道："我们可以先上东车站瞧瞧去了。"说着，和茶房要个手巾把，先走出食堂去。梅丽在后面跟着走了来，笑道："七哥！我们一块儿走，咱们不过一两小时的盘桓了。"走到正阳门那箭楼下，燕西对箭楼看看，然后向那对石头狮子呆立着点点头道："朋友，我们再见了。"说毕，还把手一挥。梅丽挽了他一只手道："你真有些醉了吗？"燕西且不理会她的话，又向前门大街，来来去去的行人车马，注视了一番，然后昂着头叹了一口气。梅丽以为他是真醉了，挽了他那只手胳膊，就拖向东站里面走。车站行李处，金荣、李升都把行李料理停当了。见燕西走进来，便迎上前道："七爷就来了，早着呢，开车还有一个钟头。"燕西道："我先来瞧瞧。"于是金荣在前引路，将他兄妹引上头等火车去。敏之三人，共要了两个包房，而且是两房相通的。二人走上车来，燕西先叹了口气。梅丽道："男子汉大丈夫，四海为家，今天出门，你干吗总是这样不快活？"燕西坐着望了她道："妹妹，你瞧，我们闹到这步田地，我自得无路投奔，只好去出洋，这还有什么快活吗？你要知道我这回出洋，自己的前途，一点没有把握。能不能回北京，固然是不能说，就是能回北京，也未必还是坐头等车来吧？所以今天离开北京，我是大大的要变更环境的了。想起这样亲密熟悉的北京，我能不叹上两口气吗？"梅丽听了他的话，不由得心里有种深深的感触，立刻也是眼眶儿一红，两手按了膝盖，在那软椅上坐着，还只管低了头。燕西到此时，也没有什么话可说，在网篮里翻出一筒烟卷来慢慢的找着火柴，慢慢点了烟卷抽着。偏头看车外月台上的来往男女，只管出了神。也不知道有多少时候，回过头来看时，只见梅丽脸上，挂了两条泪痕。她手上捏了手绢，不住的在两腮上揩着。燕西道："你这又是小孩子脾气了，刚才你还教导我，说是要四海为家，怎么一会儿工夫，自己倒哭起来了？这不是笑话吗？"他不说则已，一说之后，梅丽索性呜呜咽咽，放声哭将起来。燕西低声道："不要小孩子脾气了，送客的人是很多，一会子让人看到了，你看那有多么不好意思。"梅丽极力将哭忍住，用手绢不住的擦着眼睛，便默然的坐在一边。

燕西向外看看，只见刘宝善、孔学尼这班熟朋友，共有二三十位，很杂乱的拥在月台上站着。燕西落下了窗上的玻璃板，伸出头来和大家打招呼。这一群人，自己也不知道和哪个人说话合宜？只是谁走近来，他就向谁点头说上两句。接着敏之、润之上车，送客的女眷们，也陆续的来着，人丛中立刻加上了一种脂粉香味。有些女眷们，比较亲近些的，都走到车上来谈话。这时除了两个包房里已经挤满了人而外，就是包房外的小夹道，也是拥挤着许多人。来往的人，都感着极不便利。敏之就出包房来向大家点头道："各位请便罢，这样拥挤着，在车上怪不舒服的。"大家上车来，本是送出洋的远客，可是到了车上，找不到远客话别，却是送客的自己互相说话，这也很感到无聊。既是敏之请大家下车，有些人趁机下车去了。只有金府上自己的人，还在车上坐着。后来金府上的人，也因钟点到了，陆续下车。梅丽坐在燕西那包房里，总还不走。燕西道："快要打点了，你下车去罢，要不然你会让火车带到天津去的。"梅丽站起来，看了看手表道："还有十分钟呢，我再坐一会罢。"燕西不但是对于这位妹妹，对于全火车站的人，可以说都舍不得离开。梅丽向车子外看了许久，都呆住了。敏之走过来握着她的手笑道："好妹妹，你下车去罢，真要让我们带到天津去吗?这一别，也没有多久的时候，也许两年三年一齐都回北京来了。也许两年三年，我们都在欧洲相会。"梅丽道："怎么会在欧洲相会呢?"敏之笑道："这话倒亏你问，难道外国就许我们去，不许你去的吗?"正说到这里，当当当，一阵打点响，车上就是一阵乱，送客的人纷纷下车。敏之也催着梅丽道："下车去罢，下车去罢。"说着，就挽了她一只手膀，扶了她走出包房来。梅丽也怕让火车带走了，匆匆的就向火车外走。走到月台上时，看到那些送客的人，都高举了帽子，在空中招展。车子里的人，也不能再有什么话可说了，只是笑着向送客的人点头而已。百忙中，汽笛呜呜叫着，火车卜通的响了起来。车轮子向东展动，已是开车走了。车窗子里的人，慢慢的移着向远，敏之、润之都拿了一条长手绢，由窗户里伸了出来，迎风招展。但是人影越远时，车子已走得越快，许多人由窗户里伸出手来挥帽子挥手绢，已经认不出来哪是敏之、润之的手了。梅丽手上也是挥了手绢，还跟着火车跑了几步，然后突然站住，向火车后影子都望呆了。这其间，惟有燕西作的法儿最令人注意，他用几十丈的小纸条，卷成了个小纸饼，早是把纸饼心里的一个纸头抽了出来，交给车下站的道之，他在车窗子里捧着纸饼。火车开了，纸条儿由里抽动，拉得挺长。不过几十丈长纸条，终于不够火车一分钟的牵扯。当梅丽看着发呆的时候，道之手上，兀自捏着在地上拖长了的纸条一端。纸条儿拉不住火车，火车可把靠窗眺望的金燕西，载出了东便门。燕西在火车上先是看不见家人，继之看不见北京的城墙，他与北京城的关系，从此停顿一下了。

　燕西出了东便门，这里送的人，也纷纷出了东车站。梅丽是跟着道之住的，这时却不上道之的汽车。自己家里一辆大汽车，今天凤举还坐着，梅丽就和佩芳一路上去。道之在车上还开了车门喊着。梅丽道："明天我要坐这车到西山去，今天不上你那儿了。"于是跟着凤举夫妇一路回乌衣巷来。到家以后，大门口鸦雀无声。大门半掩，下车直走进去，也无人问。楼门下，原来第二道门房的地方，一张旧藤椅子，有个老门房在那里打盹。人走到身边,他才猛然站起。凤举原来极讲家规,现时却也不去理会他。走了进去,一重重院落,都是倒锁着院门。凤举这院子里,门虽是开的,房子里东西,都搬得堆叠到一处,中间屋子,更是四壁空空的,而且是一个人没有。佩芳便连连叫了两声乳妈和蒋妈,走廊外有人答应着走了出来,并不是蒋妈和乳妈,乃是金荣和他姊姊陈二姐。佩芳道:"蒋妈哪里去了?"陈二姐笑道:"这些空屋子里剩下来的破布头,破纸片,清理清理,里面可是有不少的好东西,真许在里面可以寻出钞票来。大家都不在家,她们为什么不去捡一捡便宜?"佩芳道:"乳妈罢了,来的日子不多,蒋妈是见过世面的,何至于闹到这步田地?"陈二姐笑道:"在这儿雇工的,谁不是这样?这也不是蒋妈一个人的事。"说着,蒋妈抱了一个大包袱来,见佩芳回来了,却笑着向后退去。梅丽看了这种情形,觉得用了这些年的老妈子,还是不免见财起意,一点规矩和情面也不顾。可见人家有钱有势,是坍不得台的,一坍台,各人的丑相都露出来了。她如此想着,却又不信空屋子里真会有钞票可捡,于是自己也就走了几间屋子,伸着头向里面去看看。一个屋子还罢了,惟有那一间更套着一间屋子的所在,空空洞洞的,宽大许多。一人咳嗽着,屋子里似乎还有回响,加之屋子里花格子的双合小门,被人震动,有些摇撼,仿佛空屋子里东西有些作怪,吓得一缩脚,立刻就回去。她来看空屋子的时候,一径的走来,不觉走了几个院子。这时走回去,经过燕西住的旧院,是个火场。天已晚了,一抹残阳,在秃墙上照出金黄色来,映得这院子很是凄凉。有几根没有烧死的瘦竹子,被风吹着,在瓦砾堆里,向梅丽点着头,好像是几个人。梅丽不觉身上一阵毛骨悚然,掉转身子就跑。走过月亮门,忘了跨过门槛,卜都一声摔了个大跟头。所幸无人看见,站起拍了拍两腿的黑灰,跟着就向佩芳院子里来。到了屋子里,还是不住的喘气。凤举看她脸上青一阵白一阵的,便问为了什么? 梅丽说是看到空屋子害怕。凤举倒说她太孩子气。佩芳也笑了一顿。梅丽有些生气,就不和他们说什么了。到了吃晚饭的时候,她只用开水啇了大半碗饭吃,就说有些头晕,自去睡觉去了。

次日一早起来,天色依旧是那样昏沉沉的,又是黄沙天。当梅丽起来时,陈二姐在院子里徘徊着,只管抬了头望着天上。看到梅丽来了,便道:"八小姐,天气非常之坏,你今天不要出城去罢。"梅丽道:"不行,我马上就要走。昨天晚上睡在这里,就像在大庙里一样,一点人声音没有,向窗子外看着,黑洞洞的。"陈二姐道:"今天大少奶就搬家了,晚上又不在这里住。"梅丽道:"晚上不在这里住,就是白天,我也有些害怕。五小姐六小姐和七爷走了,我怪难过的。到山上去混一两天再回来,就不觉得了,你找车夫开车罢。"凤举在屋子里收拾东西呢,便答道:"车子是有。汽车夫是借用几天的,昨晚上他就走了。你要出城,只好让金荣开车子送你们去。"梅丽只要有人送,倒不拘是那个,就要陈二姐去催着金荣开车。金荣正也想去见金太太，好决定个下场办法，就很快活的答应开车。梅丽一动了要走之念，比什么人还急，忙着梳洗了，就和凤举告别。佩芳一直送到大门口来，向她笑道："这样的黄沙天，你也是一定要走，见了老太太，可别说是我们不留你。你对老太太说，我们今天就到新屋里去住，这边算是完全空出来了。"梅丽答应着坐上车去。等了许久，却不见陈二姐出来，梅丽急得只是跳脚。蒋妈跑出来报告道："小姐下午再走罢，陈二姐忽然脑袋发晕起来，上不得车。"梅丽道："上不得车，她不去就是了，干吗要我等着呢?"说着话时，用手敲着座位前的玻璃板，向金荣道："你快开罢。"金荣一想，好在是自己的车子，下午再跑一趟，也没有什么关系，于是开了车子就飞奔出城来。

出城以后，风虽不大，那黄沙下得却是极重，几丈路以外，就有些模糊。金荣虽是将车子开得极慢，还碰伤了一条野狗。他只得一路按着喇叭，慢慢前进，比人走路，也快不了许多。梅丽急着跺脚道："什么时候才能到呢?急我一身的汗。"金荣索性不开车了，扳住了闸，回转来，用手绢揩着额头上的汗道："我的小姐，我的心碎了。现在连五丈路以外的东西，全看不见，别说怕碰着人，碰上了一棵树，或者开到水沟里去，那怎么办?我瞧是慢慢的走，走得比人慢才行。到了万寿山，把车子寄在车厂里，再换洋车走，那就安心得多了。"梅丽鼓了嘴，气得不做声。梅丽坐在车子里，恨不得跳了出来。想了许久道："不如回去罢。"金荣道："回去路也不少，一样的怕出毛病呢。"梅丽没有什么可说的了，只向车子外张望。过了一会，有几匹驴子，挨车而过。驴子上的人，都向车子里看来。其中一个，却是谢玉树。两个人打个照面，随着点起头来。谢玉树向车子看看，以为是出了毛病，跳下驴子，就向金荣问道："是车子坏了吗?让我去和你找几个人拉罢。"金荣和他本是很熟，便道："车子没坏，只是我不敢开。黄沙特重，我怕撞了人。到了万寿山，我把车子存到车厂子里，我就可以雇洋车，送我们小姐到西山去了。"谢玉树就走到车门边，向梅丽道："八小姐，要不然，请你骑我的驴，我先送你到颐和园门口，等着你们管家，省得在车子里着急。"梅丽开了车门，站在车子边，笑道："我骑驴让谢先生走，我也是过意不去呀!"谢玉树道："这也无所谓。"他只说了这句话，不能再有其他的解释法，也是向梅丽站着。和他同路走的几匹驴子，早是走远了，那个驴夫站在驴子后面望了他两人，只是呆着，可又说不出什么来。正犹豫着，他发现路旁月老祠边，停有几辆人力车，他就插嘴道："那边有空车，先生，你还是骑我的驴，让这位小姐坐了车子去，你看好是不好?"谢玉树向着他手指的所在看去，笑道："那就好极了，你快去把车子叫过来罢。"梅丽笑着，倒是并不推辞。驴夫把车子叫了过来，那车夫看是坐汽车的小姐要坐车，不肯说价钱，只管让梅丽上车，说是瞧着给。梅丽也就只好上车，笑起来道："现在算是人力车上前，要等汽车了。金荣，我在哪里等

897

着你呢?"金荣听说,倒愣住了。颐和园外面,虽然有一条小街,开了几家茶饭铺,可是那种地方,如何可以让小姐进去?想了许久,才笑道:"除非是咱们倒退回海淀去,那里可以找出干净点的地方坐着,我把车子安排好了,再坐洋车重来,同到西山去。"梅丽道:"怎么着?来来去去,我们是要在大路上游春吗?"谢玉树道:"我倒有个法子,过去不远,就是敝校,八小姐可以先在敝校接待室等着。贵管家把汽车开到那里,我可以找个地方安顿着。我听说两位伯母都在西山,我今天没事,然后我可以送八小姐去,顺便和伯母请安。"梅丽笑道:"那可不敢当。"金荣道:"就是这样办罢,八小姐可以到谢先生学校里先等一等。"说着话时,谢玉树又骑上了驴背,笑向梅丽道:"趁这个机会,到敝校参观参观去,不也很有意思吗?"梅丽心里可就想着,这有什么意思?不过面子上,倒不十分拒绝。只好说:"好,我瞧瞧去罢。"人力车夫早是不肯将买卖放过,扶起车把,就拉走了。谢玉树一提缰绳,驴子由车后也追了上去,紧紧贴着,向前走来。一车一驴,慢慢的在柳树林下,走到黄沙丛里去,渐渐有些模糊了。金荣看到,却想起一件心事,那年春天,七爷骑马游春,不就是在这地方遇着七少奶奶的吗?这个样子,很有些相像,而且他二人,似乎也很有爱情,不过金家不是当年了,他俩将来又要演出一些什么悲欢离合,可不得而知呢。世事就是这样,一场戏紧跟了一场戏来,哪里一口气看得完呢?正是:西郊芳草年年绿,多少游人似去年?

898

尾　声

消息索哀词人悲秋扇
生涯寄幻影梦老春婆

　　光阴似流水一般的过去，每日写五百字的小说，不知不觉写了八十万字。用字来分配这日子，加上假期又有误卯的时间，这部《金粉世家》，写了六年了。在楔子里面，我预先点了一笔，说一年作完，不料成了六倍的时间。然而就是六倍的时间，昨天也就完了，光阴真快啊。当我写到《金粉世家》最后一页的时候，家里遭了一件不幸的事件，我最小偏怜岁半女孩子康儿，她害猩红热死了。我虽二十分的负责任，在这样大结束的时候，实在不能按住悲恸，和书中人去收场。没有法子，只好让发表的报纸，停登一天。过了二十四小时以后，究竟为责任的关系，把最后一页作完了。把笔一丢，自己长叹了一口气说："算完了一件事。把这件事告诉我的朋友。"他在前两个月，忽然大彻大悟，把家庭解散了，随身带了小小包裹，作步行西南的旅行去了。这个时候，大概是入了剑阁，走上栈道，快到成都了。我就再想写些金家的事情，也是不可能。金家走的走了，散的散了，不必写得太凄惨，太累赘了，适可而止罢。我如此想着，如释重负。

　　又有一个朋友到我家来安慰我，他是有《金粉世家》迷的，每日非在报上看完一段不可。现在见我桌上的稿纸，已把小说写完了，他大不谓然，说是没有交代的人太多。我就问道："依你的主张，要交代到什么程度，这小说才算完卷呢？"他对于我这一问，一时倒答复不出来，踌躇着微笑。他想了许久，才道："依我的意见，最好是书上的人，全有个交代。甚至伺候敏之、润之的阿囡，玉芬的丫头秋香，我在书上和她发生了一点友谊，我总希望知道她一个结果。就是冷清秋的下场，你虽先在楔子上面点明白了，她成了个卖字的妇人，可是不能卖一辈子的字……"我不等他说完，笑道："这样说来，恐怕我没有那样长的寿。你想，我写金家一年多的事，已经费了六年的时间，写他们家十年八年的事，那要多少日子呢？"朋友一想，这话也对。便道："就让你收束罢。不过我要问句外行话，假使有人不愿它完，跟着续了下去，你有什么感想?"我说:"我没有感想。因为我作《金粉世家》，是我导演一出戏。有人续撰《金粉世家》是他导演一出戏，各干各的，有什么关系?"他听了，也就点点头。我把话说完了，又勾起了我别的心事。我想，作小说是我在这里导演，可是我身后，还有一个造化儿在那里和我导演，假使有人和我作起小说来……我那朋友，他以为我又在悲恸，便用话来扯谈道:"你这书爱看的人不少，编一个剧本来演几幕戏，也许能叫座，你以为如何?"我道:"这不行，这部小说，不过是写着富贵人家一本破烂人情账，不成片段。"朋友道:"这样一部大书，不能无一诗一词去题咏它，你喜欢作诗的，何不来首七言古，总结一笔?"我道:"我没有这心绪，老僧从此休饶舌，后事还须问后人罢。"朋友不过是扯谈而已，只要我不发愁，倒不去管，陪着我说了许多话，又拉我上了一次公园，方才分手。不过他这几句话，却引起了我一件心事。记得我那朋友，对我说过，冷清秋在小楼的时候，百般无聊，很感到人生无趣，大有厌世之意。虽其间她是否寻过短见，外人不得而知，可是她却填了三阕《临江仙》，表示她那时候的感想。那词我还记得乃是:

> 银汉红墙消息断，夜阑梦也匆匆。茜窗人去碧廊空，西风飞白露，冷月照孤松。
> 几次欲眠眠不得，蕉心剥尽重重，隔屏数遍五更钟，泪珠和恨滴，封在枕函中。
> 说与旁人浑不解，愁多转觉心闲。纸窗竹户屋三间，垂帘无个事，抱膝看屏山。
> 一楼沉檀萦佛火，小楼今夜新寒。斜风细雨扑疏栏，残更来永巷，如水梦初还。
> 忏尽红情犹有恨，隔帘羞见牵牛。凄凉佛火黯高楼，拥衾无一语，敲折玉搔头。
> 但愿思君休再梦，梦时醒也还休。倩魂频断莫勾留，好乘今夜月，一探广寒秋。

这三阕词，不是一夜作的。但是这第三阕词，说的是很明白的，又是恨，又是忿，恨极忿极，梦也不要做，魂断了也不必去踌躇，香销玉碎了就拉倒。大概总是有这样一个晚上的了。这三阕词，据我看来，虽说不能成家，可是里面也不无一二句可取的。朋友二次来了，我就把词念给他，他听了倒十分欣赏。他本写得一笔好字，后来因为和书画展览会写扇面，就把这三阕词写上去了。而且在词后面隐隐约约，加了一段按语，说这三阕词是位朱门弃妇所作。这扇面子在会场里展览起来，人家不赏玩字的好坏，倒要研究这词是哪种妇人所作。偏是为了新闻记者打听去了，在新闻里宣布起来，参观的人，更是注意。后来来了一个中学校的男学生，出了八块钱，把这面扇子买了，而且当时就要拿走。会里人说，在没有闭会以前，陈列品不能拿走，可以先开张收条给他，到了闭会的日子，有一定的地方，凭条换扇面。那青年人再三的说，非拿去不可。最后他说明，他和这把扇面上的题字，有些关系，人家就只好让他拿走了。我那朋友把这事很高兴的告诉我，料着这位青年，便是冷清秋的儿子。不然，一个穷学生，不肯花许多钱买把扇面的。我想，或者有之。好在我这部书，年月地址，越糊涂越有趣，承认了我朋友的话，不过是糊涂里加上一层糊涂，倒也没关系。将来有人要续书，却也不愁没有线索可寻。

　　这是初夏的事情，到了这年秋天，事隔数月，我已经把这件事忘了。一天和那朋友同去看有声电影，把这旧案又重翻起来。原来这天电影院映的片子，名字是《不堪回首》，是个哀情片子。我们到影院入座以后，马上就开映了，倒也没有计较别的。可是在我们前一排的座椅上，有一个妇人，不断的批评这影片里的情节。她是和她身边一个半大孩子说话，声音非常之低小，听不出来究竟批评的是些什么。只是后来银幕上出来一个中年妇人，听到她道："这是邱惜珍啦，原来她演电影了，为什么改了名字呢？"我听到邱惜珍三个字，好像很耳熟，一时却又想不出来。及至电影休息的时候，电灯复明，我正打算看我前面这位批评的妇人是个什么样子，不料那妇人连和身边一个穿灰布制服的学生说了几声走，就起身走了。她走的时候，拿一块手绢，不住的擦着眼睛，那眼圈儿可是红红的。那妇人虽有三十多岁，细皮白肉，穿了件半旧黑色长夹衣，不擦脂粉，在端重里面，还透着几分清秀。我仿佛在什么地方看见过她，只是她走得很快，来不及细认她。我那朋友却对我说，那个半大孩子，便是收买清秋词扇面子的人，却不知那个妇人是谁？何以电影不看完就走呢？我一时想不到那样周全，也没有答复我朋友的问题。我自展着影院的一张影报来看，那影报载明着这个片子的主角景华，是大家公子，西洋留学生出身，在德国某电影公司，实地练习电影多年。其夫人秋月魂有演剧天才，亦研究电影有年。我看到这里，不由将腿一拍，心里恍然大悟，这个作主角的，不是别人，就是金燕西。因为燕西单名一个华字，所以他不用号用名，那个景字，不用说，是金字谐音。刚才那个妇人说这个女主角就是邱惜珍，影报上说，她是景华的夫人，换句话说，她是金燕西的夫人了。燕西何以倒和她结了婚，又变成了演电影呢？这件事真是不可究竟了。当时我因为看电影，不便说话，免得吵闹了别人，就搁在心里，先看电影。那电影上的情节，是说一位有钱的青年，在读书的时候，不好好读书，专门去追求爱人，因之把书耽误了。只因家中遭了天灾人祸，家道中落，没有钱供给爱人，爱人和他翻了脸。他一气之下，身染重病。幸而病养好了，神经衰弱，书没念得好，又没一点学问，一点事也找不着。结果，白天在戏院当小工，和人贴广告。后来来了一位大名角，他把广告贴倒了一张，名角大怒，要求戏院老板把他革除。他为了和名角去解释这件事，和她在后台相遇，原来这个人，就是他从前的爱人，不过现在改了一个名字了，于是他掉头不顾而去，电影完了。戏是演得极好，前半段简直就是燕西本人的事。大凡

一个主角，能演着与他有关痛痒的剧本，他一定是演得更亲切。由这一点上来证明，也觉得主角是燕西的化身了。

我那朋友在旁边看到我的情形，追问我是什么事？我把我所想得的事告诉他。他也说："不错，这个男主角，大概就是金燕西。刚才那位冷女士，还是很朴素的样子，没有原故，她不会母子花了两块钱来看电影的。你不见她走的时候，眼圈儿红红的，擦着眼泪想要哭出来吗？"我说："我早就疑到这一点哩。"我那朋友也是点着头拍着腿，连说是是。还是茶房走过来道："二位先生请罢，不早了。"我们抬头看时，座位上已是走得一个人没有，二人大笑起来，方始回家。

由这次看电影起，我得了金燕西的结果，很是欣然。可是过久了，我又疑惑起来，俗言道得好，百足之虫，死而不僵。像金家那样富贵，除了亲戚朋友不去说，就是燕西兄弟姊妹辈，手头多少都有些积蓄的，难道就没人替燕西想点法子和他找条出路？这也并不是把演电影，就当为不是好职业，不过中国电影界，演员向来薪水不多，而且工作很辛苦，尤其是男演员，充量不能过二百块钱。燕西未出洋之前，三四百元月薪的事，他还以为不好，何以出洋之后，倒这样小就呢？我这样想着，把我以前猜想的情形，几乎又要全部推翻。不过我再转个念头，高明之家，鬼瞰其室，燕西倒霉了，他的兄弟姊妹又焉能保着不跟着倒霉？再说，大家庭制度，固然是不好，可以养成人的依赖性。然而小家庭制度，也很可以淡薄感情，减少互助，弟兄们都分开了，谁又肯全力救谁的穷呢？我的思想是如此的，究竟错误了没有，我也不能够知道。

大概是半个月后的工夫，又有张景华主演的片子到了。片子的名字叫做《火遁》。是这个人演的片子，已经能够让我注意的了，加上这样一个奇怪的名字，我不能不去看。那片子里的情节，却是说一个中年丈夫，对一个青年妻子，竭力爱护。但妻子对于丈夫的行为，不大了解。丈夫因为得不着妻子谅解，就到外面跳舞捧女戏子，以至夫妻两人感情更坏。丈夫有一天回家很晚，这妻子恨不过，放了一把火，将房烧了。抱着一个周岁的孩子，跳到火里去烧死了。丈夫看到，要到火里去救人，被救火队拉开了。但是他吃了一大惊，把人吓疯了，以后遇到有火的，甚至一个小炉子，他都要用水去把它扑灭，惹了不少的乱子，结果受伤死了。临死的时候，口里还喊着，火里有个女人，有个孩子，救哇救哇！电影表演得是很沉痛，这分明是隐射清秋火场逃去的一幕，不过把男子说得太好了。于是我知道燕西对清秋，还是不能谅解。假使他母子要看到这张片子的话，又有什么感想呢？天下事却总是相反的，后来我在报上看到一条银幕消息，说是景华主演《火遁》后，声名大起，有许多女子写信给他，和他表示同情。还有许多女子，将自己的相片，亲笔签字在上面，寄了给他。

他最伟大的一张片子，又在拍摄中，叫做《春婆梦》，说是有一个眼看全家盛衰的老太太作主角。我看了这段消息之后，疑他有点醒捂了。然而许多女子迷恋他，他又不难找着出路，走到温柔乡里去，或者再作第二次梦呢。这样说来，千古情场得失，究竟是男子之过呢?还是女子之过呢?

图书在版编目（CIP）数据

金粉世家/张恨水著. —2 版. —太原：北岳文艺出版社，2002. 10

ISBN 7－5378－2023－6

Ⅰ.金... Ⅱ.张... Ⅲ.章回小说—中国—现代

Ⅳ.I246.4

中国版本图书馆 CIP 数据核字（2002）第 076954 号

金粉世家(上、下卷)

张恨水　著

*

北岳文艺出版社出版发行(太原市解放路 46 号楼)

山西新华印业有限公司新华印刷分公司印刷

*

开本:890×1240　1/32　印张:28.625　字数:1038 千字

2002 年 10 月第 2 版　　2002 年 10 月太原第 1 次印刷

印数:1—8000 册

*

ISBN 7－5378－2023－6

I·1957　定价:45.00 元(上、下卷)